Campi del sapere/Feltrinelli

Michael Walzer
Sfere di giustizia

Feltrinelli

Titolo dell'opera originale
SPHERES OF JUSTICE: A DEFENSE OF PLURALISM AND EQUALITY
© 1983 by Basic Books, Inc., Publishers, New York

Traduzione dall'inglese di
GIANNI RIGAMONTI

© Giangiacomo Feltrinelli Editore Milano
Prima edizione in "Campi del sapere" ottobre 1987

ISBN 88-07-10087-8

Prefazione

Intesa alla lettera, l'eguaglianza è un ideale fatto per essere tradito; uomini e donne impegnati la tradiscono, o sembrano tradirla, non appena organizzano un movimento per l'eguaglianza e spartiscono fra di loro potere, posizioni e influenza. C'è il segretario esecutivo che ricorda il nome di battesimo di tutti i membri; l'addetto stampa che è bravissimo a trattare con i giornalisti; l'oratore popolarissimo ed instancabile che fa il giro delle sezioni locali e "costruisce la base". Queste persone sono necessarie e inevitabili, e senza dubbio sono qualcosa di più dei loro compagni. Sono dei traditori? Forse sì, e forse no.

Il significato letterale non spiega il fascino dell'eguaglianza. Se viviamo in uno stato autocratico od oligarchico possiamo sognare una società in cui il potere sia ripartito tra tutti in parti uguali. Ma sappiamo che un'eguaglianza di questo tipo non sopravviverà alla prima riunione di nuovi membri; qualcuno sarà eletto presidente, qualcuno farà un bel discorso e ci convincerà tutti a seguirlo, e prima che il giorno finisca avremo cominciato a dividerci — d'altronde è a questo che servono le riunioni. Se viviamo in uno stato capitalista, possiamo sognare una società in cui ognuno abbia la stessa quantità di denaro. Ma sappiamo che il denaro distribuito in modo uguale la domenica a mezzogiorno, sarà stato ridistribuito in modo disuguale prima che la settimana finisca. Qualcuno lo metterà da parte, altri lo investiranno ed altri ancora lo spenderanno (e in maniera diversa). Il denaro esiste perché siano possibili tutte queste attività, e, se non esistesse, il baratto porterebbe in tempi più lunghi agli stessi risultati. Se viviamo in uno stato feudale, possiamo sognare una società i cui membri siano tutti egualmente onorati e rispettati. Ma anche se possiamo dare a tutti lo stesso titolo, sappiamo di non poter fare a meno di riconoscere, anzi vogliamo poter riconoscere, i tipi e gradi diversi di abilità, forza, saggezza, coraggio, gentilezza, energia e grazia che distinguono un individuo da un altro.

E ben pochi di noi, sostenitori dell'eguaglianza, sarebbero contenti del regime necessario per imporla nel suo significato letterale, ovvero dello stato come letto di Procuste. "L'egualitarismo", scrive Frank Parkin,

sembra richiedere un sistema politico in cui lo stato sia in grado di tenere continuamente a freno quei gruppi sociali e professionali che altrimenti potrebbero, grazie alle loro capacità o all'istruzione o alle qualità personali, ... rivendicare una parte sproporzionata dei vantaggi della società. Il modo più efficace di tenere a freno questi gruppi è negar loro il diritto di organizzarsi politicamente.[1]

E questo è un amico dell'eguaglianza; i suoi nemici sono ancora più pronti a descrivere la repressione che sarebbe necessaria e il conseguente conformismo piatto e terrificante. Secondo loro, una società di eguali sarebbe un mondo di false apparenze, in cui persone che in realtà non sono uguali sarebbero costrette ad apparire ed ad agire come se lo fossero. E questa falsità dovrebbe essere imposta da un'*élite* o avanguardia i cui membri fingerebbero, a loro volta, di non stare là dove stanno. Non è certo una prospettiva allettante.

Ma non è questo che intendiamo per eguaglianza. Ci sono, è vero, degli egualitari che, facendo proprio l'argomento di Parkin, hanno accettato la repressione politica: ma la loro è una fede sconfortante che, nella misura in cui viene compresa, non ha molte probabilità di conquistare proseliti. Nemmeno i sostenitori di quella che chiamerò "eguaglianza semplice" hanno in mente, di solito, una società livellata e conformista. Ma che cosa hanno in mente?

Se l'eguaglianza non va presa alla lettera, che cosa può voler dire? Non è mia intenzione, ora porre le usuali domande filosofiche "Sotto quali aspetti siamo uguali l'uno dall'altro?" e "In base a quali caratteristiche siamo uguali sotto tali aspetti?" Tutto questo libro è una risposta molto complessa alla prima domanda; non conosco una risposta alla seconda domanda, ma nell'ultimo capitolo accennerò ad una caratteristica importante, che, di sicuro, non è la sola: un elenco è una risposta più plausibile alla seconda domanda che un'unica parola o un'unica frase. La risposta ha a che fare col riconoscerci l'un l'altro come esseri umani, membri della stessa specie, e ciò che riconosciamo sono corpi, menti, sentimenti, speranze, e forse anche anime. In questo libro io assumo questo riconoscimento. Siamo molto diversi, ma siamo anche manifestamente simili. E allora, quali assetti sociali (complessi) derivano da queste somiglianze e differenze?

Alla radice, il significato dell'eguaglianza è negativo: l'egualitarismo ha origine come politica abolizionista. Mira ad eliminare non tutte le differenze ma un insieme particolare di differenze, che varia secondo l'epoca e il luogo. I suoi obiettivi sono sempre specifici: il

8

privilegio aristocratico, la ricchezza capitalistica, il potere burocratico, la supremazia razziale o sessuale. Tuttavia, in ognuno di questi casi la lotta ha quasi la stessa forma; è in gioco, infatti, la capacità di un certo gruppo di dominare i propri simili.

La politica egualitaria non nasce perché esistono i ricchi e i poveri, ma perché i ricchi "camminano sulle teste dei poveri", impongono loro la povertà, e pretendono da loro un comportamento deferente. Analogamente, la richiesta popolare dell'abolizione delle differenze sociali e politiche non è dovuta all'esistenza di aristocratici e popolani, o di funzionari e cittadini comuni, né certamente, all'esistenza di razze o di sessi diversi, ma a ciò che gli aristocratici fanno ai popolani, o i funzionari alla gente comune, a ciò che chi ha il potere fa a chi non l'ha.

Dietro al sogno dell'eguaglianza c'è l'esperienza della subordinazione, soprattutto personale. I nemici di questo sogno spesso sostengono che l'invidia e il risentimento sono le passioni di cui è animata la politica egualitaria; e bisogna ammettere che queste passioni imperversano in tutti i gruppi subordinati. In una certa misura ne determineranno la politica: è il caso di quel "rozzo comunismo" che Marx descrive nei manoscritti giovanili, che non è nient'altro che la messa in pratica dell'invidia.[2] Ma l'invidia e il risentimento sono passioni scomode, che non fanno piacere a nessuno, e mi sembra abbastanza corretto dire che l'egualitarismo non è la loro messa in pratica, ma piuttosto un tentativo consapevole di sottrarsi alle condizioni che le generano. O meglio, che le rendono letali: c'è, infatti, un tipo di invidia che si ferma, per così dire, alla superficie della vita sociale e non ha conseguenze gravi. Posso invidiare l'abilità nel giardinaggio del mio vicino o la sua bella voce di baritono o anche la sua capacità di conquistarsi il rispetto dei nostri amici comuni, ma nessuna di queste invidie mi farà organizzare un movimento politico.

Lo scopo dell'egualitarismo politico è una società libera dal dominio. Questa è l'eterna speranza nominata dalla parola *eguaglianza*: mai più inchini e prostrazioni, mai più adulazioni e servilismi, mai più tremare per la paura, mai più altezza ed eccellenza, mai più servi né padroni. Non è la speranza di abolire le differenze: non dobbiamo essere tutti uguali o avere la stessa quantità delle stesse cose. Gli esseri umani sono uguali (sotto tutti gli aspetti politici e morali importanti) quando nessuno possiede o controlla gli strumenti del dominio. Questi strumenti sono diversi secondo le società: nascita e sangue, proprietà terriera, capitale, istruzione, grazia divina, potere statale, tutte queste cose in epoche diverse hanno consentito ad alcuni uomini di dominarne altri. Il dominio è sempre mediato da un insieme di beni sociali, sebbene sia esperito personalmente, non c'è nulla nelle persone stesse che ne determini il suo carattere. Dunque per l'eguaglianza che noi sogniamo non è necessaria la repressione; dobbiamo capire la natura dei beni sociali e controllarli, e non costringere gli esseri umani a essere quello che non sono.

Scopo di questo libro è la descrizione di una società in cui nessun bene sociale serva e possa servire da strumento di dominio. Non cercherò di descrivere come sia possibile realizzarla; sarà già abbastanza difficile descrivere un egualitarismo senza il letto di Procuste, che sia vitale ed aperto, fedele non al senso letterale della parola ma alla ricchezza di contenuti del sogno e compatibile con la libertà. Ma non è neanche mia intenzione delineare un'utopia che non sta in nessun luogo o un ideale filosofico applicabile ovunque. Una società di eguali è realizzabile, è una possibilità effettiva qui e ora, ed è già latente, come cercherò di dimostrare, nelle nostre concezioni comuni dei beni sociali. Le *nostre* concezioni comuni: si tratta, infatti, di un sogno pertinente al mondo sociale in cui si è sviluppata, e non, o non necessariamente, a tutti i mondi sociali; ed essa corrisponde ad una certa concezione di come gli esseri umani stanno in relazione e di come usano le cose che creano per dare la forma alle loro relazioni.

La mia analisi è radicalmente particolaristica: non pretendo di essere distaccato dal mondo sociale in cui vivo. Uno dei modi, forse quello originario, di iniziare a fare filosofia consiste nell'uscire dalla caverna, abbandonare la città, scalare una montagna e creare per se stessi, cosa impossibile per la gente comune, un punto di vista oggettivo ed universale; e allora il terreno della vita di tutti i giorni sarà descritto da lontano, perderà ogni tratto particolare e assumerà una forma generale.

Io, invece, voglio restare nella caverna, nella città, al livello del terreno. Un altro modo di fare filosofia è di interpretare per i nostri concittadini il mondo di significati che abbiamo in comune. Se la giustizia e l'eguaglianza possono risultare costrutti filosofici, lo stesso non vale per una società giusta o egualitaria. Se una simile società non esiste già — nascosta, per così dire, nelle nostre categorie e nei nostri concetti — non la conosceremo mai in concreto e non la realizzeremo mai nei fatti.

Per sostenere che un (certo tipo di) egualitarismo può essere realizzato, ho sviluppato il mio discorso usando esempi tratti dal passato e dal presente, e descrivendo certi tipi di distribuzione della nostra società e, per contrasto, di molte altre. Le distribuzioni non si prestano ad essere narrate, e raramente potrò raccontare le storie come vorrei: con un principio, una parte di mezzo e una fine con tanto di morale. I miei esempi sono schizzi sommari, che trattano degli agenti della distribuzione, delle procedure, dei criteri, dell'uso e del significato delle cose che condividiamo, spartiamo e scambiamo. Il loro scopo è di far intuire la forza delle cose stesse, o meglio delle nostre concezioni delle cose. Noi creiamo il mondo sociale con la testa, oltre che con le mani e quel particolare mondo che abbiamo fatto si presta a interpretazioni egualitarie. Ma non a un egualitarismo preso alla lettera, perché le nostre concezioni, pur mostrando una sistematica tendenza ad escludere l'uso delle cose per scopi di dominio, sono troppo complesse.

L'origine di questa esclusione è, credo, non una concezione universalistica della persona, ma piuttosto una concezione pluralistica dei beni. Perciò, imitando John Stuart Mill, nelle pagine che seguiranno rinuncerò a (quasi tutti) i vantaggi che potrebbero venire alla mia analisi dall'idea dei diritti personali, cioè umani o naturali.[3] Qualche hanno fa, quando scrissi sulla guerra, mi basai ampiamente su questa idea; infatti la teoria della giustizia in guerra può effettivamente essere generata partendo dai due diritti più basilari e ampiamente riconosciuti degli esseri umani, presi nella forma (negativa) più semplice: non essere privati della vita e della libertà.[4] E ciò che è ancora più importante è che questi due diritti rendono conto dei giudizi morali che formuliamo comunemente in tempo di guerra. Insomma funzionano davvero. Ma quando riflettiamo sulla giustizia distributiva servono poco. Li invocherò soprattutto nei capitoli sull'appartenenza e sull'assistenza, ma anche lì non ci porteranno molto lontano. Il tentativo di costruire una spiegazione esauriente della giustizia o una difesa dell'eguaglianza moltiplicando i diritti trasforma rapidamente in farsa ciò che moltiplica. Se di tutto ciò che secondo noi la gente dovrebbe avere, diciamo che la gente ha diritto di averlo, non diciamo poi molto. Certo, gli uomini e le donne oltre a quelli della vita e della libertà, hanno altri diritti, che però non derivano dalla nostra umanità, ma da concezioni collettive dei beni sociali, e hanno un carattere locale e particolare.

Nemmeno il principio di utilità di Mill può servire come punto di riferimento decisivo nelle dispute sull'eguaglianza. Temo che l'"utilità nel senso ampio" possa servire qualsiasi causa. Ma l'utilitarismo classico sembrerebbe richiedere un programma coordinato, un piano centralizzato altamente specifico di distribuzione dei beni sociali. Benché questo piano possa dare luogo a qualcosa di simile all'eguaglianza, tuttavia non si tratterebbe di quella che ho descritta, priva di qualsiasi sorta di dominio, dato che il potere dei pianificatori sarebbe dominante. Se dobbiamo rispettare i significati sociali, le distribuzioni non possono essere coordinate, né in rapporto alla felicità generale né in rapporto a nient'altro. Il dominio è escluso solo se i beni sociali vengono distribuiti per ragioni differenziate ed "interne". Spiegherò questo punto nel primo capitolo, poi sosterrò che la giustizia distributiva non è una scienza integrata (come di sicuro è l'utilitarismo) ma è un'arte della differenziazione.

L'eguaglianza non è che il risultato di quest'arte, almeno per noi, che lavoriamo con materiali che abbiamo a disposizione. Nei capitoli successivi cercherò di descrivere ad uno ad uno questi materiali, le cose che creiamo e distribuiamo. Cercherò di scoprire quale significato hanno per noi la sicurezza e il benessere, il denaro, le cariche pubbliche, l'istruzione, il tempo libero, il potere politico e così via; cosa rappresentano nelle nostre vite e come potremmo condividerli, spartirli e scambiarli se fossimo liberi da ogni dominio.

Princeton, New Jersey, 1982

11

Ringraziamenti

I ringraziamenti e le citazioni sono una questione di giustizia distributiva, sono la valuta in cui paghiamo i nostri debiti intellettuali. È importante pagare; il Talmud dice che quando uno studioso riconosce *tutte* le sue fonti, rende un po' più vicino il giorno della redenzione. Ma non è facile ringraziare veramente tutti: probabilmente siamo inconsapevoli di molti dei nostri debiti più profondi, o non sappiamo riconoscerli, e così, il grande giorno è ancora lontano. La giustizia è imperfetta è incompiuta anche in questo campo.

Nell'anno accademico 1970-71 tenni insieme a Robert Nozick un corso su "Capitalismo e socialismo" alla Harvard University. Il corso era in forma di discussione, e si può trovare metà di questa discussione in *Anarchy, State, and Utopia* (New York 1974; trad. it. *Anarchia, stato e utopia*, Firenze 1980) del professor Nozick; l'altra metà è questo libro. Non ho cercato di rispondere alle tesi di Nozick punto per punto, ma soltanto di sviluppare la mia posizione; comunque, debbo alle nostre discussioni e polemiche più di quanto si possa dire.

Molti capitoli del libro sono stati letti e discussi nel corso di riunioni della Society for Ethical and Legal Philosophy e di seminari organizzati dalla School of Social Science presso l'Institute for Advanced Study. Sono grato a tutti i membri della Society e ai miei colleghi degli anni accademici 1980-81 e 1981-82 presso l'Institute. Desidero ricordare, in particolare, i consigli e le critiche di Jonathan Bennett, Marshall Cohen, Jean Elshtain, Charles Fried, Clifford Geertz, Philip Green, Amy Gutman, Albert Hirschman, Michael McPherson, John Schrecker, Marc Stier e Charles Taylor. Judith Jarvis Thomson ha letto l'intero dattiloscritto e mi ha indicato i punti nei quali, pur avendo ogni diritto di dire ciò che dicevo, sarebbe stato meglio argomentarlo. Cosa che ho cercato di fare, non sempre però, con la profondità che lei (come me) avrebbe voluto.

13

Robert Amdur, Don Herzog, Irving Howe, James T. Johnson, Marvin Kohl, Judith Leavitt, Dennis Thompson e John Womack hanno letto un capitolo ciascuno del libro e mi hanno dato degli utili consigli. Mia moglie Judith Walzer ne ha letto una buona parte, lo ha discusso con me per intero e mi è stata di aiuto quando ho cercato di parlare a grandi linee, di parentela e di amore. Chi ai nostri giorni scrive di giustizia non può non riconoscere ed ammirare l'opera di John Rawls. Nel testo ho però quasi sempre criticato *A Theory of Justice* (Cambridge 1971; trad. it. *Una teoria della giustizia*, Feltrinelli, Milano 1982); il mio lavoro è molto diverso da quello di Rawls e fa riferimento ad altre discipline (storia e antropologia anziché economia e psicologia). Ma esso non avrebbe la forma che ha (e forse nemmeno esisterebbe) senza il suo. Due filosofi contemporanei sono invece più vicini di Rawls alla mia concezione della giustizia. In *Justice and the Human Good* (Chicago 1980) William M. Galston sostiene, come me, che i beni sociali "si dividono in diverse categorie" e che "ognuna di queste categorie mette in gioco un preciso insieme di rivendicazioni".

In *Distributive Justice* (Indianapolis 1966) Nicholas Rescher difende, come me, una concezione "pluralistica ed eterogenea" della giustizia. A mio avviso, però, il pluralismo di queste due posizioni è inficiato rispettivamente dall'aristotelismo di Galston e dall'utilitarismo di Rescher; assunzioni simili sono assenti dal mio discorso.

Una precedente versione del capitolo sull'appartenenza apparsa in *Boundaries: National Autonomy and Its Limits*, a cura di Peter G. Brown e Henry Shue, edito da Rowman and Littlefield, Totowa, New Jersey 1981. Sono grato ai curatori per le loro critiche ed osservazioni e all'editore per il permesso di pubblicare il saggio. Un paragrafo del capitolo 12 è apparso su «The New Republic» (3 e 10 gennaio 1981). Alcuni dei saggi raccolti nel mio *Radical Principles* (New York 1980), e pubblicati per la prima volta sulla rivista "Dissent", sono delle versioni iniziali e provvisorie della teoria che presento qui. Nel riformularli mi ha aiutato la recensione critica di Brian Barry a *Radical Principles* su "Ethics" (gennaio 1982). I due versi di *In Time of War* di W. H. Auden sono stati presi da *The English Auden: Poems. Essay, and Dramatic Writings, 1927-1939*, a cura di Edward Mendelson, New York 1978 copyright ® 1977 di Edward Mendelson, William Meridith e Monroe K. Spears, curatori dei beni di W. H. Auden; per gentile concessione dell'editore, Random House, Inc.

La mia segretaria all'Institute for Advanced Study, Mary Olivier, ha battuto e ribattuto a macchina il manoscritto, con precisione infallibile e inesauribile pazienza.

Ed infine, Martin Kessler e Phoebe Hoss della Basic Books mi hanno dato quel tipo di incoraggiamenti e di consigli redazionali che, in una società perfettamente giusta, tutti gli autori riceveranno.

1. L'eguaglianza complessa

Il pluralismo

La giustizia distributiva è un concetto molto ampio, che fa rientrare nell'ambito della riflessione filosofica l'intero mondo dei beni. Niente può essere omesso, nessun aspetto della nostra vita comune può sfuggire all'esame. La società umana è una comunità distributiva: non è l'unico, ma è un aspetto importante: noi ci mettiamo insieme per condividere, spartire e scambiare delle cose. Ci mettiamo insieme anche per fare le cose che sono condivise, spartite e scambiate, e questo fare, il lavoro stesso, è distribuito fra di noi secondo una divisione del lavoro. Il nostro posto nell'economia, la nostra posizione nell'ordinamento politico, la nostra reputazione e le nostre proprietà, tutto ciò ci viene dagli altri. Si può dire che abbiamo quello che abbiamo a ragione o a torto, giustamente o ingiustamente; ma data la varietà delle distribuzioni e il numero degli interessati, dare questi giudizi non è mai facile.

L'idea di giustizia distributiva riguarda sia l'essere e il fare sia l'avere, sia la produzione sia il consumo, sia l'identità e lo status sia i capitali, i possedimenti, e i beni personali. Ogni ordinamento politico impone, e ogni ideologia giustifica, una diversa distribuzione dell'appartenenza, del potere, dell'onore, dell'eminenza rituale, della grazia divina, della parentela e dell'amore, della conoscenza, della ricchezza, della sicurezza personale, del lavoro e del tempo libero, delle ricompense e delle punizioni, nonché di una quantità di altri beni più immediati e concreti — cibo, alloggio, vestiario, trasporti, cure mediche, merci di ogni tipo e tutte le svariate cose (quadri, libri rari, francobolli) che gli esseri umani raccolgono. E a questa molteplicità di beni corrisponde una molteplicità di procedure, agenti e criteri distributivi. Certo, ci sono dei sistemi distributivi semplici, ad esempio, le galere di schiavi, i conventi, i manicomi e giardini d'infanzia (anche se ognuno di questi sistemi, esaminato attentamente, può rivelare una complessità inaspettata), ma nessuna società umana evoluta, è mai sfuggita alla molteplicità. Analizzeremo tutto ciò, beni e distribuzioni, in epoche e luoghi diversi. Non c'è, però, una via unica di accesso a questo mondo delle organizzazioni e ideologie distributive. Non è mai esistito un mezzo di scambio universale; dopo il declino dell'economia del baratto il mezzo più comune è stato il denaro; tuttavia le vecchia massima che esistono cose che il denaro non può comprare non è vera solo sul piano normativo, ma anche su quello fattuale. Che cosa sia e che cosa non sia in vendita è un problema che gli uomini e le donne devono risolvere e che hanno risolto in molti modi.

Storicamente il mercato è stato uno dei più importanti meccanismi di distribuzione dei beni sociali; ma non è mai stato un sistema distributivo completo, né lo è oggi in nessun luogo.

Analogamente, non ci sono mai stati né un unico luogo delle decisioni dal quale controllare tutte le distribuzioni, né un unico gruppo di autori delle decisioni. Nessun potere statale è mai stato talmente capillare da regolare tutti i processi di messa in comune, spartizione e scambio che danno forma a una società. Le cose sfuggono alla presa dello stato e nascono sempre nuove strutture: reti familiari, mercati neri, burocrazie, organizzazioni politiche clandestine e religiose. I funzionari possono tassare, arruolare, assegnare, regolamentare, incaricare, ricompensare, punire, ma non possono controllare l'intera gamma dei beni o sostituirsi a tutti gli altri agenti della distribuzione. Nessuno può farlo: il mercato conosce colpi di mano e accaparramenti, ma nessuna congiura distributiva ha mai avuto successo.

Infine, non c'è mai stato un unico criterio o un unico insieme di criteri interconnessi per tutte le distribuzioni. Merito, qualifica, nascita e sangue, bisogno, libero scambio, lealtà politica, decisione democratica: invocati da gruppi avversari, confusi l'uno con l'altro, ma ciascuno di questi criteri ha avuto il suo posto, pur in una difficile convivenza.

In fatto di giustizia distributiva la storia mostra una grande varietà di ideologie e assetti. Ma il primo impulso del filosofo è di resistere alla varietà della storia, al mondo delle apparenze, e di cercare un'unità sottostante: una rosa di candidati di beni fondamentali da cui ricavare immediatamente un unico bene; un unico criterio distributivo, o un unico insieme di criteri interconnessi, e inoltre pone se stesso, almeno simbolicamente, in un punto di decisione unico. Io credo invece, che cercare l'unità significhi fraintendere il problema della giustizia distributiva; tuttavia l'impulso filosofico, in un certo senso, è inevitabile. Persino la scelta del pluralismo, la mia scelta, ha bisogno di una difesa coerente; ci vogliono dei principi che la giustifichino e le assegnino dei limiti, poiché il pluralismo non esige l'approvazione di tutti i criteri distributivi proposti o l'accettazione di ogni sedicente agente distributivo. L'idea di un principio unico e di un unico tipo legittimo di pluralismo è certo concepibile, ma si tratterebbe sempre di un pluralismo comprendente un'ampia gamma di distribuzioni. L'assunzione di fondo di quasi tutti i filosofi che, da Platone in poi, si sono occupati della giustizia è invece che esiste uno ed un solo sistema distributivo che, a ragione, la filosofia può accettare.

Oggi tale sistema è solitamente definito come quello che ideali e individui razionali sceglierebbero se fossero costretti ad una scelta imparziale, nulla sapendo della propria situazione personale ed essendo escluse le richieste particolaristiche, di fronte ad un insieme astratto di beni.[1] Se si definiscono in modo adeguato sia le restrizioni sul sapere e sulle richieste, sia i beni, si può probabilmente ottenere una conclusione univoca: individui razionali, con queste restrizioni, sceglierebbero uno, ed un solo, sistema distributivo. Ma quanto vale questa conclusione? C'è senz'altro da dubitare che quegli stessi individui ripeterebbero quella scelta ipotetica o addirittura la riconoscerebbero come propria, una volta diventati gente comune, con un forte senso della propria identità, in possesso dei propri beni e alla prese con i problemi quotidiani. Il problema più importante non è il particolarismo degli interessi, che i filosofi hanno sempre supposto di poter mettere da parte senza correre rischi (cioè senza obiezioni). Anche la gente comune può farlo per amore, poniamo dell'interesse generale. Il problema più rilevante è il particolarismo della storia, della cultura e dell'appartenenza. Pur desiderando essere imparziali, i membri di una comunità politica si porranno probabilmente non la domanda "Quale sarebbe la scelta di individui razionali in tali e tal'altre condizioni universalizzanti?", bensì "Quale sarebbe la scelta di individui simili a noi, in una situazione simile alla nostra, che abbiano in comune una cultura e vogliano continuare ad averla?" E l'ultimo interrogativo si trasforma facilmente in "Quali scelte abbiamo già fatto nel corso della nostra vita in comune? Quali idee abbiamo (realmente) in comune?"

La giustizia è una costruzione umana, e non è detto che ci sia solo un modo di realizzarla. In ogni caso, per cominciare metterò in dubbio, anzi più che in dubbio, questa assunzione filosofica corrente. Le domande poste dalla teoria della giustizia distributiva ammettono una grande varietà di risposte, che include anche la differenziazione culturale e la scelta politica. Non si tratta soltanto di realizzare un singolo principio o insieme di principi in contesti storici diversi; nessuno potrebbe negare l'esistenza di una varietà di realizzazioni moralmente ammissibili. La mia tesi va oltre, è che i principi stessi della giustizia hanno una forma pluralistica, che beni sociali diversi devono essere distribuiti per ragioni diverse, secondo procedure diverse, e che tutte queste differenze derivano da concezioni diverse dei beni

17

sociali stessi, risultato inevitabile del particolarismo storico e culturale.

Una teoria dei beni

Al centro delle teorie della giustizia distributiva sta un processo, sociale descritto, in genere, come se avesse questa forma:

Le persone distribuiscono beni alle (altre) persone.

Qui "distribuiscono" significa danno, assegnano, scambiano e così via, e l'accento cade sugli individui che stanno ai due estremi di queste azioni: non sui produttori e sui consumatori ma su chi distribuisce e su chi riceve beni. Come sempre, oggetto d'indagine siamo noi stessi, ma in questo caso, solo un aspetto particolare e limitato di noi stessi, in quanto persone che danno e che prendono. Qual è la nostra natura? Quali i nostri diritti? Di che cosa abbiamo bisogno, che cosa vogliamo, che cosa meritiamo? Che cosa ci spetta? In condizioni ideali, che cosa accetteremmo? Le risposte a tali domande si convertono in princìpi distributivi, che dovrebbero regolare il movimento dei beni; e si assume che questi, definiti per astrazione, possano muoversi in ogni direzione.

Ma questa è una concezione troppo semplice di quello che accade realmente, e ci spinge a fare troppo in fretta asserzioni generalissime, che difficilmente conquisteranno mai un ampio consenso, sulla natura umana e sull'agire morale. Io voglio proporre una descrizione del processo centrale più precisa e complessa:

*Le persone concepiscono e creano beni
che poi distribuiscono fra di loro.*

Qui il concepimento e la creazione precedono la distribuzione e la controllano. I beni non appaiono *sic et simpliciter* in mano agli agenti della distribuzione, che ne fanno qullo che vogliono o li cedono seguendo un qualche principio generale.[2] Anzi, i beni, con i loro significati e a causa di essi, sono il mezzo cruciale delle relazioni sociali; i beni sono nelle teste delle persone prima che nelle loro mani, e le distribuzioni prendono forma in base a concezioni comuni della natura dei beni e della loro finalità. Gli agenti della distribuzione sono vincolati dai beni in loro possesso; si potrebbe quasi dire che sono i beni a distribuirsi fra gli esseri umani.

Le cose stanno in sella
E cavalcano il genere umano.[3]

Ma si tratta sempre di cose particolari e di particolari gruppi di uomini e donne, e naturalmente siamo noi a fare le cose, e anche la sella. Non voglio negare l'importanza dell'agire umano, voglio solo spostare l'attenzione dalla distribuzione vera e propria al concepimento e alla creazione: al dare alle cose un nome e un significato e alla loro realizzazione collettiva. Per spiegare e circoscrivere il pluralismo delle possibilità distributive abbiamo bisogno di una teoria dei beni che, per i nostri scopi immediati, può essere riassunta in sei punti.

1. I beni sociali sono gli unici beni con cui ha a che fare la giustizia distributiva. Non sono, e non possono essere apprezzati secondo le proprie idiosincrasie. Non sono certo che vi siano altri tipi di beni e perciò lascerò aperta la questione. Alcuni oggetti familiari sono amati per ragioni private e sentimentali, ma solo in culture che considerano normale questo attaccamento. La bellezza di un tramonto, l'odore del fieno appena tagliato, la concitazione di una scena urbana sono, forse, beni apprezzati in privato, ma sono anche, ovviamente, oggetto di valutazione culturale. Nemmeno le nuove invenzioni vengono apprezzate in base alle idee dell'inventore, ma sono soggette a un più ampio processo di concepimento e creazione. I beni creati da Dio sono ovviamente delle eccezioni a questa regola: "e Dio vide tutto quello che aveva fatto, ed ecco, era molto buono" (*Genesi*, 1, 31). Questo apprezzamento non richiede il consenso del genere umano (che potrebbe avere dei dubbi), né della sua maggioranza, né di un qualsiasi gruppo di individui riuniti in condizioni ideali (anche se nell'Eden Adamo ed Eva, probabilmente, avrebbero dato il proprio consenso); ma non riesco a immaginare nessun'altra eccezione. Nel mondo i significati dei beni sono condivisi perché il concepimento e la creazione sono processi sociali, e proprio per questo i beni assumono significati diversi secondo le società. La stessa "cosa" è apprezzata per ragioni diverse, oppure qui è apprezzata e là è disprezzata. John Stuart Mill una volta lamentò che "è alla folla che piacciono le cose"; ma non conosco altro modo in cui i beni sociali piacciono e dispiacciono.[4] Difficilmente un individuo solitario potrebbe comprendere il significato dei beni o afferrare i motivi per cui vanno considerati piacevoli o spiacevoli. E se è alla folla che piacciono le cose, per i singoli diventa possibile distinguersi, indicare significati latenti o sovversivi e aspirare a valori alternativi — compresi, per esempio, quelli della celebrità e dell'eccentricità. La più facile eccentricità che è stata, a volte, uno dei privilegi dell'aristocrazia è un bene sociale come un altro.

2. Uomini e donne acquistano identità concrete per il modo in cui prima concepiscono e creano e poi possiedono e usano i beni sociali. "Il confine fra ciò che sono io e ciò che è mio" ha scritto William James "è molto difficile da tracciare".[5] Le distribuzioni non possono essere viste come atti di persone che non hanno ancora in mente o in mano beni specifici. In realtà, gli individui sono già in rapporto con

un insieme di beni, hanno una storia di transazioni, non solo fra di loro, ma anche col mondo materiale e morale in cui vivono. Senza questa storia, che comincia alla nascita, non sarebbero uomini e donne in nessun senso accettabile e non avrebbero la minima nozione di come affrontare l'attività di dare, assegnare e scambiare beni.

3. Non esiste un insieme singolo di beni primari e fondamentali per tutti i mondi materiali e morali — o, comunque, un tale insieme, dovrebbe essere concepito in modo talmente astratto che poco servirebbe a pensare alle distribuzioni specifiche. Persino l'insieme delle cose necessarie, se consideriamo le necessità morali oltre a quelle fisiche, è molto ampio e ammette ordinamenti gerarchici diversissimi. Un bene necessario, di cui mai si possa fare a meno (per esempio il cibo) assume significati diversi in luoghi diversi. Il pane è il sostegno della vita, il corpo di Cristo, il simbolo del Sabato, lo strumento dell'ospitalità e così via. Si può pensare che in un certo senso il primo di questi significati sia primario, per cui se nel mondo ci fossero venti persone e pane quanto basta per nutrirle tutte, il primato del pane-come-sostegno-della-vita costituirebbe un principio distributivo sufficiente. Ma questa è l'unica situazione in cui ciò sarebbe vero, e, in realtà, non ne siamo neanche tanto sicuri.

Se l'uso religioso del pane fosse in conflitto con quello alimentare (se gli dèi comandassero di cuocere il pane e poi bruciarlo anziché mangiarlo) non è affatto chiaro quale sarebbe l'uso primario. E allora come dobbiamo inserire il pane nella lista universale? È ancora più difficile rispondere, e le risposte convenzionali sono ancora meno plausibili, se passiamo dalle necessità alle opportunità, ai poteri, alle reputazioni e via dicendo, che possono essere inserite solo se si astrae da ogni loro significato particolare e cioè se si rendono prive di significato per tutti gli scopi pratici.

4. Ma è il significato dei beni a determinare il loro movimento. I criteri e gli assetti distributivi non sono intrinseci al bene in sé ma al bene sociale. Se capiamo che cosa è e che cosa significa per quelli per i quali è un bene, capiamo come, da parte di chi e perché vada distribuito. Ogni distribuzione è giusta o ingiusta rispetto ai significati sociali dei beni in gioco. Questo è ovviamente un principio di legittimazione, ma è anche un principio critico.* Quando, per esempio, nel Me-

---

* I significati sociali sono, forse, come diceva Marx, nient'altro che "le idee della classe dominante", "i rapporti materiali dominanti concepiti come idee"?[6] A mio avviso non sono mai soltanto questo o semplicemente questo, anche se i membri della classe dominante e gli intellettuali che essi proteggono sono senz'altro in grado di sfruttare e distorcere i significati sociali a proprio beneficio. Quando lo fanno, però, possono incontrare delle resistenze radicate (intellettualmente) proprio in quei significati. La cultura di un popolo anche se non è totalmente frutto di una cooperazione è sempre un prodotto collettivo e complesso. L'usuale modo di intendere beni determinati incorpora principi, procedure e idee dell'agire che i dominatori non sceglierebbero se scegliessero *proprio ora* — e fornisce quindi i termini della critica sociale. L'appello a quelli che chiamerò "principi interni" contro le usurpazioni dei potenti è la forma normale del discorso critico.

dioevo i cristiani condannavano il peccato di simonia, affermavano che il significato di un particolare bene sociale, le cariche ecclesiastiche, ne escludeva la compravendita. Dalla concezione cristiana di queste cariche conseguiva, direi anzi che conseguiva necessariamente, che i loro titolari andavano scelti per la loro scienza e devozione, e non per la loro ricchezza. Ci sono, presumibilmente, cose che il denaro può comperare, ma non queste. Anche le espressioni *prostituzione* e *corruzione*, come *simonia*, descrivono la compravendita di beni che, date certe interpretazioni del loro significato, non dovrebbero mai essere né venduti né comprati.

5. La natura dei signifcati sociali è storica; perciò col tempo cambiano le distribuzioni e le distribuzioni considerate giuste (o ingiuste). Certi beni chiave hanno, a dire il vero, una sorta di struttura normativa caratteristica che si ripete (ma non sempre) nel tempo. È questa ripetizione che consente al filosofo inglese Bernard Williams di sostenere che i beni dovrebbero sempre essere distribuiti per "ragioni pertinenti", dove la pertinenza sembra riferirsi non ai significati sociali, ma ai significati essenziali.[7] L'idea, per esempio, benché non sia stata l'unica in proposito, che le cariche spettino a candidati qualificati è chiaramente rintracciabile in società diversissime nelle quali la simonia e il nepotismo, magari sotto altri nomi, erano ugualmente considerati peccaminosi o ingiusti. (Ma ci sono state ampie divergenze di idee sulle posizioni e sui posti che è giusto chiamare "cariche pubbliche".) Un altro esempio: la punizione è stata generalmente considerata un bene negativo, che dovrebbe riguardare chi ne è stato giudicato meritevole sulla base di un verdetto, e non di una decisione politica. (Ma che cosa costituisce verdetto? Chi deve emetterlo? Per dirla in breve, come si deve rendere giustizia agli accusati? Su queste domande il disaccordo è sempre stato totale.) Questi esempi invitano a una ricerca empirica. Nessun procedimento puramente intuitivo o speculativo potrà condurci alle ragioni pertinenti.

6. Se i significati sono diversi, le distribuzioni devono essere autonome. Ogni bene sociale, o insieme di beni sociali, costituisce, per così dire, una sfera distributiva nella quale sono appropriati solo certi criteri e certi assetti. Nella sfera delle cariche ecclesiastiche il denaro non è appropriato, è un'intrusione di un'altra sfera: e la devozione non dovrebbe essere un vantaggio nel mercato, inteso nel senso usuale. Tutto ciò che è lecito vendere, deve essere venduto ai pii ma anche ai profani, agli eretici e ai peccatori (altrimenti nessuno farebbe affari). Il mercato è aperto a tutti, la chiesa no. Ovviamente, i significati sociali non sono completamente distinti in nessuna società. Ciò che accade in una sfera distributiva influisce su ciò che accade nelle altre; possiamo cercare, al massimo, un'autonomia relativa. Ma questa, come il significato sociale, è un principio critico, anzi è, come sosterrò in questo libro, un principio radicale. È radicale anche se non

21

indica un metro unico col quale misurare tutte le distribuzioni. Non c'è un metro unico. Ci sono però dei metri (individuabili, grosso modo, anche quando sono controversi) per ogni bene sociale e per ogni sfera distributiva in ogni società determinata; e questi metri sono spesso violati, i beni usurpati e le sfere invase dai potenti.

Dominanza e monopolio

In effetti le violazioni sono sistematiche. L'autonomia riguarda il significato sociale e i valori condivisi, ma le sono più congeniali le riforme e le ribellioni sporadiche che non la realizzazione quotidiana. Nonostante la complessità dei loro assetti distributivi, quasi tutte le società sono organizzate in base a una sorta di versione sociale dello standard aureo: un bene, o un insieme di beni, è dominante e determina il valore in tutte le sfere di distribuzione. E in genere quel bene, o quell'insieme di beni, è monopolizzato, e il suo valore è sostenuto, dalla forza e dalla coesione dei suoi detentori. Chiamo dominante un bene se quelli che lo possiedono dispongono, proprio perché lo possiedono, di un'ampia gamma di altri beni. Ed è monopolizzato ogni volta che una persona (un monarca del mondo dei valori) o un gruppo di persone (oligarchi) riesce, contro tutti i rivali, a tenerlo per sé. La "dominanza" rappresenta un modo di usare i beni sociali che non è limitato dai loro significati intrinseci o che plasma tali significati a propria immagine. Il "monopolio" rappresenta un modo di possedere o controllare i beni sociali allo scopo di sfruttarne la dominanza. Quando i beni sono scarsi e ce n'è molto bisogno, come dell'acqua nel deserto, sarà il monopolio stesso a renderli dominanti. Di solito, però, la dominanza è una creazione sociale più elaborata, è opera di molte mani in cui si mescolano simbolo e realtà. Forza fisica, prestigio familiare, carica religiosa o politica, proprietà terriera, capitale, conoscenza tecnica: in periodi storici diversi, ognuno di questi beni è stato dominante, è stato monopolizzato da qualche gruppo di persone. Poi, tutte le cose buone vanno a quelli che hanno la migliore; se si ha quella, le altre seguiranno a ruota. Ovvero, un bene dominante sarà convertito in un altro bene, in molti altri, con un processo che spesso sembra naturale ma in realtà è magico, è una sorta di alchimia sociale.

Nessun bene sociale domina mai l'intera gamma dei beni e nessun monopolio è mai perfetto. Mi limiterò a descrivere tendenze, che però sono quelle cruciali; infatti possiamo caratterizzare un'intera società sulla base degli schemi di conversione in essa consolidati. Alcune caratterizzazioni sono semplici: in una società capitalistica è dominante il capitale, rapidamente convertito in prestigio e potere; in una società tecnocratica è invece la conoscenza tecnica a svolgere questo ruolo. Ma non è difficile immaginare, o scoprire, organizzazioni sociali più complesse. Il capitalismo e la tecnocrazia, in realtà, sono più complesse di quanto dicano i loro nomi, che pure informano realmente sulle loro più importanti forme di condivisione, spartizione e scambio. Il controllo monopolistico di un bene dominante è costituito di una classe al potere, i cui membri stanno al vertice del sistema distributivo — proprio dove forse piacerebbe stare ai filosofi, che pretendevano di avere l'amata saggezza. Ma poiché la dominanza è sempre incompleta e il monopolio imperfetto, il potere di ogni classe al potere è instabile, e ci sono sempre altri gruppi che lo contestano, in nome di schemi e di conversione alternativi.

Il conflitto sociale riguarda esclusivamente la distribuzione. La pesante sottolineatura marxiana dei processi produttivi non deve nasconderci la semplice verità che il conflitto per il controllo dei mezzi di produzione è un conflitto che riguarda la distribuzione. Sono in gioco la terra e il capitale, cioè i beni che possono essere condivisi, scambiati e spartiti, nonché convertiti all'infinito. Ma la terra e il capitale non sono i soli beni dominanti; è possibile, ed è stato possibile, impadronirsene per mezzo di altri beni, quali il potere politico o militare, la carica e il carisma religiosi e così via. La storia non ci mostra né un unico bene dominante né un bene che è naturalmente dominante, ma solo tipi diversi di magia e bande di maghi rivali.

Se concepita per fini pubblici, la pretesa di monopolizzare un bene dominante costituisce un'ideologia. Nella loro forma canonica, le ideologie collegano il possesso legittimo con un insieme di qualità personali per mezzo di un principio filosofico. Così l'aristocrazia, o governo dei migliori, è il principio di quelli che rivendicano per sé intelligenza e nascita illustre, e che sono in generale i monopolisti della proprietà terriera e del prestigio familiare. La supremazia religiosa è invece il principio di quelli che pretendono di conoscere la parola di Dio: sono i monopolisti della grazia e dell'ufficio. La meritocrazia, o carriera aperta ai talenti, è il periodo di quelli che rivendicano il proprio talento: il più delle volte, i monopolisti dell'istruzione. Il libero scambio è il principio di quelli che sono, o dicono di essere, disposti a rischiare il proprio denaro: i monopolisti della ricchezza mobile. Questi gruppi, ed altri ancora, sempre contraddistinti dai propri principi e possessi, competono fra di loro nella lotta per la supremazia. Prima vince un gruppo, poi un altro; oppure nasce una coalizione, e la supremazia viene condivisa a fatica. Non c'è, né ci si aspetta, una vittoria definitiva. Ma questo non significa che le rivendicazioni dei vari gruppi siano necessariamente ingiuste o che i principi da essi invocati non valgano niente come criteri distributivi: spesso i principi sono perfettamente giusti, nei limiti di una sfera particolare. Le ideologie fanno presto a corrompersi, ma non è questo il loro aspetto più interessante.

Ho cercato il filo conduttore della mia analisi studiando queste lotte, che hanno, a mio avviso, una forma paradigmatica: un gruppo di individui (classe, casta, strato, ceto, alleanza, o formazione sociale) si impadronisce, o quasi, del monopolio di un bene dominante; oppure è una coalizione di gruppi ad impadronirsene. Questo bene dominante viene convertito, più o meno sistematicamente, in altre cose, come opportunità, potere e prestigio. Così i forti si impossessano della ricchezza, i nati da buona famiglia dell'onore, i colti delle cariche. Anche se l'ideologia che giustifica l'appropriazione può essere considerata vera da molti, il risentimento e la resistenza sono (quasi) altrettanto diffusi: ci sono sempre delle persone, che si moltiplicano col tempo, che ritengono l'appropriazione ingiusta, un'usurpazione. Il gruppo dominante non possiede le qualità che rivendica, o non è l'unico a possederle; il processo di conversione viola la concezione comune dei beni in gioco. Il conflitto sociale può essere intermittente oppure endemico; prima o poi qualcuno avanzerà delle controrivendicazioni, che possono essere le più diverse. Di queste ci sono però tre generi particolarmente importanti:

1. Che il bene dominante, qualunque esso sia, venga ridistribuito così da poter essere condiviso equamente, o almeno da più persone. Ciò equivale a dire che il monopolio è ingiusto.
2. Che sia possibile una distribuzione autonoma di tutti i beni sociali. Ciò equivale a dire che la dominanza è ingiusta.
3. Che un nuovo bene, monopolizzato da un nuovo gruppo, sostituisca il bene dominante attuale. Ciò equivale a dire che lo schema di dominanza e monopolio esistente è ingiusto.

Secondo Marx il terzo tipo di rivendicazione è il modello di ogni ideologia rivoluzionaria, tranne forse l'ultima, quella proletaria. Così, per la teoria marxista, la Rivoluzione francese è la fine della dominanza della nobiltà di nascita e di sangue e della proprietà terriera feudale, e la sua sostituzione con la ricchezza borghese. Si riproduce la situazione originaria con soggetti e oggetti diversi (il che non è mai senza importanza) e subito ricomincia la guerra di classe. Qui non voglio sostenere o criticare queste tesi di Marx; credo che, in realtà, in ogni ideologia rivoluzionaria ci sia qualcosa di tutte e tre le rivendicazioni, ma anche questa è una posizione che qui non cercherò di difendere. La terza, quale che sia la sua importanza sociologica, filosoficamente non è interessante — a meno che non si creda nell'esistenza di un bene che è naturalmente dominante, tale che chi lo possieda possa legittimamente rivendicare il potere su tutti gli altri. In un certo senso, Marx pensava proprio questo: i mezzi di produzione sono il bene dominante di tutta la storia, e il marxismo è una dottrina storicista in quanto sostiene che chiunque controlli i principali mezzi di produzione, domina legittimamente.[8] Dopo la rivoluzione comunista tutti noi controlleremo i mezzi di produzione, e a quel punto la terza rivendicazione finirà per confondersi con la prima. Per il momento il modello di Marx è un programma per un conflitto distributivo in corso. Sarà importante, naturalmente, sapere chi vince in questo o quel momento, ma non sapremo perché e come è importante se badiamo solo alla successione delle asserzioni di dominanza e monopolio.

L'eguaglianza semplice

Innanzitutto prenderò in considerazione le prime due rivendicazioni, e poi, di nuovo, la seconda, che secondo me è quella che coglie meglio la pluralità dei significati sociali e l'effettiva complessità dei sistemi distributivi. Fra i filosofi, però, è più comune la prima, che si intona bene con la loro ricerca dell'unità e dell'unicità; dovrò dunque spiegare per esteso le sue difficoltà.

Chi avanza la prima rivendicazione contesta un monopolio, ma non la dominanza di un bene sociale determinato. Ma così contesta anche il monopolio in generale; infatti se, per esempio, è la ricchezza ad essere dominante e largamente condivisa, nessun altro bene potrà essere monopolizzato. Immaginiamo una società in cui tutto sia in vendita e tutti i cittadini abbiano le stesse quantità di denaro (lo chiamerò "regime di eguaglianza semplice"). Attraverso il processo di conversione, l'eguaglianza si moltiplica fino a coprire tutta la gamma dei beni sociali. Ma il regime di eguaglianza semplice non durerà a lungo, perché, l'ulteriore sviluppo della conversione, il libero scambio sul mercato, porterà certamente con sé delle diseguaglianze. Se volessimo far durare l'eguaglianza semplice avremmo bisogno di una "legge monetaria" come le leggi agrarie dell'antichità o quelle sabbatiche degli ebrei, che assicurano un ritorno periodico alle condizioni originarie. Solo uno stato centralizzato ed interventista sarebbe abbastanza forte da imporre questo ritorno; e non è nemmeno sicuro che i suoi funzionari sarebbero veramente in grado di imporlo, o disposti a farlo, se il bene dominante fosse il denaro. Il punto non è solo che ricomparirà il monopolio, è anche che la dominanza scomparirà.

La rottura del monopolio del denaro neutralizza, in pratica, la sua dominanza. Entrano in gioco altri beni e la diseguaglianza prende nuove forme. Consideriamo, di nuovo, il regime dell'eguaglianza semplice: tutto è in vendita e tutti hanno la stessa quantità di denaro; perciò tutti hanno, poniamo, la stessa capacità di comprare un'istruzione per i propri figli. Alcuni lo fanno, altri no; l'investimento si dimostra buono, dato che, sempre più altri beni sociali sono messi in vendita solo a chi ha un titolo di studio. In breve, tutti investono nell'istruzione, oppure, più probabilmente, l'acquisto di istruzione viene generalizzato per mezzo delle imposte. A questo punto, però, la scuola si trasforma in un mondo competitivo in cui il denaro non è più dominante ed il suo posto è preso dal talento naturale o dall'educazione ricevuta in famiglia o dalla bravura negli esami scritti. Qualche nuovo gruppo monopolizza il successo scolastico e i titoli di studio; chiamiamolo "gruppo dei dotati" come lo chiamano i suoi stessi membri. Questi finiranno per esigere che il bene da loro controllato sia dominante anche fuori della scuola, e che cariche, titoli, prerogative, ricchezza, siano tutti nelle loro mani. È il principio della carriera aperta ai talenti, dell'eguaglianza di opportunità e via dicendo. L'equità lo richiede e il talento deve emergere; in ogni caso, gli uomini e le donne di talento accresceranno le risorse a disposizione di tutti gli altri. Così nasce la meritocrazia di Michael Young, con tutte le relative diseguaglianze.[9]

Che fare a questo punto? È possibile porre dei limiti ai nuovi schemi di conversione, e riconoscere, ma vincolare, il potere monopolistico dei dotati. Presumo che questo sia l'obiettivo del principio di differenza di John Rawls, secondo il quale le diseguaglianze sono giustificate solo se mirano a dare, e danno effettivamente, il massimo beneficio possibile alla classe sociale meno avvantaggiata.[10] In particolare, una volta spezzato il monopolio della ricchezza, il principio di differenza è un vincolo imposto alle persone di talento. Esso funziona così: immaginiamo un chirurgo che pretenda una quota di ricchezza superiore a quella degli altri sulla base delle capacità acquisite e dei titoli guadagnati nel severo e competitivo ambiente della facoltà e della scuola di specializzazione. Questa pretesa sarà soddisfatta se e solo se ciò recherà quei benefici nel senso già precisato; e nello stesso tempo si interverrà per limitare e regolamentare la vendita della chirurgia (ovvero per l'immediata conversione dell'abilità chirurgica in ricchezza).

Questa regolamentazione, proprio come le leggi monetarie e quelle agrarie, sarà necessariamente opera dello stato. L'eguaglianza semplice richiederebbe un continuo intervento statale per spezzare o limitare monopoli incipienti e per reprimere nuove forme di dominanza; ma a quel punto sarà il potere stesso a diventare l'oggetto principale della competizione. Vari gruppi cercheranno di monopolizzare lo stato e di usarlo per consolidare il proprio controllo di altri beni sociali; oppure lo stato sarà monopolizzato dai suoi stessi agenti, secondo la ferrea legge dell'oligarchia. La politica è sempre la via più diretta alla dominanza e il potere politico (e non i mezzi di produzione!) è probabilmente il bene più importante, e sicuramente il più pericoloso, di tutta la storia dell'umanità.* Per questo è necessario li-

---

* Qui devo far notare, e in seguito diventerà più chiaro, che il potere politico è un bene di un tipo particolare. Ha una doppia natura: da una parte è come tutte le altre cose che gli uomini e le donne creano, valutano, scambiano e condividono: a volte è dominante e a volte no, a volte lo possiedono in molti a volte in pochissimi. Ma d'altra parte è diverso da tutte le altre cose perché, comunque sia posseduto e chiunque lo possieda, è l'istanza regolatrice dei beni sociali in generale. Viene usato per difendere i confini di ogni sfera distributiva, compresa la propria, e per sancire le concezioni comuni della natura dei beni e delle loro finalità. (Ma è chiaro che può anche essere usato per invadere le altre sfere e per calpestare tali concezioni.) In questo secondo senso potremmo dire che il po-

mitare chi limita e introdurre controlli ed equilibri costituzionali: sono limitazioni del monopolio politico, ancora più importanti una volta spezzati i vari monopoli sociali ed economici. Uno dei modi di limitare il potere politico è di distribuirlo largamente. Ma non sempre funziona, visti i noti pericoli della tirannide di maggioranza, anche se, probabilmente, non sono così gravi come spesso li si raffigura. Il pericolo maggiore per un governo democratico è di essere debole nell'affrontare i monopoli riemergenti nella società e la forza sociale di plutocrati, burocrati, tecnocrati, meritocrati e via dicendo. In teoria, in una democrazia il potere politico è il bene dominante ed è convertibile in qualsiasi modo scelgano i cittadini; in pratica, però, anche nel caso del potere, la rottura del monopolio neutralizza la dominanza. Il potere politico non può essere largamente condiviso senza subire le pressioni di tutti gli altri beni che i cittadini hanno già o sperano di avere. Perciò, come vide Marx, la democrazia è essenzialmente un sistema riflettente, che rispecchia la distribuzione prevalente ed emergente dei beni sociali.[11] Il processo decisionale democratico sarà plasmato dalle concezioni culturali che determinano o sottendono i nuovi monopoli. Per prevalere su questi monopoli il potere dovrà essere centralizzato e forse a sua volta monopolizzato. Lo stato deve dunque essere molto potente se deve realizzare gli scopi assegnatigli dal principio di differenza o da simili regole interventiste.

Tuttavia, il regime di eguaglianza semplice potrebbe anche funzionare. Non è impossibile immaginare una tensione più o meno stabile fra monopoli emergenti e vincoli politici, fra la rivendicazione di privilegi, poniamo, delle persone di talento e l'imposizione del principio di differenza, e anche fra gli agenti che lo impongono e la costituzione democratica. Ma temo che le difficoltà si ripresenteranno, e che spesso l'unico rimedio contro il privilegio privato sarà lo statismo e che l'unica soluzione allo statismo sarà il privilegio privato. Prima mobiliteremo il potere per frenare il monopolio, poi cercheremo un modo di frenare il potere che avevamo mobilitato. Ma non c'è un sistema che non dia alle persone collocate in posizioni strategiche l'occasione di appropriarsi di beni sociali importanti e di sfruttarli.

Questi problemi derivano dal considerare il monopolio, e non la dominanza, la questione centrale della giustizia distributiva. Naturalmente non è difficile capire perché i filosofi (ma anche gli attivisti politici) si sono concentrati sul monopolio. I conflitti distributivi dell'età moderna sono cominciati con una guerra contro il possesso esclusivo della terra, delle cariche e degli onori da parte dell'aristocrazia. Questo monopolio sembra particolarmente deleterio perché è basato sulla nascita e sul sangue, che non dipendono dall'individuo, e

tere politico è sempre dominante — sui confini, ma non nei confini. Il problema centrale della vita politica è la salvaguardia di questa cruciale distinzione fra "su" e "in". Ma, dati gli imperativi dell'eguaglianza semplice, questo è un problema che non può essere risolto.

non sulla ricchezza, o sul potere, o sull'istruzione, che, almeno in linea di principio, si possono conquistare. Ed è davvero una grande vittoria quando ogni uomo e ogni donna diventa, per così dire, un piccolo proprietario nella sfera della nascita e del sangue. Il diritto della nascita non è più un bene dominante e d'ora in poi potrà comprare ben poco, mentre verranno alla ribalta la ricchezza, il potere e l'istruzione. Rispetto a questi ultimi beni, però, l'eguaglianza semplice non può affatto essere conservata, o può esserlo solo attraverso le vicissitudini che ho appena descritto. Entro le proprie sfere i tre beni, intesi nel modo corrente, tendono a generare dei monopoli naturali che possono essere repressi solo se il potere statale è, a sua volta, dominante e monopolizzato da funzionari incaricati della repressione. Ma esiste, a mio avviso, anche un'altra via che porta a un altro tipo di eguaglianza.

Tirannia ed eguaglianza complessa

A mio avviso dobbiamo concentrarci sulla riduzione della dominanza, e non, o non primariamente, sulla rottura o sulla limitazione del monopolio. Dobbiamo considerare che significato potrebbe avere restringere l'ambito entro il quale determinati beni sono convertibili e rivendicare l'autonomia delle sfere distributive. Questa linea argomentativa, pur non essendo una novità, non è mai chiaramente emersa nella letteratura filosofica. I filosofi tendevano a criticare (o a giustificare) i monopoli della ricchezza, del potere e dell'istruzione, esistenti o emergenti; oppure criticavano (o giustificavano), delle conversioni determinate, per esempio, della ricchezza in istruzione, o delle cariche in ricchezza. E spesso hanno fatto tutto ciò, in nome di un qualche sistema radicalmente semplificato. La critica della dominanza indicherà invece una maniera di formulare e di vivere con la complessità reale delle distribuzioni.

Immaginiamo ora una società in cui vari beni sociali siano monopolizzati — come di fatto sono e saranno sempre, se si esclude un intervento continuo dello stato — ma in cui nessun bene particolare sia convertibile universalmente. Più avanti cercherò di definire i limiti precisi della convertibilità, ma per il momento basterà il concetto generale. Questa è una società egualitaria complessa. Sebbene vi siano molte piccole diseguaglianze, il processo di conversione non le moltiplicherà, né si sommeranno quelle relative a beni diversi perché l'autonomia delle distribuzioni tenderà a creare una quantità di monopoli locali in mano a gruppi diversi. Non voglio sostenere che l'eguaglianza complessa sarebbe necessariamente più stabile di quella semplice, però sono propenso a credere che renderebbe possibili forme di conflitto sociale più diffuse e particolaristiche. Inoltre, la resistenza alla convertibilità sarebbe esercitata, in larga misura, da uomini e donne comuni entro le sfere di loro competenza e da loro controllate, senza un'azione statale su grande scala.

Questa prospettiva mi sembra attraente, ma non ho ancora spiegato in che cosa consiste la sua attrattiva. La difesa dell'eguaglianza complessa inizia dalla nostra concezione, e mi riferisco alla concezione reale, concreta, positiva e particolare, dei vari beni sociali, e poi passa a spiegare in che modo ci rapportiamo vicendevolmente attraverso quei beni. L'eguaglianza semplice è una condizione distributiva semplice, tale che se io ho quattordici cappelli e tu ne hai altrettanti siamo eguali. E se i cappelli sono dominanti tanto meglio, perché allora la nostra eguaglianza si estenderà a tutte le sfere della vita sociale. Dal punto di vista che assumerò qui, tu ed io abbiamo semplicemente lo stesso numero di cappelli, ed è improbabile che i cappelli siano a lungo dominanti. L'eguaglianza è una relazione complessa fra persone, mediata dai beni che creiamo, condividiamo e spartiamo; non è l'identità dei possessi. Perciò essa richiede una varietà di criteri distributivi che rispecchi la varietà dei beni sociali.

La tesi dell'eguaglianza complessa è stata esposta da Pascal in una delle *Pensées*:

La tirannia consiste nel desiderio di dominare: desiderio universale e fuori del suo proprio ordine.

Ecco diverse assemblee: di forti, di belli, di intelligenti, di pii; e ciascuno di essi regna nel proprio ordine, e non negli altri. Qualche volta essi s'incontrano, e il forte e il bello si battono, stoltamente, per la supremazia dell'uno sull'altro: stoltamente, ché il loro pregio è di diverso genere. Essi non si comprendono, e il loro errore è di voler regnare dappertutto. Nulla è capace di tanto, nemmeno la forza: la quale non ha nessun potere nell'ordine dei dotti (...)

Tirannia. ... Perciò sono falsi e tirannici quei discorsi: "Sono bello, dunque debbo essere temuto. Sono forte, dunque debbo esser amato. Sono..." (...)

La tirannia sta nel voler ottenere per una via quel che si può avere solo per un'altra. Noi abbiamo diversi doveri verso i differenti pregi: dovere di amore verso la bellezza; dovere di timore verso la forza; dovere di fiducia verso la scienza.[12]

Anche Marx usa un simile argomento nei manoscritti giovanili (e forse aveva in mente questa *pensée*):

Ma se supponi l'*uomo* come *uomo* e il suo rapporto col mondo come rapporto umano, tu puoi scambiare amore solo contro amore, fiducia solo contro fiducia, eccetera. Se vuoi godere dell'arte, devi essere un uomo colto in fatto di arte; se vuoi esercitare un'influenza su altri uomini, devi essere un uomo attivo realmente stimolante e trascinante altri uomini (...) Quando tu ami senza provocare amore, quando cioè il tuo amore come amore non produce amore reciproco, e attraverso la tua *manifestazione di vita*, di uomo che ama, non fai di te stesso un *uomo amato*, il tuo amore è impotente, è una sventura.[13]

Non sono argomenti facili, e gran parte del mio libro non è che un'esposizione del loro significato. Ma ora, cercherò di fare qualcosa di più semplice e schematico: cercherò di tradurli nei termini usati finora.

La prima affermazione di Pascal e Marx è che le qualità personali e i beni sociali hanno sfere operative in cui funzionano liberamente, spontaneamente e legittimamente. Il significato sociale di beni particolari determina delle conversioni immediate o naturali e le rende intuitivamente plausibili. È un appello alla nostra capacità d'intendere ed, insieme, una critica alla nostra abituale acquiescenza verso schemi di conversione illeggittimi, ovvero è un appello contro la nostra acquiescenza e a favore del nostro risentimento. C'è qualcosa di sbagliato, sostiene Pascal, nella conversione della forza in fiducia; e in termini politici ciò significa che nessun governante ha diritto di disporre delle mie opinioni solo in forza del potere che detiene. Né, aggiunge Marx, ha diritto di pretendere di influenzare le mie azioni: se è questo che vuole, dovrà essere convincente, mostrarsi utile, infondere coraggio, eccetera. La forza di questi argomenti dipende da concezioni comuni della conoscenza, dell'influenza e del potere. I beni sociali hanno significati sociali, e proprio interpretando questi ultimi troviamo la via alla giustizia distributiva. Siamo alla ricerca dei principi interni di ogni sfera distributiva.

La seconda affermazione è che la tirannia è il disprezzo di questi principi. Convertire un bene in un altro significa, se fra i due non c'è connessione intrinseca, invadere una sfera retta da un'altra associazione di individui. Il monopolio non è improprio entro le singole sfere; non c'è niente di ingiusto, per esempio, in un saldo controllo del potere politico da parte di politici persuasivi ed efficienti. Ma l'uso del potere politico per accedere ad altri beni è un uso tirannico. Generalizziamo, così, la descrizione della tirannia che risale al Medioevo: i principi diventano tiranni quando s'impossessano delle proprietà dei loro sudditi o ne invadono la sfera familiare.[14] Nella vita politica, ma anche in un contesto più ampio, la dominanza dei beni favorisce il dominio sulle persone.

Il regime dell'eguaglianza complessa è l'opposto della tirannide, poiché istituisce un insieme di relazioni che rende impossibile il dominio. In termini formali, l'eguaglianza complessa significa che la posizione di un cittadino in una sfera, o rispetto a un bene sociale, non può essere danneggiata dalla sua posizione in un'altra sfera, o rispetto a un altro bene sociale. Così il cittadino X può essere preferito al cittadino Y per una carica politica, e così X e Y saranno disuguali nella sfera della politica. Ma non saranno disuguali in generale finché la carica non procurerà a X dei vantaggi su Y in altre sfere, per esempio, una migliore assistenza medica, migliori scuole per i suoi figli, buone occasioni imprenditoriali e così via. Finché le cariche non saranno un bene dominante, universalmente convertibile, i loro detentori staranno, o almeno potranno stare, in una relazione di eguaglianza con gli uomini e le donne che governano.

Ma se, una volta eliminata la dominanza e stabilita l'autonomia delle sfere, le stesse persone avessero successo in una sfera dopo l'altra, eccellessero in tutte le associazioni ed accumulassero beni senza bisogno di conversioni illegittime? Questo non solo deporrebbe a favore di una società non egualitaria, ma sarebbe una chiara indicazione, che una società di uguali non è una possibilità reale e dubito che di fronte a una simile prova si possa ancora sostenere qualche argomento a favore di una società egualitaria.

Immaginiamo un uomo che abbiamo scelto liberamente (senza badare alla sua famiglia o alla sua ricchezza) come nostro rappresentante politico. Quest'uomo è anche un imprenditore audace e pieno d'inventiva; da giovane ha fatto studi scientifici, con risultati incredibilmente brillanti, e ha realizzato scoperte importanti; in guerra è straordinariamente valoroso e ottiene le massime onorificenze; sensibile e affascinante, chi lo conosce lo ama. Esistono simili persone? Forse, ma ho i miei dubbi. Certo noi raccontiamo storie come questa, ma le storie, le conversioni del potere o del denaro o del talento in fama leggendaria, sono solo fantasie. In ogni caso, le persone di questo tipo non sono abbastanza numerose da costituire una classe egemone e dominare sugli altri, né possono avere successo in tutte le sfere distributive, poiché esistono sfere nelle quali l'idea di successo non è pertinente, né è verosimile, in condizione di eguaglianza complessa che i loro figli ereditino il loro successo. I politici, gli imprenditori, gli scienziati, i militari e gli amanti più bravi saranno, quasi sempre, persone diverse, e finché i beni in loro possesso non portano con sé altri beni non abbiamo ragione di temere i loro successi.

La critica della dominanza e del dominio mira ad un principio distributivo aperto: *Nessun bene sociale X deve essere distribuito a uomini e donne che possiedano un altro bene Y solo perché possiedono Y e senza considerare il significato di X.* È un principio che probabilmente è stato sostenuto molte volte, per ogni *Y* che sia mai stato dominante, ma raramente è stato annunciato in termini generali. Pascal e Marx ne hanno proposto l'applicazione contro tutti i possibili *Y* e io cercherò di elaborare questa applicazione. Guarderò quindi non ai membri delle assemblee di Pascal (i forti o i deboli, i belli o gli insignificanti) ma ai beni che questi condividono e si spartiscono. Il principio non definisce le parti o la spartizione, ma mira a focalizzare la nostra attenzione, a spingerci a studiare il significato dei beni sociali, e a esaminare dall'interno le varie sfere distributive.

Tre principi distributivi

La teoria che otterremo probabilmente sono sarà elegante. Non una spiegazione del significato di un bene sociale o dei confini della sua sfera d'azione legittima risulterà indiscutibile e non esiste una procedura precisa per produrre e controllare spiegazioni diverse. Nel migliore dei casi, le argomentazioni saranno approssimative, poiché riflettono il carattere eterogeneo o conflittuale della vita sociale, che cerchiamo di comprendere e di regolare ad un tempo, e non di regolare prima di aver compreso. Perciò metterò da parte tutte le rivendicazioni avanzate in nome di un criterio distributivo unico, che non potrà mai corrispondere all'intera varietà dei beni sociali. Ci sono, comunque, tre criteri che sembrano soddisfare il requisito del principio aperto e che spesso sono stati difesi come l'alfa e l'omega della giustizia distributiva, per cui devo pronunciarmi su di loro. Libero scambio, merito, bisogno: tutti e tre hanno un valore effettivo ma nessuno dei tre è valido su tutto l'arco delle distribuzioni. Sono parte della storia, non sono la storia.

Libero scambio

Il libero scambio è ovviamente un criterio aperto: esso non garantisce alcun esito determinato della distribuzione. In nessun processo di scambio che si possa dire "libero" si potrà mai prevedere, in nessun momento, la particolare divisione dei beni sociali che risulterà in un dato momento successivo.[15] (Si può forse prevedere la sua struttura generale.) Almeno in teoria, il libero scambio crea un mercato nel quale tutti i beni sono convertibili in altri beni attraverso il mezzo neutrale del denaro. Non ci sono né beni dominanti né monopoli e perciò le successive divisioni che ne risultano rifletteranno direttamente i significati sociali dei beni che sono divisi. Infatti ogni affare, traffico, vendita e acquisto sarà stato concordato volontariamente da persone che ne conoscono il significato ed anzi ne sono i creatori; ogni scambio rivela i significati sociali. Dunque, per definizione, nessun X cadrà nelle mani di qualcuno che possiede Y solo perché costui possiede Y e senza considerare ciò che X significa realmente per qualche altro membro della società. Il mercato è radicalmente pluralistico nelle sue operazioni e nei suoi risultati ed è infinitamente sensibile ai significati che gli individui attribuiscono ai beni. Ma allora quali restrizioni potremmo mai imporre al libero scambio in nome del pluralismo?

Ma la vita quotidiana del mercato, l'esperienza reale del libero scambio, è molto diversa da quello che la teoria vorrebbe far credere. Il denaro, che dovrebbe essere il mezzo neutrale, in realtà è un bene dominante, ed è monopolizzato da quelli che possiedono un talento particolare per traffici e affari, come dire "il pollice verde" della società borghese. Così, qualcuno chiederà una ridistribuzione del denaro e l'instaurazione di un regime di eguaglianza semplice, e si comincerà a cercare un modo di tenere in piedi un simile regime. Ma anche se ci concentriamo sulla fase iniziale, e non problematica, dell'eguaglianza semplice (il libero scambio sulla base di parti uguali) abbiamo sempre bisogno di fissare dei limiti su che cosa si può scambiare e con che cosa. Il libero scambio, infatti, affida per intero alle singole persone le distribuzioni, ma non spetta alle singole persone, o almeno non sempre, decidere come interpretare i significati sociali. Prendiamo un esempio molto semplice: il potere politico. Possiamo concepire questo potere come un insieme di beni dal valore variabile: voti, influenza, cariche e così via. Tutti questi beni possono essere scambiati sul mercato ed accumulati da chi è disposto a sacrificarne altri. Anche se i sacrifici sono reali il risultato è, in ogni caso, una forma di tirannia, ovvero, dato che si tratta di eguaglianza semplice, una tirannia stracciona. Poiché sono disposto a sacrificare il mio cappello, io voterò due volte e tu, che dài meno valore al voto che al mio cappello, non voterai affatto. Credo che il risultato sia tirannico persino rispetto a noi due, che abbiamo raggiunto un accordo volontario, e sicuramente è tirannico rispetto a tutti gli altri cittadini, che ora devono sottostare al mio potere sproporzionato. Il punto non è che non si possono contrattare i voti; secondo una certa interpretazione la politica democratica si riduce proprio a questo. È risaputo che i politici democratici comprano o cercano di comprare voti promettendo stanziamenti pubblici a beneficio di gruppi particolari di elettori. Ma queste cose si fanno pubblicamente, con fondi pubblici, e sono soggette alla pubblica approvazione. La contrattazione privata è esclusa per via della natura stessa della politica, o della politica democratica, cioè per via di quello che abbiamo fatto, o che crediamo di aver fatto, quando abbiamo costituito la comunità politica.

Il libero scambio non è un criterio generale, ma si possono specificare i confini del suo operare solo attraverso un'attenta analisi di beni sociali particolari. E una volta terminata questa analisi, si otterrà nei migliori dei casi, un insieme di confini dotato di autorità filosofica, e non necessariamente quell'insieme che dovrebbe avere autorità politica. Il denaro, infatti, non ha confini: è questa la prima forma di immigrazione illegale ed è una questione di convenienza, e non solo di principio, stabilire dove si dovrebbe cercare di bloccarla. Se non si riesce a bloccare là dove sarebbe ragionevole, si avranno conseguenze su tutto l'arco delle distribuzioni; ma questo è un problema che affronteremo in un altro capitolo.

Merito

Il merito, come il libero scambio, sembra un criterio aperto e pluralistico. Si può immaginare un'istanza neutrale unica, dispensatrice di premi e di punizioni ed infinitamente sensibile a tutte le forme di merito individuale; in tal caso il processo distributivo sarebbe effettivamente centralizzato, ma i suoi risultati sarebbero sempre imprevedibili e non omogenei. Non ci sarebbe un bene dominante; nessun X sarebbe mai distribuito senza tenere conto del suo significato sociale, poiché se non si considera la natura di X è concettualmente impossibile dire che esso è meritato; tutte le varie associazioni di uomini e donne riceverebbero il giusto compenso. Però è difficile immaginare come possa funzionare praticamente. Può aver senso, per esempio, dire che quest'uomo affascinante merita di essere amato, non ha senso dire che merita di essere amato da questa (o da una qualsiasi) donna in particolare. Se l'ama, ma lei rimane indifferente al suo fascino (reale), la sfortuna è soltanto sua, e dubito che vorremmo l'intervento di un'istanza esterna sulla situazione. L'amore degli uomini e delle donne, come lo intendiamo noi, può essere distribuito solo dagli interessati, che in queste faccende raramente si fanno guidare da considerazioni di merito. E così vanno le cose anche per l'influenza. Consideriamo l'esempio di una donna che molti trovano stimolante ed incoraggiante: forse merita di essere un membro influente della nostra comunità, ma non merita che io sia influenzato da lei o che io la segua. Né vorremmo che la mia adesione alla sua linea venisse decisa da un'istanza capace di simili decisioni. Essa può essere molto stimolante e incoraggiante, nei miei confronti, ma se io, perversamente, rifiuto di farmi stimolare o incoraggiare non le sto negando nulla che essa meriti. Lo stesso discorso vale, per estensione, per i politici e i cittadini comuni. I cittadini non possono scambiare voti contro cappelli, non possono decidere individualmente di attraversare il confine che separa la sfera della politica dal mercato. Entro la sfera della politica, però, prendono sì decisioni individualmente e anche qui si fanno raramente guidare da considerazioni di merito. Quanto alle cariche, non è chiaro se si possano meritare — altro problema che dovrò rimandare; ma anche se così fosse, sarebbe una violazione del nostro concetto di politica democratica se poi venissero semplicemente distribuiti ai meritevoli da un'istanza centrale.

E comunque si traccino i confini della sfera in cui opera il libero scambio, il merito non avrà alcun ruolo entro quei confini. Io sono abile, poniamo, a contrattare e commerciare, e così accumulo un gran numero di bei quadri. Se assumiamo, come fanno di solito i pittori, che sia giusto mettere i quadri sul mercato, non c'è niente di sbagliato nel fatto che io li possieda. Il mio titolo di proprietà è così legittimato. Ma sarebbe ben strano dire che merito di averli solo perché sono abile a contrattare e commerciare. Il merito sembra richiedere una connessione particolarmente stretta fra determinati beni e determinate persone, che dalla giustizia è richiesta solo occasionalmente. Ciononostante, si potrebbe ancora insistere che solo chi è intenditore d'arte e merita di avere quadri dovrebbe averli davvero. Non è difficile immaginare un meccanismo distributivo: lo stato potrebbe comprare tutti i quadri in vendita (ma gli artisti dovrebbero essere provvisti di licenza, o ci sarebbe un numero sterminato di quadri), stimarli e poi distribuirli agli intenditori d'arte — i quadri migliori agli intenditori più raffinati. A volte lo stato opera in questo senso con le cose di cui la gente ha bisogno, per esempio l'assistenza medica, ma non con quello che la gente merita. Ci sono difficoltà pratiche, ma sospetto che la ragione di questa differenza sia più profonda. Il merito non ha l'urgenza del bisogno e non comporta un avere (possedere e consumare) nello stesso modo. È per questo che siamo disposti a tollerare che i proprietari di quadri e gli intenditori d'arte non siano le stesse persone, e che non siamo disposti a chiedere quei tipi di interferenza nel mercato che sarebbero indispensabili per mettere fine a tale distinzione. Naturalmente è sempre possibile un intervento pubblico collaterale al mercato e così, si potrebbe sostenere che gli intenditori d'arte non meritano quadri ma musei. Anche se così fosse, non meritano che tutti gli altri contribuiscano col loro denaro o con fondi pubblici all'acquisto di quadri e alla costruzione di edifici. Ci dovranno convincere che l'arte vale quei soldi; dovranno stimolare e incoraggiare la nostra cultura artistica. Se non ci riescono, anche il loro amore per l'arte può diventare "impotente", "una sventura".

E anche se dovessimo affidare la distibuzione dell'amore, dell'influenza, delle cariche, delle opere d'arte e così via a degli onnipotenti arbitri del merito, come li selezioneremmo? Chi potrebbe meritare questa posizione? Solo Dio, che conosce i segretti nei cuori degli uomini, sarebbe in grado di fare le distribuzioni necessarie. Ma se questo fosse compito degli uomini, qualche banda di aristocratici (così chiamerebbero se stessi) con una ferma concezione di ciò che è migliore e più meritevole e insensibili alle diverse qualità dei loro concittadini metterebbe subito le mani sul meccanismo distributivo, e allora il merito non sarebbe più un criterio pluralistico, e ci troveremmo di fronte ad un nuovo insieme (di un vecchio tipo) di tiranni. Ci sono naturalmente delle persone che scegliamo come arbitre del merito, ad esempio per fare i giurati o per assegnare premi, e in seguito varrà la pena di esaminare quali siano le prerogative dei giurati, ma qui è importante sottolineare che essi operano in un ambito ristretto. Il merito è una valida rivendicazione, ma richiede giudizi difficili e dà luogo a distribuzioni determinate solo in condizioni molto particolari.

Bisogno

E per finire, il criterio del bisogno. "A ciascuno secondo i suoi bisogni" è considerata generalmente la metà distributiva della celebre massima di Marx: la ricchezza della comunità va distribuita in modo da conformarsi alle necessità dei suoi membri.[16] È una proposta plausibile, ma è anche radicalmente incompleta. In realtà anche la prima metà della massima è una proposta distributiva, e non si accorda con la regola posta nella seconda. "Da ciascuno secondo le sue capacità" fa pensare che si dovrebbero distribuire i posti di lavoro (o che si dovrebbero arruolare uomini e donne per il lavoro) sulla base delle qualifiche individuali; ma gli individui non hanno bisogno, in nessun senso ovvio, dei posti per i quali sono qualificati. Forse questi posti scarseggiano e i candidati qualificati sono numerosi: allora, quali candidati ne hanno più bisogno? Se già si provvede alle loro necessità materiali, forse non hanno affatto bisogno di lavorare. Oppure, se tutti ne hanno bisogno non materialmente, tale bisogno non servirà a distinguerli, non ad occhio nudo, almeno. E in ogni caso sarebbe veramente strano se a un comitato che deve trovare, poniamo, il direttore di un ospedale, si chiedesse di scegliere in base ai bisogni dei candidati anziché a quelli del personale e dei pazienti. Ma il secondo insieme di bisogni, anche se non fosse oggetto di dissenso politico, non porterà a una decisione distributiva unica.

E anche per molti altri beni il criterio del bisogno non funziona. La massima di Marx è inutile quando si tratta di distribuire il potere politico, l'onore e la fama, le barche a vela, i libri rari e tutti i tipi di oggetti preziosi. Di queste cose, a rigore, non ha bisogno nessuno. Anche se siamo di manica larga e definiamo l'espressione *avere bisogno* alla maniera dei bambini, cioè come la forma più forte del verbo *volere*, non avremo ugualmente un criterio distributivo adeguato. Cose come quelle elencate non possono essere distribuite equamente a coloro che le vogliono in maniera uguale, perché alcune sono in genere scarse, alcune sono necessariamente scarse, e alcune possono essere possedute soltanto se altre persone, per ragioni proprie, si mettono d'accordo su chi le deve possedere.

Il bisogno genera una sfera distributiva particolare nella quale il bisogno stesso è il principio distributivo appropriato. In una società povera rientrerà in questa sfera una proporzione alta della ricchezza sociale; ma data la varietà di beni generata da una qualsiasi vita in comune, anche con un livello materiale molto basso, ci saranno sempre altri criteri distributivi operanti a lato del bisogno, e sarà sempre necessario fare attenzione ai confini che li separano. Entro la sua sfera il bisogno soddisfa indubbiamente la norma distributiva generale relativa a X e Y. È ovvio che i beni di cui c'è bisogno, distribuiti a chi ne ha bisogno in proporzione al bisogno, non sono dominati da nessun altro bene. Quello che conta non è avere Y, ma solo non avere X. Ormai è chiaro, mi sembra, che ogni criterio che abbia un minimo di forza soddisfa la norma generale solo nella propria sfera. Il risultato della norma è: beni diversi ad associazioni diverse di uomini e donne per ragioni diverse e secondo procedure diverse. E chiarire tutto questo, almeno approssimativamente, significa tracciare una mappa dell'intero mondo sociale.

Gerarchie e società di casta

O meglio, significa tracciare una mappa di un particolare mondo sociale, perché io propongo un'analisi fenomenologica e ravvicinata che non produrrà una mappa ideale o un piano supremo ma, caso mai, una mappa e un piano adeguati a coloro per i quali sono tracciati, e dei quali riflettono la vita in comune. Naturalmente il mio scopo è una riflessione di un tipo particolare, che coglie le più profonde concezioni dei beni sociali che non sono necessariamente rispecchiate dalla pratica quotidiana della dominanza e del monopolio. E se queste concezioni non ci fossero? Finora ho sempre assunto che i significati sociali richiedano l'autonomia, o almeno un'autonomia relativa, delle sfere distributive, e molto spesso è davvero così. Tuttavia non è impossibile immaginare una società in cui la dominanza e il monopolio siano non violazioni ma realizzazioni dei significati, e in cui i beni sociali siano concepiti in maniera gerarchica. Nell'Europa feudale, per esempio, i vestiti non erano merce (come oggi) ma un simbolo del rango: il rango dominava l'abito. Il significato dei vestiti era fatto ad immagine dell'ordinamento feudale. Vestirsi con raffinatezza senza avere i titoli per farlo era una sorta di menzogna, era un modo di mentire sulla propria identità; ed era una specie di inganno politico che un re o un primo ministro si vestisse da popolano per scoprire come la pensassero i suoi sudditi.

D'altra parte, la difficoltà di imporre un codice dell'abbigliamento (leggi suntuarie) fa pensare che ci sia sempre stata una visione alternativa del suo significato, o, quanto meno, a un certo punto si cominciano a intravedere i confini di una sfera distinta, entro la quale la gente si veste secondo le proprie possibilità, o secondo quanto è disposta a spendere, o come vuole apparire. Le leggi suntuarie sono sempre in vigore, ma ora è possibile sollevare, anzi ora la gente comune solleva, obiezioni egualitarie contro di esse.

Si può immaginare una società in cui tutti i beni siano concepiti in modo gerarchico? Forse il sistema di caste dell'India antica aveva questa forma (questa però è un'affermazione molto forte, della quale sarebbe più prudente dubitare, almeno per un motivo: il potere politico sembra essere sempre sfuggito alle leggi di casta). Noi pensiamo alle caste come a dei gruppi rigidamente segregati e al sistema castale come a una "società al plurale", un mondo di confini;[17] ma questo sistema si costituisce attraverso una straordinaria integrazione di significati. Il prestigio, la ricchezza, la conoscenza, le cariche, l'occupazione, il cibo, l'abbigliamento e addirittura un bene sociale come la conversazione, sono tutti soggetti alla disciplina, fisica e insieme intellettuale, della gerarchia; e la gerarchia è determinata, a sua volta, da un unico valore: la purezza rituale. È permesso un certo tipo di mobilità collettiva, poiché le caste e le sottocaste, coltivando i segni esterni della purezza, possono, entro ristretti limiti, salire a una posizione più alta della scala sociale. Tutto il sistema si basa su una dottrina religiosa che promette l'eguaglianza di opportunità, non in questa vita ma nell'insieme delle incarnazioni di un'anima. Lo status di una persona "è il risultato della sua condotta nell'ultima incarnazione... e se è insoddisfacente, si può rimediare acquistando nella vita presente meriti che miglioreranno il suo status nella prossima".[18] Non bisogna assumere che la gente sia del tutto riconciliata con una diseguaglianza radicale; tuttavia le distribuzioni esistenti fanno parte di un sistema unico, sostanzialmente non contestato, nel quale la purezza domina gli altri beni, ed è dominata dalla nascita e dal sangue. I significati sociali si sovrappongono e si saldano.

Più questa coesione è perfetta, meno è possibile anche solo pensare l'eguaglianza complessa, perché tutti i beni sono come corone e troni di una monarchia ereditaria. Non ci sono né spazio né criteri per distribuzioni autonome. In realtà, tuttavia, una struttura così semplice è rara anche per le monarchie ereditarie. Il modo in cui la società concepisce il potere regale comprende in genere la nozione di grazia divina, o di dono magico, o di intuito, e questi criteri sono indipendenti, potenzialmente, dalla nascita e dal sangue. E lo stesso vale per quasi tutti i beni sociali che solo imperfettamente si integrano in sistemi più ampi e che almeno a volte vengono concepiti autonomamente. La teoria dei beni spiega le concezioni di questo tipo (quando esistono) e la teoria dell'eguaglianza complessa le sfrutta. Così si dice, per esempio, che se sul trono siede un uomo senza grazia né doni magici né intuito, questa è tirannia; ed è solo il tipo di tirannia più elementare e banale.

La tirannia ha sempre un carattere specifico: vi è un determinato attraversamento di confine, una determinata violazione di significati sociali. L'eguaglianza complessa esige che i confini siano difesi, e così come la gerarchia funziona differenziando gli individui, essa funziona differenziando i beni. Ma possiamo parlare di *regime* di eguaglianza complessa solo quando i confini da difendere sono molti, ma è impossibile indicarne il numero esatto. Non c'è un numero esatto. L'eguaglianza semplice è più semplice: se c'è un solo bene dominante largamente distribuito, c'è una società egualitaria. La complessità, invece, è meno semplice: quanti beni dovranno essere concepiti autonomamente prima che le relazioni da essi mediate diventino delle relazioni fra eguali? Non c'è una risposta certa e pertanto nemmeno un regime ideale. Ma non appena incominciamo a distinguere i significati e a differenziare le sfere distributive, siamo già imbarcati in un'impresa egualitaria.

Il contesto della discussione

Il contesto appropriato di questa impresa è la comunità politica. Essa non è certo un mondo distributivo autonomo: solo il mondo è un mondo distributivo autonomo, e ora la fantascienza ci invita a prospettare il momento in cui nemmeno questo sarà più vero. I beni sociali sono condivisi, spartiti e scambiati attraverso le frontiere politiche; il monopolio e la dominanza operano quasi altrettanto facilmente fuori e dentro le frontiere; cose e persone passano continuamente la frontiera, avanti e indietro. Ciononostante, la comunità politica è probabilmente il punto più vicino ad un mondo di significati comuni che si possa raggiungere. La lingua, la storia e la cultura si uniscono qui più che mai a formare una coscienza collettiva.

Il carattere nazionale, inteso come mentalità stabile e permanente, è naturalmente un mito, ma è un dato di fatto che i membri di una comunità storica condividano modi di sentire e di percepire. A volte le comunità politiche non coincidono con quelle storiche, e può darsi che nel mondo di oggi ci sia un numero crescente di stati in cui i modi di sentire e di percepire non sono immediatamente condivisi. Il patrimonio comune si forma entro unità più piccole, e allora si deve forse cercare un modo di adattare le decisioni distributive alle esigenze di queste unità.

Ma tale adattamento deve essere elaborato a livello politico e il suo carattere sarà determinato dalle concezioni comuni ai cittadini del valore della diversità culturale, dell'autonomia locale, eccetera. Quando discutiamo dobbiamo fare appello a queste concezioni e tutti dobbiamo farlo, non soltanto i filosofi, perché in fatto di morale l'unico argomento è il richiamo a significati condivisi.

Inoltre, la politica istituisce dei legami comunitari propri. In un mondo di stati indipendenti il potere politico è un monopolio locale; si può dire che queste persone creino, a prescindere dai vincoli, il proprio destino, o quanto meno, lottino con tutte le proprie forze per crearlo; e se il destino è soltanto in parte nelle loro mani, la lotta lo è per intero. Sono loro a decidere se rafforzare o mitigare i criteri distributivi, se accentrare o decentrare le procedure, se intervenire o astenersi dall'intervenire in questa o quella sfera distributiva. Anche se è un gruppo dirigente a prendere le decisioni effettive, i cittadini dovrebbero potersi riconoscere nei dirigenti; e se, come spesso accade, i dirigenti sono crudeli, od ottusi, o sfrenatamente venali, i cittadini (o alcuni di essi) cercheranno di sostituirli e lotteranno per la distribuzione del potere politico. La forma della lotta dipenderà dalle strutture istituzionali della comunità, vale a dire dagli esiti di lotte precedenti. La politica del presente è il prodotto della politica del passato, e fornisce un contesto inevitabile per considerare la giustizia distributiva.

C'è ancora un'ultima ragione, che svilupperò diffusamente nel prossimo capitolo, per pensare la comunità politica come contesto: la comunità stessa è uno, e presumibilmente il più importante, dei beni che vengono distribuiti. Questo bene, però, può essere distribuito solo "tirando dentro" la gente che deve essere ammessa materialmente e accettata politicamente. L'appartenenza, dunque, il cui valore dipende da una decisione interna, non può essere assegnata da un'istanza esterna. Se non esistessero comunità capaci di prendere simili decisioni, non ci sarebbe un bene degno di essere distribuito.

La sola alternativa plausibile alla comunità politica è l'umanità stessa, la società delle nazioni, l'intero pianeta. Ma se prendessimo il pianeta come nostro contesto dovremmo immaginare qualcosa che ancora non esiste: una comunità che comprenda tutti gli uomini e le donne. E dovremmo inventare, se possibile senza imporre i nostri valori, un insieme di significati comuni per tutte queste persone. Inoltre bisognerebbe chiedere ai membri di questa comunità ipotetica (o ai loro ipotetici rappresentanti) di mettersi d'accordo su quali assetti distributivi e quali schemi di conversione devono essere ritenuti giusti. La teoria del contrattualismo ideale o della comunicazione non distorta, che rappresenta uno, e non il mio, degli approcci alla giustizia entro una comunità particolare, potrebbe anche essere il solo approccio per l'intero pianeta.[19] Ma un ipotetico accordo, quale che sia la sua natura, potrebbe essere imposto solo spezzando i monopoli politici degli stati già esistenti e centralizzando il potere su scala planetaria. Perciò tale accordo (o tale imposizione) favorirebbe non l'eguaglianza complessa, ma o l'eguaglianza semplice (se il potere fosse dominante e ampiamente condiviso) o la tirannia *tout court* (se del potere s'impadronisse, come è probabile, un gruppo di burocrati internazionali). Nel primo caso la popolazione mondiale dovrebbe convivere con le difficoltà che ho già descritto (la continua ricomparsa dei privilegi locali e la continua riaffermazione di uno statalismo globale). E nel secondo dovrebbe convivere con difficoltà molto più gravi, di cui mi occuperò in seguito; per il momento la considero una ragione sufficiente per limitarsi alle città, ai paesi e agli stati che nel corso del tempo hanno strutturato la propria vita interna.

Per quanto riguarda l'appartenenza, tuttavia, sorgono problemi rilevanti sia tra queste comunità, sia all'interno di esse, e io cercherò di metterli a fuoco e di fare luce su tutte quelle occasioni in cui sono i cittadini comuni a metterli a fuoco. Entro certi limiti la teoria dell'eguaglianza complessa può essere estesa dalle comunità particolari alla società delle nazioni, e tale estensione ha il vantaggio che non calpesterà le concezioni e le decisioni locali. Inoltre, proprio per questo motivo, non produrrà un sistema distributivo uniforme esteso a tutto il pianeta e comincerà soltanto ad affrontare i problemi posti dalla miseria di massa esistente in molte sue parti. Non credo che l'inizio sia senza importanza, e in ogni caso non posso andare oltre: per farlo ci vorrebbe una teoria diversa, incentrata non sulla vita in comune dei cittadini ma sulle relazioni, meno strette, fra gli stati: insomma, una teoria diversa, un libro diverso.

2. Appartenenza

Membri e stranieri

L'idea di giustizia distributiva presuppone un mondo delimitato in cui abbiano luogo delle distribuzioni; un gruppo di persone che spartiscono, scambino e condividano beni sociali prima di tutto fra di loro. Come ho già sostenuto, questo mondo è la comunità politica, i cui membri si distribuiscono il potere fra di loro evitando, se possono, di dividerlo con chiunque altro. Quando pensiamo alla giustizia distributiva pensiamo a città o paesi indipendenti, capaci di darsi da sé degli schemi, giusti o ingiusti, di spartizione e di scambio; pensiamo a un gruppo già consolidato e a una popolazione stabile e così non vediamo la prima e la più importante delle questioni distributive: come si costituisce questo gruppo?

Non sto domandando come *si è costituito*: non m'interessano le origini storiche dei vari gruppi ma le decisioni che prendono, ora su quello che è e sarà il loro gruppo. Il bene più importante che distribuiamo fra di noi è l'appartenenza [*membership*] alla comunità, e ciò che facciamo a tale riguardo determina tutte le nostre altre scelte distributive: con chi faremo quelle scelte, da chi esigeremo obbedienza ed imposte, e a chi assegneremo beni e servizi.

Gli uomini e le donne che non appartengono a nessuna comunità sono persone senza stato. La loro condizione non li esclude da ogni rapporto distributivo: il mercato, per esempio, in genere è aperto a tutti, ma chi non è membro di niente non vi è protetto, ed è vulnerabile, e pur partecipando liberamente allo scambio dei beni, non partecipa di quei beni che sono condivisi. È escluso dalle misure comunitarie di sicurezza ed assistenza. Nemmeno quegli aspetti della sicurezza e dell'assistenza che vengono distribuiti alla collettività, come la sanità pubblica, sono garantiti ai non membri: queste persone, in-

41

fatti, non hanno un posto assicurato nella collettività e possono sempre esserne espulse. Essere senza stato è davvero una condizione molto pericolosa.

Ma dal nostro punto di vista l'appartenenza e la non appartenenza non sono le sole possibilità, o le possibilità più importanti. Si può anche appartenere a un paese povero o a un paese ricco, abitare in un paese densamente popolato o quasi deserto, essere sudditi di un regime autoritario o cittadini di una democrazia. La gente si sposta facilmente, e molti uomini e donne cercano regolarmente di cambiare residenza e cittadinanza, spostandosi da un ambiente sfavorevole a uno favorevole; i paesi liberi e prosperi sono tempestati, come le università di élite, di richieste d'ammissione e devono decidere quali dimensioni e quali caratteristiche darsi. O, più esattamente, siamo noi, in quanto cittadini di un tale paese, a dover decidere: chi dobbiamo ammettere? Dobbiamo ammettere tutti? Possiamo scegliere fra i candidati? Quali sono i criteri di distribuzione dell'appartenenza più adeguati?

L'uso della prima persona plurale in queste domande già suggerisce la risposta convenzionale: siamo noi, che siamo già membri, a fare la scelta, in base a ciò che significa per noi appartenere alla nostra comunità e al tipo di comunità che vogliamo. L'appartenenza, in quanto bene sociale, è costituita dalla nostra concezione, e il suo valore è fissato dal nostro lavoro e dai nostri rapporti e dunque chi, se non noi, dovrebbe occuparsi della sua distribuzione? Ma non la distribuiamo fra di noi (noi c'è l'abbiamo già): la diamo agli estranei. La scelta, perciò, è governata anche dai nostri rapporti con gli estranei, e non solo dal nostro modo di concepire tali rapporti ma anche dai contatti, dai collegamenti, dalle alleanze che abbiamo effettivamente stabilito, e dai risultati ottenuti oltre i nostri confini. Ma per cominciare mi occuperò degli estranei nel senso letterale del termine: uomini e donne che incontriamo, per così dire, per la prima volta. Non sappiamo chi sono né cosa pensino, tuttavia li riconosciamo come uomini e donne. Sono come noi ma non sono dei nostri; e quando prendiamo delle decisioni sull'appartenenza dobbiamo prendere in considerazione tanto loro quanto noi stessi.

Qui non cercherò di ripercorrere la storia dell'idea di estraneo in Occidente. In molte lingue antiche, compreso il latino, c'era un'unica parola per estraneo e nemico, e solo a poco a poco, attraverso una lunga serie di tentativi siamo arrivati a distinguere i due concetti e a riconoscere che, in certe situazioni, gli estranei (ma non i nemici) possono aver diritto alla nostra ospitalità, assistenza e benevolenza. Possiamo esprimere formalmente questo riconoscimento come principio di aiuto reciproco, che indica, come ha scritto John Rawls, i doveri che abbiamo "non soltanto nei confronti di individui definiti, ad esempio quelli con cui si coopera all'interno di un certo assetto sociale, ma nei confronti delle persone in generale". L'aiuto reciproco oltrepassa le frontiere politiche (e anche quelle culturali, religiose e linguistiche). Il suo fondamento filosofico è difficile da specificare (mentre la sua stessa storia gli fornisce un fondamento pratico), e dubito che Rawls abbia ragione a sostenere che per stabilire questo principio basta immaginare "come sarebbe una società se questo dovere fosse rifiutato"[2]; tale rifiuto, infatti, non è mai un problema interno di una società determinata, ma un problema che nasce soltanto fra persone che non hanno o non sanno di avere in comune una vita in comune. Quelli che hanno effettivamente in comune una vita in comune hanno anche dei doveri molto maggiori.

La mancanza di una qualsiasi struttura di cooperazione crea il contesto dell'aiuto reciproco: due estranei si incontrano al mare, o nel deserto, o, come nella parabola del Buon Samaritano, al margine di una strada. Non è affatto chiaro che cosa debbano, esattamente, l'uno all'altro, ma generalmente si dice che in questi casi una assistenza concreta è doverosa se (1) uno dei due ne ha bisogno, o ne ha un bisogno urgente, (2) fornirla presenta rischi e costi relativamente bassi per l'altro. Date queste condizioni, dovrei fermarmi ad aiutare lo straniero ferito dovunque io lo incontri, quali che siano la sua appartenenza e la mia. Questa è la nostra moralità e, presumibilmente, anche la sua. Ed è un obbligo che vale, più o meno nella stessa forma, anche per la collettività. Anche un gruppo dovrebbe aiutare gli estranei bisognosi che trova, non importa come, nel gruppo stesso o sulla propria strada. In questo caso, però, i limiti dei rischi e dei costi sono ben definiti: non sono tenuto ad ospitare l'estraneo ferito a casa, se non per poco tempo, e certamente non sono tenuto ad averne cura e tanto meno a legarmi a lui per il resto della mia vita. La mia vita non può essere decisa e determinata da questi incontri casuali. Il governatore John Winthrop, pronunciandosi contro la libertà di immigrazione nel giovane stato puritano del Massachusetts, sottolineava che questo diritto di rifiuto valeva anche per l'aiuto reciproco collettivo: "Quanto all'ospitalità, questa regola è vincolante soltanto per la circostanza attuale e non per una residenza permanente."[3] Arriverò solo gradualmente al problema se la posizione di Winthrop sia difendibile: qui desidero solo indicare nell'aiuto reciproco un (possibile) principio esterno di distribuzione dell'appartenenza, che è indipendente dalla concezione prevalente dell'appartenenza in una società determinata. La forza di tale principio è incerta, in parte per via del suo carattere vago e in parte perché esso si scontra a volte con la forza dei significati sociali; e questi significati possono essere, e sono, specificati attraverso i processi decisionali della comunità politica.

Potremmo optare per un mondo senza significati particolari e senza comunità politiche, in cui nessuno sia membro di niente oppure tutti "siano parte" di un unico stato planetario. Queste sono le due forme dell'eguaglianza semplice rispetto all'appartenenza. Se tutti gli esseri umani fossero estranei l'uno all'altro, se tutti i nostri incon-

43

tri fossero come gli incontri al mare, o nel deserto, o al margine di una strada, non ci sarebbe alcuna appartenenza da distribuire, e non ci sarebbe il problema di una politica di ammissione. Dove, come e con chi vivere dipenderebbe prima dai nostri desideri e poi dai nostri legami ed affari; la giustizia sarebbe soltanto non coercizione, buona fede e "buonsamaritanismo", cioè sarebbe soltanto una questione di principi esterni. E se, al contrario, tutti gli esseri umani fossero membri di uno stato planetario, l'appartenenza sarebbe già equamente distribuita, e non ci sarebbe nient'altro da fare. Il primo di questi assetti fa pensare a una sorta di libertarismo planetario e il secondo a una sorta di socialismo planetario; queste sono le sole situazioni in cui non si pone il problema della distribuzione dell'appartenenza. O non ci sarebbe tale condizione da distribuire, oppure essa spetterebbe (a tutti) semplicemente con la nascita. Ma nessuno dei due assetti ha probabilità di essere realizzato in un possibile futuro; e ci sono argomenti molto convincenti, che esporrò più avanti, contro entrambi. In ogni caso, finché i membri e gli estranei costituiscono, come ora, due gruppi distinti, occorre prendere delle decisioni riguardo l'ammissione, il fatto di accogliere o respingere uomini e donne. Data l'indeterminatezza dei requisiti dell'aiuto reciproco, tali decisioni non sono vincolate da nessun criterio diffusamente accettato. È per questo che le politiche di ammissione dei vari paesi vengono raramente criticate, se non per sostenere che i soli criteri pertinenti sono quelli della carità, e non quelli della giustizia. Certo, è possibile che una critica più approfondita porti a negare la distinzione membro-estraneo; ciononostante, cercherò di difenderla e di descrivere i principi interni ed esterni che governano la distribuzione dell'appartenenza.

L'argomento richiederà un attento esame delle politiche di immigrazione e di naturalizzazione. Ma prima vale la pena osservare brevemente che esistono certe somiglianze fra gli estranei in campo politico (immigranti) e i discendenti (figli). Si entra in un paese non solo passandone la frontiera ma anche, e più spesso, nascendo da genitori che già ci abitano. Entrambi questi processi possono essere controllati, tuttavia nel secondo caso avremo a che fare, a meno di praticare un infanticidio selettivo, con individui non nati e perciò sconosciuti. I sussidi alle famiglie numerose e i programmi di controllo delle nascite determinano solo le dimensioni della popolazione di un paese, e non le caratteristiche dei suoi abitanti. Naturalmente potremmo concedere il diritto di riproduzione in modo differenziato a gruppi di genitori diversi, introducendo delle quote etniche (come le quote per paese di origine delle politiche di immigrazione) o quote per classi o per intelligenza, oppure lasciando che dei permessi di riproduzione siano scambiati sul mercato. Sono dei modi di determinare chi avrà figli e di plasmare il carattere della popolazione futura: ma sono modi indiretti ed inefficienti, anche riguardo al fattore etnico, a meno che lo stato non regoli anche i matrimoni misti e l'assimilazione. Anche senza arrivare a tanto, simili politiche richiederebbero livelli di coercizione altissimi e sicuramente inaccettabili: la dominanza del potere politico sulla parentela e sull'amore. Perciò l'unico grande problema della politica statale è quello delle dimensioni della popolazione, della sua crescita, stabilità o diminuzione. A quanti distribuiamo l'appartenenza? Ma potremo affrontare col massimo di chiarezza le questioni più generali e filosoficamente più interessanti (A che generi di persone? e a quali persone determinate?) quando passeremo ai problemi messi in gioco dall'ammissione o esclusione degli stranieri.

Analogie: vicinati, circoli e famiglie

Le politiche di ammissione sono determinate in parte dalla considerazione delle condizioni economiche e politiche del paese ospite, in parte dalla considerazione del carattere e del "destino" di tale paese e in parte dalla considerazione della natura dei paesi (delle comunità politiche) in generale. La più importante, almeno in teoria, è l'ultima, poiché sarà la nostra concezione di che cosa sia in generale un paese a decidere se dei paesi determinati abbiano il diritto che tradizionalmente rivendicano, e cioè di distribuire l'appartenenza per ragioni particolari (proprie). Ma pochi di noi hanno un'esperienza diretta di che cosa sia un paese o di che cosa significhi esserne membro. Spesso siamo molto legati al nostro paese, di cui abbiamo però solo una vaga idea. Come comunità politica (non dico come luogo), dopo tutto, esso è invisibile, e in realtà ne vediamo solo i simboli, gli uffici e i rappresentanti. Ho l'impressione che lo capiamo meglio se lo confrontiamo con altre associazioni, più piccole, di cui possiamo cogliere più facilmente la portata. Tutti noi, infatti, siamo membri di gruppi formali ed informali di molti tipi diversi, dei quali conosciamo bene il funzionamento. Ora, tutti questi gruppi hanno, e non possono non avere, delle politiche di ammissione. Anche se non siamo mai stati pubblici ufficiali e non siamo mai emigrati, tutti abbiamo avuto l'esperienza di accettare o respingere degli estranei e l'esperienza di essere stati accettati o respinti. È a questa esperienza che voglio attingere; svilupperò la mia argomentazione con una serie di paragoni approssimativi attraverso la quale lo specifico significato dell'appartenenza politica diventerà, credo, sempre più evidente.

Consideriamo dunque tre possibili analogie con la comunità politica: possiamo pensare i paesi come vicinati, circoli o famiglie. Naturalmente l'elenco non è esaustivo, ma servirà ad illuminare certi aspetti chiave dell'ammissione e dell'esclusione. Tratterò a parte le scuole, le burocrazie e le aziende, che pur avendo alcune delle caratteristiche dei circoli, non distribuiscono solo l'appartenenza ma an-

che lo status sociale ed economico. In ogni paese ci sono molte associazioni che sono parassitarie rispetto all'appartenenza, poiché si ba-
sano sulle procedure di altre associazioni: i sindacati dipendono dalle politiche di assunzione delle aziende, le organizzazioni genitori-in-
segnanti dall'apertura dei vicinati o dalla selettività delle scuole private. I partiti politici generalmente assomigliano ai circoli, mentre le
congregazioni religiose sono spesso concepite come le famiglie. E un
paese, a che cosa dovrebbe assomigliare?

Il vicinato è un'associazione veramente complessa; tuttavia abbiamo una certa concezione della sua natura, che è almeno in parte
rispecchiata, ma anche (sempre più contestata) dal diritto americano
contemporaneo. È un'associazione priva di una politica di ammissione organizzata o applicabile per legge. Gli estranei possono essere
benvenuti o no, ma non possono essere ammessi o esclusi. È chiaro
che, a volte, essere benvenuto o no è in realtà la stessa cosa che essere ammesso o escluso, ma sul piano teorico la distinzione è importante. In linea di principio un individuo o una famiglia si trasferisce in
un vicinato per ragioni proprie; sceglie, ma non è scelto. Caso mai è il
mercato, in mancanza di controlli legali, a controllarne i movimenti.
Il trasferimento è determinato non solo dalla scelta personale, ma
anche dalla capacità di trovare un lavoro e un posto in cui vivere (o di
trovare, in una società diversa dalla nostra, una comune di produzione e un condominio in cooperativa). In teoria il mercato funziona indipendentemente dalla reale composizione del vicinato; lo stato protegge questa indipendenza astenendosi dall'imporre condizioni re-
strittive e intervenendo per impedire, o minimizzare, la discriminazione nelle assunzioni. Non esistono assetti istituzionali che possano
conservare la "purezza etnica", anche se le *zoning laws* a volte mantengono la segregazione di classe.[4]* Il vicinato è, rispetto a qualsiasi
criterio formale, un'associazione casuale, "non una selezione ma
piuttosto un campione della vita nel suo insieme. ... La stessa indifferenza dello spazio", ha scritto Bernard Bosanquet, "ci espone all'impatto diretto di tutti i fattori possibili".[6]

Nell'economia politica classica era diffusa la tesi che il territorio
nazionale dovesse essere altrettanto "indifferente" dello spazio locale. Gli stessi autori che nell'Ottocento difendevano il libero scambio,
difendevano anche l'immigrazione senza restrizioni; erano per una
totale libertà contrattuale, senza vincoli politici di sorta. Secondo loro la società internazionale avrebbe dovuto realizzarsi come un mondo di vicinati nel quale gli individui potessero spostarsi liberamente
per migliorare la propria situazione. Essi ritenevano (come riferisce
Henry Sidgwick, poco dopo il 1890) che il solo compito dei pubblici
funzionari fosse di "mantenere l'ordine in un particolare territorio...

* L'uso delle *zoning laws* per bandire dai vicinati (circondari, villaggi, città) certi tipi
di persone — quelle, per l'esattezza, che non vivono in famiglie convenzionali — è un nuovo aspetto della nostra storia politica che qui non commenterò.[5]

ma in nessun modo quello di determinare chi debba abitare in questo territorio o di limitare il godimento dei suoi vantaggi naturali a una certa parte della razza umana".[7] Fatti salvi i diritti della proprietà privata, i vantaggi naturali (come i mercati) sono a disposizione di tutti; e se sono consumati o svalutati dalla sovrappopolazione è probabile che la gente si sposterà un'altra volta, in una giurisdizione di un nuovo gruppo di funzionari.

Sidgwick, pur pensando che questo potesse essere "l'ideale del futuro", avanzava tre ragioni contro un mondo di vicinati nel presente. In primo luogo, in un mondo del genere non ci sarebbe posto per i sentimenti patriottici, per cui gli "aggregati casuali" che probabilmente risulterebbero dai liberi spostamenti degli individui mancherebbero di "coesione interna". I vicini sarebbero estranei l'uno all'altro. In secondo luogo, la libertà di movimento potrebbe interferire con i tentativi di "alzare il tenore di vita delle classi più povere" di un dato paese, in quanto questi tentativi non potrebbero essere intrapresi con la stessa energia né avere lo stesso successo in tutte le parti del mondo. In terzo luogo, lo sviluppo della moralità e della cultura e il buon funzionamento delle istituzioni politiche potrebbero essere "sconfitti" dalla continua formazione di popolazioni eterogenee.[8] Sidgwick presentava questi tre argomenti come una serie di considerazioni utilitaristiche, che facevano di contrappeso ai vantaggi della mobilità del lavoro e della libertà contrattuale; ma a mio avviso essi sono di diversa natura. La forza degli ultimi due deriva dal primo, a patto che questo sia concepito in termini non utilitaristici. Solo se il sentimento patriottico ha un fondamento morale, se la coesione della comunità crea il terreno per gli obblighi e i significati comuni, se oltre agli estranei ci sono anche i membri, i pubblici funzionari hanno motivo di preoccuparsi in modo particolare per il benessere della propria gente (e di *tutta* la propria gente) e per il successo della loro cultura e politica. Si può quanto meno dubitare, infatti, che il tenore di vita medio delle classi povere di tutto il mondo peggiorerebbe in condizioni di perfetta mobilità del lavoro; né è del tutto evidente che la cultura non possa prosperare in ambienti cosmopoliti o che sia impossibile governare aggregati casuali di persone. Anzi, riguardo all'ultimo punto, i teorici della politica hanno scoperto, molto tempo fa, che certi tipi di regimi, per l'esattezza quelli autoritari, prosperano proprio quando manca la coesione della comunità. Il fatto che la mobilità perfetta favorisca l'autoritarismo potrebbe suggerirci un argomento di tipo utilitaristico contro di essa: ma un tale argomento funzionerebbe solo se le persone libere di andare e venire esprimessero il desiderio di un'altra forma di governo — e non è detto che lo facciano.

È probabile, comunque, che la perfetta mobilità del lavoro sia un miraggio, dato che quasi certamente incontrerebbe delle resistenze a livello locale. Come ho già detto, gli esseri umani si spostano moltis-

47

simo, ma non perché amino spostarsi. Generalmente tendono a rimanere dove sono, a meno che la vita non sia particolarmente difficile, vivono il conflitto tra l'attaccamento al luogo e i disagi di quel luogo; così alcuni lasciano la propria casa e diventano degli stranieri in un nuovo paese, mentre altri restano dove sono e guardano con ostilità gli stranieri nel loro paese.

Perciò, se mai gli stati diventassero dei grossi vicinati, è probabile che i vicinati diventerebbero dei piccoli stati e che i loro membri si organizzerebbero per difendere la politica locale e la loro cultura dagli estranei. Storicamente i vicinati si sono trasformati in comunità chiuse o ristrette (lasciando da parte i casi di costrizione legale) tutte le volte che lo stato era aperto: per esempio nelle città cosmopolite degli imperi multinazionali, quando i pubblici funzionari non promuovevano nessuna identità particolare, ma permettevano ai diversi gruppi di costruire le proprie strutture istituzionali (come nell'antica Alessandria), o nei centri dove venivano accolte masse di emigrati (New York all'inizio del Novecento), quando il paese è un mondo aperto ma anche straniero, oppure un mondo pieno di alieni. E le cose vanno in modo analogo quando lo stato non esiste affatto o nelle zone in cui non funziona. Dove, per esempio, i fondi per l'assistenza vengono riscossi e spesi localmente, come nei comuni inglesi del Seicento, la gente del posto cercherà di escludere i nuovi venuti che potrebbero ricevere tale assistenza. È solo con la nazionalizzazione dei servizi assistenziali (o con quella della cultura e della politica) che le comunità di vicinato diventano aperte a chiunque scelga di entrarvi.

I vicinati possono essere aperti solo se i paesi sono, almeno potenzialmente, chiusi. Le comunità locali possono assumere la forma di associazioni "indifferenti", determinate solo dalle preferenze personali e dalla capacità di trattare solo se lo stato seleziona i suoi aspiranti membri e si fa garante della lealtà, della sicurezza e del benessere di quelli che ha selezionato. Dato che la scelta individuale dipende soprattutto dalla mobilità locale, in una società come la nostra questa sembrerebbe la soluzione migliore. La politica e la cultura di una democrazia moderna probabilmente esigono il tipo di apertura e anche il tipo di limitazione che gli stati forniscono. Non voglio negare il valore delle culture settoriali e delle comunità etniche, ma solo accennare alle rigidità cui sarebbero entrambe sottoposte in assenza di stati inclusivi e protettivi. Abbattere le mura dello stato non significa, come ipotizzava con preoccupazione Sidgwick, creare un mondo senza mura, ma creare mille piccole fortezze.

Certo, anche le fortezze potrebbero essere abbattute: è sufficiente uno stato globale abbastanza potente da schiacciare le comunità locali. E allora il risultato sarebbe il mondo degli economisti politici descritto da Sidgwick: un mondo di uomini e donne assolutamente sradicati. I vicinati potrebbero anche conservare, senza che sia imposta, una certa coesione culturale per una generazione o due; ma con tutti i nuovi arrivi e le partenze, presto la coesione svanirebbe. La particolarità delle culture e dei gruppi dipende dalla chiusura, senza la quale non può essere considerata una caratteristica stabile della vita degli uomini. Se questa particolarità è un valore, come sembra che credano quasi tutti (benché alcuni siano dei pluralisti planetari e altri soltanto dei lealisti locali), allora si deve permettere che ci sia una chiusura da qualche parte; a un certo livello di organizzazione politica deve concretarsi qualcosa di simile ad uno stato sovrano che si arroghi l'autorità di creare una propria politica di ammissione, di controllare e a volte di frenare il flusso immigratorio.

Ma questo diritto di controllare l'immigrazione non comprende né implica il diritto di controllare l'emigrazione. La comunità politica può plasmare la propria popolazione solo in un senso: questa distinzione viene ripetuta, in forme diverse, in tutte le definizioni dell'appartenenza. La limitazione dell'entrata serve a difendere la libertà, il benessere, la politica e la cultura di un gruppo di persone legate l'una all'altra e alla loro vita in comune; ma la limitazione dell'uscita sostituisce questo legame con la coercizione, e dal punto di vista dei membri che la subiscono non c'è più una comunità che valga la pena di difendere. Forse uno stato può esiliare dei cittadini o espellere degli stranieri che vivono entro i suoi confini (se c'è un luogo disposto ad accoglierli). Se si eccettuano quei periodi di emergenza nazionale in cui ciascuno è tenuto a lavorare per la sopravvivenza della comunità, uno stato non può impedire a queste persone di alzarsi ed andarsene. Tuttavia il fatto che un individuo abbia il diritto di lasciare il proprio paese non dà luogo al diritto di entrare in un altro (in nessun altro). L'immigrazione e l'emigrazione sono moralmente asimmetriche.[9] In questo caso l'analogia più appropriata è quella con i circoli, che sul piano nazionale hanno la caratteristica (che sul piano internazionale spetta, come ho appena accennato, agli stati) di poter regolare le ammissioni senza poter impedire le dimissioni.

Come i circoli, anche i paesi hanno dei comitati per l'ammissione. Negli Stati Uniti questa funzione è svolta dal Congresso, che però raramente opera delle selezioni individuali; esso stabilisce, caso mai, delle qualifiche generali, delle categorie per l'ammissione e l'esclusione e delle quantità numeriche (i limiti). Poi si accolgono le persone che soddisfano i requisiti con una maggiore o minore discrezionalità amministrativa, ma principalmente sulla base del "primo arrivato, primo servito". Questa procedura sembra senz'altro difendibile, ma ciò non significa che si debba difendere un sistema particolare di qualifiche e categorie. Dire che gli stati hanno il diritto di intervenire in certi settori non vuol dire che tutto ciò che fanno in quei settori è giusto. Si può discutere un determinato criterio di ammissione richiamandosi, per esempio, alle condizioni e alle caratteristiche del paese ospitante nonché alle concezioni condivise da quelli che ne sono già membri; e tali argomenti vanno giudicati dal punto di vista morale e politico oltre che fattuale. Si può ragionevolmente ritenere imprecisa oltre che ingiusta la pretesa dei sostenitori americani dell'immigrazione limitata di difendere l'omogeneità di un paese bianco e protestante (gli Stati Uniti intorno al 1920): come se i cittadini non bianchi o non protestanti fossero stati degli uomini o delle donne invisibili, da non contare nel censimento nazionale![10] Gli americani di un'epoca precedente, mirando ai vantaggi dell'espansione economica e geografica, avevano creato una società pluralistica; e i principi morali di questa società avrebbero dovuto guidare i legislatori degli anni venti. Se portiamo avanti coerentemente l'analogia con i circoli, bisogna dire che le decisioni dell'epoca precedente avrebbero potuto essere diverse e gli Stati Uniti avrebbero potuto evolversi come comunità omogenea, come stato-nazione anglosassone (assumendo ciò che in ogni caso accadde: il virtuale sterminio degli indiani, che, avendo capito perfettamente i pericoli dell'invasione, lottarono con tutte le loro forze per tenere fuori dalla propria terra gli stranieri). Le decisioni di questo tipo sono soggette a dei vincoli, che non posso ancora specificare; prima è importante sottolineare che nella società americana, come ogni società in evoluzione, la distribuzione dell'appartenenza è una questione da decidere a livello politico. Il mercato del lavoro può essere lasciato al suo libero gioco, come è stato per decenni negli Stati Uniti, ma questo non accade naturalmente o per azione divina: dipende da scelte che in ultima istanza sono politiche. Che tipo di comunità vogliono creare i cittadini? Con quali altri uomini e donne vogliono condividere e scambiare beni sociali?

Pur riferendosi, in genere, a una comunità meno estesa e a una gamma di beni sociali più limitata, i membri di un circolo si pongono proprio queste domande quando prendono decisioni riguardo alle ammissioni. Nei circoli, solo i fondatori si scelgono (o si scelgono reciprocamente) e tutti gli altri diventano membri perché scelti da quelli che già lo erano prima di loro. Una persona può fornire delle buone ragioni per cui dovrebbe essere ammessa, ma nessuno che sia esterno ha il dirittto di essere interno. I membri decidono liberamente quali devono essere i nuovi soci, e le loro decisioni sono d'autorità e definitive. Solo quando un circolo si divide in fazioni in lotta per la proprietà lo stato può intervenire e decidere per conto proprio chi sono i membri. Ma quando è uno stato a dividersi non è possibile alcun appello legale: non esistono organismi superiori. Perciò possiamo immaginare gli stati come circoli perfetti, dotati di potere sovrano sui loro processi di selezione.*

Ma se questa descrizione è esatta in fatto di diritto, non lo è dal punto di vista della vita morale delle comunità politiche attuali. È

---

* Winthrop ha chiarito questo punto: " Se noi, qui, fossimo una corporazione fondata sul libero consenso, se il luogo nel quale abitiamo fosse nostro, nesssun uomo avrebbe il diritto di venire da noi... senza il nostro consenso."[11] Ritornerò sul problema del "luogo" più avanti (pag. 52).

evidente che spesso i cittadini si considerano moralmente obbligati ad aprire le porte del proprio paese, forse non a tutti quelli che vogliono entrare, però ad un particolare gruppo esterno, considerato nazionalmente o etnicamente "affine". In questo senso gli stati assomigliano più a delle famiglie che a dei circoli perché è una caratteristica della famiglia che i suoi membri siano moralmente legati a persone che non hanno scelto e che non vivono nella loro stessa casa. La casa, nei tempi difficili, è anche un rifugio. A volte vi accogliamo, sotto gli auspici dello stato, anche dei concittadini che non sono nostri parenti, come fecero molte famiglie inglesi di campagna con i bambini di Londra, durante il Blitz. Ma il nostro aiuto più spontaneo è per i nostri parenti; e lo stato riconosce un principio che possiamo chiamare "di consanguineità" quando fra gli immigrati dà la priorità ai parenti dei cittadini. Questa è l'attuale politica degli Stati Uniti, e sembra particolarmente opportuna in una comunità politica formatasi in larga parte attraverso l'ammissione di immigrati. È anche un modo di riconoscere che la mobilità della forza lavoro ha un prezzo sociale: i lavoratori sono uomini e donne che hanno famiglia, per cui non è possibile ammetterli per farli lavorare e rifiutare ogni obbligo, poniamo, verso i loro genitori anziani o i loro fratelli malati.

In comunità formatesi diversamente, in cui lo stato rappresenta una nazione in gran parte già insediata, si afferma in genere un altro tipo di obbligo, che dipende dal principio di nazionalità. Nei momenti difficili lo stato diventa un rifugio per i membri della nazione, che siano o no residenti e cittadini. Il confine della comunità politica può essere stato tracciato, anni addietro, in modo da lasciare dalla parte sbagliata i loro villaggi e città, oppure possono essere figli o nipoti di emigranti. Pur non avendo a norma di legge diritti di appartenenza, se nel paese in cui vivono sono perseguitati, si rivolgono alla madrepatria non solo con speranza, ma anche con delle aspettative, che io direi legittime. Dopo le guerre e le rivoluzioni dei primi del secolo, i greci scacciati dalla Turchia e i turchi scacciati dalla Grecia, dovettero essere accolti dagli stati che portavano il nome della loro comunità. Altrimenti a che cosa servirebbero tali stati? Essi non si limitano a presidiare un territorio e a vigilare su un insieme casuale di abitanti, ma sono anche l'espressione politica di una vita comunitaria e, molto spesso, di una "famiglia" nazionale che non è mai del tutto compresa nei loro confini giuridici. Dopo la seconda guerra mondiale le due Germanie accolsero e assistettero milioni di tedeschi espulsi dalla Polonia e dalla Cecoslovacchia. Anche se le due Germanie non avessero avuto alcuna responsabilità per tale espulsione, avrebbero comunque avuto un obbligo particolare verso i rifugiati. Quasi tutti gli stati riconoscono obblighi di questo tipo nella pratica e alcuni anche per legge.

Il territorio

Dunque potremmo concepire i paesi come circoli o famiglie nazionali, ma un paese è anche uno stato territoriale. Benché i circoli e le famiglie abbiano delle proprietà, non esigono né possiedono (se non nei sistemi feudali) una giurisdizione su un territorio. Non controllano dove stanno i loro membri (bambini a parte), cosa che invece fa lo stato, se non altro per il bene dei circoli e delle famiglie, e dei singoli uomini e donne che li costituiscono. Questo controllo comporta determinati obblighi che potremo meglio esaminare se consideriamo ancora una volta l'asimmetria fra immigrazione ed emigrazione.

Il principio di nazionalità ha un limite significativo, generalmente accettato in teoria, anche se non sempre in pratica: benché il riconoscimento dell'affinità nazionale sia un motivo per consentire l'immigrazione, il non riconoscimento non è un motivo per l'espulsione. Nel mondo moderno questa è una questione molto importante perché molti stati da poco indipendenti si trovano a controllare un territorio nel quale, sotto gli auspici del vecchio regime imperiale, erano stati ammessi dei gruppi alieni. A volte questa gente è costretta ad andarsene, vittima di un'ostilità popolare che il nuovo governo non può tenere a freno; più frequentemente il governo stesso favorisce tale ostilità e interviene attivamente per espellere gli "elementi alieni" invocando una qualche variante dell'analogia col circolo o con la famiglia. Qui, tuttavia, non vale nessuna delle due, perché sebbene gli "alieni" non abbiano il diritto di essere membri di un circolo o di una famiglia è possibile, a mio avviso, definire una sorta di diritto di territorio.

Hobbes diede a questo argomento la sua forma classica quando elencò i diritti cui si rinuncia e quelli che si conservano quando si firma il contratto sociale. I diritti conservati comprendono l'autodifesa nonché "l'uso del fuoco, dell'acqua, degli spazi aperti, *e di un luogo per vivere*, e... di tutte le cose necessarie alla vita".[12] In effetti non si tratta di un diritto ad un luogo determinato ma di un diritto che è possibile esercitare contro lo stato, che esiste per proteggerlo — anzi la giurisdizione territoriale che lo stato rivendica deriva in ultima analisi da questo diritto individuale a un luogo. Tale diritto ha dunque una forma individuale oltre che collettiva, e le due forme possono entrare in conflitto; ma non si può dire che la prima prevalga sempre o necessariamente sulla seconda, dato che questa è comparsa proprio per il bene di quella. Lo stato deve qualcosa ai suoi abitanti in quanto tali, indipendentemente dalla loro identità collettiva o nazionale; ed il primo luogo al quale gli abitanti hanno diritto è sicuramente quello dove sono vissuti e si sono costruiti una vita insieme alle loro famiglie. I legami e le aspettative che si sono costruiti sono un motivo contro un trasferimento forzato in un altro paese: se non possono avere questo particolare terreno (casa o appartamento) se ne deve trovare un altro per loro dentro lo stesso "luogo" generale. Almeno inizialmente, la sfera dell'appartenenza è data: gli uomini e le donne che ne determinano il significato e che delineano la politica di ammissione della comunità politica sono semplicemente quelli che si trovano già sul posto. I nuovi stati e i nuovi governi devono fare pace con gli abitanti originari della terra che governano; e i paesi probabilmente si costituiscono come territori chiusi, forse dominati da nazioni particolari (circoli o famiglie), ma sempre comprendenti degli alieni di un qualche tipo, la cui espulsione sarebbe ingiusta.

Questa soluzione comune fa nascere però la possibilità che a molti abitanti di un determinato paese non venga concessa una piena appartenenza (cittadinanza) a causa della loro nazionalità. Esaminerò questa possibilità, e sosterrò che va respinta, quando mi occuperò dei problemi specifici della naturalizzazione. Ma questi problemi potrebbero essere completamente evitati, almeno a livello dello stato, optando per un assetto radicalmente diverso. Consideriamo ancora una volta l'analogia col vicinato: forse dovremmo negare agli stati nazionali, come neghiamo alle chiese e ai partiti politici, il diritto collettivo di giurisdizione territoriale. Forse dovremmo insistere perché i paesi siano aperti e soltanto i gruppi non territoriali possano essere chiusi. La struttura della nostra società nazionale è fatta di vicinati aperti, e di famiglie e circoli chiusi. Perché non può e perché non dovrebbe estendersi alla società planetaria? Un'estensione di questo tipo venne realmente proposta dal socialista austriaco Otto Bauer, in riferimento agli imperi sovrannazionali dell'Europa centrale e orientale. Bauer avrebbe organizzato le nazioni come corporazioni autonome, autorizzate a tassare i propri membri per la cultura e l'istruzione, ma avrebbe negato loro il dominio territoriale. Gli individui sarebbero stati liberi di muoversi nello spazio politico, all'interno dell'impero, portando con sé la propria appartenenza nazionale, più o meno come oggi gli individui si muovono portando con sé la propria appartenenza religiosa e le proprie affiliazioni di parte. Le corporazioni, come le chiese e i partiti, avrebbero potuto ammettere o respingere nuovi membri in base ai criteri, quali che fossero, considerati opportuni dai vecchi membri.[13]

In questo caso, la principale difficoltà è che le comunità nazionali che Bauer voleva salvaguardare erano nate, e si erano conservate per secoli, sulla base della coesistenza geografica. Non è per incomprensione della propria storia che una nazione appena liberata da un dominio imperiale cerca un assetto territoriale stabile. Se una nazione cerca un paese è perché in un senso profondo ce l'ha già: il legame fra la gente e la terra è una caratteristica cruciale dell'identità nazionale. Inoltre, dato che molti problemi decisivi (compresi quelli della giustizia distributiva come l'assistenza, la pubblica istruzione, eccetera) possono essere meglio risolti all'interno delle unità geografiche, i leaders politici sanno che il punto focale della vita politica non potrà mai stare altrove. Le corporazioni "autonome" saranno sempre delle appendici, probabilmente parassitarie, degli stati territoriali, e rinunciare allo stato significa rinunciare ad ogni reale autodeterminazione. È per questo che, non appena il dominio imperiale viene meno e le nazioni avviano il processo di "liberazione", sorgono aspre contese sui confini e sui loro attraversamenti da parte di singoli individui o di gruppi, e invertire questo processo o reprimere le conseguenze richiederebbe, ancora una volta, una coercizione di massa su scala globale. Non esiste un modo facile di evitare il paese (e la proliferazione dei paesi) come lo conosciamo oggi. Perciò la teoria della giustizia deve tener conto dello stato territoriale, specificare i diritti dei suoi abitanti e riconoscere il diritto della collettività di ammettere e di rifiutare.

Ma la questione non può finire qui, poiché il controllo del territorio espone lo stato alle rivendicazioni del bisogno. Il territorio è un bene sociale in due sensi: in quanto spazio per vivere, terra e acqua, risorse minerali e ricchezza potenziale, è una risorsa per gli indigenti e gli affamati; in quanto spazio per vivere protetto, con confini e polizia, è una risorsa per i perseguitati e i senza stato. Sono due risorse diverse, e potremmo concludere diversamente secondo i tipi di rivendicazione possibili per ciascuna di esse; ma prima dobbiamo formulare il problema in termini generali. Può una comunità politica escludere gli indigenti e gli affamati, i perseguitati e i senza stato, in una parola, i bisognosi, solo perché sono stranieri? I cittadini sono tenuti ad accogliere gli stranieri? Se supponiamo che non abbiano nessun obbligo formale, tutto ciò cui devono attenersi è il principio dell'aiuto reciproco. E comunque, poiché l'immigrazione è materia di decisione politica, tale principio non vale direttamente per gli individui ma per i cittadini in quanto gruppo. In uno stato democratico gli individui partecipano al processo decisionale, però non decidono per sé ma per la comunità in generale. Questo fatto ha delle implicazioni morali: sostituisce l'immediatezza con la distanza e il dispendio personale di tempo ed energia con costi burocratici impersonali. Nonostante le affermazioni di John Winthrop, l'aiuto reciproco è più coercitivo per le comunità politiche che per gli individui perché per una comunità è possibile una grande varietà di azioni benevole che avranno conseguenze soltanto marginali per i suoi membri attuali, considerati come un tutto o anche, eventualmente con qualche eccezione, ad uno ad uno, o famiglia per famiglia, o circolo per circolo. (Ma forse la benevolenza avrà delle conseguenze, non facilmente misurabili né immaginabili, per i figli, o i nipoti o i pronipoti dei membri attuali. Non so bene fino a che punto si possano usare considerazioni di questo tipo per ridurre la varietà delle azioni richieste.) Tra queste azioni probabilmente vi è l'ammissione degli stranieri: infatti l'ammissione in un paese non comporta quel tipo di intimità inevitabile nel caso dei circoli e delle famiglie. L'ammissione potrebbe non essere un imperativo morale, almeno per *questi* stranieri, che non hanno un altro posto dove andare?

Probabilmente sotto alla diffusa affermazione che i diritti di esclusione dipendono dall'estensione territoriale e dalla densità di popolazione dei determinati paesi, c'è un argomento di questo tipo, che fa diventare l'aiuto reciproco una responsabilità più vincolante per la comunità, di quanto possa mai esserlo per un individuo. Sidgwick, per esempio, afferma di "non poter concedere ad uno stato che possieda vasti terreni non occupati un diritto assoluto di escludere elementi alieni".[14] A suo avviso i cittadini possono anche in una certa misura selezionare gli stranieri bisognosi, ma non possono rifiutarsi totalmente di accogliere stranieri finché il loro stato ha (molto) spazio disponibile. Se partiamo dal punto di vista opposto, potremmo usare un argomento molto più convincente se considerassimo gli stranieri bisognosi non come destinatari di azioni benefiche ma come persone disperate ed in grado di agire per i propri interessi. Nel *Leviatano* Hobbes afferma che queste persone, se non possono guadagnarsi da vivere nel proprio paese, hanno il diritto di trasferirsi in "paesi non sufficientemente popolati, dove, tuttavia non devono sterminare quelli che vi trovano, ma costringerli ad abitare in spazi più ristretti di terreno afferrando ciò che vi trovano".[15]

Qui i "samaritani" non sono attivi ma passivi e (come vedremo fra poco) la loro unica incombenza è quella di non resistere.

L'"Australia bianca" e la rivendicazione del bisogno

L'argomento di Hobbes è chiaramente una difesa della colonizzazione europea nonché della "costrizione" dei cacciatori e raccoglitori indigeni che ne seguì; ma la sua applicazione è più ampia. È probabile che Sidgwick, scrivendo nel 1891, avesse in mente gli stati creati dai colonizzatori: gli Stati Uniti, nei quali il movimento per l'esclusione degli immigrati era stato a dir poco un aspetto sporadico della vita politica di tutto l'Ottocento, e l'Australia, dove proprio allora iniziava il grande dibattito sull'immigrazione che culminò nella politica dell'"Australia bianca". Anni dopo in Australia, un ministro dell'immigrazione difese tale politica in termini che ormai dovrebbero esserci familiari: "Noi cerchiamo di creare una nazione omogenea. E a questo, chi può ragionevolmente opporsi? Non è forse un diritto elementare di ogni governo decidere la composizione della nazione? È esattamente la stessa prerogativa che esercita il capofamiglia nel decidere chi deve vivere a casa sua."[16] Ma la "famiglia" australiana possedeva un vasto territorio che occupava solo in piccola parte (ed assumerò, senza esaminare altri fatti, che sia ancora così); e il diritto degli australiani bianchi ai grandi spazi disabitati del subcontinente si basava esclusivamente sulla pretesa rivendicazione che essi, per primi, avevano avanzato e imposto contro la popolazione aborigena. E questo non sembra essere un diritto facile da difendere di fronte a persone bisognose che chiedono di essere accettate. Se, spinti da una carestia, migliaia di abitanti dei paesi sovrapopolati dell'Asia sud-orientale entrassero con la forza in Australia, che altrimenti mai li accoglierebbe, dubito che vorremmo accusare di aggressione questi invasori. Caso mai, potrebbe avere più senso l'accusa di Hobbes: "dato che ogni uomo, non solo per diritto, ma anche per necessità di natura, si suppone che si sforzi di fare tutto il possibile per ottenere ciò che è necessario alla sua conservazione, colui che si opporrà per cose superflue, è colpevole della guerra, che, perciò, ne deve seguire."[17]

Ma Hobbes ha un concetto delle "cose superflue" straordinariamente ampio: intendendo superflue per la vita stessa, per le pure necessità della sopravvivenza fisica. Credo che l'argomento sia più plausibile se adottiamo un concetto più limitato, commisurato alle esigenze di comunità storiche particolari. Dobbiamo considerare gli "stili di vita", proprio come, nel caso degli individui, i "progetti di vita". Supponiamo che la grande maggioranza degli australiani possa conservare lo stile di vita attuale, con solo qualche cambiamento marginale, anche dopo la vittoria di un'invasione come quella che ho immaginato. Alcuni sarebbero colpiti in modo più drastico, in quanto, per la vita che avevano scelto, avevano ormai la "necessità" di centinaia o anche migliaia di chilometri quadrati disabitati; ma non si può dare priorità morale a simili necessità, rispetto alle rivendicazioni di stranieri bisognosi. Su questa scala lo spazio è un lusso, proprio come è un lusso il tempo nei tradizionali argomenti del Buon Samaritano; ed è anche soggetto ad una sorta di invasione morale. Dunque la rivendicazione del bisogno, assumendo che ci sia in effetti della terra superflua, costringerebbe una comunità politica come l'Australia Bianca ad affrontare una scelta radicale: i suoi membri potrebbero cedere la terra per l'omogeneità o rinunciare all'omogeneità (acconsentire alla creazione di una società multirazziale) per la terra. E non ci sarebbero altre scelte. L'Australia Bianca potrebbe sopravvivere solo come Piccola Australia.

Ho posto l'argomento in questi termini estremi per far vedere che la versione collettiva dell'aiuto reciproco potrebbe richiedere una ridistribuzione limitata e complessa dell'appartenenza e/o del territorio. Non si può dire di più. Non possiamo dire quanto sarebbe piccola la Piccola Australia senza occuparci del significato concreto di "cose superflue". Se per esempio sostenessimo che lo spazio vitale va distribuito in parti uguali a tutti gli abitanti del mondo permetteremmo alla versione individuale del diritto a un posto nel mondo di prevalere su quella collettiva; anzi negheremmo ai circoli e alle famiglie nazionali la possibilità di acquisire un titolo sicuro su un terreno determinato. Un elevato tasso di natalità in un paese confinante annullerebbe immediatamente ogni titolo ed imporrebbe una ridistribuzione territoriale.

La stessa difficoltà si pone rispetto alla ricchezza e alle risorse. Anche queste possono essere superflue, e superare di molto le esigenze degli abitanti di uno stato determinato per una vita decorosa (proprio quando loro stessi definiscono il concetto di vita decorosa). Finché esistono delle risorse superflue, gli abitanti sono moralmente tenuti ad ammettere degli immigrati di paesi più poveri? O i loro obblighi vanno ancora più in là, oltre i limiti dell'aiuto reciproco, e cessano solo quando una politica di ammissioni aperte smette di attrarre e beneficare i più poveri del mondo? Sidgwick sembra aver optato per la prima possibilità: egli propose una versione primitiva e ristretta del principio di differenza di Rawls, secondo la quale l'immigrazione poteva essere limitata non appena il non farlo "interferirebbe materialmente... con gli sforzi del governo di conservare un tenore di vita sufficientemente alto ai membri della comunità in generale e alle classi più povere in particolare".[18] Ma la comunità, se fosse disposta ad esportare le sue ricchezze superflue o parte di esse, potrebbe benissimo decidere di bloccare l'immigrazione anche prima. I suoi membri si troverebbero di fronte ad una scelta, simile a quella degli australiani: dividere le loro ricchezze con degli stranieri bisognosi fuori del loro paese e con degli stranieri bisognosi all'interno di esso. Ma esattamente quanta della loro ricchezza devono condividere? Di nuovo, deve esserci un limite senza arrivare (e probabilmente molto prima di arrivare) all'eguaglianza semplice, o la ricchezza della comunità sarebbe soggetta ad un drenaggio indefinito. La stessa espressione "ricchezza della comunità" perderebbe il proprio significato se tutte le risorse e tutti i prodotti fossero complessivamente in comune o meglio, esisterebbe una sola comunità, uno stato mondiale i cui processi ridistributivi tenderebbero, col tempo, ad annullare le particolarità storiche dei circoli e delle famiglie nazionali.

Se ci fermiamo prima dell'eguaglianza semplice, continueranno ad esserci molte comunità, diverse per storia, stile di vita, atmosfera, struttura politica ed economia. Alcune parti del mondo continueranno ad essere, o per persone con particolari gusti ed aspirazioni, o più in generale, più desiderabili di altre. E alcuni luoghi continueranno ad essere sfavorevoli, almeno per una parte dei loro abitanti. Perciò l'immigrazione resterà sempre un problema, anche dopo che le rivendicazioni della giustizia distributiva saranno state soddisfatte su scala planetaria — sempre assumendo che la società planetaria abbia e debba avere una forma pluralistica e che queste rivendicazioni siano determinate da una forma di aiuto reciproco collettivo. Le varie comunità dovranno ugualmente decidere chi ammettere e avranno ugualmente il diritto di farlo. Se non possiamo garantire appieno la base territoriale o materiale sulla quale un gruppo di persone costruisce una vita comunitaria, possiamo pur sempre dire che tale vita comunitaria, almeno, è la loro e che a loro spetta riconoscere o scegliere i propri compagni e soci.

I profughi

C'è però un gruppo di esterni bisognosi le cui richieste non possono essere soddisfatte né cedendo territori né esportando ricchezza,
ma solo accogliendoli. È questo il gruppo di profughi, che hanno bisogno di un bene non esportabile: l'appartenenza stessa. E non è
esportabile (o almeno non se ne conosce il modo) nemmeno quella libertà che fa di certi paesi un posto possibile per persone le cui posizioni politiche o religiose non sono tollerate dove vivono. Simili beni
possono essere condivisi solo entro lo spazio protetto di uno stato
particolare; nello stesso tempo l'ammissione di profughi non diminuisce necessariamente il grado di libertà dei membri entro tale spazio. Sono dunque le vittime delle persecuzioni religiose o politiche a
rivendicare l'ammissione con più forza: se tu non mi accetti, dicono,
io sarò ucciso, perseguitato, brutalmente oppresso dai governanti
del mio paese. Che cosa possiamo rispondere?

Verso alcuni profughi potremmo anche avere obblighi simili a
quelli che abbiamo verso i nostri connazionali; è ovviamente il caso
di tutti quei gruppi che abbiamo contribuito a trasformare in profughi. I torti che abbiamo verso di loro creano un'affinità con loro: così, sul piano morale, i profughi vietnamiti erano già effettivamente
americanizzati prima ancora di raggiungere le nostre sponde. Ma
possiamo anche essere tenuti ad aiutare chi è perseguitato o oppresso da qualcun altro, se questo avviene perché sono come noi. L'affinità ideologica, come quella etnica, può generare dei vincoli che oltre-
passano le frontiere politiche, soprattutto quando dichiariamo, per
esempio, che la nostra vita comunitaria realizza certi principi ed in-
coraggiamo a difendere tali principi uomini e donne che vivono altrove. In uno stato liberale le affinità di quest'ultimo tipo possono essere molto attenuate e tuttavia moralmente coercitive. Nell'Inghilterra
dell'Ottocento i profughi politici non erano solitamente dei liberali
inglesi: erano degli eretici e degli oppositori di tutti i generi, in guerra con le autocrazie dell'Europa centrale e orientale, ed era soprattutto per via dei loro nemici che gli Inglesi riconoscevano una sorta
di parentela con loro. Oppure pensiamo alle migliaia di persone che
fuggirono dall'Ungheria dopo la rivoluzione fallita del 1956: considerata la struttura della guerra fredda, la natura della propaganda occidentale e la simpatia, espressa da tempo, per i "combattenti per la
libertà" dell'Europa orientale, era difficile negar loro un analogo riconoscimento. Questi profughi, probabilmente, non potevano non essere accolti da paesi come la Gran Bretagna e gli Stati Uniti. La repressione di chi ha le stesse convinzioni politiche sembra generare,
come la persecuzione dei correligionari, l'obbligo di aiutare, o almeno fornire un rifugio ai più compromessi e in pericolo. Forse ogni vittima dell'autoritarismo e del bigottismo è, moralmente, un compagno per un cittadino liberale: questo è un argomento che vorrei soste-

nere, ma sarebbe chiedere troppo al concetto di affinità, e in ogni caso non è necessario. Finché il numero delle vittime sarà esiguo, l'aiuto reciproco avrà, in pratica, simili risultati; se il numero aumenta e siamo costretti a scegliere fra le vittime, cercheremo giustamente un qualche legame più diretto col nostro stile di vita. E se, d'altra parte, con determinate vittime non c'è nessun legame, se invece di affinità c'è antipatia, non si può chiedere di scegliere queste vittime anziché altre persone ugualmente bisognose.* Ben difficilmente si sarebbe potuto chiedere, per esempio, alla Gran Bretagna e agli Stati Uniti di dare asilo agli stalinisti scappati dall'Ungheria nel 1956 se la rivoluzione avesse trionfato. Ripetiamo: le comunità devono avere confini; e, comunque tali confini siano determinati riguardo al territorio ed alle risorse, riguardo alla popolazione dipendono da un senso di affinità e reciprocità. I profughi devono fare appello a questo senso. C'è da augurare loro successo; ma in certi casi, e rispetto a certi stati, possono anche non avere diritto a questo successo.

Dato che l'affinità ideologica è (molto più di quella etnica) una questione di riconoscimento reciproco, c'è ampio spazio per la scelta politica, e quindi sia per l'esclusione sia per l'ammissione. Perciò si potrebbe dire che le mie argomentazioni non colgono la disperazione del profugo; né suggeriscono in alcun modo come affrontare il problema delle masse di profughi prodotte dalle vicende politiche del ventesimo secolo. Da un lato ognuno deve avere un posto in cui abitare ed in cui sia possibile vivere in modo ragionevolmente sicuro; dall'altro, questo non è un diritto che si può far valere contro un particolare stato ospite. (Non sarà possibile far rispettare in pratica tale diritto finché non ci sarà un'autorità internazionale capace di tanto; e se una simile autorità ci fosse, sicuramente farebbe meglio a intervenire contro quegli stati la cui feroce politica ha spinto all'esilio i propri cittadini, così da permettere a tutti costoro di tornare a casa.) La crudeltà di questo dilemma è mitigata, in una certa misura, dal principio dell'asilo. Qualsiasi profugo che sia effettivamente riuscito a scappare e che non stia cercando, ma abbia trovato almeno un rifugio temporaneo, può chiedere asilo (è un diritto che oggi è riconosciuto, per esempio, dalla legge britannica), dopo di che non lo si potrà espellere finché l'unico paese disponibile in cui mandarlo ¨è un paese in cui egli non è disposto ad andare a causa di un ben fondato timore di essere perseguitato per la sua razza, religione, nazionalità ... opinione politica".[20] Benché sia uno straniero, arrivato da poco, il

* Si confronti questo punto con la tesi di Bruce Ackerman che " il *solo* motivo per limitare l'immigrazione è di proteggere il processo in corso della stessa conversazione liberale" (corsivo di Ackerman).[19] Le persone pubblicamente impegnate nella distruzione della " conversazione liberale" possono essere escluse a buon diritto — o forse Ackerman direbbe che possono essere escluse solo se il loro numero o l'intensità del loro impegno rappresenta un pericolo reale. In ogni caso il principio così enunciato vale solo per gli stati liberali, ma sicuramente anche comunità politiche di altro tipo hanno il diritto di proteggere il senso d'identità comune dei loro membri.

divieto di espulsione vale, nel suo caso, come se là dove si trova si fosse già costruito una vita: infatti non esiste un altro luogo in cui possa costruirsela.

Ma questo principio è stato pensato per individui (considerati uno a uno) così poco numerosi da non poter avere un impatto significativo sul carattere della comunità politica. E che cosa succede quando il loro numero non è esiguo? Prendiamo il caso dei milioni di russi catturati o resi schiavi dai nazisti nella seconda guerra mondiale e poi travolti dagli eserciti alleati durante l'offensiva finale: furono tutti restituiti, molto spesso a forza, all'Unione Sovietica, dove vennero immediatamente fucilati o mandati a morire nei campi di lavoro.[21] Quelli di loro che prevedevano questa fine chiesero asilo in Occidente; ma per ragioni di convenienza (connesse con la guerra e la diplomazia, non con la nazionalità e con i problemi di assimilazione) questo asilo fu loro negato. Certo, non avrebbero dovuto essere restituiti a forza, non una volta saputo che sarebbero stati uccisi; e questo significa che gli alleati occidentali avrebbero dovuto essere disposti ad accoglierli (negoziando fra di loro, suppongo, le quote numeriche appropriate). Non c'era scelta: nei casi estremi il diritto di asilo non può effettivamente essere negato. Io ritengo che ci siano dei limiti alla nostra responsabilità collettiva, ma non saprei come specificarli.

Quest'ultimo esempio fa pensare che la condotta morale degli stati liberali e umanitari può essere determinata dalla condotta immorale di stati autoritari e brutali. Ma se questo è vero, perché non concedere più l'asilo? Perché occuparsi solo di chi già si trova nel nostro territorio e non di chi è oppresso nel suo paese e che chiede di entrare nel nostro? Perché separare i fortunati e gli intraprendenti, che in qualche modo sono riusciti a passare le nostre frontiere, da tutti gli altri? Non ho, ancora una volta, una risposta precisa a queste domande. Si direbbe che siamo tenuti a dare asilo per due ragioni: perché il negarlo ci costringerebbe a usare la forza contro persone inermi e disperate e perché, salvo casi eccezionali, il numero delle persone coinvolte, probabilmente, è esiguo e facilmente assorbibile (per cui useremmo la forza per delle "cose superflue"). Ma se offrissimo un rifugio a tutte le persone che, nel mondo, potrebbero plausibilmente dire di averne bisogno, forse ne saremmo sommersi. Gridare "Dammi... le tue masse che s'accalcano, agognando l'aria libera" è nobile e generoso; accogliere realmente un gran numero di profughi è, spesso, moralmente necessario; ma il diritto di limitare questo flusso continua ad essere una caratteristica dell'autodeterminazione di una comunità. Il principio dell'aiuto reciproco può solo modificare, non stravolgere le politiche di ammissione radicate nella concezione che una particolare comunità ha di se stessa.

I membri di una comunità politica hanno il diritto collettivo di plasmare la popolazione residente. Questo diritto è soggetto al doppio controllò che ho descritto sopra: il significato dell'appartenenza per i membri attuali e il principio dell'aiuto reciproco. Partendo da questi presupposti, è probabile che fra i residenti di certi paesi, in certi periodi, ci siano degli allogeni di vario tipo. Costoro possono essere membri, a loro volta, di minoranze o di gruppi di paria, oppure profughi o immigrati appena arrivati. Supponiamo che abbiano diritto di stare dove stanno: possono rivendicare, nella comunità in cui ora vivono, la cittadinanza e i diritti politici? La residenza porta con sé la cittadinanza? Esiste in realtà un secondo processo di ammissione, detto "naturalizzazione", di cui dobbiamo ancora stabilire quali siano i criteri più appropriati; ma vorrei sottolineare che qui è in gioco la cittadinanza, non (tranne che nel senso legale del termine) la nazionalità. Il circolo o famiglia nazionale è, per ragioni cui ho già accennato, una comunità diversa dallo stato. Perciò è possibile, poniamo, che in Francia un immigrato algerino diventi cittadino francese senza diventare un francese. Ma se non è un francese, ma solo un residente in Francia, ha qualche diritto alla cittadinanza francese?

Si potrebbe ribadire, come, alla fine, farò, che per la naturalizzazione e l'immigrazione valgono gli stessi criteri, che ogni immigrato ed ogni residente è un cittadino, o almeno un cittadino potenziale. È per questo che l'ammissione nel territorio è una questione così seria. I cittadini devono essere pronti ad accettare le persone come propri uguali in un mondo di obblighi condivisi e gli immigrati devono essere pronti a condividere questi obblighi. Ma le cose possono andare diversamente; spesso lo stato controlla rigidamente la naturalizzazione e molto meno severamente l'immigrazione. Gli immigranti possono diventare solo alieni residenti e nient'altro, se non per concessione speciale. E perché vengono ammessi? Per sollevare i cittadini da lavori pesanti e sgradevoli. E allora lo stato somiglia ad una famiglia con la servitù che vive in casa.

Non è un'immagine attraente, perché una famiglia con la servitù che vive in casa è, credo, inevitabilmente una piccola tirannia. I principi della parentela e dell'amore governano la casa: essi stabiliscono il modello di fondo della reciprocità e degli obblighi, dell'autorità e dell'obbedienza. La servitù non ha un proprio posto in tale modello, ma vi deve essere assimilata. Così, nella letteratura dei secoli scorsi sulla vita familiare, i servitori sono descritti in genere come dei bambini di un tipo particolare: bambini, perché sono soggetti all'autorità, di un tipo particolare, perché non è consentito loro di crescere. Si impone l'autorità dei genitori al di fuori della propria sfera, su uomini e donne adulti che non sono, e non potranno mai essere, membri della famiglia a pieno titolo. Quando questa imposizione non è più possibile, quando i servitori cominciano ad essere visti come lavoratori salariati, inizia il lento declino della grande famiglia. A poco a poco la formula della servitù che "vive in casa" si capovolge e i servitori cercano, dopo tanto tempo, una casa propria.

I meteci ateniesi

Nel caso della comunità politica non è possibile raccontare una storia simile. I domestici di casa non sono scomparsi dal mondo moderno, ma svolgono un ruolo importante come "lavoratori ospiti" nelle economie più avanzate. Ma prima di esaminare la condizione dei lavoratori ospiti, vorrei occuparmi di un esempio del passato e considerare la condizione dei residenti alieni (meteci) dell'antica Atene. La polis ateniese era, quasi alla lettera, una famiglia con servitù di casa. La cittadinanza era trasmessa ereditariamente dai genitori ai figli (ed entrambi i genitori dovevano essere cittadini; dopo il 450 a. C. Atene osservò la legge della doppia endogamia). Perciò gran parte del lavoro della città era svolto da residenti che non potevano sperare di diventare cittadini. Alcuni erano schiavi; ma di questi non mi occuperò, poiché oggi nessuno contesta, almeno non apertamente, l'ingiustizia della schiavitù. Il caso dei meteci è invece più complicato ed interessante.

"Noi apriamo la nostra città al mondo" disse Pericle nell'Orazione funebre, "e non escludiamo mai gli stranieri da nessuna opportunità". Così i meteci venivano volentieri ad Atene, attirati dalle opportunità economiche e forse anche dall'"aria di libertà" della città . Pochissimi si elevarono dal livello di manovale o "meccanico", ma alcuni fecero fortuna: nel quarto secolo, fra i più ricchi mercanti di Atene c'erano dei meteci. Tuttavia essi partecipavano solo in senso negativo delle libertà ateniesi. Dovevano contribuire alla difesa della città, ma né loro, né i loro discendenti avevano alcun diritto politico. Non li riguardava nemmeno il più elementare dei diritti di assistenza: "Gli stranieri erano esclusi dalla distribuzione di granaglie."[22] Come al solito, queste esclusioni esprimevano e insieme sancivano la condizione d'inferiorità dei meteci nella società ateniese. Nella letteratura che è giunta fino a noi in genere si parla di loro con disprezzo — sebbene ci siano nelle commedie di Aristofane alcune osservazioni positive che fanno pensare che ci fosse anche un atteggiamento diverso.[23]

Benché lui stesso un meteco, Aristotele fornisce la difesa classica dell'esclusione — rispondendo apparentemente a dei critici i quali sostenevano che la coresidenza e la condivisione del lavoro erano una base sufficiente per l'appartenenza politica. Secondo Aristotele "il cittadino non è un cittadino in quanto abita in un certo luogo". E il lavoro, anche quello necessario, non è un criterio migliore: "non tutti quanti sono indispensabili allo stato s'hanno da ritenere cittadini."[24]

La cittadinanza richiedeva una certa "eccellenza" che non era alla portata di tutti. Dubito che Aristotele credesse veramente che tale eccellenza venisse trasmessa per nascita; per lui l'esistenza di caste ereditarie di membri e di non membri era probabilmente una questione di convenienza. Qualcuno doveva pur fare i lavori pesanti, e la soluzione migliore era che i lavoratori fossero nettamente separati dagli altri, e che fosse loro assegnato il loro posto fin dalla nascita. Era il lavoro stesso, la necessità quotidiana della vita economica, a render loro inaccessibile l'eccellenza dei cittadini. In teoria la consorteria dei cittadini era un'aristocrazia degli agiati (in realtà comprendeva dei "meccanici", così come c'erano persone agiate fra i meteci), e i suoi membri erano degli aristocratici grazie alla loro agiatezza, non grazie alla nascita e al sangue o a qualche dote interiore. La politica occupava gran parte del loro tempo, anche se Aristotele non avrebbe detto che governavano su schiavi e alieni. Caso mai si governavano a turno. Gli altri erano soltanto sudditi passivi, "condizione materiale" della loro eccellenza, gente con cui non avevano assolutamente nessuna relazione politica.

Secondo Aristotele gli schiavi e gli alieni vivevano nel regno della necessità: il loro destino era determinato dalle condizioni della vita economica. Al contrario, i cittadini vivevano nel regno della scelta: il loro destino era determinato dalle loro decisioni collettive nella scena politica. Ma la distinzione è falsa. In realtà i cittadini prendevano decisioni di ogni genere per gli schiavi e gli allogeni che stavano fra loro: decisioni sulla guerra, la pubblica spesa, la promozione del commercio, la distribuzione di granaglie e così via. C'era un controllo politico, sia pur spaventosamente limitato, sulle condizioni economiche. Perciò, in realtà gli schiavi e gli alieni erano governati e la loro vita era determinata dalla politica oltre che dall'economia. Anche loro stavano sulla scena, per il semplice fatto di abitare nello spazio protetto della città-stato; ma non vi avevano voce. Non potevano avere cariche pubbliche né andare all'assemblea né sedere in una giuria; non avevano propri funzionari né una propria organizzazione politica e non erano mai consultati sulle decisioni da prendere. Se li consideriamo, nonostante Aristotele, uomini e donne capaci di deliberazione razionale, dobbiamo concludere che erano i sudditi di una consorteria di cittadini-tiranni che li governava senza il loro consenso. Sembra in effetti che altri autori greci la pensassero, almeno implicitamente, proprio così. Si prenda, per esempio, la critica di Isocrate all'oligarchia: quando alcuni cittadini monopolizzano il potere politico, diventano dei "tiranni" e trasformano i loro compagni in "meteci".[25] Se questo è giusto, i veri meteci devono essere sempre vissuti sotto una tirannia.

Ma Isocrate non avrebbe tratto questa conclusione né risulta che l'abbia fatto qualche meteco. Nell'antica Atene la schiavitù era una questione molto dibattuta, ma "non restano tracce di controversie sulla *metoikia*".[26] Qualche sofista può avere avuto dei dubbi, ma sembra che l'ideologia che distingueva i meteci dai cittadini fosse largamente accettata dagli uni e dagli altri. La dominanza della nascita e del sangue sull'appartenenza politica era parte integrante della mentalità dell'epoca. I meteci ateniesi erano, a loro volta, cittadini per eredità delle città dalle quali erano venuti, e forse questa condizione, pur non offrendo nessuna protezione reale, compensava in parte la loro bassa posizione nella città in cui vivevano e lavoravano. Anche loro, se erano greci, discendevano da cittadini; e il loro rapporto con gli ateniesi potrebbe essere plausibilmente descritto (come fece Licia, un altro meteco più disposto di Aristotele a riconoscere la sua condizione) in termini contrattuali: la buona condotta veniva scambiata con un buon trattamento.[27]

Tuttavia questo punto di vista non vale per i figli dei meteci di prima generazione: nessun argomento contrattualistico può giustificare la creazione di una casta di alieni residenti. La sola giustificazione della *metoikia* sta nella concezione della cittadinanza come di qualcosa che gli ateniesi, data l'idea che ne avevano, non potevano letteralmente distribuire. Tutto quello che potevano offrire agli alieni, e che questi potevano pensare di chiedere, era un trattamento equo. Di questo modo di pensare ci sono considerevoli prove a favore, ma ce ne sono anche contro. Di tanto in tanto qualche meteco otteneva i diritti politici, sia pure usando, forse, la corruzione; i meteci parteciparono alla restaurazione della democrazia nel 403 a. C. dopo il governo dei trenta tiranni, e da ultimo furono ricompensati, nonostante una forte opposizione, con la concessione della cittadinanza.[28] Aristotele usava come argomento contro le grandi città che "stranieri e meteci potranno più facilmente partecipare dei diritti della cittadinanza", il che fa pensare che non esistessero barriere concettuali all'estensione di quest'ultima.[29] In ogni caso, è certo che una simile barriera non esiste nelle odierne comunità democratiche; e ormai è tempo di occuparsi dei nostri meteci. La questione, che a quanto pare non preoccupava i greci, oggi è preoccupante sia in pratica sia in teoria. Gli stati possono far funzionare le loro economie con dei servi di casa, dei lavoratori ospiti, esclusi dal consorzio dei cittadini?

I lavoratori ospiti

Non cercherò di descrivere in modo completo l'esperienza dei lavoratori ospiti di oggi. Le leggi e le procedure sono diverse in ogni paese europeo, cambiano continuamente e la situazione è complessa e instabile. Qui sarà sufficiente una descrizione sommaria e schematica (basata soprattutto sulla situazione legale all'inizio degli anni settanta), che metta in evidenza gli aspetti moralmente e politicamente problematici di questa esperienza.[30]

Consideriamo dunque un paese come la Svizzera, la Svezia o la Germania Occidentale, cioè una democrazia capitalistica e uno stato assistenziale con i sindacati forti e una popolazione abbastanza ricca. Gli imprenditori trovano sempre più difficile ingaggiare operai per certi lavori che sono oramai considerati faticosi, pericolosi e degradanti. D'altra parte questi lavori sono socialmente necessári e perciò bisogna trovare qualcuno che li faccia. Sul piano interno ci sono due sole alternative, entrambe sgradevoli. Si potrebbero infrangere i vincoli imposti dai sindacati e dallo stato assistenziale al mercato del lavoro, dopo di che il settore più vulnerabile della classe operaia locale sarebbe costretto ad accettare impieghi considerati, fino ad allora, indesiderabili; ma sarebbe necessaria una campagna politica difficile e pericolosa. Oppure si potrebbero migliorare in modo spettacolare la paga e le condizioni di lavoro degli impieghi indesiderabili, così da attirare i lavoratori anche rispettando i vincoli del mercato locale; ma ciò farebbe lievitare i costi di tutta l'economia, e cosa probabilmente più importante, minaccerebbe la gerarchia sociale esistente. Invece di adottare una di queste drastiche misure gli imprenditori, con l'aiuto del governo, spostano questi impieghi dal mercato interno del lavoro a quello internazionale, mettendoli a disposizione di lavoratori di paesi più poveri che li reputano meno indesiderabili. Il governo apre degli uffici di reclutamento in vari paesi economicamente arretrati e prepara dei regolamenti che disciplinino l'ammissione dei lavoratori ospiti.

È essenziale che i lavoratori ammessi siano "ospiti", non immigranti in cerca di una nuova patria e di una nuova cittadinanza. Infatti se essi venissero come futuri cittadini, confluirebbero nella forza lavoro interna, occupandone per il momento i livelli inferiori, ma beneficando dei suoi sindacati e dei programmi assistenziali e riproducendo, col tempo, il dilemma iniziale. Inoltre, man mano che migliorano la propria posizione entrerebbero direttamente in competizione coi lavoratori locali, che in alcuni casi avrebbero la peggio. Di conseguenza, i regolamenti che ne disciplinano l'ammissione hanno lo scopo di escluderli dalla protezione della cittadinanza. Li si fa entrare per un periodo di tempo limitato, sulla base di un contratto con un datore di lavoro determinato; se perdono il posto devono andarsene, e devono andarsene in ogni caso quando il loro visto scade. Si impedisce loro di portare con sé delle persone a carico, vengono scoraggiati dal farlo; vengono alloggiati in baracche, solo maschili o solo femminili, poste alla periferia delle città in cui lavorano. Di solito sono uomini e donne giovani (fra i venti e i quarant'anni); avendo terminato le scuole e non essendo ancora deboli, non gravano molto sui servizi assistenziali del posto (non hanno diritto, inoltre, ai sussidi di disoccupazione perché nel paese in cui si sono recati non hanno il permesso di essere disoccupati). Non sono né cittadini né potenziali cittadini e non hannno diritti politici. Le libertà civili di parola, riunione e associazione, altrimenti energicamente difese, di solito sono loro negate — a volte esplicitamente, da parte di funzionari statali, e a volte implicitamente, con la minaccia del licenziamento e dell'espulsione.

A poco a poco, quando diventa chiaro che i lavoratori stranieri sono una esigenza a lungo termine dell'economia locale, queste condizioni vengono alquanto mitigate. Per certi posti di lavoro si danno permessi di soggiorno più lunghi, si consente ai lavoratori di portare con sé le famiglie e si concedono molti dei benefici dello stato assistenziale; ma la loro posizione resta precaria. La residenza è legata all'impiego, e per le autorità è una regola che un lavoratore ospite che non può mantenere se stesso e la famiglia senza ricorrere ripetutamente ai programmi assistenziali dello stato può essere espulso. Nei periodi di recessione molti di questi ospiti sono costretti ad andarsene; ma nei periodi di prosperità sono molti quelli che decidono di venire e trovano il modo di rimanere, e presto il 10%-15% della forza lavoro industriale è costituito da stranieri. Molte città grandi e piccole, spaventate da questo afflusso, fissano dei limiti quantitativi per i lavoratori ospiti residenti (difendendo così i loro vicinati da uno stato aperto). Legati al proprio lavoro, gli ospiti sono in ogni caso rigidamente limitati nella scelta di un luogo in cui vivere.

La loro vita è dura e le paghe sono basse, secondo i livelli europei, mentre lo sono meno secondo il loro livello. La maggiore difficoltà è lo spaesamento: lavorano sodo, e a lungo, in un paese straniero dove non sono incoraggiati a stabilirsi e restano sempre degli stranieri. Per quei lavoratori che vengono da soli, la vita nella grande città europea somiglia ad un periodo di detenzione autoimposto: per un certo periodo sono privati di una normale attività sociale, sessuale e culturale (e anche politica, se questa è possibile nel loro paese di origine). Durante questo periodo vivono di ristrettezze, risparmiando e mandando i soldi a casa. Il denaro è l'unica contropartita che il paese ospite dà loro, e benché gran parte di questo non venga speso sul posto ma esportato, questi lavoranti sono sempre a buon mercato. Per crescerli ed educarli dove lavorano e per pagarli quanto richiede il mercato del lavoro interno la spesa sarebbe molto maggiore delle somme inviate nei paesi di origine. Così la relazione fra ospitanti e ospitati sembra un buon affare in tutti i sensi: la durezza dei giorni e degli anni di lavoro è temporanea, e i soldi mandati a casa valgono lì quanto non potrebbero mai valere in una città europea.

Ma che dire del paese ospitante, in quanto comunità politica? I difensori del sistema dei lavoratori ospiti sostengono che il paese è ora, economicamente, un vicinato, ma politicamente è ancora un circolo o una famiglia. In quanto luogo dove vivere, è aperto a chiunque riesca a trovare lavoro; in quanto foro o assemblea, popolo o nazione, è chiuso a tutti meno quelli che soddisfano i requisiti stabiliti dai suoi membri attuali. Il sistema è una perfetta sintesi di mobilità del lavoro e solidarietà patriottica. Ma questa descrizione non coglie quello che realmente accade. Lo stato-come-vicinato, come associazione "indifferente" governata soltanto dalle leggi del mercato, e lo stato-come-circolo-o-famiglia, con rapporti di autorità e polizia non coesistono pacificamente come due momenti distinti di un tempo storico o astratto. Il mercato dei lavoratori ospiti è libero dai vincoli politici specifici del mercato del lavoro interno, ma non da tutti i vincoli politici; il potere statale ha un ruolo cruciale nella sua creazione e nell'imposizione delle sue regole. Senza la negazione dei diritti politici e delle libertà civili e senza la continua minaccia dell'espulsione il sistema non funzionerebbe. Di conseguenza i lavoratori ospiti non si possono descrivere solo in termini della loro mobilità, come solo uomini e donne liberi di andare e venire. Mentre sono ospiti sono anche sudditi, e sono governati, come i meteci ateniesi, da una consorteria di cittadini-tiranni.

Ma non acconsentono forse ad essere governati? Non è forse valido l'argomento contrattualistico in un caso come questo, in cui uomini e donne che arrivano proprio sulla base di contratti e restano solo per un certo numero di mesi o per tanti anni? Sicuramente arrivano sapendo, più o meno, che cosa aspettarsi, e spesso ritornano sapendo precisamente che cosa aspettarsi. Ma questo tipo di consenso, dato in un momento determinato, se è sufficiente per leggittimare le transazioni di mercato, non lo è per una politica democratica. Il potere politico è, proprio, la capacità di prendere decisioni che valgano per un certo periodo, di cambiare le regole, di affrontare le emergenze; non può essere esercitato democraticamente senza il continuo consenso di chi vi è soggetto, e vi sono soggetti tutti gli uomini e tutte le donne che vivono nel territorio in cui quelle decisioni sono imposte. Il motivo per cui i lavoratori ospiti sono chiamati "ospiti" è perché si vuole sostenere che non vivono (veramente) dove lavorano. Pur essendo trattati come dei domestici vincolati da contratto, in realtà non sono vincolati da contratto. Possono licenziarsi, comprare un biglietto di treno o di aereo e andare a casa; sono cittadini di un altro paese. Se vengono di loro volontà, per lavorare e non per stabilirsi, e possono andarsene quando vogliono, perché mai concedere loro, durante la loro permanenza, i diritti politici? Il consenso continuo, si potrebbe sostenere, è richiesto solo ai residenti permanenti. A parte le clausole esplicite dei loro contratti, i lavoratori ospiti non hanno più diritti dei turisti.

I lavoratori ospiti, tuttavia, non sono degli "ospiti" nel senso usuale della parola, e sicuramente non sono dei turisti. Innanzitutto sono lavoratori, e arrivano (per stare, in genere, per tutto il tempo consentito) perché hanno bisogno di lavorare, non perché si aspettino un soggiorno divertente. Non sono in vacanza e non passano il tempo come meglio gli pare. I pubblici funzionari non sono cortesi e premurosi nell'indicare dove stanno i musei, e nel far rispettare le regole del traffico o le leggi valutarie. Questi ospiti vivono lo stato come un po-

67

tere onnipresente e temibile che interviene nella loro vita e regola tutte le loro mosse, senza mai chiedere la loro opinione. La partenza è soltanto un'opzione formale, mentre l'espulsione è una continua minaccia reale. Come gruppo essi costituiscono una classe senza diritti; sono anche una classe sfruttata od oppressa, e sono sfruttati o oppressi, almeno in parte, perché sono senza diritti e incapaci di organizzare effettivamente un'autodifesa. Le loro condizioni materiali non hanno probabilità di migliorare, se non alterando la loro condizione politica. Anzi, il fine del loro status è di rendere impossibile un miglioramento delle proprie condizioni; infatti, se ciò fosse possibile diventerebbero in poco tempo come gli operai del posto, cioè non sarebbero più disposti ad accettare lavori pesanti e degradanti o bassi salari.

Eppure il consorzio dei cittadini dai quali sono esclusi non è endogamo. In confronto ad Atene, tutti i paesi europei hanno un carattere assolutamente eterogeneo, e tutti hanno opportune procedure di nazionalizzazione. Dunque i lavoratori ospiti sono esclusi da un consorzio di uomini e donne che comprende persone proprio come loro. Sono bloccati in una posizione che non è soltanto inferiore, ma anche anomala: paria in una società senza caste, meteci in una società nella quale i meteci non hanno una posizione comprensibile, protetta e rispettabile. È per questo che il trattamento dei lavoratori ospiti somiglia tanto a una tirannia: è l'esercizio del potere al di fuori della propria sfera, su uomini e donne simili ai cittadini sotto tutti gli aspetti rilevanti nel paese ospitante, e ciononostante esclusi dalla cittadinanza.

Qui il principio pertinente non è l'aiuto reciproco, ma la giustizia politica. Gli ospiti non hanno bisogno della cittadinanza, almeno, non nello stesso senso in cui si può dire che hanno bisogno del lavoro. E neanche sono invalidi, incapaci di badare a se stessi o indigenti: sono sani e guadagnano. Non sono ai margini della società, nemmeno in senso figurato: vivono fra i cittadini. Svolgono un lavoro socialmente necessario e sono profondamente inseriti nel sistema legale del paese in cui sono giunti. Essendo una componente economica e giuridica, dovrebbero potersi considerare anche come una componente politica, futura e potenziale; e devono entrare in possesso di quelle libertà civili fondamentali il cui esercizio è un'importante preparazione al voto e alle cariche pubbliche. Devono essere avviati alla cittadinanza. Possono decidere di non diventare cittadini, di tornare a casa o di rimanere come stranieri residenti; e molti, forse la maggioranza, sceglieranno di tornare, per via del legame affettivo con la propria famiglia nazionale e con la terra natale. Ma se su questo punto non possono scegliere, le loro altre scelte non sono interpretabili come segni di accettazione dell'economia e della legge del paese in cui lavorano. E se invece possono scegliere, è probabile che l'economia e il diritto del posto cambino aspetto: fossero visti come cittadini potenziali, sarebbe difficile evitare un riconoscimento più netto delle libertà civili degli ospiti e un certo miglioramento delle loro possibilità di contrattazione collettiva.

Ma devo aggiungere che si potrebbe ottenere lo stesso tipo di risultati anche in un altro modo. I paesi ospitanti potrebbero impegnarsi a negoziare con i paesi d'origine dei trattati ufficiali che stabiliscano d'autorità un insieme di "diritti degli ospiti" — più o meno gli stessi diritti che questi potrebbero conquistare come membri dei sindacati ed attivisti politici. Tali trattati potrebbero comprendere una clausola che stabilisca una rinegoziazione periodica, in modo da adattare l'insieme dei diritti al cambiamento delle condizioni sociali ed economiche. La cittadinanza d'origine proteggerebbe allora gli ospiti (cosa che non fu per i meteci ateniesi) anche quando non vivono in patria, ed essi sarebbero in qualche modo rappresentati nei processi decisionali locali. In una maniera o nell'altra, dovrebbero poter usufruire della protezione di una cittadinanza o di una cittadinanza potenziale.

Prescindendo da questi assetti a livello internazionale, il principio della giustizia politica è il seguente: i processi di autodeterminazione attraverso i quali uno stato democratico organizza la propria vita interna devono essere aperti, in misura uguale, a tutti gli uomini e a tutte le donne che vivono sul suo territorio, lavorano nell'economia locale e sono soggetti alla legge locale.* Perciò le seconde ammissioni (la naturalizzazione) dipendono dalle prime (l'immigrazione), e sono soggette solo a certe limitazioni di tempo e di qualifica ma mai alla limitazione massima della chiusura. Quando le seconde ammissioni sono chiuse, la comunità politica precipita in un mondo di membri e di stranieri, senza confini politici fra gli uni e gli altri, nel quale gli stranieri sono sudditi dei membri. Forse fra di loro i membri sono eguali; ma non è la loro eguaglianza ma la loro tirannia a determinare il carattere dello stato. La giustizia politica esclude la condizione permanente di alieno, sia per gli individui sia per una classe dalla composizione variabile. Ciò vale, quanto meno, in una democrazia. In un'oligarchia anche i cittadini, come scrisse Isocrate, sono in realtà degli alieni residenti, per cui la questione dei diritti politici non si pone nello stesso modo. Ma appena alcuni residenti sono di fatto cittadini, tutti devono diventarlo. Nessuno stato democratico può tollerare che si instauri una condizione permanente intermedia fra quelle di cittadino e di straniero (ma possono esserci degli stadi

---

* È stato fatto notare che questo argomento non vale per quanto riguarda ospiti privilegiati come i consulenti tecnici, i professori universitari in visita e così via. È vero: ma non so bene come definire la categoria "lavoratori ospiti" in modo da escludere queste persone. Ma si tratta, però, di un gruppo di persone molto importanti e, inoltre, proprio in virtù della loro posizione privilegiata, queste persone possono chiedere la protezione della madre patria ogni volta che ne hanno bisogno. Godono di una sorta di extraterritorialità.

nella transizione da una di queste identità politiche all'altra). Gli uomini e le donne o sono soggetti all'autorità dello stato o non lo sono; e se lo sono tutti devono avere il diritto di influire sull'operato di tale autorità. I cittadini democratici hanno dunque una scelta: se vogliono far entrare nuovi lavoratori, devono essere pronti ad allargare l'ambito della loro appartenenza, e se non sono disposti ad accettare nuovi membri devono trovare il modo di far svolgere il lavoro socialmente necessario entro i limiti del mercato interno del lavoro. Non hanno altra scelta. Il loro diritto di scegliere deriva dall'esistenza di una comunità di cittadini in questo particolare territorio, e non è compatibile con la distruzione della comunità o con la sua trasformazione in un'ennesima tirannia locale.

Appartenenza e giustizia

La distribuzione dell'appartenenza non è completamente soggetta ai vincoli della giustizia. Su tutta un'ampia gamma di decisioni gli stati sono liberi di accogliere (o no) gli stranieri — così come sono liberi, prescindendo dalle richieste di bisognosi, di dividere la propria ricchezza con amici stranieri, di onorare l'opera di artisti, studiosi e scienziati stranieri, di scegliere i loro partner commerciali e di stipulare patti collettivi di sicurezza con stati stranieri. Ma più importante di tutti questi è il diritto di decidere una politica di ammissione perché non è soltanto questione di agire a livello mondiale, esercitare la sovranità e perseguire gli interessi nazionali: qui è in gioco la forma di una comunità che agisce a livello mondiale, esercita la sovranità e via dicendo. L'ammissione e l'esclusione costituiscono il nucleo dell'indipendenza di una comunità, e indicano il significato più profondo dell'autodeterminazione. Senza di esse non potrebbero esserci *comunità con un carattere proprio*, associazioni continuative e storicamente stabili, di uomini e donne con un certo impegno particolare gli uni verso gli altri e con un senso particolare della loro vita collettiva.[31]

Ma nella sfera dell'appartenenza l'autodeterminazione non è assoluta. È un diritto esercitato spessissimo da circoli o famiglie nazionali ma, in linea di principio, proprio degli stati territoriali, di conseguenza è soggetta sia alle decisioni interne dei membri stessi (di *tutti* i membri, compresi quelli che sono tali soltanto per *ius loci*), sia al principio esterno dell'aiuto reciproco. Perciò l'immigrazione ha a che fare sia con una scelta politica sia con un obbligo morale. La naturalizzazione, invece, è interamente legata dall'obbligo di offrire ad ogni nuovo immigrante, ad ogni profugo che si accoglie, ad ogni residente e lavoratore, le opportunità della cittadinanza. Se la comunità è divisa in modo così radicale che una cittadinanza unica è impossibile, allora anche il suo territorio dovrà essere diviso, prima che i diritti di ammissione ed esclusione possano essere esercitati. Questi diritti, infatti, possono essere esercitati soltanto dalla comunità nella sua interezza (anche se, in pratica, sarà una maggioranza a dominare il processo decisionale) e soltanto verso degli stranieri, non da alcuni membri verso altri. Nessuna comunità può essere metà meteca e metà cittadina e pretendere che i suoi provvedimenti di ammissione siano atti di autodeterminazione o che la sua politica sia democratica.

Il fatto che una consorteria esclusiva di cittadini decida per gli allogeni e gli ospiti (o i padroni per gli schiavi, gli uomini per le donne, i bianchi per i neri, i conquistatori per i conquistati) non è segno di libertà collettiva ma di oppressione. I cittadini sono ovviamente liberi di creare un circolo, di rendere l'appartenenza esclusiva quanto vogliono, stendere uno statuto e governarsi a vicenda. Ma non possono rivendicare una giurisdizione territoriale e regnare sulle persone con cui dividono il territorio: questo è agire al di fuori della propria sfera, al di là dei propri diritti. È una forma di tirannia. In effetti il governo di cittadini su non cittadini, di membri su stranieri, è probabilmente la forma di tirannia più comune nella storia dell'umanità. Non dirò molto più di questo sui problemi specifici dei non cittadini e degli stranieri; d'ora in poi, che parli della distribuzione della sicurezza e del benessere, o del lavoro pesante o del potere stesso, assumerò che tutte le persone eleggibili hanno una stessa condizione politica. Questa assunzione non esclude che andando avanti si incontrino altre forme di disuguaglianza, ma esclude l'accumulo di disuguaglianze caratteristico delle società divise. La negazione dell'appartenenza è sempre il primo anello di una lunga catena di abusi; e non c'è modo di spezzare la catena, per cui dobbiamo negare la legittimità di questa negazione. La teoria della giustizia distributiva inizia dunque con una descrizione dei diritti di appartenenza. Essa deve rivendicare, ad un tempo, il diritto (limitato) di chiusura, senza il quale non potrebbe esistere alcuna comunità, e il carattere politicamente inclusivo delle comunità esistenti. Infatti è solo come membri di qualche paese che gli uomini e le donne possono sperare di avere la propria parte di tutti gli altri beni sociali (sicurezza, ricchezza, onore, cariche e potere) resi possibili dalla vita in comunità.

3. Sicurezza e assistenza

Appartenenza e bisogno

L'appartenenza è importante a causa di ciò che i membri di una comunità politica devono l'uno all'altro, e a nessun altro, o a nessun altro nella stessa misura. E la prima cosa che si devono è la fornitura comunitaria per la sicurezza e l'assistenza. Ma si potrebbe anche affermare il contrario: le forniture comunitarie sono importanti perché ci insegnano il valore dell'appartenenza. Se non provvedessimo gli uni agli altri, se non riconoscessimo alcuna distinzione fra membri stranieri, non avremmo motivo di formare e mantenere comunità politiche. "... come faranno (gli uomini) ad amarla (la patria)" si chiedeva Rousseau, "se per essi ... non rappresenta niente di più di ciò che è per uno straniero, e se concede loro soltanto ciò che non può rifiutare a nessuno?"[1] Rousseau pensava che i cittadini dovessero amare il proprio paese e, di conseguenza, che questo dovesse dar loro particolari ragioni per amarlo. L'appartenenza (come la parentela) è una relazione speciale. Non basta dire, come Edmund Burke, che "perché noi si ami il nostro paese, il nostro paese dev'essere amabile".[2] Il punto cruciale è che dev'essere amabile per noi — anche se speriamo sempre che lo sia per altri (amiamo anche la sua amabilità riflessa).

I provvedimenti comunitari per il bene della comunità politica, la comunità per il bene dei provvedimenti: il processo va in entrambe le direzioni, e forse è questo il suo aspetto cruciale. I filosofi e i teorici della politica l'hanno troppo frettolosamente trasformato in un semplice calcolo.

Certo noi siamo i razionalisti della vita di tutti i giorni: ci uniamo e firmiamo il contratto sociale, o ne rinnoviamo la firma, per provvedere ai nostri bisogni. E diamo valore al contratto finché tali bisogni sono soddisfatti. Ma uno dei nostri bisogni è la comunità stessa: la cultura, la religione e la politica. È soltanto sotto l'egida di queste tre che le altre cose a noi necessarie diventano *bisogni socialmente riconosciuti*, e assumono una forma storica e determinata. Il contratto sociale è un patto per decidere insieme quali beni sono necessari alla nostra vita in comune, nonché di fornirceli vicendevolmente. I firmatari devono l'uno all'altro qualcosa di più dell'aiuto reciproco, che devono o possono dovere a chiunque: sono tenuti a fornirsi reciprocamente tutte quelle cose per le quali si sono separati dal resto della umanità ed hanno unito le loro forze in una comunità particolare. Fra queste cose c'è l'*amour social* che però, pur essendo un bene distribuito (spesso in modo disuguale), nasce solo nel contesto di altre distribuzioni (e delle scelte politiche che queste richiedono). Provvedere l'uno all'altro genera il senso della reciprocità. La vita in comune contemporaneamente è dunque il presupposto di tale provvedere e uno dei suoi prodotti.

Gli uomini e le donne si raggruppano perché non possono letteralmente vivere isolati, ma possono vivere insieme in molti modi. La sopravvivenza e, dopo, il benessere, richiedono uno sforzo comune: contro la collera degli dèi, l'ostilità dell'altra gente, l'indifferenza e la malevolenza della natura (carestie, inondazioni, incidenti e malattie), la brevità della vita umana. Non soltanto gli accampamenti, come scrisse David Hume, ma anche i templi, i magazzini, le opere d'irrigazione e i cimiteri sono i veri padri delle città:[3] le cui origini sono, come suggerisce l'elenco, di varia natura. Ogni città è diversa, in parte per l'ambiente naturale in cui è costruita ed i pericoli immediati incontrati dai costruttori, e in parte per la concezione che questi hanno dei beni sociali. I costruttori riconoscono ma anche si creano a vicenda i sogni, dando così forma particolare a quella che chiamerò "sfera della sicurezza e dell'assistenza". Questa sfera è antica quanto la più antica comunità umana. Anzi, potremmo dire che la comunità originaria è una sfera della sicurezza e dell'assistenza, un sistema di fornitura comunitaria distorto, senza alcun dubbio, da vistose disuguaglianze di forza e astuzia. Ma in ogni caso il sistema non ha una forma naturale. Esperienza e concenzioni diverse portano a schemi di forniture diversi. Benché ci siano alcuni beni dei quali abbiamo bisogno in assoluto, non c'è nessun bene del quale sappiamo, appena lo vediamo, come si colloca rispetto a tutti gli altri e quanto ce ne dobbiamo l'un l'altro; la natura di un bisogno non è evidente.

I provvedimenti comunitari sono e generali e particolari. Un provvedimento è generale quando viene speso il denaro pubblico a beneficio di tutti o quasi tutti i membri, ma senza essere distribuito ai singoli membri. È particolare quando dei beni vengono effettivamente dati ad ognuno o a qualcuno dei membri.* L'acqua, per esempio, è

---

* Non che io voglia riprendere qui la distinzione tecnica fatta dagli economisti fra beni pubblici e privati. I provvedimenti generali sono sempre pubblici, almeno secondo le definizioni meno rigorose di questo termine (che specificano soltanto che i beni pubblici

uno dei "requisiti elementari della vita civile", e la costruzione di serbatoi è una forma di fornitura generale:[4] ma dare acqua a un quartiere anziché ad un altro (dove vivono, poniamo, cittadini più ricchi) è particolare. Gli approvvigionamenti alimentari sono generali; la distribuzione di cibo alle vedove e agli orfani è particolare. La sanità pubblica è quasi sempre generale, la cura degli infermi è quasi sempre particolare. A volte i provvedimenti generali e quelli particolari avranno criteri radicalmente diversi. La costruzione dei templi e l'organizzazione delle funzioni religiose sono esempi di forniture generali per soddisfare i bisogni della comunità nel suo insieme, ma la comunione con gli dèi potrebbe essere concessa solo a dei membri particolarmente meritevoli (oppure potrebbe essere cercata privatamente, in segreto o in sette non conformiste). Il sistema giudiziario è un bene generale che risponde a bisogni comuni; ma la distribuzione effettiva delle ricompense e delle pene potrebbe essere al servizio dei bisogni particolari di una classe dominante oppure potrebbe essere organizzata (come normalmente pensiamo debba essere) in modo da dare agli individui quello che individualmente meritano.

Simone Weil sostiene che, per quanto riguarda la giustizia, il bisogno opera sia a livello generale sia a livello particolare, poiché i criminali hanno bisogno di essere puniti;[5] ma questo è un uso davvero insolito della parola *bisogno*. È più verosimile che la punizione dei criminali sia qualcosa di cui soltanto gli altri hanno bisogno. Ma rispetto ad altri beni, il bisogno opera davvero sia a livello generale sia a livello particolare: un esempio ovvio sono le cure mediche, che più avanti esaminerò abbastanza dettagliatamente.

Nonostante la forza intrinseca della parola, i bisogni sono entità sfuggenti. La gente non ha soltanto dei bisogni, ma anche delle idee sui propri bisogni; ha delle priorità, dei gradi di bisogno, e queste priorità e gradi non sono legati soltanto alla nostra natura umana ma anche alla nostra storia e cultura. Poiché le risorse sono sempre scarse, si devono fare delle scelte difficili; e io tendo a credere che non possono essere scelte politiche. Queste sono soggette a una certa riflessione filosofica, ma l'idea di bisogno e l'obbligo delle forniture comunitarie non danno luogo di per sé a una chiara determinazione delle priorità o dei gradi. È evidente che non possiamo soddisfare e

sono quei beni che non possono essere forniti ad alcuni e non ad altri membri della comunità). Ma anche i provvedimenti particolari lo sono quasi sempre, perché anche i beni consegnati ai singoli individui producono dei benefici non esclusivi per l'insieme della comunità. Le borse di studio agli orfani, per esempio, sono private rispetto agli orfani e pubbliche rispetto alla comunità di cittadini in cui gli orfani, un giorno, lavoreranno e voteranno. Ma i beni pubblici di quest'ultimo tipo, che dipendono da precedenti distribuzioni a persone o gruppi particolari, sono stati controversi in molte società; e ho creato le mie categorie per essere in grado di esaminarli da vicino.

non dobbiamo soddisfare tutti i bisogni nella stessa misura o un (particolare) bisogno in modo totale. Gli antichi ateniesi, per esempio, fornivano ai cittadini palestre e bagni pubblici, ma non fornirono mai nulla che somigliasse anche da lontano ai sussidi di disoccupazione e alla sicurezza sociale. Scelsero come spendere il denaro pubblico, e fu una scelta determinata, probabilmente, da come concepivano le esigenze della vita in comune; e sarebbe difficile sostenere che si sbagliavano. Penso che esistano nozioni di bisogno che portano a questa conclusione, ma per gli ateniesi non sarebbero nozioni accettabili e forse nemmeno comprensibili.

La questione del grado ci fa intuire ancora più chiaramente l'importanza della scelta politica e l'irrilevanza di ogni stipulazione puramente filosofica. I bisogni non tendono solo a sfuggirci, ma anche ad espandersi. Come ha detto il filosofo contemporaneo Charles Fried, sono voraci: divorano le risorse.[6] Ma sarebbe un errore sostenere che perciò il bisogno non può essere un principio distributivo. Caso mai è un principio soggetto alla limitazione politica, e i limiti (entro certi limiti) possono essere arbitrari, fissati da una coalizione temporanea di interessi, o da una maggioranza di elettori. Prendiamo il caso della sicurezza personale in una città americana di oggi: potremmo fornire una sicurezza assoluta ed eliminare ogni fonte di violenza, tranne quella domestica, se per tutta la città mettessimo un lampione ogni dieci metri e un poliziotto ogni trenta. Però costerebbe moltissimo e così ci accontentiamo di qualcosa di meno: ma solo a livello politico si può decidere di *quanto* di meno.* Possiamo immaginare di che genere di cose si discuterebbe nei dibattiti. Penso che innanzitutto ci sarebbe una certa concezione, condivisa più o meno ampiamente e solo marginalmente controversa, di che cosa sia una sicurezza "sufficiente" e di quale sia il livello di insicurezza assolutamente intollerabile. Sulla decisione influirebbero anche altri fattori: bisogni alternativi, lo stato dell'economia, le agitazioni sindacali dei poliziotti e così via. Ma quale che sia la decisione raggiunta alla fine, e quali che siano le sue ragioni, si provvede alla sicurezza perché i cittadini ne hanno bisogno. E poiché, a un qualche livello, tutti ne hanno bisogno, il criterio del bisogno rimane, come vedremo, un metro critico anche se non può determinare priorità e gradi.

Le forniture comunitarie

Ogni comunità politica ha sempre provveduto, o cercato o preteso di provvedere, ai bisogni dei suoi membri (per come costoro li inten-

---

* E deve essere deciso a livello politico: è questo che servono gli assetti politici democratici. Ogni tentativo filosofico di definire nei particolari i diritti degli individui limiterebbe radicalmente la portata del processo decisionale democratico. Ho difeso questa tesi altrove.[7]

devano). E ogni comunità politica ha sempre impegnato la sua forza collettiva (la sua capacità di dirigere, regolare, far pressione e costringere) in questo progetto. I modi di organizzazione, i livelli di tassazione, la durata e l'estensione delle coscrizioni sono sempre stati un punto centrale delle controversie politiche; ma, fino a tempi recentissimi, l'uso del potere politico non era mai stato contestato. La costruzione di fortezze, dighe e opere d'irrigazione, la mobilitazione dell'esercito, la garanzia dei vettovagliamenti e del commercio in generale sono tutte cose che esigono coercizione; lo stato è uno strumento che non può essere fatto senza il ferro. E la coercizione esige agenti della coercizione. Le forniture comunitarie sono sempre mediate da un insieme di funzionari (preti, militari e burocrati) che introducono nel processo delle distorsioni caratteristiche, dirottando soldi e lavoro per i propri scopi o usando le forniture stesse come forma di controllo. Ma ora non sono queste distorsioni a interessare; vorrei, invece, sottolineare il senso in cui ogni comunità politica è in linea di principio uno "stato assistenziale". Ogni insieme di funzionari è tenuto, almeno in teoria, a fornire sicurezza e assistenza, e ogni insieme di membri è tenuto a sopportare il peso necessario (cosa che fa davvero). Il primo impegno ha a che fare coi doveri della carica, il secondo con gli obblighi dell'appartenenza. Senza un senso comune dei doveri e degli obblighi non esisterebbero né comunità politica, né sicurezza, né assistenza, e la vita degli uomini sarebbe "solitaria, misera, odiosa, animalesca e breve".

Ma quanta sicurezza e quanta assistenza sono indispensabili? Di che genere? Come vanno distribuite? Come vanno pagate? Questi sono problemi seri, che si possono risolvere in molti modi. Poiché ogni soluzione è adeguata o inadeguata, rispetto a una particolare comunità, a questo punto sarà meglio affidarsi ad alcuni esempi concreti. Ho scelto due esempi di periodi storici diversi e con impegni distributivi generali e particolari diversissimi; essi rappresentano due linee della nostra tradizione culturale, quella greca e quella ebraica. Non sono andato a cercare i punti estremi del ventaglio delle possibilità; ho scelto invece due comunità che, come la nostra, erano relativamente democratiche e rispettose, in genere, della proprietà privata. Per quanto ne so, nessuna delle due ha mai avuto un posto di rilievo nelle storie dello stato assistenziale; ciononostante, i cittadini di entrambe avevano ben chiaro il significato delle forniture comunitarie.

Atene nel quinto e quarto secolo

"Le citta-stato ellenistiche erano molto sensibili a quello che potremmo chiamare il benessere generale, vale a dire, erano molto disposte a prendere misure che fossero vantaggiose per la cittadinanza nel suo insieme; al benessere sociale... e in particolare al bene dei poveri in quanto tali erano, invece, piuttosto indifferenti."[8] Questa osservazione del classicista contemporaneo Louis Cohn-Haft compare in uno studio sui "medici pubblici" dell'antica Grecia, un'istituzione minore che però è un buon punto di partenza per la mia ricostruzione. Nel quinto secolo a. C., ad Atene (e nel periodo ellenistico successivo in molte città greche), un esiguo numero di dottori erano eletti a cariche pubbliche, più o meno come i generali, e ricevevano uno stipendio tratto dal denaro pubblico. Non è chiaro quali fossero le loro funzioni e i documenti che ci restano sono frammentari. Sembra che, come gli altri dottori, chiedessero un onorario per i loro servizi, ma è probabile che "come stipendiati dell'intero corpo dei cittadini, subissero notevoli pressioni sociali per non rifiutare un malato che non poteva pagare". Lo scopo dell'elezione e dello stipendio sembra essere stato garantire la presenza di dottori qualificati nella città, per esempio, durante una pestilenza. Era una fornitura generale, non particolare; e la città, a quanto pare, era poco interessata all'ulteriore distribuzione dell'assistenza medica. Ed effettivamente onorava i medici pubblici che "si mettevano a disposizione, di buon grado, di chiunque dicesse di aver bisogno di loro" e questo fa pensare che non lo facessero per dovere d'ufficio, e che i dottori fossero pagati per qualcosa d'altro.[9]

Ad Atene questo era lo schema comune, ma la gamma delle forniture generali era più ampia. Cominciava dalla difesa; la flotta, l'esercito, le mura fino al Pireo erano tutti opera dei cittadini stessi, sotto la direzione dei loro magistrati e dei generali. O, forse, cominciava dal cibo: il Parlamento doveva discutere a intervalli regolari un ordine del giorno che aveva una forma fissa, "il grano e la difesa del paese". Le distribuzioni effettive di grano erano rare; una schiera impressionante di funzionari sorvegliava strettamente le importazioni e regolava il mercato interno: dieci commissari al commercio, dieci sovrintendenti dei mercati, dieci ispettori dei pesi e delle misure, trentacinque "guardiani del grano" che imponevano un prezzo equo e — nei momenti di crisi — un gruppo di compratori di grano che "cercava delle scorte da chiunque potesse trovarle, raccoglieva i fondi necessari con sottoscrizioni pubbliche, introduceva riduzioni di prezzo e razionamenti".[10] Tutti questi funzionari erano estratti a sorte fra i cittadini. O, forse, cominciava dalla religione: i principali edifici pubblici della città erano templi, costruiti con denaro pubblico; i sacerdoti erano funzionari pubblici, e celebravano i sacrifici per conto della città. O, forse, cominciava dalla giustizia, come nella descrizione lockiana dell'origine dello stato: Atene era pattugliata da una truppa di schiavi di stato (milleottocento arcieri sciti); i suoi tribunali, sempre indaffarati, avevano una complessa organizzazione. Oltre a tutto questo la città forniva molti altri beni. Cinque commissari sovrintendevano alla costruzione e alla riparazione delle strade. Un consiglio di dieci membri imponeva un insieme, alquanto ridotto, di misure di igiene pubblica: "controllano che i raccoglitori di letame non lo depongano a meno di dieci stadi dalle mura".[11] Come ho già rilevato, la città disponeva di bagni e palestre, i cui scopi erano probabilmente sociali, più che igienici. La sepoltura dei cadaveri trovati per strada era a carico dello stato, così come i funerali dei caduti in guerra, come quello a cui parlò Pericle nel 431. E infine, i grandi festival teatrali erano organizzati dallo stato e finanziati, con un tipo speciale di tassazione, dai cittadini abbienti. Anche questa è una spesa per la sicurezza e l'assistenza? Potremmo vederla come un aspetto fondamentale dell'educazione religiosa e politica del popolo ateniese. Non c'era invece spesa pubblica a nessun livello per scuole o insegnanti: nessun sussidio, né per l'analfabetismo né per la filosofia.

Oltre a tutto ciò, le distribuzioni particolari autorizzate dal parlamento ateniese si riducevano con un'eccezione fondamentale, a poca cosa. Aristotele riferisce che "la legge impone che coloro i quali possiedono meno di tre mine e hanno un corpo che non gli permette di compiere alcun lavoro, devono essere esaminati dal consiglio e mantenuti a carico dello stato, ricevendo ciascuno due oboli al giorno".[12] Queste pensioni (bassissime) potevano essere contestate da qualsiasi cittadino, e il pensionato doveva allora difendersi davanti a una giuria. Una delle orazioni di Licia giunte fino a noi venne scritta per un pensionato storpio; e Licia gli fece dire alla giuria "tutta la fortuna, buona e cattiva, dev'essere condivisa collettivamente dall'intera comunità".[13] Questa non era certo una descrizione precisa della prassi ateniese, ma la città riconosceva effettivamente i propri obblighi verso gli orfani e anche verso le vedove dei soldati caduti. Al di là di questo, le forniture particolari erano lasciate alle famiglie di chi ne aveva bisogno. La città se ne occupava soltanto da una certa distanza: una legge di Solone imponeva ai padri di insegnare un mestiere ai figli e a questi di mantenere i genitori nella vecchiaia.

La fondamentale eccezione era, ovviamente, la distribuzione di denaro pubblico a tutti i cittadini che ricoprivano una carica, partecipavano al Consiglio, andavano in Parlamento o sedevano in una giuria. In questo caso una distribuzione particolare serviva lo scopo generale di conservare una democrazia vigorosa. Le somme che venivano pagate avevano lo scopo di permettere ad artigiani e contadini di perdere un giorno di lavoro. Era ugualmente necessario un certo senso civico, poiché si trattava di piccole somme, inferiori anche al guadagno giornaliero di un lavoratore non qualificato; ma il totale annuo era notevole — circa metà delle entrate interne della città nel quinto secolo e spesso più di metà nel quarto.[14] Poiché le entrate dello stato non venivano da imposte sulla terra o sul reddito (ma da imposte sulle importazioni, ammende giudiziarie, affitti, proventi delle miniere d'argento e così via), non si può dire che questi pagamenti fossero ridistributivi; ma erano comunque una distribuzione di denaro pubblico che riequilibrava in una certa misura le diseguaglianze della società ateniese. Ciò valeva, in particolar modo, quando a essere pagati erano cittadini anziani che non avrebbero lavorato in nessun caso. Il professor M.I. Finley è propenso ad attribuire a queste largizioni la virtuale assenza di tensioni sociali e di lotta di classe in tutta la storia della democrazia ateniese.[15] Forse questo era un risultato voluto; ma è più probabile che dietro ai pagamenti ci fosse una certa concezione della cittadinanza. Pur di permettere ad ogni cittadino di partecipare personalmente alla vita politica, i cittadini come corpo erano disposti a erogare forti somme. Ed è ovvio che ciò andasse a beneficio soprattutto dei più poveri, ma lo stato non si interessava direttamente della povertà in sé.

Una comunità ebraica medievale

Qui non mi riferirò a una comunità ebraica determinata, ma cercherò di descrivere una tipica comunità nell'Europa cristiana dell'alto Medioevo. Mi interessa soprattutto fare un elenco dei beni che venivano forniti, generalmente o particolarmente, e tale elenco non varia in modo significativo da un luogo all'altro. Le comunità ebraiche dell'area islamica (soprattutto secondo la ricostruzione nelle notevoli opere del professor S. D. Goitein) pur in condizioni alquanto diverse erano impegnate sostanzialmente nello stesso tipo di forniture.[16] A differenza di Atene, tutte queste comunità erano autonome, ma non sovrane. In Europa avevano pieni poteri in materia fiscale, anche se gran parte del denaro che raccoglievano doveva essere ceduta al re, principe o signore secolare, cioè cristiano, o per pagare le sue imposte o come donativi, sussidi, "prestiti" e così via; il che può essere visto come il prezzo della protezione. Nelle città egiziane studiate da Goitein la maggior parte dei fondi comunitari veniva raccolta facendo appello allo spirito di carità, ma la forma stereotipata delle donazioni fa pensare che la pressione sociale avesse praticamente gli stessi effetti del potere politico. Era virtualmente impossibile vivere nella comunità ebraica senza pagare un tributo; e un ebreo, a meno di convertirsi al cristianesimo, non aveva alternative; non c'era un altro posto dove andare.

In linea di principio le comunità erano democratiche: erano governate da un'assemblea di membri che si riuniva nella sinagoga. Le pressioni esterne tendevano a generare un'oligarchia o, più esattamente, una plutocrazia — un governo dei capifamiglia più ricchi che sapevano meglio trattare con gli avidi re. Ma il governo dei ricchi era continuamente contestato dai membri più ordinari della comunità religiosa e controbilanciato dall'autorità dei tribunali dei rabbini. I rabbini svolgevano un ruolo cruciale nella ripartizione delle tasse, che era oggetto di continue controversie, spesso molto aspre. I ricchi preferivano la tassazione *per capita*, benché nei momenti di crisi non potessero esimersi dal contribuire quanto era necessario per la sopravvivenza loro e della comunità. Sembra che i rabbini fossero in genere favorevoli a imposte proporzionali (alcuni di loro ammisero addirittura la possibilità di una tassazione progressiva).[17]

Come ci si può aspettare in una comunità i cui membri si trovavano in una situazione, nel migliore dei casi, precaria, soggetti a cicliche persecuzioni e a vessazioni continue, gran parte del denaro pubblico era distribuita a persone in difficoltà. Benché fosse stato deciso molto presto che i poveri della propria comunità avevano la precedenza sugli ebrei "forestieri", la solidarietà più generosa di un popolo perseguitato si rivela nella serietà dell'impegno nel "riscattare i prigionieri" — un obbligo assoluto per ogni comunità cui venisse fatto appello, nonché un salasso significativo delle sue risorse. "Liberare i prigionieri," ha scritto Maimonide, "è prioritario rispetto a nutrire e vestire i poveri."[18] Questa priorità, derivata dall'immediato pericolo fisico in cui il prigioniero si trovava, probabilmente dipendeva anche dal fatto che il pericolo, oltre che fisico, era religioso. La conversione forzata o diventare schiavi di un padrone non ebreo erano minacce alle quali le comunità ebraiche organizzate erano particolarmente sensibili perché, prima di tutto, erano comunità religiose, e le loro concezioni della vita sociale e dei bisogni degli individui erano state formate nel corso di secoli di dibattito religioso.

Le forme più importanti di fornitura generale, a parte le tangenti, erano di carattere religioso, anche se comprendevano servizi che oggi consideriamo secolari. La sinagoga, i tribunali e i relativi funzionari erano pagati con denaro pubblico. I tribunali amministravano il diritto talmudico ed avevano una giurisdizione molto ampia (che però non comprendeva i diritti capitali). I rapporti economici erano rigidamente regolati, soprattutto quelli con i non ebrei, che potevano avere delle implicazioni per l'intera comunità. Anche le minuziose leggi suntuarie erano concepite tenendo presenti i non ebrei, per non suscitare invidia e risentimento. La comunità forniva bagni pubblici (il cui scopo era più religioso che igienico) e sovrintendeva al lavoro dei macellai. C'era una tassa per la carne kosher (anche nelle comunità egiziane), per cui questo tipo di fornitura era anche una fonte di reddito. Si cercava anche di tenere pulite le strade dei quartieri ebraici e di evitarne il sovraffollamento. Verso la fine dell'era medievale molte comunità aprirono degli ospedali ed assunsero medici ed ostetriche.

Le distribuzioni particolari avevano in genere forma di elemosina: distribuzioni regolari di cibo, una o due volte alla settimana, distribuzioni, meno frequenti, di abiti; assegnazioni speciali ai malati, viaggiatori rimasti senza denaro, vedove, orfani e così via — e tutto su scala notevole in rapporto alle dimensioni e alle risorse delle comunità. Maimonide aveva scritto che la forma più elevata di carità era il dono, o prestito, o associazione che mira a rendere autosufficiente il beneficiato. Queste parole erano citate spesso, ma come sostiene Goitein, non determinavano la struttura dei servizi sociali della comunità ebraica. Forse i poveri erano troppo numerosi e la situazione della comunità stessa troppo precaria perché fosse possibile qualcosa di più di un aiuto. Secondo i calcoli di Goitein fra gli ebrei della vecchia città del Cairo "c'era uno che riceveva la carità per ogni quattro che vi contribuivano".[19] E quelli che davano denaro davano anche tempo ed energia: dalle loro file venivano molti funzionari minori che si occupavano dell'infinito compito di raccogliere e distribuire il denaro. Le elemosine costituivano dunque un salasso forte e continuo, che era accettato come obbligo religioso e di cui non si vedeva la fine prima della venuta del messia. Era la giustizia divina, con un pizzico di ironia ebraica: "Devi aiutare i poveri in proporzione ai loro bisogni, ma non sei obbligato a farli ricchi."[20]

Oltre alle elemosine c'erano altre forme di fornitura particolare, finalizzate, soprattutto, all'istruzione. Nella Spagna del Quattrocento, circa sessant'anni prima dell'espulsione, fu fatto un notevole sforzo per creare qualcosa di simile a un'istruzione pubblica universale ed obbligatoria. Nel 1432 il sinodo di Valladolid introdusse delle tasse speciali sulla carne, sul vino, sui matrimoni, sulle circoncisioni e sui funerali e ordinò

che ogni comunità di quindici capifamiglia [o più] sia obbligata a mantenere un insegnante elementare qualificato per istruire i suoi figli nella Scrittura... I genitori saranno obbligati a mandare i figli da questo insegnante ed ognuno lo pagherà secondo i propri mezzi. Se questo reddito risultasse inadeguato, la comunità sarà obbligata ad integrarlo.

Tutte le comunità con almeno quaranta capifamiglia dovevano avere scuole di livello superiore; il rabbino capo della Castiglia era autorizzato a trasferire denaro dalle comunità ricche e quelle povere per aiutare le scuole in difficoltà.[21] Era un programma molto più ambizioso di qualsiasi cosa mai tentata prima. Ma tutte le comunità ebraiche davano molta importanza all'istruzione: le rette scolastiche dei bambini poveri erano pagate dalla collettività, per le scuole e le accademie religiose c'erano sussidi pubblici più o meno cospicui e ulteriori donazioni di carità. Per gli ebrei andare a scuola era come per i greci andare a teatro o in parlamento — e non sarebbe stato così in nessuno dei due casi se le istituzioni fossero state completamente lasciate all'iniziativa privata.

Considerati insieme, ebrei e greci danno un'idea non solo della gamma delle attività comunitarie ma anche, e più importante, del modo in cui i valori collettivi e le scelte politiche strutturano queste attività. In ogni comunità politica i cui membri abbiano voce in capitolo sul governo risulterà un modello di questo tipo: un insieme di forniture generali e particolari atte a mantenere e promuovere una cultura comune. Non varrebbe quasi la pena di fare questa osserva-

zione se non fosse per gli attuali difensori dello stato minimo o liber-
tario, secondo i quali tutte queste cose (tranne la difesa) andrebbero
lasciate all'iniziativa volontaria degli individui.[22] Ma gli individui, lasciati a se stessi (ammesso che questa sia una reale possibilità), ne
cercheranno necessariamente degli altri per il bene della fornitura
collettiva. Hanno troppo bisogno gli uni degli altri: non soltanto per i
beni materiali che potrebbero essere forniti attraverso un sistema di
libero scambio, ma per quei beni materiali che hanno, per così dire,
una forma morale e culturale. Si possono certamente trovare degli
esempi (e ce ne sono molti) di stati che non fornirono i beni materiali
né la moralità, o li fornirono così male, e fecero tante altre cose che
la gente comune non desiderava nient'altro che liberarsi delle loro
imposizioni. Ma una volta ottenuta la libertà, questa stessa gente non
cerca solo di conservarla, ma elabora anche un modello di fornitura
adeguato ai propri bisogni (e alla loro concezione dei propri bisogni).
Le argomentazioni a favore dello stato minimo non hanno mai fatto
presa su nessuna parte significativa dell'umanità; infatti, nella storia
delle lotte di popolo la richiesta più comune è stata non la liberazione, ma l'impegno: si richiede allo stato di servire realmente agli scopi
cui pretende di servire e di farlo per tutti. La comunità politica cresce, attraverso una serie di invasioni, man mano che gruppi prece-
dentemente esclusi (plebei, schiavi, donne, minoranze di tutti i tipi)
esigono la loro parte di sicurezza e assistenza.

L'equa ripartizione

Ma quale deve essere la loro parte? Qui si pongono in realtà due
domande distinte. La prima, di cui ci occuperemo nel prossimo paragrafo, riguarda la gamma di beni che dovrebbero essere condivisi,
ovvero i confini della sfera della sicurezza e dell'assistenza. La seconda riguarda i principi distributivi propri di quella sfera, che cercherò di ricavare dagli esempi dei greci e degli ebrei.

Il miglior punto di partenza è la massima talmudica che i poveri
devono (e l'imperativo è importante) essere aiutati in proporzione ai
loro bisogni. Certo si tratta di senso comune, ma essa ha un'importante indicazione negativa: non in proporzione a una qualsiasi qualità personale, per esempio la bellezza fisica o l'ortodossia religiosa.
L'accattonaggio è una delle cose che l'organizzazione comunitaria
degli ebrei ha sempre cercato di eliminare, senza mai riuscirci completamente. Il mendicante viene ricompensato per la bravura nel raccontare storie, per il suo phatos, e spesso nel folclore ebraico, per la
sua sfacciataggine; e la ricompensa è proporzionale alla bontà, alla
presunzione e alla *noblesse oblige* del benefattore, e mai soltanto ai
bisogni del mendicante. Ma se rendiamo più stretto il legame fra bisogno e fornitura possiamo liberare il processo distributivo da tutti

questi elementi estranei. Quando diamo del cibo raggiungiamo direttamente lo scopo di questa donazione: sfamare. Gli affamati non dovranno inscenare una recita o superare un esame o vincere un'elezione. Questa è la logica interna, la logica sociale e morale delle forniture. Una volta che la comunità si è impegnata nella fornitura di un certo bene necessario, deve fornirlo a tutti i membri che ne hanno bisogno in proporzione al loro bisogno. La distribuzione effettiva sarà limitata dalle risorse disponibili; ma tutti i criteri diversi dal bisogno sono vissuti non come limitazioni bensì come distorsioni del processo distributivo. E le risorse a disposizione della comunità non sono che la sua produzione passata e presente, la ricchezza accumulata dai suoi membri, e non un surplus di tale ricchezza. In genere si sostiene che lo stato assistenziale "si basa sulla disponibilità di qualche forma di surplus economico".[23] Ma che cosa può voler dire? Non possiamo sottrarre dal prodotto sociale complessivo i costi di manutenzione di uomini e macchine, cioè il prezzo della sopravvivenza sociale, e finanziare lo stato assistenziale con quello che rimane, perché lo avremmo già finanziato con quello che abbiamo sottratto. Il prezzo della sopravvivenza sociale comprende sicuramente le spese per la sicurezza militare, per esempio, la salute pubblica e l'istruzione. I bisogni socialmente riconosciuti sono le prime spese a gravare sul prodotto sociale, e finché questi bisogni non saranno soddisfatti non ci sarà un vero surplus; quest'ultimo finanzia la produzione e lo scambio delle merci all'esterno della sfera dei bisogni. Gli uomini e le donne che si appropriano di cospicue somme di denaro, mentre i bisogni sono ancora insoddisfatti, agiscono da tiranni, in quanto dominano e deformano la distribuzione della sicurezza e dell'assistenza.

Vorrei sottolineare ancora una volta che i bisogni non sono dei fenomeni puramente fisici. Perfino il bisogno del cibo assume forme diverse in condizioni culturali diverse. Così le distribuzioni generali di cibo nelle comunità ebraiche, prima delle festività religiose, servivano a un bisogno rituale, non a un bisogno fisico. Era importante non solo che i poveri mangiassero, ma che mangiassero il tipo giusto di cibo, visto che altrimenti sarebbero stati banditi dalla comunità — ma erano aiutati innanzitutto per il solo fatto di esserne membri. E se, analogamente, l'invalidità è un motivo per concedere la pensione, allora ogni cittadino invalido ne avrà diritto. Resta ancora da precisare, però, che cosa costituisca invalidità; ad Atene lo si faceva, caratteristicamente, per mezzo di liti giudiziarie. Si possono facilmente immaginare dei mezzi alternativi, ma non, una volta riconosciuta l'invalidità, delle ragioni alternative. In realtà il pensionato di Licia si sentì in dovere di dire alla giuria di essere proprio una brava persona; io non voglio sostenere che la logica interna di fornitura sia sempre o immediatamente capita. Ma l'accusa decisiva contro il pensionato era di non essere gravemente invalido, e la sua risposta decisiva fu che lui rientrava proprio nella categoria dei cittadini invalidi, così come era stata sempre intesa.

L'istruzione, sollevando problemi di definizione culturale più difficili, può rendere più complesso il nostro modo di vedere le possibilità e i limiti della giustizia distributiva nella sfera della sicurezza e dell'assistenza. È ovvio che la nozione di ignoranza, essendo sempre relativa a un *corpus* di conoscenze socialmente riconosciuto, è più ambigua di quelle di fame e di invalidità.

Il bisogno di istruzione dei bambini è relativo alla vita che ci aspettiamo o vogliamo che abbiano. L'istruzione dei bambini è finalizzata ad uno scopo e non è generale ma specifica (il recente concetto di "cultura generale" è pensato per soddisfare le esigenze specifiche della nostra società). Nelle comunità ebraiche del Medioevo l'istruzione aveva lo scopo di preparare gli uomini alla partecipazione attiva ai servizi religiosi e alle discussioni dottrinali sulla religione. Poiché le donne non svolgevano un ruolo attivo nella vita religiosa, la comunità non si occupava della loro istruzione; in tutte le altre forniture particolari (cibo, vestiario, assistenza medica) venivano aiutate esattamente come gli uomini, cioè in proporzione ai loro bisogni. Ma non avevano bisogno di un'istruzione perché in realtà non erano dei membri a pieno titolo della comunità (religiosa). Il loro luogo primario non era la sinagoga, ma la casa. Il dominio maschile aveva la sua espressione più immediata nei servizi sinagogali (fra gli ateniesi, nei dibattiti del Parlamento) e si convertiva poi nel concreto finanziamento di scuole sovvenzionate.

Questo dominio era a volte contestato da autori che sottolineavano l'importanza dell'osservanza religiosa fra le mura domestiche o il significato religioso dell'educazione dei bambini o, più raramente, il contributo che le donne avrebbero potuto dare al pensiero religioso.[24] Erano argomenti imperniati inevitabilmente sulla religione, e il loro successo era legato a un miglioramento sul piano morale o intellettuale del ruolo delle donne nella vita religiosa. Nella tradizione ebraica le tensioni interne non mancavano; c'erano cose su cui discutere. Tuttavia al massimo si pensava a un miglioramento marginale; e per quanto ne so, di fatto la sinagoga non venne mai descritta come una tirannia degli uomini. Per l'eguaglianza nell'istruzione si dovette aspettare la nascita di comunità alternative nelle quali le donne potevano rivendicare di essere membri: proprio gli argomenti egalitari della nostra epoca, che invocano, come farò anch'io, l'idea di cittadinanza inclusiva.

Tuttavia, le comunità ebraiche, mirando davvero a includere tutti i maschi, avevano il problema di organizzare un sistema scolastico che scavalcasse le divisioni di classe, e ciò era ottenibile in molti modi. La comunità poteva organizzare delle scuole gratuite per i poveri, come le scuole speciali per orfani della vecchia città del Cairo. Oppure poteva pagare le rette dei bambini poveri che frequentavano le scuole fondate e finanziate in larga misura dai più abbienti; nel Medioevo questo era il sistema più diffuso tra gli ebrei. Oppure poteva fornire un'istruzione attraverso il sistema fiscale, senza alcuna spesa ulteriore nemmeno per i bambini i cui genitori avrebbero potuto permettersi di pagare una retta oltre alle tasse. Credo che ci siano delle pressioni per passare dalla prima alla seconda soluzione, e poi a una qualche versione della terza. Infatti qualsiasi classificazione sociale dei poveri sotto la voce "carità" potrebbe generare discriminazioni nella scuola stessa, o diventare per i bambini (o per i loro genitori) un'esperienza talmente degradante da indurli a non partecipare alle attività scolastiche (a non incoraggiarle). Forse questi effetti non sono comuni a tutte le culture, ma sono chiaramente molto diffusi. Nel Medioevo fra gli ebrei c'era una certa riluttanza ad accettare la carità pubblica, e chi l'accettava veniva stigmatizzato. In effetti, uno degli scopi delle forniture comunitarie può essere di stigmatizzare i poveri e di insegnargli il posto che spetta loro nella comunità, pur non essendone membri a pieno titolo. Ma a parte qualche società rigidamente gerarchica, questo non sarà mai lo scopo ufficiale o pubblicamente dichiarato, né sarà mai l'unico. Se lo scopo pubblicamente dichiarato è, per esempio, di insegnare ai bambini (maschi) a leggere e commentare la Scrittura, allora la soluzione migliore sembrerebbe un sistema comune di istruzione, fornito dalla comunità stessa.

Goitein ha notato un movimento in questa direzione nelle comunità da lui studiate, ma ritiene che fosse dovuto in larga misura a motivi finanziari.[25] Forse i rabbini spagnoli avevano compreso il valore delle scuole comunitarie: di qui l'elemento di costrizione dello schema da loro ideato. In ogni caso, tutte le volte che una fornitura comunitaria ha lo scopo di rendere possibile la partecipazione comunitaria, sarà sensato raccomandare una forma di fornitura che sia eguale per tutti i membri. E si può ben dire che, nei regimi democratici, ogni fornitura ha questo scopo. La decisione degli ateniesi di pagare ad ogni cittadino che si recava in Parlamento la stessa (piccola) quantità di denaro derivava, probabilmente, dal riconoscimento di questo fatto. Non sarebbe stato difficile escogitare un modo di controllare i mezzi dei cittadini, ma questi non erano pagati in proporzione ai loro mezzi o ai loro bisogni individuali perché erano pagati come cittadini, non come individui, e come cittadini erano tutti uguali. D'altra parte, gli ateniesi escludevano dalle cariche pubbliche quei cittadini che ricevevano pensioni di invalidità.[26] Ciò probabilmente riflette una particolare idea dell'invalidità; ma potrebbe anche essere intesa come un simbolo delle conseguenze degradanti che si hanno a volte (anche se non sempre) quando una fornitura comunitaria assume la forma della carità pubblica.

Nella sfera della sicurezza e dell'assistenza, la giustizia distributiva ha un duplice significato: si riferisce in primo luogo al riconoscimento del bisogno e in secondo luogo al riconoscimento dell'appartenenza. I beni devono essere forniti ai membri bisognosi a causa della loro condizione di bisogno, ma nel farlo si deve anche conservare la loro appartenenza. Tuttavia non è che i membri abbiano dei diritti su un insieme specifico di beni. I diritti di assistenza sono determinati solo quando una comunità adotta un programma di fornitura reciproca. Esistono argomenti convincenti per sostenere che, date particolari condizioni storiche, si dovrebbe adottare un particolare programma, ma essi non riguardano i diritti individuali, bensì la natura di una particolare comunità politica.

Gli ateniesi non violavano i diritti di nessuno per il fatto di non destinare denaro pubblico all'istruzione dei bambini; forse pensavano, e forse a ragione, che la vita pubblica della città fosse già abbastanza istruttiva.

I diritti che i membri possono legittimamente rivendicare sono di tipo più generale; sicuramente comprendono una qualche variante del diritto alla vita hobbesiano, una qualche pretesa alle risorse della comunità per la mera sussistenza. Nessuna comunità può permettere che i suoi membri muoiano di fame finché è disponibile del cibo per sfamarli; nessun governo può fare da spettatore passivo in momenti del genere, non se pretende di essere un governo della o dalla o per la comunità. L'indifferenza dei governanti britannici durante la carestia irlandese degli anni 1845-49 mostrava chiaramente che l'Irlanda era una colonia, una terra conquistata, che non faceva veramente parte della Gran Bretagna.[27] Non voglio così giustificare tale indifferenza (ci sono degli obblighi verso le colonie e i popoli assoggettati) ma voglio solo osservare che gli irlandesi sarebbero stati serviti meglio da un governo (virtualmente, da qualsiasi governo) proprio. Forse fu Burke ad arrivare più vicino ad una descrizione del diritto fondamentale che è qui in gioco quando scrisse: "Il governo è stato inventato dalla saggezza umana per provvedere alle necessità umane. È diritto degli uomini che a queste necessità provveda questa saggezza."[28] Si deve solo aggiungere che la saggezza in questione non è quella di una classe dominante, come sembra pensasse Burke, ma quella dell'intera comunità. Soltanto la sua cultura, il suo carattere, le sue concezioni comuni possono definire le "necessità" alle quali si deve provvedere. Ma la cultura, il carattere e le concezioni comuni non sono mai dei dati, non operano in modo automatico, e in qualsiasi momento i cittadini devono discutere l'estensione delle forniture reciproche.

Discutono sul significato del contratto sociale, sulla concezione originaria e sempre reiterata della sfera della sicurezza e dell'assistenza. Non è un contratto ipotetico o ideale come quello descitto da John Rawls. Probabilmente individui razionali nello stato originario, privati cioè di ogni conoscenza particolare della loro condizione sociale e della loro cultura, opterebbero, come sostiene Rawls, per una distribuzione egualitaria di tutti i beni che venissero loro presentati come necessari.[29] Ma questa formula non serve gran che a stabilire quali scelte faranno o dovrebbero fare una volta saputo chi sono e dove sono. In un mondo di culture particolaristiche, di concezioni rivali del bene, di scarsezza di risorse e di bisogni mal definibili e tendenti ad espandersi, non potrà esserci una formula unica e universalmente applicabile. Né ci sarà un percorso unico e universalmente approvato che da una nozione come quella, poniamo, di "equa ripartizione" ci conduca fino a un elenco esauriente dei beni cui essa si applica. Equa ripartizione di che cosa?

Giustizia, tranquillità, difesa, benessere e libertà: questo è l'elenco fornito dalla costituzione degli Stati Uniti. Potremmo anche considerarlo esauriente, ma i termini sono vaghi e costituiscono nel migliore dei casi un punto d'avvio del dibattito pubblico. In questo dibattito si fa normalmente appello a un concetto più ampio: il diritto generale di Burke, che assume un'efficacia determinata solo in condizioni determinate ed esige tipi diversi di fornitura in epoche e luoghi diversi. L'idea è semplicemente che noi ci associamo e formiamo una comunità per fare fronte a difficoltà e pericoli cui non potremmo far fronte da soli; così, quando ci troviamo davanti a simili difficoltà o pericoli cerchiamo l'assistenza della comunità. Così come cambia l'equilibrio tra capacità individuali e collettive, cambia anche il tipo di assistenza richiesto.

Si potrebbe utilmente raccontare la storia della sanità pubblica in Occidente in questi termini. Gli esempi dei greci e degli ebrei indicano che un certo tipo di fornitura minima è molto antico; le misure adottate erano in funzione del senso del pericolo della comunità e delle sue conoscenze mediche. Con gli anni l'estendersi dei nuclei abitativi comportò nuovi pericoli e il progresso scientifico generò un nuovo senso del pericolo e una nuova consapevolezza della possibilità di difendersi. A quel punto gruppi di cittadini esercitarono pressioni perché fosse adottato un programma di forniture comunitarie più ampio, che sfruttasse la nuova scienza per ridurre i rischi della vita urbana. Proprio per questo, potevano dire con ragione, esiste la comunità. Qualcosa di analogo si può dire anche per la sicurezza sociale. Gli stessi successi delle forniture generali nel campo della sanità pubblica hanno molto aumentato la durata normale della vita, e di conseguenza anche il numero degli anni nei quali le persone non possono mantenersi, in cui sono inabili fisicamente ma, di solito, non socialmente, politicamente o moralmente. Il sostegno agli inabili è un tipo di fornitura particolare fra i più antichi e diffusi che oggi viene richiesto su scala molto maggiore che in qualsiasi epoca precedente.

Le famiglie sono oberate dalle spese per gli anziani e cercano aiuto presso la comunità politica. Si potrà discutere su che cosa esattamente si debba fare; parole come *salute, pericolo, scienza* o anche *vecchiaia* hanno significati lontanissimi in culture diverse, e non è possibile una specificazione esterna ad esse. Ma questo non significa che ai diretti interessati non sia chiaro che bisognerebbe fare certe cose, anzi, un insieme determinato di cose.

Forse questi esempi sono troppo facili. Le malattie sono una minaccia per tutti; la vecchiaia, una prospettiva per tutti. Ma non è così per la disoccupazione e la miseria, che probabilmente stanno al di fuori dell'orizzonte di molti benestanti. I poveri possono sempre essere isolati, chiusi nei ghetti, incolpati della loro stessa sfortuna e puniti per essa. A questo punto, si potrebbe dire, non si possono più difendere le forniture invocando qualcosa come il "significato" del contratto sociale. Ma esaminiamo più da vicino i casi facili, che in realtà comportano tutti i problemi di quelli difficili. La sanità pubblica e la sicurezza sociale ci invitano a vedere la comunità politica, per usare un'espressione di T. H. Marshall, come un "circolo di mutua beneficenza".[30] Ogni fornitura è reciproca; i membri a turno forniscono e sono riforniti, più o meno come secondo Aristotele i cittadini a turno governano e sono governati. È un'immagine felice e facilmente comprensibile in termini contrattualistici. Non solo agenti razionali, senza sapere nulla della propria situazione specifica, accetterebbero queste due forme di fornitura, ma di fatto le accettano gli agenti reali, i cittadini ordinari di ogni democrazia moderna. Entrambe sono, o sembrano essere, nell'interesse sia di un'umanità ipotetica sia dell'umanità reale. Nella pratica la coercizione è necessaria solo perché alcune minoranze della popolazione reale non capiscono, o non capiscono coerentemente, quali sono i loro veri interessi. Solo gli sconsiderati e gli imprevidenti hanno bisogno di essere costretti a contribuire — e si può sempre dire che hanno sottoscritto il contratto sociale proprio per proteggersi dalla loro stessa sconsideratezza e improvvidenza. In realtà, però, i motivi della coercizione sono molto più profondi; la comunità politica è qualcosa di più di un circolo di mutua beneficienza, e l'estensione delle forniture comunitarie (quella reale e quella che dovrebbe essere) è determinata in ogni caso da concezioni del bisogno più problematiche di quanto lasci pensare, fin qui, la nostra discussione.

Consideriamo ancora la sanità pubblica. In questo caso non è possibile nessuna fornitura comunitaria senza imporre vincoli a un'ampia gamma di attività che sono vantaggiose per alcuni membri della comunità, ma pericolose per la maggioranza. Anche una cosa semplice come, per esempio, fornire latte batteriologicamente puro a una popolazione urbana numerosa richiede un ampio controllo pubblico; ed esso è una conquista politica: negli Stati Uniti è il risultato di aspre e lunghe lotte che hanno coinvolto una città dopo l'altra.[31] Gli allevatori o i mediatori dell'industria casearia, quando difendevano l'iniziativa privata, agivano senza dubbio razionalmente in difesa dei propri interessi; e lo stesso si può dire per gli altri imprenditori che si difendono dai vincoli delle ispezioni, dei regolamenti e della loro applicazione. Questo tipo di attività pubbliche possono essere del massimo valore per tutti gli altri, ma non per tutti. La sanità pubblica, che pure ho considerato un esempio di fornitura generale, viene fornita solo a spese di alcuni membri della comunità, e inoltre va a beneficio soprattutto dei più vulnerabili degli altri membri: per questo sono particolarmente importanti le norme edilizie per chi abita in caseggiati affollati o le leggi antinquinamento per chi abita nelle immediate vicinanze delle ciminiere o degli scarichi di una fabbrica. Anche la sicurezza sociale benificia i membri più vulnerabili anche se, per ragioni cui ho già accennato, l'entità dei pagamenti è uguale per tutti. Infatti i benestanti possono, o ritengono di potersi aiutare anche nei momenti difficili, e preferirebbero non essere costretti ad aiutare nessun altro. La verità è che finché il reddito della comunità deriva dalla ricchezza dei suoi membri, qualsiasi serio tentativo di fornitura comunitaria è essenzialmente ridistributivo,[32] e a rigore i benefici che assicura non sono reciproci.

È vero, ancora una volta, che agenti razionali ignari della propria posizione sociale acconsentirebbero a una simile ridistribuzione. Ma acconsentirebbero troppo facilmente, e ciò non aiuta a capire il tipo di ridistribuzione necessario. Quanto? E per che cosa? In pratica la ridistribuzione è una questione politica, e la coercizione che essa comporta è presagita dai conflitti che si scatenano sulle sue caratteristiche e sulla sua estensione. Ogni misura particolare è portata avanti da una coalizione di interessi particolari. Ma in questi conflitti si fa appello, in ultima istanza, non a degli interessi particolari e nemmeno a un interesse pubblico concepito come la loro somma, ma a dei valori collettivi, alle concezioni comuni dell'appartenenza, della salute, del cibo e dell'alloggio, del lavoro e del tempo libero. Spesso i conflitti vertono, almeno a livello esplicito, su questioni di fatto, le concezioni comuni sono sottointese. Così, gli imprenditori dell'industria casearia negarono, finché poterono, che ci fosse un rapporto fra il latte non pastorizzato e la tubercolosi; ma una volta accertato questo rapporto, fu difficile per loro opporsi alle ispezioni sul latte. In un caso del genere la dottrina del *caveat emptor* non era più plausibile. Analogamente in Gran Bretagna nel discutere sulle pensioni di vecchiaia, i politici erano generalmente d'accordo sul tradizionale valore inglese del *self-help*, ma non lo erano per niente sulla questione se fosse ancora possibile il *self-help* attraverso la rete delle società operaie di mutuo soccorso già esistenti. Queste associazioni erano degli autentici circoli di mutua beneficenza, organizzati su base strettamente volontaria, ma sembravano sul punto di essere soffocati dal numero sempre maggiore di anziani. Diventava sempre più chiaro che i loro membri non avevano per niente le risorse per proteggere se stessi, e per proteggersi a vicenda, da una vecchiaia di miseria; e pochi politici inglesi erano disposti a sostenere che bisognava lasciarli senza protezione.[33]

Ecco, allora, una definizione più precisa del contratto sociale: è un accordo per ridistribuire le risorse dei membri secondo una concezione collettiva dei loro bisogni, soggetto, nei particolari, a una continua determinazione politica. Il contratto è un vincolo morale; unisce i forti con i deboli, i fortunati con gli sfortunati, i ricchi con i poveri, creando un'unione che trascende tutte le differenze di interessi e che trae la propria forza dalla storia, dalla cultura, dalla religione, dalla lingua, eccetera. Le discussioni sulle forniture comunitarie sono, in fondo, interpretazioni di tale unione. Più questa è stretta e inclusiva, più ampio è il riconoscimento dei bisogni e maggiore è il numero dei beni sociali che rientrano nella sfera della sicurezza e dell'assistenza.[34] Senza dubbio molte comunità politiche hanno ridistribuito le risorse in base a princìpi molto diversi: non secondo i bisogni dei membri in generale, ma secondo il potere dei nobili o dei ricchi; ma questo significa, come dice Rousseau nel *Discorso sulla diseguaglianza*, trasformare il contratto sociale in una frode.[35] In qualsiasi comunità in cui le risorse siano sottratte ai poveri e date ai ricchi, vengono violati i diritti dei poveri. La saggezza della comunità non viene usata per provvedere alle loro necessità. Il dibattito politico sulla natura di tali necessità dovrà essere represso, altrimenti la frode verrà subito smascherata. Quando tutti i membri partecipano attivamente all'interpretazione del contratto sociale, il risultato sarà un sistema, più o meno esteso, di forniture comunitarie. E se in teoria tutti gli stati sono stati assistenziali, le democrazie hanno più probabilità di esserlo in pratica. Perfino l'imitazione della democrazia genera l'assistenzialismo, come nelle "democrazie popolari", in cui lo stato protegge il popolo da tutti i disastri tranne quel che esso stesso gli infligge.

Dunque i cittadini democratici dibattono tra di loro e optano per molti tipi diversi di sicurezza e assistenza, che superano assai i miei "facili" esempi della salute pubblica e delle pensioni di vecchiaia. La categoria dei bisogni socialmente riconosciuti è aperta perché l'idea che la gente ha dei propri bisogni non riguarda soltanto la vita ma anche la qualità della vita, e il giusto equilibrio fra l'una e l'altra è una questione da discutere. Il teatro ateniese e le accademie ebraiche erano finanziati con denaro che avrebbe potuto essere speso, poniamo, per delle abitazioni o per la salute. Ma per i greci e gli ebrei il teatro e l'istruzione non erano soltanto ornamenti del vivere in comune, ma aspetti vitali del benessere collettivo. E vorrei sottolineare ancora una volta che questi giudizi difficilmente si possono dire sbagliati.

Qual è il genere di fornitura comunitaria adeguato a una società come la nostra? Non è che io voglia qui anticipare l'esito di un dibattito democratico o precisare nei particolari l'estensione e la forma di tale fornitura; ma credo si possa sostenere che i cittadini di una democrazia industriale moderna devono moltissimo l'uno all'altro, e questa affermazione sarà un'utile occasione per mettere alla prova la forza critica dei principi che ho difeso finora; che ogni comunità politica deve provvedere ai bisogni dei suoi membri così (come questi, collettivamente, li intendono); che i beni distribuiti devono esserlo proporzionalmente ai bisogni; che la distribuzione deve riconoscere e difendere l'eguaglianza di base all'appartenenza. Sono principi molto generali, validi per un'ampia gamma di comunità — di fatto, per ogni comunità in cui i membri sono tra di loro eguali (davanti a Dio o alla legge) o è plausibile dire che, comunque siano trattati di fatto, dovrebbero essere uguali. Probabilmente non valgono, invece, per una comunità organizzata gerarchicamente come nell'India tradizionale, in cui i frutti della terra sono distribuiti non secondo il bisogno ma secondo la casta — dove anzi, come ha scritto Louis Dumont, "i bisogni di ognuno sono considerati diversi a seconda della casta". A ciascuno è garantita la sua parte, per cui il villaggio indiano di Dumont è ancora uno stato assistenziale, "una specie di cooperativa il cui scopo principale è assicurare a ognuno la sussistenza in armonia con la sua funzione sociale", ma non uno stato assistenziale, o una cooperativa, i cui principi siano facilmente comprensibili.[36] (Anche se Dumont non ci dice come dovrebbe essere distribuito il cibo nei periodi di scarsità. Se gli standard di sussistenza sono eguali per tutti ci ritroviamo in un mondo a noi familiare.)

I tre principi valgono, chiaramente, per i cittadini degli Stati Uniti, dove, anzi, hanno una forma notevole, perché la comunità è prospera e la concezione del bisogno individuale è molto ampia. E invece gli Stati Uniti mantengono, attualmente, uno dei sistemi di fornitura comunitaria più scalcinati di tutto il mondo occidentale. E per diverse ragioni: la comunità dei cittadini è organizzata in modo lasco; diversi gruppi etnici e religiosi hanno propri programmi assistenziali; l'ideologia di fare affidamento su se stessi e il culto dell'imprenditorialità sono ampiamente accettati; i movimenti di sinistra, e il movimento operaio in particolare, sono relativamente deboli.[37] Tutto ciò si riflette nel processo decisionale democratico — il che, in linea di principio, non ha niente di sbagliato. Ma rimane il fatto che il modello di fornitura esistente non è all'altezza dei requisiti interni della sfera della sicurezza e dell'assistenza, e che le concezioni collettive dei cittadini sono orientate verso un modello più evoluto. Si potrebbe anche sostenere che i cittadini americani dovrebbero impegnarsi a costruire una comunità politica più forte e più sentita; ma questo argomento, che pure avrebbe delle conseguenze distributive, propriamente non riguarda la giustizia distributiva. Che cos'è che i cittadini devono l'uno all'altro, data la comunità in cui di fatto stanno?

Prendiamo, ad esempio, la giustizia penale. La distribuzione effettiva delle pene è un argomento di cui mi occuperò più avanti; ma l'autonomia della pena, la certezza che chi è punito lo sia per ragioni giuste (quali che siano), dipende dalla distribuzione delle risorse entro il sistema giuridico. Se gli accusati devono ricevere la porzione giusta di giustizia, prima dovranno avere una porzione giusta di assistenza legale. È di qui che viene l'istituzione del difensore pubblico, o avvocato d'ufficio: come gli affamati vanno nutriti, così gli accusati vanno difesi, e difesi in proporzione ai loro bisogni. Ma nessun osservatore imparziale del sistema giuridico americano dei nostri giorni può dubitare che le risorse necessarie a soddisfare questo criterio non siano, in generale, disponibili.[38] Ricchi e poveri sono trattati in modo diverso dai tribunali americani, che pure sono tenuti, ufficialmente, a trattarli allo stesso modo. Gli argomenti a favore di una fornitura più generosa seguono proprio da questo obbligo: se la giustizia ha da essere fornita, deve esserlo in misura uguale per tutti i cittadini accusati, indipendentemente dai loro mezzi (o dalla loro razza, religione, parte politica e via dicendo). Non voglio sottovalutare le difficoltà pratiche di tutto ciò; ma questa è, ancora una volta, la logica interna della fornitura — un esempio illuminante di eguaglianza complessa. Infatti la logica interna della punizione e ricompensa è diversa ed esige, come sosterrò più avanti, che le distribuzioni siano proporzionali non al bisogno ma al merito. La pena è un bene negativo che dovrebbe essere monopolizzato da chi ha agito in modo malvagio ed è stato riconosciuto colpevole (previa una difesa competente) di azioni malvage.

L'assistenza legale non pone problemi teorici perché le strutture istituzionali deputate a fornirla esistono già, ed è in gioco soltanto la disponibilità della comunità a corrispondere alla logica delle sue stesse istituzioni.

Mi occuperò ora di un settore in cui le istituzioni, in America, sono relativamente poco sviluppate e l'impegno comunitario è problematico, e oggetto, anzi, di continui dibattiti politici: quello dell'assistenza medica. Ma qui l'argomentazione a favore di una fornitura più ampia deve essere più cauta: non basta invocare un "diritto alla cura", ma occorre ricordare alcuni punti della storia dell'assistenza medica come bene sociale.

Il caso dell'assistenza medica

Fino a un'epoca recente, la pratica della medicina era affidata soprattutto all'iniziativa privata. I medici formulavano una diagnosi, davano consigli ai pazienti e li guarivano, o non li guarivano, dietro compenso. Forse il carattere intimo privato del rapporto economico era legato al carattere intimo del rapporto professionale; ma è più probabile, a mio avviso, che avesse a che fare con la relativa marginalità della medicina stessa. I dottori, in realtà, potevano fare pochissimo per i loro pazienti; e di fronte alla malattia (come di fronte alla povertà) l'atteggiamento più diffuso era un fatalismo stoico. Inoltre si era diffusa una medicina popolare i cui rimedi non erano molto meno efficaci, e a volte erano più efficaci, di quelli prescritti dalla medicina ufficiale. A volte questa medicina popolare dava luogo a una sorta di fornitura comunitaria a livello locale, ma era altrettanto probabile che producesse un nuovo tipo di medici che chiedevano, a loro volta, un compenso. E lo stesso si può dire per i guaritori religiosi.

Se prescindiamo da queste due alternative, possiamo dire che storicamente la distribuzione dell'assistenza medica è sempre stata nelle mani della professione medica, di una corporazione di dottori che risale almeno all'epoca di Ippocrate, al quinto secolo a. C. Questa corporazione è sempre servita per escludere i praticanti non ortodossi e per regolare il numero dei medici in ogni comunità data. Una vera libertà di mercato non è mai stata nell'interesse dei suoi membri, mentre lo è vendere i propri servizi ai singoli pazienti; così nel complesso i benestanti sono stati curati bene (relativamente all'epoca) e i poveri non lo sono stati per niente o quasi. In poche comunità urbane, per esempio quelle ebraiche del Medioevo, i servizi medici erano accessibili a un maggior numero di persone; ma restavano quasi sempre inaccessibili alla maggioranza. I dottori stavano al servizio dei ricchi, e spesso facevano parte delle corti nobiliari o regali. La professione medica, tuttavia, ha sempre avuto la coscienza sporca riguardo a questo suo esito pratico, poiché la logica distributiva della pratica della medicina sembra essere quella di fornire cure proporzionali alla malattia e non alla ricchezza. Così ci sono sempre stati dei dottori, come quelli rispettati nell'antica Grecia, che servivano anche i poveri mentre si guadagnavano da vivere con i pazienti paganti. In un caso di emergenza gran parte dei dottori si sentono obbligati ad aiutare la vittima senza badare alla sua condizione materiale. È una questione di "buonsamaritanismo" professionale: la domanda "C'è un dottore in casa?" non deve restare inascoltata, se c'è un dottore che può rispondere. Ma in situazioni normali c'era scarsa richiesta di assistenza medica, soprattutto perché non si credeva molto alla sua utilità reale. Così, alla coscienza sporca della professione non faceva eco alcuna richiesta politica di sostituire la libera iniziativa con la fornitura comunitaria.

Nell'Europa del Medioevo la cura delle anime era pubblica e quella dei corpi privata; oggi la situazione è capovolta in quasi tutti i paesi europei. Questo rovesciamento si spiega molto bene con un mutamento profondo delle concezioni collettive del corpo e dell'anima:

abbiamo perso la fiducia nella cura dell'anima e crediamo sempre di più, fino a farcene un'ossessione, nella cura del corpo. La famosa affermazione di Descartes che la "conservazione della salute" era il "principale di tutti i beni" può essere considerata un simbolo di questo mutamento o un suo preannuncio, perché il *Discorso sul metodo* è agli albori della storia degli atteggiamenti popolari.[39] Poi, man mano che l'eternità perdeva terreno nella coscienza popolare, venne in primo piano la longevità. Per i cristiani del Medioevo l'eternità era un bisogno socialmente riconosciuto, e si cercava in tutti i modi di far sì che fosse ampiamente ed egualmente distribuita, che ogni cristiano avesse eguali possibilità di salvezza e di vita eterna: perciò una chiesa in ogni villaggio, servizi religiosi, catechismo per i giovani, comunione obbligatoria e così via. Per i cittadini di oggi la longevità è un bisogno socialmente riconosciuto: così sempre più si cerca in tutti i modi di far sì che sia ampiamente ed egualmente distribuita, che ogni cittadino abbia uguali possibilità di vivere a lungo e in buona salute: perciò dottori e ospedali in ogni circondario, visite di controllo regolari, educazione sanitaria per i giovani, vaccinazione obbligatoria e così via.

Parallelamente ai cambiamenti nell'atteggiamento, e come conseguenza naturale, c'è stato un cambiamento anche nelle istituzioni: dalla chiesa alla clinica e all'ospedale, ma questo è stato graduale: un lento accrescersi dell'interesse collettivo per l'assistenza medica, e una lenta erosione di quello per l'assistenza religiosa. La prima grande forma di fornitura medica riguardò non la cura, ma la prevenzione, probabilmente perché questa non comportava interferenze con le prerogative della corporazione medica. Ma gli inizi delle forniture nel campo delle cure furono grosso modo contemporanei alle grandi campagne per la salute pubblica del tardo Ottocento, e le due cose riflettevano sicuramente la stessa sensibilità ai problemi della sopravvivenza fisica. Le abilitazioni all'esercizio della professione medica, la creazione di scuole di medicina di stato o di ospedali civici, l'utilizzazione di fondi fiscali a favore dei grandi ospedali volontari erano misure che probabilmente comportavano solo un'interferenza marginale con la professione e anzi in alcuni casi ne rafforzavano l'aspetto corporativo, ma rappresentavano già un impegno pubblico importante.[40] Infatti si poteva rispettare un simile impegno solo facendo diventare i medici, o almeno molti di loro, medici pubblici (come una volta diventavano, ma in numero minore, medici di corte), e abolendo o vincolando il mercato dell'assistenza medica. Ma prima di difendere questa trasformazione vorrei sottolineare l'inevitabilità dell'impegno da cui deriva.

Quello che è successo nel mondo moderno è che la malattia in sé, anche quando è endemica e non epidemica, è stata vista come una pestilenza; e visto che è possibile affrontare la pestilenza, è un dovere farlo. La gente non vorrà subire quello che non crede più di dover subire. Ma la lotta alla tubercolosi, al cancro o all'infarto richiede uno sforzo comune; la ricerca medica è costosa, e la cura di numerose malattie è molto al di là delle risorse dei cittadini normali. Perciò deve entrare in scena la comunità, e in realtà ogni comunità democratica entrerà in scena, con più o meno forza ed efficacia secondo l'esito di battaglie politiche specifiche. Così il ruolo del governo americano (o dei governi, perché gran parte dell'attività si svolge a livello statale o locale) che sovvenziona la ricerca, prepara i dottori, fornisce ospedali e attrezzature, regola polizze assicurative volontarie, garantisce l'assistenza ai più anziani. Tutto ciò rappresenta "la capacità d'inventiva della saggezza umana per provvedere alle umane necessità"; e per renderlo moralmente necessario si richiede semplicemente la crescita di una "necessità" così ampiamente e profondamente sentita che si possa plausibilmente dire che non si tratta di una necessità di questa o quella persona, ma dell'intera comunità — una "necessità umana", sia pur plasmata e sollecitata da una cultura.*

Ma la fornitura comunitaria, una volta avviata, è soggetta ad ulteriori vincoli morali: deve fornire, in modo eguale, a tutti i membri della comunità ciò che è "necessario", e deve farlo rispettando la loro appartenenza. Perfino la forma di fornitura medica degli Stati Uniti, pur non essendo nemmeno lontanamente un servizio sanitario nazionale, ha l'obiettivo di fornire un'assistenza almeno decente a tutti quelli che ne hanno bisogno. Una volta impegnati dei fondi pubblici, è praticamente impossibile che pubblici funzionari non mirino almeno a questo. Ciò nonostante, a livello politico non è ancora stata presa la decisione di attaccare direttamente il sistema della libera iniziativa nella medicina; e finché tale sistema esisterà, la ricchezza sarà dominante nella (in questa parte della) sfera della sicurezza e dell'assistenza, e le persone saranno curate proporzionalmente alla loro solvibilità e non al bisogno. A dire il vero la situazione è più complessa di quanto suggerisca questa formula poiché la fornitura comunitaria sta già invadendo il libero mercato e qualche volta le persone molto malate, o molto anziane, ricevono proprio le cure che dovrebbero ricevere; ma è evidente che la povertà rimane un ostacolo significativo a cure serie e adeguate.

---

* Respingendo la tesi di Bernard Williams che il solo criterio appropriato per la distribuzione dell'assistenza medica è il bisogno di cure,[41] Robert Nozick chiede perché allora non ne segua che il "solo criterio appropriato per la distribuzione di servizi di parrucchiere sia il bisogno di un parrucchiere."[42] Forse ne segue davvero, se si tiene conto soltanto del "fine interno" di un'attività, concepita in termini universali; ma non ne segue se si tiene conto del suo significato sociale, del posto che il bene da essa distribuito occupa nella vita di un particolare gruppo di persone. Possiamo anche immaginare una società in cui il taglio dei capelli assuma un significato culturale talmente centrale da rendere moralmente indispensabile una fornitura comunitaria, ma il fatto che una società del genere non sia mai esistita la dice lunga in proposito.

Nel riflettere su questi problemi mi è stato d'aiuto un articolo di Thomas Scanlon e qui adotto la sua alternativa "convenzionalista".[43]

Per quanto riguarda la medicina attuale negli Stati Uniti forse il dato statistico più eloquente è la correlazione delle visite mediche private o in ospedale, non con la gravità o l'incidenza delle malattie, ma con la classe sociale. La probabilità di avere un medico privato e di vederlo spesso è molto più alta per gli americani di classe media o alta che per i loro concittadini più poveri, mentre quella di ammalarsi gravemente è molto inferiore.[44] Se l'assistenza medica fosse un lusso queste discrepanze non avrebbero molto peso; ma appena diventa un bisogno socialmente riconosciuto e la comunità fa degli investimenti per fornirla, le discrepanze diventano importanti, perché la privazione diventa una doppia perdita: di salute e di posizione sociale. I medici e gli ospedali sono diventati una caratteristica così importante della vita di oggi che essere esclusi dall'aiuto che essi forniscono non è soltanto pericoloso, ma anche degradante.

Ma qualsiasi sistema di forniture mediche sviluppato esigerà l'imposizione di vincoli alla corporazione dei medici. Anzi, ciò è vero più in generale: la fornitura di sicurezza e di assistenza esige che si impongano vincoli agli uomini e alle donne che in precedenza controllavano e vendevano sul mercato i beni in questione (assumendo, ma non sempre è così, che il mercato preesista alla fornitura comunitaria). Infatti, dichiarare necessario un certo bene vuol dire bloccarne o vincolarne il libero scambio; così si blocca anche ogni altra procedura distributiva che non sia regolata dal bisogno — elezione popolare, competizione meritocratica, preferenza personale o familiare e così via. Ma il mercato, almeno negli Stati Uniti, è il principale rivale della sfera della sicurezza e dell'assistenza; ed è significativo che sia proprio il mercato ad essere considerato dallo stato assistenziale. I beni necessari non possono essere lasciati al capriccio o non possono essere distribuiti nell'interesse di un gruppo potente di proprietari o di professionisti.

Di solito la proprietà viene abolita e i professionisti vengono reclutati, o quanto meno "assegnati", nei servizi pubblici. Prestano servizio perché è necessario per la società, e non, o non soltanto, per se stessi: i preti per la vita eterna, i militari per la difesa nazionale, gli insegnanti delle scuole pubbliche per l'istruzione dei loro allievi. E i preti commettono ingiustizia se vendono la salvezza; i militari, se si trasformano in mercenari; gli insegnanti, se si dedicano solo ai figli dei ricchi. A volte il reclutamento è solo parziale, come quando si richiede agli avvocati di essere funzionari del tribunale e di servire la causa della giustizia pur continuando a servire i loro clienti e se stessi. E a volte è un reclutamento occasionale e temporaneo, come quando si assegna a un avvocato la "difesa d'ufficio" di un imputato che non può pagare. In questi casi si fa tutto il possibile per rispettare il carattere privato della relazione avvocato-cliente. Mi piacerebbe vedere uno sforzo analogo in un servizio sanitario nazionale sviluppato. Non vedo, però, nessuna ragione per rispettare la libertà di mercato dei medici. I beni necessari non sono merci; o, più esattamente, possono essere comprati e venduti solo finché sono disponibili oltre il livello di fornitura, quale che sia, fissato da una decisione democratica e solo finché la compravendita non altera la loro distribuzione al di sotto di quel livello.

Si potrebbe sostenere, tuttavia, che il rifiuto opposto fin qui al finanziamento di un servizio sanitario nazionale costituisce una decisione politica del popolo americano circa il livello dell'assistenza pubblica (e circa l'importanza relativa di altri beni): uno standard minimo per tutti, vale a dire, lo standard degli ospedali civici, e per il resto l'iniziativa privata. Questo standard, a mio avviso, sarebbe inadeguato; ma questa non sarebbe necessariamente una decisione ingiusta. In ogni caso, non è quello che il popolo americano ha deciso; ormai l'importanza attribuita all'assistenza medica è molto maggiore. In realtà, le autorità federali, statali e locali sovvenzionano livelli diversi di assistenza per classi diverse di cittadini. Anche questo potrebbe andar bene se tale classificazione fosse connessa con le finalità dell'assistenza, se, per esempio, in tempo di guerra i militari e gli addetti all'industria bellica ricevessero un trattamento speciale; ma la divisione in poveri, classe media e ricchi è indifendibile. Finché si utilizzerà denaro pubblico, come accade oggi, per finanziare ricerche, costruire ospedali e pagare medici privati, i sevizi garantiti da queste spese dovranno essere ugualmente accessibili a tutti i cittadini.

Questi sono gli argomenti a favore di uno stato assistenziale americano allargato; essi seguono dai tre principi dai quali sono partito, dei quali indicano la tendenza a liberare la sicurezza e l'assistenza dagli schemi di dominanza prevalenti. Benché sia possibile una varietà di assetti istituzionali, i tre principi sembrerebbero favorire una fornitura in natura; e suggeriscono un argomento importante contro le attuali proposte di distribuire denaro anziché istruzione, assistenza legale o medica. Per esempio, l'imposta negativa sul reddito è un piano per accrescere il potere di acquisto dei poveri: una versione modificata dell'eguaglianza semplice.[45] Tuttavia, questo piano non abolirebbe la dominanza della ricchezza nella sfera del bisogno. A meno di un radicale livellamento, gli uomini e le donne con più potere di acquisto potrebbero sempre far lievitare i prezzi dei servizi necessari, e lo farebbero sicuramente; e così la comunità investirebbe, anche se ora solo in forma indiretta, nell'assistenza ai singoli, ma senza adeguare la fornitura alla forma del bisogno. Persino a parità di redditi, l'assistenza sanitaria distributiva e attraverso il mercato non corrisponderebbe al bisogno; né il mercato provvederebbe adeguatamente alla ricerca in medicina. Questo, tuttavia, non vuole essere un argomento contro l'imposta negativa sul reddito, perché in un'economia di mercato può accadere che una delle cose di cui la gente ha bisogno sia proprio il denaro; e allora, forse, anch'esso dovrebbe essere fornito in natura.

Vorrei sottolineare ancore una volta che non è possibile stabilire a priori quali bisogni si dovrebbero riconoscere, né c'è un modo a priori di determinare gli opportuni livelli di fornitura. I nostri atteggiamenti verso l'assistenza medica hanno una storia: in passato erano diversi e saranno ancora diversi in futuro. Le forme della fornitura comunitaria sono cambiate nel passato e continueranno a cambiare, ma non cambiano automaticamente al cambiare degli atteggiamenti. Il vecchio ordine ha i suoi affezionati e anche le istituzioni, come gli individui, conoscono l'indolenza. Inoltre è raro che gli atteggiamenti della gente siano così chiari come nel caso dell'assistenza medica. Pertanto il cambiamento comporta sempre la discussione, l'organizzazione e la lotta politica. Il filosofo può solo descrivere la struttura fondamentale degli argomenti e i limiti che comportano. Perciò i tre princìpi, che possiamo riassumere in una versione modificata della celebre massima di Marx: da ciascuno secondo le sue capacità (o risorse), a ciascuno secondo i suoi bisogni socialmente riconosciuti. È questo, a mio avviso, il significato più profondo del contratto sociale. Restano solo da precisare i particolari — ma nella vita di ogni giorno, i particolari sono tutto.

Nota su carità e dipendenza

L'effetto a lungo termine delle forniture comunitarie è di restringere non solo l'ambito della compravendita, ma anche quello della beneficenza. Quanto meno, questo accade nelle comunità giudeo-cristiane, in cui la carità è tradizionalmente una delle principali forme di integrazione delle imposte e dei tributi, e di aiuto ai poveri. Oggi, in Occidente, sembra esserci una regola generale: più lo stato assistenziale è sviluppato, meno spazio c'è per la beneficenza, e meno questa è motivata.[46] Le ragioni contro la carità somigliano molto a quelle contro l'accattonaggio: questo, infatti, è una sorta di recita che i caritatevoli pretendono dai poveri, ma è una recita indecente — un esempio particolarmente penoso di potere del denaro al di fuori della sua sfera. "La carità ferisce chi la riceve", scrive Marcel Mauss nell'ormai classico saggio di antropologia, *Il dono*, "e tutti i nostri sforzi morali dono diretti a sopprimere la perniciosa protezione inconscia del ricco donatore".[47] La carità può anche essere un modo di comprarsi influenza e stima, sebbene sia più probabile riuscirci con fondazioni religiose o culturali che con il normale aiuto ai poveri. Ma anche simili azioni possono essere discutibili, poiché è plausibile sostenere che devono essere i preti e i credenti, gli insegnanti e gli allievi, i cittadini in generale e non la gente ricca, a prendere le decisioni sociali in ambito religioso, scolastico e culturale. Ma qui vorrei limitarmi a considerare l'uso immediato della ricchezza per aiutare i bisognosi, che è il significato classico della carità ebraica e cristiana.

La carità privata genera la dipendenza personale, e i relativi vizi noti: deferenza, passività ed umiltà da un lato, arroganza dall'altro. Se la fornitura comunitaria deve rispettare l'appartenenza, dovrà mirare al superamento di questi vizi, cosa che però non si ottiene con la semplice sostituzione della carità privata con un'elemosina pubblica, che tuttavia può essere necessaria, perché è più probabile che la comunità mantenga un programma di aiuti stabile, coerente e impersonale, soccorrendo così i poveri in proporzione ai loro bisogni. Ma di per sé l'aiuto non produce indipendenza: sopravvivono i vecchi modelli, i poveri sono sempre deferenti, passivi ed umili mentre i pubblici funzionari ereditano l'arroganza dei loro predecessori privati. Per questo sono importanti i programmi che, come raccomandava Maimonide, mirano a rendere autonomi i poveri e che prevedono la riabilitazione, la rieducazione, sussidi alle piccole imprese e così via. Anche il lavoro è una delle cose di cui gli uomini e le donne hanno bisogno, e che la comunità deve aiutare a fornire quando non sono in grado di farlo da soli, o gli uni per gli altri.

Anche questo, però, richiede una pianificazione e un'amministrazione centralizzate, e quindi sollecita l'intervento di pianificatori e amministratori. È anche importante che ogni programma di fornitura comunitaria lasci spazio a varie forme di autoassistenza locale e di associazione volontaria; lo scopo è la partecipazione alle attività della comunità, la realizzazione concreta dell'appartenenza. Ma non è che prima, una persona vince la povertà e poi, essendoci riuscita, si inserisce nella vita politica e culturale del resto della comunità; la lotta contro la povertà (e contro tutti gli altri stati di bisogno) è piuttosto una di quelle attività a cui molti cittadini, poveri, meno poveri e benestanti, dovrebbero partecipare. E ciò significa che, anche in una comunità che mira all'eguaglianza (complessa) dei membri, c'è posto per quella che Richard Titmuss ha chiamato "relazione di dono".[48]

Gli esempi del sangue e del denaro

Titmuss ha studiato i modi in cui in un certo numero di paesi, si raccoglie il sangue per uso ospedaliero, concentrandosi soprattutto su due modi: l'acquisto e la donazione volontaria. Nel suo libro Titmuss difende la donazione, sia perché è più efficiente (si ottiene sangue migliore) sia perché esprime e favorisce lo spirito di altruismo comunitario. L'argomentazione è ricca e valida, ma lo sarebbe ancora di più se Titmuss avesse sviluppato un secondo paragone, per il quale, tuttavia, non avrebbe potuto trovare esempi concreti. Possiamo immaginare un'altra forma di fornitura: una tassa sul sangue che imponga ad ognuno un contributo annuo di un certo quantitativo di sangue. Questo migliorerebbe enormemente la disponibilità, perché aumenterebbe il numero dei donatori e le autorità potrebbero selezionarli e raccogliere solo il sangue dei cittadini più sani, più o meno come arruoliamo per il servizio militare solo coloro che sono fisicamente idonei. Suppongo che Titmuss propenderebbe comunque per il rapporto di dono, e non solo perché una tassa sul sangue rappresenterebbe, almeno nella nostra cultura, un attacco eccessivo all'integrità fisica, ma perché volendo sostenere che la donazione è un atto virtuoso, dubiterebbe giustamente che anche nel caso di un prelievo pubblico, sia pure dovuto a una decisione democratica, si possa parlare di virtù.

Ma questo argomento potrebbe valere anche per il denaro, almeno quando si tratta di somme esigue e quando molti sono nelle condizioni di poter contribuire. Donare sangue non è un atto di potere da parte delle persone in grado di farlo, né favorisce la deferenza o la dipendenza in coloro che sono bisognosi. I donatori sono mossi dal desiderio di aiutare, aiutano davvero e indubbiamente si sentono orgogliosi di averlo fatto; ma tutto ciò non genera alcuna presunzione particolare perché questa forma di aiuto è ampiamente disponibile. Così, l'eguaglianza riscatta la carità. Ma che cosa accadrebbe se la grande maggioranza dei cittadini avesse più o meno uguali possibilità di dare un contributo in denaro (diciamo una "cassa comune") per i loro concittadini più bisognosi? Non c'è dubbio che la tassazione sarebbe sempre necessaria, e non solo per i servizi come la difesa, la sicurezza interna e la sanità pubblica, per i quali la fornitura è generale, ma anche per molte forme di fornitura particolare. Si può sostenere però, con un'argomentazione molto simile a quella di Titmuss per il sangue, che le donazioni private dovrebbero essere incoraggiate; donare è di per sé una cosa buona, e crea un senso di solidarietà e di appartenenza comunitaria. Così le attività connesse di organizzare le campagne di finanziamento e di decidere come spendere il denaro impegneranno cittadini comuni in un lavoro che affianca ed integra quello dei funzionari e in generale aumenta il livello di partecipazione.

Se l'argomentazione vale per il denaro, vale anche, e in senso ancora più importante, per il tempo e l'energia che sono i doni più preziosi che i cittadini possano farsi. La professionalizzazione del "lavoro sociale" ha tendenzialmente tolto il posto a quei funzionari dilettanti che nelle comunità greca ed ebraica presiedevano alla fornitura comunitaria, ed ora c'è urgente bisogno di qualche sostituto moderno. Così, in un recente studio sul lavoro sociale nello stato assistenziale si dice: "è essenziale una mobilitazione delle capacità altruistiche se si vuole offrire un aiuto reale ai più bisognosi" — dove "aiuto reale" significa fornitura e soccorso, così come integrazione nella comunità.[49] Date le dimensioni delle attuali comunità politiche e la gamma dei servizi necessari, la burocrazia è inevitabile, ma il rigido dualismo tra i professionisti dell'assistenza e i padiglioni lasciati a se stessi può generare pericoli gravissimi per un governo democratico se non è mediato da volontari, organizzatori, rappresentanti dei poveri e degli anziani, vicini e amici. Potremmo vedere la relazione di dono come un fatto politico, essendo, come il voto, la petizione e la dimostrazione, un modo di dare un significato concreto all'unità dei cittadini. E come l'assistenza mira in generale a superare la dominanza del denaro nella sfera del bisogno, così la partecipazione attiva dei cittadini alle attività assistenziali (e anche a quelle relative alla sicurezza) mira a garantire che la dominanza del denaro non sia soltanto rimpiazzata da quella del potere politico.

4. Denaro e merce

Il ruffiano universale

Due sono le domande riguardo al denaro: che cosa può comprare? e come è distribuito? Bisogna considerarle in questo ordine, perché solo dopo avere descritto la sfera in cui opera il denaro e la portata delle sue operazioni, avrà senso occuparci della sua distribuzione. Dobbiamo capire quale sia l'effettiva importanza del denaro.

Il miglior punto di partenza è l'idea ingenua, che è anche la più diffusa, che il denaro ha un'importanza illimitata, è la radice di ogni male e la fonte di ogni bene. "Il denaro risponde a tutte le cose" dice l'Ecclesiaste; secondo Marx è il ruffiano universale che combina accoppiamenti scandalosi fra uomini e beni ed infrange ogni barriera naturale e morale. Marx avrebbe potuto scoprirlo nell'Europa dell'Ottocento, ma in realtà la trovò in un libro, nel *Timone di Atene* di Shakespeare, là dove Timone, scavando alla ricerca di un tesoro sepolto, interroga l'oggetto delle sue fatiche:

> Oro? Oro giallo, fiammeggiante, prezioso? No, o dèi,
> non sono un vostro vano adoratore. Radici, chiedo ai limpidi cieli.
> C'è n'è abbastanza per fare nero il bianco, brutto il bello,
> ingiusto il giusto, volgare il nobile, vecchio il giovane, codardo
> il coraggioso... Esso
> allontana... i sacerdoti dagli altari;
> strappa di sotto al capo del forte il guanciale.
> Questo giallo schiavo
> unisce e infrange le fedi; benedice i maledetti;
> rende gradita l'orrida lebbra, onora i ladri
> e dà loro titoli, riverenze, lode
> nel consesso dei senatori. È desso che fa riposare la vedova afflitta;
> colei che l'ospedale e le piaghe ulcerose

fanno apparire disgustosa, esso profuma e prepara
di nuovo giovane per il giorno d'aprile. Avanti, o dannato metallo,
tu prostituta comune dell'umanità, che rechi la discordia
tra i popoli...[1]

Timone si trova in uno stato di disperazione nichilistica, ma il suo
è il linguaggio consueto della critica morale. Non ci piace vedere sacerdoti che si allontanano dagli altari, uomini forti privati di ogni comodità, fedi infrante o ladri cui sono conferiti una posizione e un titolo. Ma perché la "stagionata vedova" non dovrebbe tornare profu-
mata ai giorni d'aprile? Qui lo scrupolo di Timone è estetico, non morale; ma in ogni caso è lo stesso punto: la vedova è trasformata dai
suoi soldi. E tutti lo siamo, se solo siamo abbastanza ricchi. "Ciò
ch'io *sono e posso*", scrive Marx, "non è... affatto determinato dalla
mia individualità. Io *sono* brutto, ma posso comprarmi *le più belle
donne*. Dunque non sono brutto... Io sono *senza spirito*, ma il denaro
è lo *spirito reale* di ogni cosa: come dovrebbe essere senza spirito il
suo possessore?"[2]
Questa è la "vera natura" del denaro forse in modo particolare in
una società capitalistica, ma credo anche più in generale. Marx, dopo
tutto, stava citando Shakespeare, e Shakespeare aveva messo queste
parole in bocca a un nobile ateniese. Il denaro, dovunque venga usato, accoppia cose incompatibili, irrompe nelle "entità autosufficienti"
della vita sociale, stravolge l'individualità, "costringe i contrari ad
abbracciarsi". Ma, ovviamente è proprio a questo che serve, ed è per
questo che lo usiamo. In termini più neutrali il denaro è il mezzo di
scambio universale; ed è una gran comodità, perché lo scambio è al
centro della vita che condividiamo con altri uomini e donne. Il semplice egualitarismo del ribelle plebeo di Shakespeare, Jack Cade,

... non vi sarà denaro![3]

riecheggia oggi nel pensiero radicale e socialista ma mi riesce difficile immaginare a che genere di società dovrebbe alludere. Sicuramente i radicali di oggi non intendono restaurare l'economia del baratto
e pagare i lavoratori in natura. Forse vorrebbero pagarli in buoni di
ore-lavoro convertibili solo nei negozi di stato. Ma in breve tempo
questi buoni circolerebbero più ampiamente, se necessario anche alle spalle della polizia; e Timone ricomparirebbe alla ricerca di buoni
sepolti.
Shakespeare e Marx erano contrari all'universalità del mezzo,
non al mezzo in sé. Timone pensa che l'universalità sia connaturata
al denaro, e forse ha ragione. Se lo intendiamo astrattamente, il denaro non è che una rappresentazione del valore e perciò non è implausibile sostenere che ogni cosa dotata di valore, ogni bene sociale,
può essere rappresentata in termini monetari. Può darsi che sia necessaria una serie di traduzioni per passare da questa cosa dotata di

valore a quella somma in contanti, ma non c'è motivo di pensare che non si possano fare le traduzioni, anzi, esse sono all'ordine del giorno. La vita stessa ha un valore, e dunque, alla fine, anche un prezzo che si può immaginare diverso per vite diverse, altrimenti come potremmo anche solo pensare a polizze e risarcimenti? Allo stesso tempo viviamo come degradante l'universalità del denaro. Consideriamo la definizione del cinico attribuita a Oscar Wilde: "Un uomo che conosce il prezzo di tutto e il valore di niente," è una definizione troppo assoluta: non è da cinici pensare che qualche volta il prezzo e il valore coincidano. Ma abbastanza spesso il denaro non rappresenta il valore: con la traduzione qualcosa, come succede con la buona poesia, va perduto. Perciò possiamo comprare e vendere senza limiti solo se trascuriamo i valori reali; se invece ne teniamo conto, ci sono cose che non possiamo comprare né vendere. Cose determinate: l'universalità astratta del denaro viene intaccata e circoscritta dalla creazione di valori cui non è facile dare un prezzo, o cui non vogliamo dare un prezzo. Perché spesso questi valori siano controversi, possiamo indagare sulla loro natura. È una questione empirica: Quali scambi monetari sono bloccati, vietati, sdegnati o, tradizionalmente, deplorati?

Quel che il denaro non può comprare

Ho già accennato al peccato di simonia, che potremmo considerare un esempio paradigmatico di scambio bloccato. Gli uffici di Dio non sono in vendita, almeno non finché Dio è concepito in un certo modo. In una cultura diversa da quella del Medioevo cristiano il blocco potrebbe anche essere infranto: se possiamo placare gli dèi con i sacrifici, perché non potremmo comprarli con un po' d'oro scintillante? Ma nella chiesa questo tipo di acquisto è escluso. Non che non esista, ma tutti sanno che non dovrebbe esistere. È un commercio clandestino, e sia il venditore che l'acquirente mentiranno su ciò che hanno fatto. La disonestà è sempre un ottimo indizio della presenza di un criterio morale. Quando si passa furtivamente il confine della sfera del denaro, se ne pubblicizza l'esistenza: il confine è più o meno dove si comincia a nascondersi e camuffarsi. Ma a volte bisogna lottare per tracciare una linea chiara, e fino allora il commercio è più o meno aperto. Finché non se ne prova la colpevolezza, il denaro è innocente.

La coscrizione nel 1863

La legge per l'arruolamento e la coscrizione del 1863 introdusse la prima leva militare della storia americana. La milizia locale era obbligatoria fin dall'epoca coloniale, ma si trattava di un obbligo locale, di vicinato, e si riteneva che nessuno fosse tenuto a combattere lontano da casa. La guerra col Messico, per esempio, era stata combattuta esclusivamente da volontari. Ma la guerra civile era di un altro ordine di grandezza; eserciti enormi si ammassavano per combattere, la potenza di fuoco non era mai stata così grande, le perdite erano elevate, e man mano che la guerra si prolungava cresceva il bisogno di uomini. Il dipartimento della Guerra, e il presidente Lincoln, pensavano che una leva nazionale era l'unica via per vincere la guerra.[4] Questa leva non poteva che essere impopolare, dati il tradizionale campanilismo della politica americana e il profondo antistatalismo del pensiero liberale (nonché la diffusione e l'intensità del pacifismo); e infatti l'opposizione fu aspra e spesso anche violenta. Ma costituiva un precedente; l'obbligo passò definitivamente dal livello locale a quello nazionale e si stabilì che i cittadini erano tenuti a servire non nella milizia locale, ma nell'esercito federale. Una delle clausole della legge del 1863 stabiliva invece soltanto un precedente negativo; l'esenzione di qualsiasi uomo il cui nome fosse stato estratto a sorte, che fosse disposto a, e in grado di, dare trecento dollari per pagare un sostituto.

Con trecento dollari si poteva comprare l'esenzione. Non era una prassi del tutto nuova: le milizie locali multavano chi non si presentava all'appello, ed era motivo di risentimento il fatto che i cittadini benestanti spesso considerassero questa multa una tassa sostitutiva del servizio (mentre quelli caduti in miseria erano minacciati dalla prigione per debiti).[5] Ma ora la guerra, e la sua crudeltà, acuivano il risentimento. Lincoln "pensa forse che i poveri debbano rinunciare alla vita", chiese un newyorkese, "e lasciare che i ricchi paghino trecento dollari per starsene a casa?"[6] Non è ben chiaro quale peso abbiano avuto queste idee nei disordini contro la leva che scossero Manhattan nel luglio del 1863, dopo la prima estrazione a sorte; ma in ogni caso in tutto il paese si riteneva che i poveri non dovessero essere costretti a rinunciare alla propria vita e anche se la legge fu applicata, non fu mai più rimesso in vigore niente di simile. Era forse innocente quel commercio nella milizia locale, dove si trattava di poco più di qualche ora di marcia e di addestramento? Un teorico della politica alla Rousseau avrebbe sicuramente risposto di no, ed una volta avrebbe potuto appellarsi efficacemente alle convinzioni repubblicane degli americani. Ma negli anni che precedettero la Guerra civile la milizia locale fu radicalmente sviluppata, e la punizione rousseauiana per la renitenza (l'ostracismo o espulsione dalla comunità) sarebbe parsa eccessiva alla maggioranza degli americani. Forse la multa coglieva il significato del servizio; ma era un altro discorso quando era la vita stessa ad essere in gioco.

Il punto non era che trecento dollari fossero troppo pochi, o che sul mercato del lavoro si potessero vendere degli impieghi pericolosi più o meno per quella cifra, ma che lo stato non poteva imporre un impiego pericoloso ad alcuni cittadini e poi esonerarne altri dietro pagamento. Questa rivendicazione testimoniava in fondo che cosa volesse dire essere un cittadino dello stato, o meglio degli Stati Uniti nel 1863. Credo che si sarebbe potuto accoglierla anche contro il parere di una maggioranza dei cittadini, i quali potevano benissimo fraintendere la logica delle loro istituzioni o non applicare con coerenza i principi che professavano. Ma nel 1863 furono la resistenza e il risentimento di masse di cittadini a tracciare il confine fra ciò che si poteva vendere e ciò che non si poteva vendere. Il Dipartimento della Guerra aveva agito con leggerezza, il Congresso si era a mala pena occupato della legislazione. In seguito disse che avevano voluto soltanto "incentivare" l'arruolamento.[7] In realtà contavano su di un doppio incentivo: il pericolo di morire incentivava degli uomini a pagare trecento dollari ad altri uomini, per i quali trecento dollari erano un incentivo ad accettare il pericolo. Era un cattivo affare in una repubblica, perché sembrava abolire la *cosa pubblica* e trasformare il servizio militare (persino quando la repubblica stessa era in pericolo!) in una transazione privata.

Il fatto che la legge non sia mai stata rimessa in vigore non significa che non si sia mai più cercato di ottenere effetti simili; ma i metodi sono stati meno diretti e i risultati meno brillanti, come il rinvio del servizio militare per gli studenti universitari o i premi ai coscritti che si riarruolano. Grazie alle lotte politiche del 1863 oggi è riconosciuto il principio del trattamento uguale per tutti; e si sa approssimativamente dove passa il confine da esso segnato. Così ci si può opporre anche agli aggiramenti e attraversamenti clandestini di questo confine, e alla rimessa in vigore, mediante sotterfugi legislativi, di ciò che non si può ripresentare apertamente. La vendita delle esenzioni è uno scambio bloccato e, almeno in linea di principio, ci sono molte altre vendite ugualmente bloccate.

Gli scambi bloccati

Cercherò qui di delineare l'intero insieme degli scambi attualmente bloccati negli Stati Uniti. Mi baserò in parte sul primo capitolo di *Equality and Efficiency* di Arthur Okun, dove si traccia un confine fra la sfera del denaro e quello che è chiamato "il dominio dei diritti".[8] I diritti sono ovviamente inaccessibili alla vendita e all'acquisto; e significativamente Okun riformula la Dichiarazione dei Diritti come una serie di scambi bloccati. Ma non solo i diritti sono esclusi dal nesso monetario. Ogni volta che proibiamo l'uso del denaro stabiliamo infatti un diritto: il diritto che quel particolare bene sia distribuito in un altro modo. Ma dobbiamo discutere il significato del bene prima di continuare a parlare della sua giusta distribuzione. Per ora rimanderò quasi tutti questi argomenti e mi limiterò a fornire un elenco di cose che non si possono ottenere col denaro. L'elenco ripete o anticipa altri capitoli perché la sfera del denaro ha la caratteristica di essere contigua a tutte le altre sfere e proprio per questo è così importante stabilirne i confini. Gli scambi bloccati pongono dei limiti alla dominanza della ricchezza.

1. Gli esseri umani non possono essere comprati o venduti. È esclusa la vendita di schiavi (anche se uno vendesse come schiavo se stesso). È un esempio di quelli che Okun chiama "divieti degli scambi nati dalla disperazione".[9] Ci sono molti di questi divieti, ma gli altri regolano soltanto il mercato del lavoro, e saranno elencati a parte. Questo particolare divieto stabilisce che cosa sia e che cosa non sia commerciabile: non possono esserlo le persone, né la loro libertà, ma solo la loro forza lavoro e le cose che fabbricano. (Gli animali sono commerciabili perché li consideriamo privi di personalità, benché per alcuni di loro la libertà sia sicuramente un valore.) La libertà personale, tuttavia, non è immune dall'arruolamento o dalla prigione, ma solo dalla vendita e dall'acquisto.

2. L'influenza e il potere politico non possono essere comprati o venduti. I cittadini non possono vendere il loro voto e i funzionari non possono vendere le loro decisioni. "Comprare un pubblico ufficiale è una transazione illegale. Ma non è sempre stato così: in molte culture i doni dei clienti e dei postulanti sono una componente normale della remunerazione di chi detiene una carica. Ma in questo caso il rapporto di donazione funziona, cioè è adeguato a un insieme di significati più o meno coerenti, soltanto se la "carica" non è completamente emersa come bene autonomo e la linea che divide il pubblico dal privato è vaga e incerta. Non funzionerà nelle repubbliche, che tracciano questa linea in modo netto: Atene, per esempio, aveva un insieme davvero straordinario di regole destinate a reprimere la corruzione, e più erano le cariche che i cittadini si dividevano, più le regole diventavano complicate.[10]

3. La giustizia penale non è in vendita. E non solo perché non si possono comperare né i giudici né le giurie, ma perché i servizi degli avvocati difensori sono materia di fornitura comunitaria, una forma di assistenza necessaria, dato il sistema dell'accusa e difesa.

4. Le libertà di parola, stampa, religione e riunione non richiedono un pagamento in denaro e non possono essere messe all'asta: sono garantite per tutti i cittadini. Spesso si dice che l'esercizio di tali libertà costa denaro, ma a rigore questo non è vero: parlare e essere devoti costano ben poco e lo stesso vale per le riunioni dei cittadini, e in molti casi per le pubblicazioni. È invece costoso l'accesso immediato ad un vasto pubblico, ma questa è una questione non di libertà, ma di potere e influenza.

5. Il diritto di sposarsi e di procreare non è in vendita. I cittadini possono avere un solo coniuge e non possono acquistare una licenza di poligamia. E se mai verranno posti dei limiti al numero dei figli,

presumo che non prenderanno la forma, immaginata nel capitolo 2, di licenze di procreare scambiabili sul mercato.

6. Il diritto di abbandonare la comunità politica non è in vendita. Indubbiamente lo stato moderno investe in ogni cittadino, e può esigere legittimamente il rimborso, in denaro o in lavoro, di una parte di tale investimento prima di permettere l'emigrazione. L'Unione Sovietica ha adottato una politica di quel tipo, principalmente come meccanismo per bloccare del tutto l'emigrazione; ma se utilizzata in modo diverso sembra abbastanza giusta, anche se allora ha effetti differenziati sui cittadini che hanno successo e quelli che non ce l'hanno. Però i cittadini, per parte loro, possono affermare di non avere mai richiesto l'assistenza sanitaria e l'istruzione che hanno ricevuto (per esempio da bambini), per cui non devono niente in cambio. Questa affermazione sottovaluta i benefici della cittadinanza, ma coglie esattamente il suo carattere consensuale. Così la cosa migliore è lasciar andare i cittadini dopo che abbiano soddisfatto quegli obblighi (servizio militare) che lo sono in ogni caso dai giovani non ancora cittadini pienamente consenzienti. Né si può comprare il modo di evitare tali obblighi.

7. E dunque l'esenzione dal servizio militare, dal dovere di giurato e da ogni altra forma di servizio comunitario obbligatorio non può essere né venduta dal governo né comprata dai cittadini, per ragioni che ho già illustrato.

8. Le cariche politiche non possono essere acquistate. Acquistarle sarebbe una sorta di simonia, perché la comunità politica somiglia a una chiesa nel senso che i servizi che fornisce sono molto importanti per i suoi membri e la ricchezza non è segno adeguato della capacità di fornirli. Né è possibile comprarsi una posizione professionale, finché questa è regolata dalla comunità; infatti i dottori e gli avvocati sono i nostri sacerdoti secolari, e dobbiamo essere sicuri che siano qualificati.

9. I servizi assistenziali di base, come la protezione della polizia e l'istruzione primaria e secondaria, sono solo marginalmente acquistabili. Ad ogni cittadino è garantito un minimo, che i singoli cittadini non devono pagare. Se i poliziotti sollecitano i negozianti a pagare per essere protetti, si comportano da gangster e non da poliziotti. Ma i negozianti possono ingaggiare sorveglianti e guardiani notturni per avere una maggiore protezione di quella che la comunità è disposta a pagare. E analogamente i genitori possono assumere tutori privati per i loro figli o mandarli a scuole private. Il mercato dei servizi è soggetto a delle restrizioni solo se modifica la natura della fornitura comunitaria o ne diminuisce il valore. (Si deve anche notare che alcuni beni sono parzialmente forniti dalla comunità, e quindi parzialmente esclusi dal controllo del mercato. Qui non abbiamo un meccanismo di scambio bloccato, ma di scambio sovvenzionato: è il caso dell'istruzione universitaria e di molte attività culturali, dei viaggi in generale e così via.)

10. Gli scambi disperati, da "ultima spiaggia", sono vietati, anche se si può sempre discutere che cosa significhi "disperato". La giornata lavorativa di otto ore, le leggi per il minimo salariale, i regolamenti per la salute e la sicurezza determinano dei livelli minimali, di base, al di sotto dei quali i lavoratori non possono entrare in concorrenza per un impiego. È anche possibile mettere all'asta dei posti di lavoro, ma solo entro questi limiti. Questa è una restrizione della libertà di mercato per il bene di una concezione comune della libertà personale, e così si riafferma il divieto della schiavitù anche se non si tratta di schiavitù vera e propria.

11. Molti tipi di premi e di onorificenze, pubblici e privati, non sono disponibili sul mercato. Non si possono comprare né la Medaglia d'onore del Congresso né il premio Pulitzer né il premio per il miglior giocatore, e nemmeno il premio della camera di commercio locale all'"imprenditore dell'anno". La celebrità si può sicuramente comprare, anche se può costare cara, il buon nome no. Il prestigio, la stima e lo *status* occupano una posizione intermedia: nella loro distribuzione è in gioco il denaro che però, perfino nella nostra società, solo talvolta è decisivo.

12. Non si può comprare la grazia divina, e non solo perché Dio non ha bisogno di soldi. Chi invece ne ha spesso bisogno sono i suoi servi ed emissari. Tuttavia si ritiene che la vendita delle indulgenze esiga riforme, se non la Riforma.

13. Non si possono comprare l'amore e l'amicizia, così come comunemente si intendono. Naturalmente si possono comprare tutte quelle cose — vestiti, automobili, cibi raffinati e così via — che rendono più desiderabili come amanti e amici o più sicuri di sé nella ricerca di amici e amanti. Di solito i pubblicitari fanno leva proprio su queste possibilità, che sono abbastanza reali,

> Poiché il denaro, più che stelle e fato,
> ha la potenza di renderti amato.[11]

Ma l'acquisto diretto è bloccato non tanto dalla legge ma più profondamente dalla morale e dalla sensibilità comune. Un uomo e una donna possono sposarsi per denaro, ma questo non è un vero matrimonio. E il sesso si può vendere, ma la vendita non "produrrà una relazione significativa". È probabile che le persone che ritengono i rapporti sessuali condizionati moralmente dall'amore e dal matrimonio, siano a favore del divieto di prostituzione — così come, in altre culture, chi considerava l'atto sessuale un rito sacro avrebbe biasimato il comportamento delle sacerdotesse che cercavano anche di guadagnarci qualcosa.

Il sesso può essere venduto solo quando è inteso in termini di piacere, e non unicamente di amori coniugali o di culto religioso.

14. E infine è esclusa una lunga serie di vendite criminali. La Omi-

cidi S.p.A. non può vendere i propri servizi; il ricatto e illegale; non si possono vendere eroina, oggetti rubati, beni spacciati per quello che non sono, latte adulterato, informazioni considerate vitali per la sicurezza dello stato. E si potrebbe continuare con automobili pericolose, armi da fuoco, camicie infiammabili, medicine con effetti collaterali incerti, eccetera. Tutto ciò serve ad illustrare che la sfera del denaro e della merce è soggetta a una continua ridefinizione. Credo che questo sia un elenco esaustivo, anche se potrei avere omesso qualche categoria cruciale. In ogni caso, l'elenco è abbastanza lungo da far capire che se il denaro serve a ogni cosa, lo fa, per così dire, alle spalle di molte di esse e malgrado il loro significato sociale. Scambi di questo tipo sono liberi solo nel mercato nero e gli uomini e le donne che lo frequentano lo fanno probabilmente di nascosto e mentendo su quello che fanno.

Quel che il denaro può comprare

Qual è la giusta sfera del denaro? Quali beni sociali sono a buon diritto commerciabili? La risposta più ovvia è anche quella giusta, e indica una gamma di beni che probabilmente sono sempre stati commerciabili (e non importa in compagnia di quali altri): tutti gli oggetti, le merci, i prodotti, i servizi che la comunità non fornisce e che le singole persone trovano utili o gradevoli; ciò che di solito riempie i bazar, gli empori, le stazioni commerciali. Fra queste cose ci sono, e probabilmente ci sono sempre stati, beni di lusso e di prima necessità, oggetti belli e oggetti funzionali e durevoli. Le merci, anche quando sono elementari e semplici, sono prima di tutto comode e rendono la vita confortevole, piacevole e sicura. Le cose sono le nostre ancore nel mondo;[12] ma se tutti abbiamo bisogno di un ancoraggio, non a tutti va bene la stessa ancora. Siamo attaccati a cose diverse, abbiamo gusti e desideri diversi, ci circondiamo, ci vestiamo e arrediamo le nostre case con una gran varietà di cose, ed usiamo, godiamo e mettiamo in mostra quello che abbiamo in molti modi diversi. Le relazioni oggettuali sono essenzialmente polimorfe. Benché a volte si dica che questo essere polimorfi è una perversione moderna, sospetto che invece sia una costante della vita umana. Gli scavi archeologici portano regolarmente alla luce una profusione di beni (o di pezzi di beni, cocci di merci): vasellame decorato, cesti, gioielli, specchi; vestiti con guarnizioni; ricami, perline e piume; arazzi, arabeschi; e monete, monete a non finire, perché tutte queste cose, una volta superato il baratto, si scambiano col denaro. Indubbiamente ogni cultura ha il proprio insieme di merci caratteristico, determinato dal modo di produzione, dall'organizzazione sociale e dall'estensione del commercio; ma in ognuno di questi insiemi sono comprese moltissime merci, che normalmente si distribuiscono attraverso lo scambio sul mercato.

Ma questo non è l'unico modo, per esempio, donare è un'alternativa importante, sulla quale tornerò più avanti. Ma il mercato è la norma anche se non c'è una norma per determinare quali siano le merci.

Le relazioni di mercato riflettono certe condizioni morali che valgono per tutti e soltanto per quei beni sociali considerati commerciabili. A volte si tratta di una concezione implicita ma nella nostra società, fin dall'emancipazione del mercato dai vincoli feudali, è sempre stata esplicita, essendo la sua elaborazione al centro della nostra vita culturale. Al di là di ciò che è fornito dalla comunità, nessuno vanta dei titoli su questo e quell'oggetto utile o gradevole. Sulle merci non è scritto il nome del destinatario, come sui pacchi di un grande magazzino, e il modo giusto di possederle è di fabbricarle o di coltivarle o procurarsele in qualche modo, o di procurarsi il loro equivalente in contanti. Il denaro è sia la misura di equivalenza sia il mezzo di scambio; queste sono le sue vere funzioni, e (in teoria) le sue uniche funzioni. È nel mercato che il denaro svolge i suoi compiti, e il mercato è aperto a tutti.

Questa visione del denaro e delle merci si basa, in parte, sulla convinzione che non esista un processo distributivo più efficiente, un modo migliore di mettere insieme singole persone e quelle particolari cose che considerano utili o gradevoli. Ma in un senso più profondo, la moralità del mercato (nella forma, poniamo, lockiana) è una celebrazione del bisogno, della fabbricazione, del possesso e dello scambio di merci. Senza dubbio è grande il loro bisogno, ma per averle, si devono prima fare. Nemmeno le ghiande di Locke — il suo esempio di merce semplice e primitiva — crescono sugli alberi e la metafora non funziona, perché esse non sono disponibili subito e universalmente. Le cose si ottengono solo con la fatica ed è proprio la fatica che sembra dare il diritto ad esse, o almeno il diritto originario; infatti, una volta possedute, possono anche essere scambiate.[13] Dunque bisogno, fare, possedere e scambiare sono inscindibilmente legati e sono, per così dire, i modi della merce. Ma è ugualmente possibile riconoscere questi modi senza celebrarli, ed è corretto connetterli soltanto entro i confini della sfera del denaro e delle merci, e non altrove. La celebrazione lockiana tendeva a trasbordare da questi confini, trasformando il potere del mercato in una sorta di tirannia che altera le distribuzioni nelle altre sfere. Molti hanno questa sensazione, alla quale ricorrerò spesso. Ma c'è un altro modo in cui le merci possono acquistare eccessiva importanza, e di questo mi occuperò immediatamente.

Chiediamoci di nuovo: che cosa compra il denaro? Il sociologo Lee Rainwater, studiando i "significati sociali del reddito", dà una risposta radicale e preoccupante: "Il denaro compra l'appartenenza alla società industriale." Rainwater non vuole dire che è possibile comprare i funzionari che si occupano dell'immigrazione e della naturalizzazione. La sua argomentazione va più in profondità. Le normali attività che permettono a una persona di vedere se stessa, e di essere vista dagli altri, come un membro a pieno titolo, come persona sociale, sono diventate sempre di più attività di consumo e costano.

Così, col denaro non compriamo solo il cibo, il vestiario, la casa e i suoi accessori, l'automobile ... e le vacanze. L'acquisto di tutte queste merci permette a sua volta di conseguire e di vivere pubblicamente, giorno per giorno, con un'identità almeno di "americano medio" ... Quando non c'è un'oasi culturale locale a proteggerci da questa inesorabile dinamica dell'economia monetaria, non possiamo definire noi stessi fondamentalmente in termini del nostro accesso a tutto ciò che il denaro può comperare.[14]

Non si tratta solo del fatto che gli individui si differenziano per le scelte che fanno nella sfera del denaro e delle merci, o anche dal fatto che sono resi diversi dal loro successo o insuccesso in questa sfera. Il mercato, che ovviamente è un luogo di competizione, distribuisce certi tipi (e non tutti) di stima e disistima.

Ma Rainwater intende dire qualcosa di più. Se non possiamo spendere denaro e fare sfoggio di beni oltre i livelli di sussistenza, se non abbiamo la nostra parte di tempo libero e di comodità che si possono comprare col denaro, soffriamo di una perdita più grave della stessa miseria, una sorta di fame di stato sociale; diventiamo dei diseredati della società alieni in patria, e spesso anche in casa. Non possiamo più svolgere il nostro ruolo di genitori, amici, vicini, colleghi, compagni, cittadini. Non è così dappertutto, ma nell'America di oggi e in ogni società in cui trionfi il mercato, sono le merci a mediare l'appartenenza. Se non possediamo un certo numero di cose socialmente indispensabili, non possiamo essere persone effettive e socialmente riconosciute.

Rainwater dà una spiegazione sociologica del feticismo delle merci: descrive il sogno di un pubblicitario, perché il messaggio centrale della pubblicità moderna è che il significato delle merci va ben oltre il loro uso dichiarato e che noi abbiamo bisogno delle merci per ragioni d'identità e di posizione sociale. Si potrà sempre dire che il pubblicitario esagera, o addirittura mente, riguardo all'importanza, poniamo, di questa automobile o di quella marca di whisky. Ma se dietro le sue bugie di parte ci fosse una verità più generale? Le merci sono simboli di collocazione sociale; la posizione e l'identità vengono distribuite attraverso il mercato, vendute per contanti (sono anche a disposizione degli speculatori che possono aprire un credito). Ma invece in una società democratica le definizioni e autodefinizioni più fondamentali non possono essere messe in vendita così, perché la cittadinanza implica la nozione di "essere parte di" e non soltanto sentirsi, ma essere di fatto a casa propria nel mondo sociale (o meglio, in questa parte di esso). È una condizione cui si può rinunciare, ma che non si può mettere in commercio: non è alienabile nel mercato. Il fallimento economico, quale che sia la perdita di stima connessa, non dovrebbe mai comportare una svalutazione della cittadinanza, né in senso legale né in senso sociale; e se ciò accade dobbiamo cercare dei rimedi.

L'ovvio rimedio è quello di ridistribuire il denaro stesso (per esempio, mediante un'imposta negativa sul reddito), a prescindere dalla fornitura comunitaria di beni e servizi: come forniamo l'assistenza medica in natura per il benessere della salute e della vecchiaia, così si potrebbe fornire denaro in natura per il benessere dell'appartenenza; oppure, dato che nella nostra cultura è più probabile che il denaro e le merci contribuiscano a un forte senso d'identità se sono stati guadagnati, potremmo assicurare dei posti di lavoro e un reddito minimo. Invece non possiamo ridistribuire direttamente le merci se vogliamo permettere a ognuno di scegliersi le cose che trova utili o gradevoli, di definire se stesso, di plasmare e rappresentare simbolicamente la propria identità, al di là dell'appartenenza che ha in comune con tutti. Ed è inutile cercare di circoscrivere quelle particolari cose senza le quali si svaluta o si perde l'appartenenza, e far sì che siano fornite dalle comunità, perché il mercato le sostituirebbe rapidamente. Se non è questa cosa sarà un'altra, e i pubblicitari ci diranno che è proprio di questo che abbiamo bisogno ora se vogliamo camminare a testa alta. La ridistribuzione di denaro, o di posti di lavoro, o di reddito neutralizza invece il mercato; d'ora in poi le merci avranno soltanto un valore d'uso e i valori simbolici saranno radicalmente individualizzati e non potranno più svolgere alcun ruolo pubblico significativo.

Tuttavia questi assetti saranno efficaci solo se la ridistribuzione lascerà ognuno con la stessa quantità di denaro, e questa condizione, come ho già spiegato, non è una condizione stabile. Il mercato produce e riproduce diseguaglianze; la gente si ritrova più o meno ricca, con proprietà diverse per numero e natura. Non c'è alcun modo di garantire ad ognuno la proprietà delle cose, quali che siano, che contraddistinguono l'"americano medio", poiché ogni tentativo del genere non farebbe che alzare il livello medio. Questa è una versione triste della ricerca della felicità: la fornitura comunitaria che rincorre eternamente la domanda dei consumatori. Forse esiste un punto oltre il quale il feticismo delle merci non farà più presa; o forse, più modestamente, esiste un punto, meno lontano, in cui non ci sarà più il rischio di perdere radicalmente la propria posizione sociale. La seconda possibilità suggerisce quale sia il valore di una ridistribuzione parziale nella sfera del denaro, persino se il risultato nemmeno si avvicina all'eguaglianza semplice, e inoltre suggerisce di guardare fuori di quella sfera e di rafforzare le distribuzioni autonome altrove. Dopo tutto, esistono attività più centrali al significato dell'appartenenza del possesso e dell'utilizzo delle merci.

Il nostro scopo è domare l'"inesorabile dinamica dell'economia monetaria", di rendere innocuo il denaro — o almeno di assicurarsi che i danni nella sfera del denaro non siano letali, né per la vita, né per la posizione sociale. Ma il mercato rimane una sfera competitiva dove il rischio è normale, dove la disponibilità ad affrontarlo è spesso una virtù e dove la gente vince o perde. È un luogo eccitante: anche quando il denaro compra solo quello che dovrebbe comprare, è sempre un bene che esista; soltanto il mercato può rispondere ad alcuni scopi. E una volta bloccati tutti gli scambi ingiusti e controllato il peso del denaro stesso, non c'è motivo di preoccuparsi delle risposte che il mercato dà. Le singole persone avranno ancora motivo di preoccuparsi, e così cercheranno di minimizzare i rischi, o di condividerli, o di dilatarli, o di assicurarsi. In un regime di uguaglianza complessa certi tipi di rischio saranno regolarmente condivisi, perché non è un bene commerciabile il potere di imporre dei rischi agli altri, e di prendere decisioni vincolanti in una fabbrica o in una ditta.

Questo non è che un altro esempio di scambio bloccato, e sarà preso in considerazione dettagliatamente più avanti. Se i blocchi sono giusti, non esiste cattiva distribuzione dei beni di consumo. Dal punto di vista dell'eguaglianza complessa non ha alcuna importanza che tu abbia uno yacht e io no, che il giradischi di lei abbia una resa del suono molto superiore a quello di lui, o che noi compriamo i tappeti in un grande magazzino mentre loro hanno dei persiani autentici. Che la gente badi a queste cose o no è una questione di cultura, non di giustizia distributiva. Finché gli yacht e i giradischi e i tappeti hanno soltanto un valore d'uso e un valore simbolico individualizzato, non importa che siano distribuiti in modo disuguale.[15]

Il mercato

Sulla sfera del denaro c'è un argomento più forte, che è quello dei sostenitori del capitalismo: gli esiti del mercato contano moltissimo perché il mercato, se è libero, dà ad ognuno esattamente quello che merita. Il mercato ci ricompensa in base al contributo che ognuno di noi dà al benessere degli altri.[16] I consumatori potenziali valutano in un certo modo i beni e i servizi da noi forniti e queste valutazioni vengono raccolte dal mercato, che determina il prezzo che ci viene dato; e questo è il prezzo che meritiamo, perché esprime il solo valore che i nostri beni e servizi possono avere, e che hanno di fatto per altre persone. Ma così si fraintende il significato del merito: a meno che non ci siano dei criteri di valore indipendenti da ciò che la gente vuole (ed è disposta a comprare) in questo o in quel momento, non si può parlare di essere meritevoli. Non potremmo mai sapere che cosa meritava una persona prima di aver visto che cosa ha ottenuto: e questo non può essere giusto.

Immaginiamo un romanziere che speri di scrivere un best seller.

Studia il suo pubblico potenziale e concepisce il suo libro in modo da adeguarsi al gusto del momento; forse ha dovuto violare i canoni dell'arte per farlo, e forse questo gli è costato molto: si è umiliato per vincere. E ora merita i frutti di questa vittoria? Merita una vittoria che porti dei frutti? Poniamo che il suo romanzo sia pubblicato nel corso di una depressione, quando nessuno ha soldi per comprare libri, venda pochissimo e il guadagno dell'autore sia minimo. Ha avuto meno di quel che meritava? (Gli altri scrittori sorridono della sua delusione: forse è proprio questo quello che merita.) Anni dopo, in un momento migliore, il libro viene ripubblicato e vende bene. Forse l'autore è diventato più meritevole?

Il merito non può certamente dipendere dallo stato dell'economia. Qui è troppo una questione di fortuna che non ha molto senso parlare di merito. È meglio limitarsi a dire che al romanziere spettano i diritti d'autore quali che siano.[17] Quel romanziere è come qualsiasi altro imprenditore: ha scommesso sul mercato. È rischioso ma lo sapeva fin dall'inizio, e ora, dopo aver pagato i costi della fornitura comunitaria, (poiché non vive soltanto sul mercato, ma anche nella città), ha diritto a quello che realizza. Però non può sostenere di avere avuto meno di quello che merita, e non ha importanza che gli altri pensino che abbia ottenuto di più. Il mercato non riconosce il merito. Avere iniziativa, essere intraprendenti, innovare, lavorare sodo, essere spietati, fare scommesse sconsiderate, prostituire il proprio talento: tutti questi comportamenti a volte sono ricompensati, a volte no.

Ma quando il mercato fornisce ricompense, e non sempre lo fa, queste sono adeguate a questi tipi di sforzi. L'uomo o la donna che costruisce una trappola per topi migliore, o apre un ristorante e vende biscotti deliziosi, o dà ripetizioni come secondo lavoro, si propone di guadagnare. E perché no? Nessuno vorrebbe servire biscotti a degli estranei, giorno dopo giorno, solo per conquistarsi la loro ratitudine. Qui, nel mondo della piccola borghesia, sembra assolutamente giusto che un imprenditore capace di fornire beni e servizi con tempestività raccolga i frutti ai quali pensava quando si è messo al lavoro.

Questo, a dire il vero, è un tipo di "giustizia" che la comunità può trovare opportuno circoscrivere e vincolare. La moralità del bazar appartiene al bazar. Il mercato è una zona della città, non è tutta la città. Ma secondo me, commettono un grave errore, quelli che, preoccupati per la tirannia del mercato, cercano di abolirlo del tutto. Ripulire il Tempio dai mercanti è una cosa, ripulire le strade è un'altra cosa; infatti sarebbe necessario un cambiamento radicale nella nostra concezione delle finalità degli oggetti materiali, di come ci rapportiamo ad essi e, attraverso essi, agli altri. Ma l'abolizione del mercato non realizza questo cambiamento: lo scambio di merci passa semplicemente nella clandestinità oppure ha luogo, come oggi in parte dell'Europa orientale, in negozi di stato tetri ed inefficienti.

Nella vitalità del mercato aperto si riflette il nostro senso della grande varietà delle cose desiderabili e finché questo sarà il nostro modo di vedere, non c'è motivo di non godere di questa vitalità. Mi sembra assolutamente giusto ciò che Walt Whitman sostiene in *Democratic Vistas*

Per evitare errori, potrei anche tratteggiare, essendo compreso nel modello di queste *Vistas*, un personaggio pratico, attivo, mondano, alla caccia di denaro, addirittura materialistico. È innegabile che fattorie, negozi, uffici, miniere, drogherie, officine meccaniche, conti in banca, guadagni, mercati ecc., dovrebbero essere considerati con serietà e attivamente perseguiti proprio come se avessero un'esistenza reale e permanente.[18]

Non c'è niente di degradante nel comprare e nel vendere, niente di degradante nel voler possedere quella camicia (indossare, mostrarsi così vestito) o questo libro (leggerlo, annotarlo), niente di degradante nel mettere queste cose a disposizione per un certo prezzo, anche se è tale che non potrò comprare e il libro e la camicia. Ma io li voglio tutti e due! Ecco un'altra delle sfortune che non interessano la teoria della giustizia distributiva.

Il commerciante è il ruffiano dei nostri desideri. Ma finché non vende esseri umani o voti o influenza politica, finché non si accaparra il grano in tempi di siccità, finché le sue automobili non sono trappole mortali e le sue camicie infiammabili è un ruffiano innocuo. Naturalmente cercherà di venderci cose di cui non abbiamo realmente bisogno, ci mostrerà il lato migliore delle sue merci nascondendoci quello peggiore. Noi dovremo farci proteggere dalle frodi, e lui dai furti. Ma lo scambio in linea di principio è una relazione reciprocamente vantaggiosa; e se la sfera del denaro e delle merci è opportunamente delimitata, né i soldi che il mercante guadagna, né gli oggetti accumulati da questo e quel consumatore costituiscono una minaccia per l'eguaglianza complessa. Ma questo argomento può funzionare solo per la piccola borghesia, per i mondo del bazar e della strada, per la drogheria all'angolo, la libreria, la boutique, il ristorante (ma non per la catena di ristoranti). Che dire dell'imprenditore di successo che diventa un uomo di enorme ricchezza e potere? Si deve però sottolineare che questo tipo di successo non è la meta di ogni bottegaio: non nel bazar tradizionale, nella cui cultura economica non è presente l'idea di una crescita a lungo termine, il "modello di progresso lineare dalle stalle alle stelle", e neanche nella nostra società, dove pure questa idea è presente.[19] Ci sono soddisfazioni anche nel far funzionare le cose, nel vivere agiatamente, nell'avere a che fare anno dopo anno con persone conosciute. Il trionfo imprenditoriale è solo uno dei fini di chi si mette in affari, anche se è intensamente perseguito, e mentre l'insuccesso non pone problemi (gli imprenditori mancati sono sempre cittadini con una buona posizione) il successo inevitabilmente ne pone. Sono problemi di due tipi: primo, ottenere dal mercato non solo la ricchezza ma anche il prestigio e l'influenza; secondo, dispiegare il potere entro il mercato stesso. Li affronterò nell'ordine, esaminando prima la storia d'un'impresa e poi l'aspetto politico di certe merci.

Il più grande magazzino del mondo

Consideriamo dunque il caso di Rowland Macy e dei fratelli Strauss e del loro famoso grande magazzino. Macy era un commerciante americano, un tipico piccolo borghese, che era stato proprietario e gestore di una serie di mercerie e aveva sempre fallito, finché nel 1858 aprì un negozio a Manhattan, fra la Sesta Avenue e la Quattordicesima Strada.[20] Nel corso dei suoi insuccessi, Macy aveva sperimentato nuove tecniche pubblicitarie e strategie di vendita: pagamento immediato in contanti, prezzi fissi e l'impegno a non svendere la merce. Altri commercianti stavano tentando, con maggiore o minor fortuna, gli stessi esperimenti; ma il nuovo negozio di Macy ottenne, per ragioni che non è facile afferrare, un successo straordinario. Inoltre Macy, man mano che si ingrandiva, diversificava i suoi articoli, creando un tipo di impresa del tutto nuovo. Quella che possiamo definire l'invenzione del grande magazzino ebbe luogo, più o meno negli stessi anni, in diverse città (Parigi, Londra, Philadelphia, New York); e probabilmente è vero che tale invenzione fu in un certo senso provocata da condizioni sociali ed economiche comuni.[21] Ma Rowland Macy riuscì, con grande abilità ed audacia, a restare sulla cresta dell'onda e quando morì nel 1877, era ricco. L'unico figlio, un alcolista, eredità il denaro del padre ma non l'azienda, che passò, dopo un breve intervallo, nelle mani di Nathan e Isidor Strauss, che da alcuni anni gestivano una concessione nel seminterrato del negozio, dove vendevano porcellane.

E fin qui non ci sono problemi. Senza dubbio il successo di Macy si lasciò alle spalle altri commercianti, indeboliti o addirittura rovinati. Ma non possiamo proteggere gli altri dai rischi del mercato (finché c'è un mercato): possiamo solo proteggerli da rischi ulteriori, quelli della miseria e della degradazione personale. In realtà il governo giapponese fa più di questo: "ha posto dei limiti alla costruzione di nuovi grandi magazzini, centri di sconto e centri commerciali, rallentando così il loro impatto sulle piccole rivendite al minuto".[22] È una politica diretta a conservare la stabilità dei quartieri, e forse può rivelarsi politica saggia; data una certa concezione del quartiere come bene che viene distribuito, e delle città come aggregati di zone differenziate, potrebbe essere addirittura una politica moralmente necessaria. In ogni caso, offre una protezione solo ai commercianti che sono stati esclusi dalla competizione ai livelli più alti. Nessuno può aiutare i rivali di Macy, se non loro stessi. E finché un successo come quello di Rowland Macy resta circoscritto alla sfera del denaro, tutti gli altri possono solo assistervi con la stessa ammirazione (o invidia) che potrebbero sentire per l'autore di un best seller.

Credo ci sia un vago senso nel quale si può dire che gli imprenditori di successo sono i monopolisti della ricchezza: in quanto classe, solo loro godono delle sue speciali prerogative, e i beni che essa può comprare sono loro accessibili come a nessun altro. Con l'eguaglianza semplice questa situazione sarebbe impossibile, ma l'eguaglianza semplice non può reggere senza l'eliminazione della vendita e dell'acquisto (e anche di ogni altro tipo di relazione di scambio). E poi, ancora, finché il denaro controlla unicamente le merci, perché preoccuparsi della sua accumulazione? Le obiezioni sono estetiche, come per Timone e la "stagionata vedova", non morali, e hanno più a che fare con l'ostentazione che col dominio.

Ma il successo della famiglia Strauss non fu affatto così circoscritto. Isidor, Nathan e il fratello minore Oscar entrarono facilmente in un mondo più ampio di quello conosciuto da Rowland Macy. Isidor era amico e consigliere del presidente Cleveland, prese parte attiva a varie campagne per la riforma doganale e fu eletto al Congresso nel 1894. Nathan era molto attivo nella politica a New York, membro della Tammany Hall e più tardi sovrintendente al verde pubblico e presidente del comitato della sanità. Oscar fu segretario al commercio e al lavoro nel gabinetto di Theodor Roosevelt e in seguito ebbe numerosi incarichi diplomatici. I tre, insieme, costituiscono un esempio dei più opportuni, perché non erano baroni ladri o nemici dei sindacati (nel 1895 i sigarai di Macy scioperarono per, e ottennero un aumento salariale; la stamperia del negozio era già perfettamente organizzata prima della fine del secolo).[23] Sotto ogni aspetto gli Strauss servivano la comunità con capacità e decoro, e tuttavia non c'è ombra di dubbio che la loro influenza politica fosse dovuta alla ricchezza e all'ininterrotto successo negli affari. Si potrebbe dire che dopo tutto non si comprarono la loro influenza ma caso mai la raggiunsero grazie al rispetto che si erano conquistati sul mercato (e non solo per i loro soldi, ma anche per la loro intelligenza). Inoltre, per entrare al Congresso Isidor Strauss dovette pur vincere un'elezione; perse, invece, la battaglia per la riforma doganale. Questo è tutto vero ma, tuttavia, altri uomini della stessa intelligenza non ebbero tale parte nella vita politica del proprio paese. La questione è complicata, perché il denaro parla in modo sottile e indiretto, ed a volte parla per persone ammirevoli: sul mercato non hanno successo solo gli spietati e gli egoisti. Tuttavia in uno stato democratico parla, in modo pericoloso, ed è necessario cercare una maniera di limitare l'accumulazione del denaro (più o meno come si deve limitare il suo peso). Un'impresa come quella di Macy s'ingrandisce perché gli uomini e le donne la trovano utile e quelle stesse persone potrebbero anche trovare utile essere governate dai proprietari di una simile impresa. Ma queste devono essere due decisioni completamente separate.

Lavatrici, televisori, scarpe e automobili

In linea di principio, i negozi come Macy's forniscono alla gente quello che vuole, e allora hanno successo, oppure non lo fanno, e allora falliscono. O servono o non servono. Molto prima di essere al servizio della comunità, gli imprenditori sono al servizio dei privati e rispondono agli ordini del sovrano consumatore. Questo è il mito del mercato; ma non è difficile presentare una descrizione alternativa delle relazioni che lo caratterizzano. Il mercato, secondo il sociologo francese André Gorz, "è un luogo in cui enormi oligopoli di produzione e di vendita... incontrano una molteplicità frammentaria di acquirenti che, a causa della loro dispersione, sono totalmente impotenti". Perciò il consumatore non è e non potrà mai essere sovrano". È soltanto in grado di scegliere fra una varietà di prodotti, ma non può far produrre altri articoli, più rispondenti ai suoi bisogni, al posto di quelli che gli vengono offerti".[24] Le decisioni cruciali vengono prese dai proprietari e dai dirigenti di società o dai rivenditori su larga scala: sono loro a determinare la gamma delle merci fra le quali tutti gli altri faranno le loro scelte, e perciò gli altri non necessariamente avranno ciò che vogliono davvero. Gorz conclude che queste decisioni dovrebbero essere rese collettive. Non basta limitare il mercato, in realtà occorre sostituirlo con una repubblica democratica.

Consideriamo ora alcuni degli esempi di Gorz. Egli sostiene che gli apparecchi concepiti per uso individuale sono incompatibili con quelli concepiti per uso collettivo. "La lavatrice a casa, per esempio, ostacola l'installazione di lavanderie pubbliche." E si deve decidere quale delle due favorire. "Si deve privilegiare il miglioramento dei servizi collettivi o la fornitura di attrezzature individuali...? Dobbiamo avere un mediocre televisore in ogni appartamento o una stanza della televisione in ogni palazzo, con una strumentazione della migliore qualità possibile?"[25] Gorz ritiene che a queste domande possano rispondere solo i "produttori associati", che sono anche consumatori, vale a dire solo il pubblico democratico nel suo insieme. Ma il suo è uno strano modo di assegnare il potere decisionale riguardo ai beni di questo tipo. In questo caso, è necessaria una decisione collettiva, a mio avviso sarebbe meglio prenderla a livello di palazzo o di isolato: che i residenti decidano che tipo di stanza comune vogliono pagarsi — e in poco tempo ci saranno palazzi diversi e quartieri diversi, che rispondono a gusti diversi. Ma questo tipo di decisioni conteranno sul mercato esattamente come le decisioni individuali, avranno soltanto un peso maggiore. E se questo sarà grande abbastanza, si produrranno e venderanno le macchine giuste. E se i fabbricanti e i rivenditori già esistenti non sono in grado di fornire gli articoli richiesti, dal mondo degli inventori, degli artigiani, dei negozi di macchine e dei negozi specializzati si faranno avanti nuovi fabbricanti e rivenditori? La piccola borghesia è l'esercito di riserva della classe imprenditoriale. I suoi membri sono in attesa non delle decisioni dei "produttori associati" ma della chiamata del mercato. Un monopolio in senso stretto, cioè un controllo esclusivo dei mezzi di produzione e dei canali di vendita, renderebbe impossibile rispondere a questa chiamata. Lo stato può legittimamente neutralizzare tale potere sul mercato, e lo fa nel nome del libero scambio, non della democrazia politica (e nemmeno dell'eguaglianza semplice: poiché, ancora una volta, non c'è modo di garantire lo stesso successo a tutti gli imprenditori).

Né gioverebbe alla democrazia che questioni come la scelta delle lavatrici e dei televisori fossero dibattute in pubbliche assemblee. Dove si fermerebbero i dibattiti? Gorz è pieno di domande: "Ognuno dovrebbe avere quattro paia di scarpe scadenti all'anno o un paio di scarpe robuste e due scadenti?"[26] Si può immaginare un sistema di razionamento in tempo di guerra per il quale tali decisioni vadano prese collettivamente; e si può analogamente immaginare una crisi idrica che induca la comunità politica a limitare o addirittura a proibire la produzione di lavatrici domestiche. Ma nel corso normale delle cose sicuramente questo è il luogo delle scelte private o locali e poi delle risposte del mercato. E sembra proprio che il mercato, come ho già accennato, generi scarpe robuste e scarpe scadenti, lavatrici grandi e lavatrici piccole.

Ma qui è in gioco qualcosa di più. Gorz vuole sostenere che la marea montante di beni privati rende sempre più difficile la vita ai poveri. Quando cresce il numero di consumatori che si comprano la lavatrice, le lavanderie sono costrette a chiudere (oppure aumentano i prezzi e diventano un servizio di lusso). A quel punto tutti hanno bisogno della lavatrice. Analogamente, quando le forme pubbliche di divertimento perdono terreno e i cinema di quartiere chiudono, tutti hanno bisogno del televisore. Quando i trasporti pubblici peggiorano, tutti hanno bisogno dell'automobile, e così via. I costi della povertà aumentano e i poveri sono spinti ai margini della società.[27] È lo stesso problema posto da Rainwater, e richiede lo stesso tipo di ridistribuzione. Forse in alcuni casi si può ricorrere a delle sovvenzioni, come per le tariffe degli autobus e della metropolitana; ma più spesso solo un reddito supplementare servirà ai fini dell'appartenenza e dell'integrazione sociale. Forse è un errore legare così strettamente l'appartenenza e i consumi privati, ma se il legame c'è, allora i membri devono anche essere dei consumatori.

Ma si potrebbero anche sottolineare gli aspetti politici dell'appartenenza, anziché quelli economici. Ho l'impressione che Gorz in realtà preferisca la stanza della lavanderia e quella della televisione perché le vede come alternative comunitarie alla privatizzazione borghese, come luoghi dove la gente si incontra e parla, fissa appuntamenti, forse discute addirittura di politica. Sono beni pubblici, nel senso che ogni inquilino, che usi o no queste stanze, trarrà vantaggio dalla maggiore socievolezza e dall'atmosfera più amichevole di tutto il palazzo. Ma proprio questi sono i beni che tendenzialmente si perdono nel rimescolio individualistico del mercato. Non vanno perduti a causa del potere dei dirigenti di società e dei proprietari di grandi magazzini, o non soprattutto per questo, ma piuttosto per le preferenze dei consumatori, i quali fanno le proprie scelte, per così dire, uno per uno e ciascuno pensando solo a se stesso (o, più esattamente, solo alla sua casa e alla sua famiglia).[28] I consumatori farebbero scelte diverse se votassero in quanto membri di un gruppo? Non ne sono certo ma se lo facessero sicuramente sul mercato ci sarebbe posto per loro. Le persone che, come Gorz, preferiscono i consumi collettivi rispetto a quelli privati dovrebbero difendere la propria causa, e potranno vincere o perdere, oppure vincere in questo quartiere o palazzo e perdere in quell'altro. Il punto decisivo dell'argomento di Gorz è che ci deve essere un tribunale in cui difendere tale causa. Il mercato non svolge questa funzione ma con questo non si vuole criticare il mercato, ma solo ribadire che esso deve affiancare, e non sostituire, la sfera della politica.

Gorz illustra questo punto nel modo più efficace parlando dell'automobile, che è forse la più importante delle merci moderne. Collocandosi in una tradizione oggi centrale della critica sociale, egli è pronto a rinunciarvi: "L'automobile privata sconvolge l'intera struttura urbana ... ostacola l'utilizzazione razionale dei trasporti pubblici ed è nemica di molte forme di attività ricreative di gruppo e collettive (soprattutto in quanto distrugge il quartiere come ambiente abitativo)".[29] Probabilmente ha ragione, ma l'automobile è anche il simbolo della libertà individuale, e dubito che un qualsiasi popolo democratico di cui si abbia memoria le avrebbe votato contro anche se fossero state note in anticipo le conseguenze a lungo termine della sua produzione e del suo uso di massa. In effetti, in questo caso è necessario che la decisione sia presa da tutta la comunità perché l'automobile privata richiede spese enormi per la costruzione e la manutenzione di strade. Forse oggi siamo prigionieri di queste spese, e non ci resta molto spazio di manovra; ma non siamo così solo perché Henry Ford guadagnava di più vendendo automobili che vendendo tram. A una spiegazione di questo genere sfuggono molti aspetti non solo della storia politica ed economica ma anche di quella della cultura. E, naturalmente, è ancora necessario discutere le dimensioni relative delle spese per l'automobile privata e per i trasporti pubblici. Questa è propriamente una decisione politica, non una decisione di mercato, perciò i cittadini che la prendono dovranno essere uguali fra di loro, e i loro interessi diversi — di produttori e consumatori, inquilini e proprietari di case, abitanti in centro e abitanti in periferia — dovranno essere rappresentati nel processo politico.

La determinazione dei salari

Poiché i voti non sono in vendita, mentre il denaro, le merci e i servizi lo sono, nel mercato non sarà mai riprodotta l'eguaglianza dei cittadini. La stesse risorse che la gente porta sul mercato sono determinate, almeno in linea di principio, dal mercato. Gli uomini e le donne devono "fare" soldi, e li fanno vendendo la propria forza lavoro e le capacità che hanno acquisito. Il prezzo che riescono ad ottenere dipende dall'offerta di lavoro e dalla domanda delle merci specifiche (non possono far soldi producendo beni che nessuno vuole). Potremmo abolire il mercato del lavoro, così come quello delle merci, assegnando impieghi, o assegnando scarpe, attraverso un certo processo politico o amministrativo; l'argomento contro queste soluzioni è lo stesso: lasciando da parte questioni di efficacia, esso concerne come gli individui si rapportano agli impieghi e alle merci, il significato di queste due cose nella vita di una persona, e come esse vengono cercate, usate e fruite. Non intendo suggerire che esse siano necessariamente simili; per la maggioranza di noi il lavoro, pur essendo uno strumento per il possesso di cose, è più importante di qualsiasi insieme di proprietà. Ma questo significa soltanto che l'assegnazione di lavoro ha persino maggiori probabilità dell'assegnazione di cose di essere vissuta come un atto tirannico.

La situazione sarebbe diversa se il lavoro fosse assegnato in base alla nascita e al rango e così sarebbe anche per le cose: infatti nelle società in cui il lavoro è ereditario e gerarchico, anche i consumi lo sono. Agli uomini e alle donne che hanno il permesso di svolgere solo certi tipi di impieghi, normalmente si permette di usare e mostrare solo certi tipi di merci. Oggi, negli Stati Uniti, uno degli aspetti essenziali dell'identità individuale è che, sebbene una persona abbia questo, potrebbe anche avere quello e sebbene essa faccia questo, potrebbe anche fare quello. Sogniamo a occhi aperti sulle nostre possibilità. Man mano che invecchiamo questi sogni tendono a crollare, specialmente fra i poveri, che a poco a poco si rendono conto che non solo non hanno il tempo, ma nemmeno le risorse per sfruttare le opportunità del mercato. Ed è a causa del mercato, così si sentono dire, che non hanno tali risorse. Il prezzo della libertà è anche la causa della loro sconfitta. Non erano nati per essere poveri: non sono riusciti a diventare ricchi.

In realtà, più il mercato è perfetto, minori saranno le disuguaglianze di reddito e meno numerosi i fallimenti. Se assumiamo che la mobilità, l'informazione e le opportunità di preparazione siano approssimativamente uguali, i posti di lavoro più attraenti dovrebbero richiamare la maggior parte dei candidati, per cui i loro salari diminuiranno, mentre quelli meno attraenti saranno evitati, per cui questi salari aumenteranno. Si continueranno a premiare le abilità e le combinazioni di abilità particolari; non voglio negare la capacità di guadagno dei giocatori di pallacanestro bravi (e altissimi) o delle stelle del cinema. Ma molti lavoreranno per acquistare le capacità giuste o le giuste combinazioni, e in molti settori della vita economica la percentuale dei successi sarà alta. Così, le diseguglianze evidenti che oggi vediamo intorno a noi non potrebbero essere sostenute: esse derivano in misura maggiore dalle gerarchie di *status*, dalle strutture organizzative e dai rapporti di potere che dal libero mercato.[30] (E sono sostenute dall'eredità, alla quale arriverò un po' più avanti.) Cerchiamo ora di immaginare una situazione nella quale la gerarchia, l'organizzazione e il potere siano non alimentati, ma neutralizzati dall'eguaglianza, così da mettere in evidenza le diseguaglianze del mercato. Che tipi di differenza di reddito sopravviverebbero? La restante matassa dei fattori-causa delle differenze non è facile da dipanare; economisti e sociologi ne dibattono ancora le complicazioni, e non mi è possibile risolvere questo dibattito.[31] Ho in mente solo un abbozzo approssimato e congetturale, basato su pochissimi dati empirici, perché le condizioni che descriverò sono state realizzate solo in pochi luoghi e in forma incompleta. Immaginiamo dunque una fattoria o una fabbrica gestita democraticamente in una società di mercato — una comune di produttori. Tutti i membri hanno la stessa posizione; sono loro a controllare l'esatta struttura dell'impresa; il potere è esercitato collettivamente attraverso comitati, assemblee, dibattiti ed elezioni. Nella comunità, come saranno pagati i membri? Introdurranno salari differenziali per impieghi che richiedono gradi diversi di abilità? Per lavori più difficili o più facili? Per lavori nauseanti o piacevoli? O insisteranno su un salario uguale per tutti?

Probabilmente le risposte a queste domande sono simili a quelle alle domande di Gorz; vale a dire sono diverse in ogni fabbrica e fattoria. Riguardano la politica di fabbrica e di fattoria, come i consumi pubblici e privati riguardano la politica di palazzo di appartamenti, e le decisioni democratiche andranno in sensi diversi, secondo l'ideologia prevalente fra i lavoratori, il carattere della loro impresa, l'andamento dei dibattiti. Dati i requisiti dell'attività decisionale democratica e le sue caratteristiche generali, c'è da aspettarsi che i differenziali non saranno grandi. Questa è stata finora l'esperienza delle fabbriche possedute o dirette dagli operai. In Jugoslavia, per esempio, "la tendenza generale delle tabelle salariali preparate dai consigli è stata egualitaria".[32] Uno studio recente di alcuni esperimenti americani sottolinea la stessa cosa: "In ognuno dei casi riferiti, le imprese di proprietà degli operai se non hanno completamente uniformato i salari, li hanno almeno equiparati in modo significativo, in confronto alle aziende a proprietà capitalistica e anche alla burocrazia pubblica."[33] Inoltre, queste nuove regole distributive non sembrano avere effetti negativi sulla produttività.

Se invece le nuove regole avessero effetti negativi, probabilmente sarebbero cambiate, o almeno ci sarebbero dei forti motivi per cambiarle, visto che i lavoratori devono pur sempre fare i conti coi vincoli del mercato. Possono solo distribuire quello che guadagnano, e devono assumere nuovi membri quando c'è n'è bisogno, spesso per lavori speciali che richiedono abilità particolari. Perciò nasceranno sicuramente delle diseguaglianze: all'interno di una fabbrica se le assunzioni o le assegnazioni di lavoro richiedono paghe differenziali, e fra fabbriche diverse altrimenti. Alcune fabbriche avranno più successo di altre, come Macy's ebbe più successo di altri grandi magazzini; i loro membri dovranno decidere se investire nell'espansione e nell'ulteriore successo o distribuire i profitti — e nel secondo caso, se distribuirli come reddito individuale o servizi comunitari. Altre fabbriche sbaglieranno e falliranno, forse perché hanno scommesso sul mercato e hanno perso, o forse a causa di dissensi interni e di cattiva gestione. E a quel punto tutti gli altri dovranno decidere se dare sussidi a chi fallisce — diciamo per amore della sopravvivenza e della prosperità di una città — proprio come facciamo oggi con le aziende capitalistiche.

Il reddito è determinato dunque da una combinazione di fattori politici e di mercato. Sarà mio compito difendere nel capitolo 12 la versione particolare dei fattori politici che ho appena fornito. Qui voglio solo sostenere che questa versione riproduce, nel caso dell'industria e dell'agricoltura su grande scala, proprio quegli aspetti dell'economia piccoloborghese che rendono difendibili i suoi rischi e le diseguaglianze che ne seguono. L'attività decisionale democratica, come la proprietà piccoloborghese, è un modo di portare a casa il mercato, collegando le sue opportunità e i suoi pericoli con l'iniziativa, la fortuna e gli sforzi reali di individui (e gruppi di individui). È questo che esige l'eguaglianza complessa: non l'abolizione del mercato, ma che nessuno sia tagliato fuori dalle possibilità del mercato per la propria condizione sociale inferiore o impotenza politica.

In queste ultime pagine ho seguito una linea argomentativa delineata per la prima volta da R.H. Tawney negli anni che precedettero la prima guerra mondiale. È un argomento che vale la pena di citare abbastanza per esteso:

Quando quasi tutti erano piccoli proprietari terrieri o piccoli artigiani... correvano dei rischi. Ma nelle stesso tempo avevano profitti e surplus. Al giorno d'oggi l'operaio corre dei rischi ... ma non ha quelle prospettive di guadagni eccezionali, quelle occasioni di piccole speculazioni o quel potere di dirigere la propria vita per i quali vale la pena di affrontarli.

Tawney non dubitava che valesse la pena di affrontare dei rischi. Non è che masse di uomini e donne debbano sempre vivere sull'orlo del pericolo, anzi la comunità deve proteggerli da questo tipo di vita. Ma la protezione ha i suoi limiti, al di là dei quali gli individui e i gruppi di individui sono lasciati a se stessi, liberi di andarsi a cercare pericoli o, se possono, di evitarli. Se non fossero liberi, né gli individui né i gruppi potrebbero mai essere ciò che la nostra cultura esige (in teoria) che siano: attivi, energici, creativi, democratici, capaci di plasmare la propria vita, pubblica e privata. Il rischio, continua Tawney, "fortifica"

> se è assunto volontariamente, perché in tal caso un uomo soppesa le perdite e i profitti probabili e punta la sua intelligenza e il suo carattere sul successo. Ma quando la maggioranza è composta di dipendenti salariati, allora questi non decidono quali rischi dovranno affrontare. Sono i padroni a decidere per loro. Se l'impresa ha successo non guadagnano nulla; non hanno né la responsabilità dello sforzo né l'orgoglio del risultato; hanno soltanto le sofferenze del fallimento. Non c'è da stupirsi che, finché le cose stanno così, desiderino soprattutto la sicurezza... In questa situazione domandare che agli uomini sia permesso correre dei rischi... è un attacco non ai tentativi moderni di dare sicurezza al salariato, ma all'intero sistema del lavoro salariato.[34]

Parlare dell'*intero* sistema di lavoro salariato è forse un'esagerazione. Benché secondo le regole distributive sostenute da Tawney, i lavoratori non venderebbero in senso letterale la propria forza lavoro e le proprie capacità acquisite, tuttavia dovrebbero sempre presentarsi, con le loro forze e capacità al direttore (o al comitato) del personale della fabbrica locale. I termini della loro ammissione alla cooperativa e al reddito che otterrebbero sarebbero sempre determinati, in parte, da forze di mercato, anche se fossero codeterminati da un processo politico democratico. Tawney non proponeva l'abolizione del mercato del lavoro, ma cercava, come me, di definire i confini dentro i quali è giusto che esso operi.

Le ridistribuzioni

Data la natura insidiosa del denaro e l'estensione delle relazioni di mercato, possiamo concepire il mercato come una sfera senza confini o come una città senza suddivisioni. Un'economia di *laissez-faire* radicale somiglierebbe a uno sato totalitario per le sue invasioni in tutte le altre sfere e il suo dominio su tutti gli altri processi distributivi. Essa trasformerebbe in merce ogni bene sociale. Avremmo un imperialismo del mercato, suppongo meno pericoloso dell'imperialismo dello stato perché più facile da controllare. Gli scambi bloccati sono altrettanti controlli, fatti valere non solo dai funzionari ma anche dalla gente comune che difende i propri interessi e afferma i propri diritti. Ma non sempre questi blocchi reggono, e quando non è possibile contenere le distribuzioni del mercato nei giusti limiti dobbiamo considerare la possibilità di ridistribuzioni politiche.

Qui non mi riferisco alle ridistribuzioni con le quali finanziamo lo stato assistenziale. Queste provengono da un fondo comune, o "ricchezza comune"* al quale ciascuno contribuisce secondo le sue risorse. È con questo fondo che paghiamo la sicurezza personale, i servizi religiosi, le libertà civili, le scuole, l'assistenza medica, insomma tutto ciò che è implicato dall'appartenere a una comunità. La ricchezza privata viene dopo: sia storicamente che sociologicamente, la costituzione di un fondo comune viene prima del comprare e del vendere.[35] Successivamente la fornitura comunitaria può invadere la sfera del mercato. È la tesi dei leaders di ogni rivolta fiscale, dai poujadisti francesi degli anni '50 ai sostenitori della Proposizione 13 in California: il carico dell'appartenenza è diventato troppo pesante e, nella sfera del denaro e delle merci, vincola gli impieghi corretti, limitando indebitamente i rischi e gli incentivi.[36] Queste critiche, almeno a volte, forse sono giuste. Sicuramente esistono conflitti reali su questo punto, e le scelte pratiche sono difficili: se i vincoli e i limiti sono troppo rigidi può diminuire la produttività, e allora ci sarà meno spazio per il riconoscimento sociale dei bisogni. Ma a un certo livello di tassazione, anche se non necessariamente ai livelli che oggi prevalgono, non si può dire che la comunità politica invada la sfera del denaro: non fa che reclamare quanto le spetta.

L'imperialismo del mercato richiede un altro tipo di ridistribuzione: non si tratta di definire un confine, ma di ridefinirlo. Il problema, qui, è la dominanza del denaro al di fuori della sua sfera, la capacità dei ricchi di fare commercio di indulgenze, comprare cariche pubbliche, corrompere i tribunali, esercitare il potere politico. Il mercato possiede abbastanza spesso dei territori occupati, e possiamo concepire la ridistribuzione come una sorta di irredentismo morale, un processo di revisione dei confini. I princìpi che guidano tale processo non sono sempre e ovunque gli stessi; per i miei scopi immediati, il principio più importante ha (all'incirca) questa forma: l'esercizio del potere appartiene alla sfera della politica, mentre quanto accade nel mercato dovrebbe almeno approssimarsi a uno scambio fra uguali (a un libero scambio). Con questo non voglio dire che ogni merce sarà venduta al "giusto prezzo" o che ogni lavoratore riceverà la "giusta ricompensa"**: questo tipo di giustizia è estraneo al merca-

---

* "Common wealth": ma c'è un gioco di parole intraducibile, perché l'unione dei due termini, *Commonwealth*, è sinonimo di "comunità politica" fin dal Seicento (*N.d.T.*).

** Forse dovremmo pensare il giusto prezzo come un'altra forma di scambio bloccato; si fissa un prezzo con un processo che non sia la contrattazione e si escludono gli scambi a qualsiasi altro prezzo. La gamma dei beni controllati in questo modo varia fortemente secondo le culture e i periodi storici, ma il cibo è sempre quello controllato più diffusamente.[37] Ai nostri giorni il giusto prezzo sopravvive nel caso dei beni di utilità pubblica, posseduti prevalentemente da privati, dove le tariffe sono, o dovrebbero essere, fissate in rapporto non alle capacità di assorbimento del mercato ma a un certo comune modo d'intendere, "equo" profitto e dove il livello del servizio è controllato in modo analogo.

to. Ma ogni scambio dovrà essere il risultato di una contrattazione, non di un ordine o di un ultimatum. Se si vuole che il mercato funzioni correttamente, si dovranno escludere gli "scambi nati dalla disperazione", perché la necessità, come scrisse Ben Franklin, "non ha mai concluso un buon affare".[38] In un certo senso lo stato assistenziale avalla la sfera del denaro quando garantisce che uomini e donne non saranno mai costretti a contrattare senza risorse i mezzi di sussistenza. E quando lo stato facilita l'organizzazione dei sindacati, agisce con lo stesso fine. I lavoratori isolati possono essere costretti ad accettare contratti da ultima spiaggia, spinti o dalla miseria o dalla mancanza di particolari capacità vendibili sul mercato o dall'impossibilità di trasferire la famiglia per sottostare all'ultimatum di qualche datore di lavoro locale. La contrattazione collettiva ha più probabilità di essere uno scambio fra uguali. Non garantisce un buon affare, non più di quanto garantisca la fornitura comunitaria, ma contribuisce a conservare l'integrità del mercato.

Ma quello che m'interessa, ora, è conservare l'integrità delle altre sfere distributive, per esempio, privando gli imprenditori molto potenti degli strumenti per appropriarsi del potere politico o piegare i funzionari pubblici al proprio volere. Quando il denaro porta con sé il controllo non solo delle cose ma anche degli uomini, non è più una risorsa privata. Non compra più merci e servizi sul mercato, ma compra qualcosa d'altro e in un altro luogo, dove (data la nostra concezione democratica della politica) è vietato comprare e vendere. Se non possiamo bloccare l'acquisto, dobbiamo socializzare il denaro, il che serve soltanto a riconoscere che esso ha assunto un carattere politico. Quando ciò diventa necessario, è una questione da definire; non è un punto fisso, ma cambia secondo la forza relativa e la coerenza della sfera politica.

Tuttavia sarebbe sbagliato immaginare che il denaro abbia effetti politici solo quando "parla" ai candidati e ai funzionari, solo quando viene mostrato con discrezione o apertamente ostentato nei corridoi del potere; ha effetti politici anche più vicino a casa, nel mercato stesso e nelle sue aziende e imprese. Anche qui è indispensabile una revisione dei confini. Quando, per esempio, i sindacalisti chiesero per la prima volta che fosse introdotto un meccanismo per i reclami, sostennero che la disciplina di fabbrica doveva essere considerata come la giustizia penale nello stato, cioè su base giudiziaria o semigiudiziaria, e non come la decisione di vendere e comprare merci, cioè sulla base dei criteri imprenditoriali (o dell'umore di un particolare imprenditore).[39] Era in gioco il governo del luogo di lavoro e almeno in una società democratica il governo non è una questione di mercato. Ovviamente la lotta per le procedure di reclamo non riguardava soltanto i confini, ma era anche una lotta di classe. I lavoratori erano per una sfera politica allargata perché avrebbero avuto più probabilità di guadagnare; erano interessati a tracciare i confini in un certo modo. Ma possiamo ugualmente dire, e io sarei incline a farlo, che le loro rivendicazioni erano giuste. Questi sono problemi che ammettono non solo la lotta, ma anche la discussione.

L'argomento può ancora avanzare di un passo. Persino all'interno del rapporto di antagonismo fra proprietari e lavoratori, pur esistendo sindacati e procedure di reclamo, i proprietari possono ugualmente esercitare un tipo di potere illegittimo. Prendono ogni tipo di decisione che vincola rigidamente e plasma la vita dei loro dipendenti (e anche dei loro concittadini). Non sarebbe meglio considerare un bene politico anziché economico l'enorme investimento di capitali rappresentato da impianti, altiforni, macchine e linee di montaggio? Non voglio dire che questo bene non possa essere ripartito in molti modi diversi, ma solo che non dovrebbero portare con sé le normali implicazioni della proprietà. Oltre una certa misura, non è esatto chiamare merci i mezzi di produzione, così come non chiamiamo merci il sistema di irrigazione degli antichi egiziani, le strade dei romani e degli incas, le cattedrali dell'Europa medievale o le armi di un esecito moderno, poiché esse generano un tipo di potere che le porta fuori della sfera economica. Ritornerò su questi problemi quando prenderò in considerazione dettagliatamente la sfera della politica; qui voglio soltanto sottolineare che persino quest'ultima ridistribuzione lascerebbe intatto, se non il mercato capitalistico, almeno il mercato in sé.

Esistono tre generi di ridistribuzione: primo, del potere nel mercato (per esempio il blocco degli scambi disperati e l'incoraggiamento di sindacati); secondo, direttamente del denaro, attraverso il sistema fiscale; terzo, dei diritti di proprietà e delle implicazioni della proprietà (per esempio l'introduzione di procedure di reclamo o il controllo cooperativo dei mezzi di produzione). Tutte e tre ridefiniscono il confine tra politica ed economia, e lo fanno in modi che rafforzano la sfera della politica — la forza dei cittadini, non necessariamente il potere dello stato. (Oggi nell'Europa orientale, un "irredentismo morale" analogo rafforzerebbe la sfera economica e amplierebbe l'ambito delle relazioni di mercato.) Ma per quanto forte sia il loro potere, i cittadini non possono prendere proprio qualsiasi decisione vogliano. Anche la sfera della politica ha dei confini; è contigua ad altre sfere e trova in questa contiguità i suoi limiti. Perciò la ridistribuzione non potrà mai produrre l'eguaglianza semplice, finché esisteranno il denaro e le merci e finché ci sarà uno spazio sociale leggittimo entro cui scambiarli, o anche regalarli.

Doni ed eredità

Oggi negli Stati Uniti il dono è determinato dalla merce. Se posso possedere questo oggetto e scambiarlo con qualcosa d'altro (entro la sfera del denaro e delle merci) allora di sicuro posso darlo a chi voglio. Se posso plasmare la mia identità attraverso le mie proprietà, posso anche farlo attraverso le cose di cui mi privo. E ancora più di sicuro non posso dar via quello che non possiedo. Ma sarà utile considerare più attentamente il dono, perché dalla sua storia potremmo imparare moltissimo su noi stessi — e anche trovare alcuni modi interessanti di essere diversi. Comincerò con una delle ricerche antropologiche più conosciute.

Lo scambio di doni nel Pacifico occidentale

Lo studio di Bronislaw Malinowski sulle relazioni di scambio fra gli abitanti delle isole Trobriand e quelli delle isole vicine è lungo e dettagliato e non cercherò di rendere la sua complessità,[40] ma solo di descrivere brevemente il suo punto centrale, il *Kula*, un sistema di scambi di doni nel quale collane di conchiglie rosse e braccialetti di conchiglie bianche viaggiano in direzioni opposte, per chilometri e chilometri, in un cerchio di isole e tra donatori e riceventi. Collane e braccialetti sono oggetti rituali, di forma stereotipata ma con un valore variabile; i più belli sono veramente preziosi, anzi sono quanto di più prezioso hanno gli isolani, sono molto ricercati ed apprezzati. Vengono scambiati solo l'uno con l'altra, braccialetto con collana, e con nient'altro. Ma non è un "commercio" nel nostro senso della parola: "lo scambio (di collane e braccialetti) non può mai avvenire caso per caso, discutendo, contrattando e calcolando l'equivalenza fra i due oggetti".[41] Lo scambio ha la forma di una serie di doni. Io do al mio partner *Kula* una collana; dopo un certo tempo, magari anche dopo un anno, mi darà uno o più braccialetti. E la serie non finisce qui. Io passerò i braccialetti a un altro compagno e ne riceverò un'altra collana, che darò via a mia volta. Il possesso di questi oggetti è temporaneo; con gli anni essi percorrono tutto il cerchio, o anello *Kula*, le collane in senso orario e i braccialetti in senso antiorario. "Una transazione non esaurisce la relazione *Kula*, poiché la regola è: una volta nel *Kula*, ci sei per sempre."[42]

Dunque ogni dono è il contraccambio di un dono precedente. È compito del donatore stabilire l'equivalenza, anche se "ci si aspetta che egli contraccambi pienamente ed equamente". Anzi "ogni spostamento degli oggetti *Kula*, ogni particolare della transazione è ... regolato da una serie di norme e di convenzioni tradizionali".[43] C'è spazio sia per la generosità sia per il risentimento, ma la struttura fondamentale è fissa; e faremo meglio a considerarla un sistema di alleanze piuttosto che un sistema economico, anche se la distinzione non avrebbe senso per questi isolani. L'anello *Kula* ha il suo equivalente nelle nostre cerchie di persone in cui gli amici si scambiano regali ed inviti secondo uno schema inevitabilmente convenzionale. Lo scambio non è una contrattazione: non possiamo comprarci l'esenzione dagli obblighi che comporta e dobbiamo ricambiare con la stessa moneta. E con questo non si mette fine alla relazione anzi, doni ed inviti continuano a passare da una parte all'altra entro un gruppo di amici. Tuttavia l'anello *Kula* ha maggior peso nella vita di chi vi prende parte, di quanto ne abbia nella nostra appartenere ad una cerchia di persone; come ha sostenuto Marshall Sahlins, è la manifestazione di un contratto sociale, e tutte le altre relazioni e transazioni hanno luogo alla sua ombra o, meglio, sotto l'egida della pace che esso instaura e garantisce.[44]

Fra queste altre relazioni c'è quella che Malinowski chiama "vero e proprio commercio" e gli isolani chiamano *gimwali*. È un commercio non di oggetti rituali ma di merci, ed è del tutto legittimo contrattare, cavillare, cercare un vantaggio personale. Il *gimwali* è libero, può avere luogo fra due estranei qualsiasi, e quando l'affare è concluso la transazione ha termine. Gli isolani distinguono nettamente questo tipo di commercio dallo scambio di doni. Quando criticano qualche scorrettezza nel sistema *Kula* dicono "è stato fatto come un *gimwali*."[45] Nello stesso tempo, chi ha successo nel commercio vero e proprio migliorerà la propria posizione nel sistema *Kula*, perché essendo lo scambio di collane e braccialetti accompagnato da altri doni e da elaborati festeggiamenti, richiede risorse notevoli. Suppongo si possa dire anche per noi che il successo nel comprare e vendere modifica la posizione nella cerchia di persone frequentate; ma è più probabile spendere i nostri soldi per noi stessi che per gli altri. Per gli isolani vale il contrario: ogni forma di produzione e accumulazione è subordinata al *Kula*, e la "libertà di ottenere" è subordinata ad una forma di "spendere" fortemente convenzionalizzata e moralmente coercitiva.

Dunque il dono è determinato dalla merce. Gli isolani hanno una loro concezione della proprietà, che benché lasci meno libertà della nostra, tuttavia riconosce uno spazio alle scelte personali e all'uso privato (o familiare); essa però non si estende agli oggetti *Kula*, che appartengono all'anello e non all'individuo. Questi oggetti non si possono trattenere troppo a lungo, pena la fama di essere "lenti"; non si possono dare ai propri figli, anziché ai partner del sistema; non si possono passare nel senso sbagliato del cerchio né scambiare con cose d'altro tipo. Vanno in una direzione determinata, a un ritmo determinato e accompagnati da riti e cerimonie determinati. Il dono, direbbero gli isolani, è troppo importante per essere lasciato al capriccio del donatore.

Il dono nel Codice napoleonico

Fra gli abitanti delle isole Trobriand il dono crea amicizie e legami di fiducia, forma alleanze e garantisce la pace. Il donatore è un uomo influente e stimato: e più può dare, più è generoso, più apparirà grande fra i suoi pari. Invece in molte culture domina un'idea del dono assai diversa, secondo cui esso non è tanto un modo di migliorare la posizione del donatore quanto una dissipazione delle sue proprietà. C'è solo una data quantità di ricchezza (terra, denaro e cose) e ogni dono la fa diminuire. Ma tale ricchezza non appartiene semplicemente all'individuo (e ancora meno alla sua cerchia di amici); questi ne è legalmente proprietario solo sotto certe condizioni e una certa prospettiva. Sotto altre condizioni e altre prospettive la ricchezza appartiene invece alla famiglia, o meglio, alla discendenza; e a quel punto intervengono le autorità politiche per proteggere gli interessi della generazione successiva.

Questa visione della ricchezza ha origine nel diritto tribale e feudale, e ha una lunga storia che non ripercorrerò. Durante la Rivoluzione francese si cercò di frazionare la proprietà degli aristocratici e tutte le grandi concentrazioni di ricchezza garantendo lasciti uguali agli eredi dello stesso rango. Questa garanzia fu accolta, benché in forma modificata, nel Codice napoleonico ed è chiaro che essa limitava fortemente il potere di testare dei singoli proprietari. Ma ancora più importante, a mio avviso, è che il Codice mirava a regolare il potere del proprietario anche in vita, limitandone il diritto di elargire il suo denaro come gli pareva, per esempio a estranei simpatici o a parenti non direttamente discendenti. I legislatori stabilirono una riserva, una percentuale delle proprietà complessive (di tutto ciò che la persona avesse mai posseduto) che non poteva essere regalata ma doveva passare *ab intestato*. "La riserva variava secondo il numero e il tipo degli... eredi viventi: metà delle proprietà se non c'erano figli, tre quarti se i figli erano meno di quattro, quattro quinti se erano quattro, e così via." Se le somme stabilite non erano disponibili, i doni testamentari erano cancellati, e quelli *inter vivos* "ridotti" o "restituiti".[46]

Neanche qui il dono segue le regole della merce. I singoli proprietari possono fare quel che vogliono del loro denaro, finché lo spendono per se stessi. Possono mangiare pietanze raffinate preparate da grandi cuochi, fare vacanza in Riviera, rischiare le loro proprietà al blackjack e alla roulette. La legge disciplina la loro generosità verso gli estranei, non l'indulgenza verso se stessi. Il contrasto appare strano, ma non è incomprensibile: per disciplinare l'indulgenza verso se stessi ci vorrebbe un regime severamente coercitivo, mentre il controllo dei doni, o almeno di quelli molto generosi, sembra più facile (in realtà, si è dimostrato difficilissimo). Ma qui si prova una distinzione più profonda. Ottenere e spendere, nel senso ordinario di queste parole, appartengono alla sfera del denaro e delle merci e sono governati dai suoi princìpi, che sono princìpi di libertà. Invece la distribuzione delle proprietà di famiglia appartiene a un'altra sfera, quella della parentela, che è governata dai princìpi della reciprocità e dell'obbligo. Come in ogni altra sfera, anche qui i confini sono difficili da stabilire; attualmente, negli Stati Uniti, sono molto più angusti che nel Codice napoleonico. Ma le nostre concezioni del mantenimento, degli alimenti e del prendersi cura dei bambini fanno pensare all'esistenza di un fondo familiare, abbastanza simile al fondo comunitario, che non ammette un libero esborso. Si potrebbe sostenere che, per esempio, quello del mantenimento è un obbligo liberamente contratto quando ci si sposa e si hanno figli. Ma la forma dell'obbligo non è fissata né da un accordo, né da un contratto, né da un'intesa individuale: è determinata collettivamente, non individualmente, e la determinazione riflette la nostra concezione collettiva della famiglia.

Tuttavia, più in generale, fin dalla fondazione della repubblica, gli americani sono stati eccezionalmente liberi di fare quello che volevano del loro denaro. Probabilmente per la mancanza di un passato feudale, la famiglia ha avuto meno importanza che in Europa, e di conseguenza, la ricchezza si è sottratta più facilmente al controllo familiare. John Stuart Mill, citando i *Travels in North America* (*Viaggi nel Nord America*) di Charles Lyell, così elogiava questo aspetto del modo di vivere americano, nei *Princìpi di economia politica*, pubblicato nel 1848:

> Non solo è frequente che i ricchi capitalisti lascino una parte della loro fortuna in dotazione di istituzioni nazionali, ma le persone donano anche in vita generose somme di denaro per gli stessi scopi. Qui non ci sono né un legge che obblighi all'uguale ripartizione della proprietà fra i figli, come in Francia, né d'altra parte il costume del maggiorasco o primogenitura, come in Inghilterra, cosicché i ricchi si sentono liberi di dividere le loro sostanze fra i propri parenti e la comunità.[47]

Ma se la filantropia non è controllata, ma anzi incoraggiata dallo stato, i doni e gli altri tipi di elargizione e i lasciti ai parenti sono sempre soggetti alla legge — non, per così dire, quanto alla direzione, ma quanto alla dimensione. Attualmente questo controllo legale non è gran cosa, ma stabilisce un principio, ed è importante cercare di capirne il fondamento morale e di arrivare a qualche conclusione circa la giusta estensione pratica.

Mill proponeva una spiegazione utilitaria delle limitazioni sui lasciti e le eredità. Se stimiamo una grande fortuna al suo vero valore, vale a dire "quello dei piaceri e dei vantaggi che con essa si possono acquistare", allora "deve essere evidente ad ognuno che la differenza che c'è per il possessore fra un'indipendenza moderata e cinque volte tanto è insignificante in confronto al godimento che potrebbe essere dato... da qualche altro modo di disporre dei quattro quinti".[48]

Ma dubito molto che questa idea dell'utilità marginale della ricchezza possa convincere un potenziale proprietario di una grossa fortuna. Ci sono molte altre cose, oltre ad una moderata indipendenza, che si possono comprare col denaro. Mill suggerì una ragione migliore per la politica da lui sostenuta quando riassunse così l'effetto che avrebbe dovuto avere: rendere "meno numerose... quelle fortune colossali di cui nessuno ha bisogno per scopi personali che non siano di ostentazione o di potere improprio".[49] L'ostentazione di sicuro non ha importanza: è una debolezza assai comune nella sfera del denaro e impossibile da controllare, a meno di applicare rigorosamente le leggi suntuarie. Ma il potere improprio deve essere controllato, se si vuole difendere l'integrità della sfera politica. Forse, in teoria, le fortune colossali dovrebbero essere suddivise prima di essere trasferite. Ma potrebbero esserci delle ragioni per consentire un'accumulazione consistente (benché non illimitata) nell'arco di una singola vita: spesso gli effetti politici più importanti cominciano a farsi sentire solo nella generazione successiva, cresciuta con l'abitudine al comando. In ogni caso, lo scopo principale della limitazione di lasciti ed eredità, come di ogni altra forma di ridistribuzione, è assicurare i confini delle varie sfere. Una volta che questo sarà stato fatto l'argomento di Mill sull'utilità marginale apparirà più plausibile, perché una persona non potrà più fare tutte quelle cose col suo denaro. Anche così, però, non sarà quell'argomento a fissare i limiti dei trasferimenti; i limiti saranno già stati fissati, sulla base della forza relativa dei confini (e del successo di altri tipi di difesa del confine). Se, per esempio, riuscissimo ad escludere assolutamente la conversione del denaro in potere politico, allora potremmo non porre alcun limite all'accumulazione o all'alienazione. Ma stando le cose come stanno, ci sono forti ragioni per limitarle entrambe, e queste ragioni hanno a che fare non tanto con l'utilità marginale del denaro quanto con la sua efficacia *extra moenia*.

Il diritto di dare e quello di ricevere sono conseguenze del significato sociale del denaro e delle merci, ma essi prevalgono solo finché le cose che si danno e si ricevono sono queste due, e nient'altro. "La proprietà di una cosa", ha detto Mill, "non può essere considerata completa senza il potere di concederla, alla morte o in vita, ad arbitrio del proprietario".[50] Tutto ciò che si può possedere, si può anche darlo via. Il dono unilaterale è un fenomeno che troviamo esclusivamente nella sfera del denaro e delle merci, nella forma che questa ha preso nella nostra società. Non compare né nel sistema *Kula*, né in nessun altro sistema di scambio di doni; ed è rigidamente vincolato, se non del tutto escluso, ogni volta che la proprietà è attribuita alla famiglia o alla discendenza. È un aspetto peculiare della nostra cultura, che apre la via a particolari tipi di generosità e senso civico (ma anche di capriccio e di meschinità). Non c'è generosità o senso civico nel cercare di passare una carica politica, o una qualsiasi posizione di potere su altre persone, a un parente o amico. Né è possibile trasferire a proprio arbitrio la posizione professionale o l'onorabilità, che non sono cose che si possono regalare. L'eguaglianza semplice richiederebbe un lungo elenco di altri divieti, anzi richiederebbe la proibizione totale dei doni. Ma il dono è sicuramente una delle più belle espressioni della proprietà, come noi l'intendiamo; e finché rimangono all'interno della loro sfera, abbiamo tutte le ragioni di rispettare quegli uomini e quelle donne che regalano il denaro alle persone che amano o alle cause in cui credono, anche se rendono imprevedibili ed irregolari i risultati delle distribuzioni. L'amore e l'impegno, come le imprese, hanno i loro rischi e (alle volte) i loro colpi di fortuna, ma non è necessariamente compito di una teoria della giustizia distributiva negarli o reprimerli.

5. Le cariche pubbliche

L'eguaglianza semplice nella sfera della carica

Secondo il vocabolario una carica è "un posto di fiducia, autorità o servizio sotto l'autorità costituita ... una posizione o un impiego ufficiale". Io propongo una definizione più ampia, che comprenda l'ambito allargato dell'"autorità costituita" nel mondo moderno: una carica è qualsiasi posizione di cui si occupa l'intera comunità politica scegliendo la persona che la ricopre o regolando le procedure per sceglierla. Il controllo sulle nomine è un punto cruciale. La distribuzione delle cariche non ha a che fare con la discrezione di singoli individui o di piccoli gruppi. Le cariche non possono diventare proprietà privata, né essere trasmesse ai familiari, né essere vendute sul mercato. La mia è ovviamente una definizione programmatica, dato che comprende tipi di posizione sociale ed economica che nel passato sono stati distribuiti in tutti questi modi. Nelle società che Weber chiamava "patrimoniali" persino le posizioni nella burocrazia statale erano considerate di proprietà di persone potenti e venivano passate di padre in figlio. Non c'era bisogno di una nomina: il figlio succedeva al padre nella carica come nel possesso delle terre, e benché il sovrano potesse rivendicare il diritto di riconoscere il suo titolo, non poteva contestarlo. Oggi il mercato è la principale alternativa al sistema delle cariche, e coloro che detengono il potere del mercato o i loro rappresentanti autorizzati (direttori del personale, capireparto e così via) sono la principale alternativa alle autorità costituite. Ma la distribuzione di posizioni e di posti attraverso il mercato è sempre più soggetta a una regolamentazione politica.

La nozione di carica pubblica è molto antica. In Occidente si è sviluppata soprattutto all'interno della chiesa cristiana, assumendo la sua forma specifica durante la lunga lotta per emancipare la chiesa dal mondo privatizzato del feudalesimo. I capi della chiesa usarono due argomenti: primo, che gli uffici ecclesiastici non potevano né essere proprietà dei titolari o del loro patrono feudale, né essere dati ad amici o parenti; secondo, che non erano commerciabili né vendibili. Il nepotismo e la simonia erano entrambi peccati, ed era molto probabile che venissero commessi finché erano i privati a controllare la distribuzione delle cariche religiose; queste dovevano essere distribuite, invece, dalle autorità ecclesiastiche costituite, che agivano per conto di Dio ed al Suo servizio. Potremmo dire che Dio fu il primo meritocrate, e la devozione e la conoscenza della dottrina erano le qualità che chiedeva ai Suoi funzionari (ma sicuramente chiedeva anche capacità organizzative, abilità nel maneggiare il denaro e *savoir faire* politico). La discrezionalità non fu abolita, ma riinserita in una gerarchia ufficiale e assoggettata a una serie di vincoli.[1]

Furono i sostenitori del pubblico impiego a riprendere dalla chiesa e a secolarizzare la nozione di carica. Anche la loro fu una lotta lunga, prima contro la discrezionalità personale rivendicata da aristocratici e nobili e poi contro la discrezionalità di parte rivendicata dai democratici radicali. Essere al servizio della comunità politica, così come essere al servizio di Dio, si trasformò lentamente in un'attività per individui qualificati, indipendenti dalle famiglie più potenti o dai partiti e dalle fazioni vincenti. Potremmo anche elaborare una difesa democratica di fazioni e partiti, e del sistema di distribuire cariche ai seguaci del partito vincente (detto "sistema del bottino"), nel quale la discrezionalità delle assunzioni sembra essere affidata dalla maggioranza dei cittadini; mi occuperò di questo argomento più avanti. Ma la lotta per questo sistema fu sconfitta appena si cominciò a chiamarlo così: le cariche sono troppo importanti per essere concepite come il bottino del vincitore; ovvero le vittorie sono troppo transitorie e le maggioranze troppo instabili per dare forma all'impiego pubblico di uno stato moderno. E così gli esami sono diventati il meccanismo distributivo decisivo, tanto che oggi, per esempio, in uno stato come il Massachusetts praticamente l'unico impiego governativo per il quale non è previsto un esame (se si prescinde dal governatore, dal suo gabinetto e da alcune commissioni consultive e regolative) è quello di "manovale", e persino le sue procedure di assunzione sono attentamente controllate.[2] Non resta più alcun bottino. Gli impieghi sono stati trasformati in cariche, per amore dell'onestà e dell'efficienza (il "buon governo") e anche della giustizia e dell'uguaglianza di opportunità.

Le lotte per l'idea di carica nella chiesa e nello stato costituiscono due parti di una storia cui ora se ne aggiunge una terza: la graduale estensione di quest'idea alla società civile. Oggi l'appartenenza alla maggior parte delle professioni è "ufficiale" in quanto lo stato controlla le procedure di abilitazione e contribuisce a stabilire le norme della pratica professionale. Anzi, qualsiasi attività per cui si richieda la laurea è in un certo senso una carica, dato che lo stato controlla l'accreditamento delle istituzioni accademiche e spesso addirittura le gestisce direttamente. Almeno in linea di principio, voti e titoli non sono in vendita. Forse è la pressione del mercato a costringere i datori di lavoro a richiedere dei titoli di studio (e sempre più elevati), ma nella selezione, nella preparazione e negli esami universitari entrano in gioco dei criteri che non sono semplicemente di mercato e dei quali si interessano concretamente i rappresentanti dello stato.

L'interesse, in questo caso, non ha a che fare con Dio e con la comunità nel suo insieme, ma con tutti quei clienti, pazienti, consumatori di beni e di servizi che dipendono dalla competenza dei titolari delle cariche. Non siamo disposti ad affidare persone inermi e bisognose a funzionari selezionati in base alla nascita o arbitrariamente protetti da qualche potente, e nemmeno a funzionari autoselezionati che non abbiano superato un processo, più o meno complicato, di preparazione e di esami. Poiché le cariche sono relativamente scarse, questo processo deve essere equo verso tutti i candidati e deve esserlo manifestamente. Proprio perché deve essere equo non si può lasciare che siano dei privati a decidere come organizzarlo. Questa autorità è stata sempre più politicizzata, cioè trasformata in una materia di dibattito pubblico e assoggettata a ispezioni e regolamenti governativi. Il processo è cominciato con le professioni libere, ma recentemente si è esteso fino ad imporre vincoli a molti tipi diversi di procedure selettive. Le leggi che stabiliscono le "procedure eque di assunzione" e le decisioni giudiziarie che richiedono programmi di "azione positiva" hanno l'effetto di trasformare tutti i lavori per cui valgono in qualcosa di simile a cariche.

In questi ultimi esempi la cosa più importante è la giustizia, non l'efficienza o la competenza, anche se pure queste due possono trarne un vantaggio. Credo che sia esatto dire che la politica e la filosofia della politica tendono oggi, per amore della giustizia, a riconcettualizzare ogni impiego come una carica. È certamente questo che implica l'ultima parte (la meno controversa) del secondo principio di giustizia di Rawls: "Le ineguaglianze economiche e sociali devono essere: ... collegate a cariche e posizioni aperte a tutti in condizioni di equa eguaglianza di opportunità."[3]

Tutte le posizioni per le quali concorrono più persone e che danno all'unico vincitore un vantaggio sociale o economico sugli altri concorrenti, devono essere distribuite "equamente", secondo criteri pubblicizzati e con procedure trasparenti. Sarebbe ingiusto che un privato, per ragioni sue o per ragioni del tutto sconosciute o disapprovate, assegnasse tranquillamente cariche e posizioni. Le cariche devono essere vinte in concorso pubblico. La meta è una meritocrazia perfetta, la realizzazione (finalmente!) dello slogan della Rivoluzione francese: la carriera aperta ai talenti. I rivoluzionari del 1789 credevano che per raggiungere questa meta bastasse distruggere il monopolio aristocratico e abolire ogni ostacolo giuridico al progresso individuale. Un secolo dopo Durkheim la pensava ancora così, quando descriveva la società buona come una società che richiedeva una divisione del lavoro "organica", nella quale "nessun ostacolo, di nessuna natura, impedisce agli individui di occupare nella struttura sociale una posizione ... compatibile con le loro facoltà".[4] Ma questo esito felice richiede, in realtà, l'opera dello stato che deve organizzare gli esami, stabilire dei criteri per la preparazione e la concessione di attestati, regolare le procedure di ricerca e selezione. Solo lo stato può contrastare gli effetti atomizzanti della discrezionalità individuale, del potere del mercato, del privilegio corporativo, e garantire ad ogni cittadino la stessa possibilità di essere all'altezza degli standard universali.

La vecchia divisione del lavoro, dunque, è sostituita da un pubblico impiego universale, e si stabilisce una sorta di eguaglianza semplice. La somma delle opportunità disponibili è divisa per il numero dei cittadini interessati, e ad ognuno si dà la stessa possibilità di vincere un posto. Questa è, in ogni caso, la tendenza di sviluppo attuale, anche se ovviamente molto resta ancora da fare perché essa raggiunga la sua logica conclusione: un sistema comprendente ogni impiego che potrebbe comportare un vantaggio sociale o economico e che ogni cittadino ha esattamente le stesse possibilità di ottenere. L'idea non è priva di attrattive, ma presuppone che si sia d'accordo che tutti gli impieghi sono cariche e che vadano distribuiti, se non per le stesse ragioni, almeno per gli stessi tipi di ragioni. E saranno necessariamente ragioni meritocratiche, perché sono le uniche che connettono carriere e talenti. I funzionari statali dovranno definire i criteri di merito necessari e far sì che siano applicati uniformemente. I cittadini si sforzeranno di acquisire queste qualità e poi di trasformarle in monopolio. Le disuguaglianze sociali, scrive Durkheim, "esprimeranno esattamente le disuguaglianze naturali".[5] Ma ciò non è vero: esprimeranno un insieme particolare di disuguaglianze, naturali e artificiali, legate al fatto di andare a scuola, superare un esame, affrontare brillantemente un colloquio, condurre una vita regolare e ubbidire agli ordini. Che cosa può essere un pubblico impiego universale se non una vasta ed intricata gerarchia nella quale domina una certa combinazione di virtù intellettuali e burocratiche?

Ma esiste un altro tipo di eguaglianza semplice che ha proprio lo scopo di evitare tale esito. In questa prospettiva è importante non tanto che ogni impiego sia trasformato in carica, quanto che ogni cittadino diventi un funzionario, ed è importante non tanto democratizzare la selezione, quanto rendere casuale la distribuzione (ad esempio con un'estrazione a sorte o con una rotazione). È la concezione greca del pubblico impiego e successivamente è stata rappresentata soprattutto da un certo tipo di radicalismo populista che nasce da un profondo risentimento verso i titolari di cariche (preti, avvocati, medici e burocrati). Non c'è dubbio che il risentimento possa dar vita a politiche complicate e sottili, ma spesso la richiesta spontanea e irragionevole dei populisti radicali è stata quanto mai semplice: morte a tutti i funzionari!

Via quest'uomo, via! Parla latino![6]

Il radicalismo populista è anticlericale, antiprofessionale e antiintellettuale. In parte è così perché spesso i funzionari sono dei traditori della classe, uomini e donne di umili origini che servono gli interessi di chi è nobile di nascita. Ma l'ostilità è legata anche a quella che l'Amleto di Shakespeare chiama "insolenza della carica", cioè all'abituale pretesa dei funzionari di avere dei titoli al loro posto, nonché all'autorità e alla posizione che lo accompagnano, per il fatto di essere stati esaminati e quindi abilitati secondo criteri riconosciuti dalla società. Si sono conquistati la loro carica, e questa li distingue dai loro concittadini e li rende superiori.

Le forme più ragionevoli di populismo svolsero un ruolo importante prima nel pensiero protestante e poi in quello democratico e socialista. La rivendicazione luterana del sacerdozio universale dei credenti ha avuto in pratica un equivalente per ogni tipo di carica. Così ci sono stati i ripetuti tentativi rivoluzionari di semplificare il linguaggio giuridico affinché ogni cittadino potesse diventare avvocato di se stesso; la proposta rousseauiana di un sistema di scuole pubbliche in cui a turno insegnino i cittadini comuni; la richiesta jacksoniana della rotazione delle cariche; la visione leninista di una società in cui "ogni persona alfabetizzata" sia anche un burocrate.[7] In tutti questi esempi la questione cruciale è che non solo il potere di distribuire cariche, ma anche semplicemente rivestire una carica, rappresenta un monopolio ingiustificabile. Anche se non è necessario uccidere i funzionari, bisogna almeno ripudiare le loro pretese qualifiche e prerogative. Basta col latino, dunque, e con ogni altra conoscenza arcana che rende misterioso e difficile rivestire una carica.

Ora, l'eguaglianza sociale esprime "esattamente" l'eguaglianza naturale, e cioè la capacità di ogni cittadino di partecipare all'attività sociale e politica in tutti i suoi aspetti. Presa alla lettera, tuttavia, questa partecipazione è possibile solo in società piccole, omogenee, economicamente semplici: l'esempio principe è l'antica Atene. Nelle società più complesse esiste una difficoltà caratteristica, ben espressa dal dibattito sul ruolo degli "esperti" e dei "rossi" nella Cina contemporanea.[8] Se si svaluta la conoscenza si ricade nell'ideologia; infatti nella gestione di un'economia moderna è necessario un qualche principio direttivo, un termine di riferimento canonico per la regolazione e la valutazione del lavoro. Se viene negata la legittimità al talento alla preparazione persino nella loro sfera, è probabile che lo zelo ideologico regni illegittimamente al di fuori della sua. Quando tutti sono funzionari, rivestire una carica non ha più lo stesso valore di prima e si apre così la strada alla tirannia del consigliere politico e del commissario.

La rotazione delle cariche può coesistere con un sistema di selezione professionale. L'esercito di leva moderno ne è un esempio lampante, e non è difficile immaginare soluzioni analoghe in molti altri settori della vita sociale. Ma come suggerisce questo esempio, è difficile fare del tutto a meno della selezione. Gli antichi ateniesi eleggevano i generali perché pensavano che nel loro caso fosse necessario essere qualificati e non fosse appropriata un'estrazione a sorte. E quando Napoleone disse che ogni soldato portava un bastone di maresciallo nello zaino, non voleva dire che qualsiasi soldato avrebbe potuto essere maresciallo. Le cariche che richiedono una lunga preparazione o particolari doti di comando non possono essere universalizzate da un giorno all'altro; le cariche poco numerose possono essere condivise solo da un numero limitato di persone, e spesso la rotazione dei titolari sarebbe catastrofica per la vita privata e anche per l'attività economica. Anche se la rigida gerarchia dell'ospedale moderno viene infranta non tutti possono essere direttori d'ospedale, soprattutto, non tutti possono essere medici. Anche se una fabbrica è gestita democraticamente, non tutti possono essere ingegneri capo e, soprattutto, non tutti possono lavorare nelle fabbriche più gradevoli o più in attivo.

Contro entrambe le forme di eguaglianza semplice, voglio difendere un insieme di assetti sociali ed economici più complicato. Un impiego pubblico universale non farebbe che sostituire la dominanza del potere privato con quella del potere statale e, di conseguenza, con la dominanza del talento, dell'istruzione o di qualsiasi altra qualità i funzionari dello stato considerino un requisito per le cariche pubbliche. Il problema è di contenere l'universalizzazione delle cariche, di prestare maggiore attenzione alla realtà e al significato sociale di un impiego, di tracciare un confine (che dovrà essere diverso in culture diverse) fra quei processi di selezione che la comunità politica dovrebbe controllare e quelli che dovrebbe lasciare gestire a privati o a corpi collegiali. La rotazione funzionerà, anche qui, solo per alcune cariche e non per altre, ed estenderla al di là dei suoi limiti può solo essere una frode, una mascheratura di nuovi tipi di dominio. Il problema non è rompere il monopolio delle persone qualificate, ma porre dei limiti alle loro prerogative. Quali che siano le qualità che decidiamo di esigere — la conoscenza del latino o la capacità di superare un esame, tenere una conferenza, calcolare perdite e profitti — dobbiamo far sì che non diventino il fondamento di pretese tiranniche al potere e al privilegio. I titolari di cariche dovrebbero attenersi strettamente alle finalità delle loro cariche. Come chiediamo che stiano al loro posto, così chiediamo l'umiltà. Se questi due requisiti fossero intesi correttamente e fatti valere, la distribuzione delle cariche potrebbe occupare meno spazio nel pensiero egualitario di quanto avvenga oggi.

La meritocrazia

Ma i processi selettivi, per esempio per l'ammissione a una scuola di medicina o per l'assunzione in una data fabbrica, e poi per tutti gli incarichi e le promozioni successive, continueranno ad essere importanti, ed è necessario considerarli attentamente e dettagliatamente. È mia intenzione difendere un sistema di selezione misto, ma per cominciare mi concentrerò sui criteri e le procedure che potrebbero valere in un impiego pubblico universale; e cioè farò mio l'argomento sulla meritocrazia. Questo è l'argomento cruciale in ogni comunità politica nella quale l'idea di carica abbia attecchito, come è accaduto negli Stati Uniti, non solo nella chiesa e nello stato ma anche nella società civile. Si assuma dunque che ogni lavoro sia una carica, che la distribuzione sia in mano in ultima istanza alla comunità politica nel suo insieme e che ogni membro abbia diritto alla "equa eguaglianza di opportunità". Come dovrebbero configurarsi i processi distributivi? Dovrei subito mettere in rilievo che esistono posizioni e impieghi che non rientrano propriamente nell'ambito del controllo politico, ma sarà più facile vedere quali sono dopo che avrò descritto la logica interna (sociale e morale) della distribuzione delle cariche.

Il principio che sottostà all'idea della meritocrazia nella mente di quasi tutti i suoi sostenitori è che le cariche devono essere rivestite dalle persone più qualificate, perché la qualifica è un caso particolare di merito. Una persona può meritare o no le sue qualità, ma merita il posto al quale queste qualità la rendono idonea. L'abolizione della discrezionalità privata ha proprio lo scopo di distribuire le cariche secondo il merito (talento e così via).[9] Ma in realtà la questione è più complicata di quanto facciano pensare queste formulazioni. Per molte cariche si richiedono solo qualifiche minime e perciò sono moltissimi i candidati che possono svolgere quei lavori perfettamente, e nessun ulteriore tirocinio li metterebbe in grado di svolgerli meglio. In questi casi equità vorrebbe che le cariche fossero distribuite fra i candidati qualificati sulla base del "primo arrivato, primo servito" (o per estrazione a sorte); ma allora il termine *merito* è sicuramente troppo forte per indicare il rapporto tra il funzionario e il suo posto. Per altre cariche, però, non ci sono limiti precisi alla preparazione e alla capacità richieste, e in questi casi potrebbe aver senso dire che, sebbene diversi candidati siano qualificati, soltanto i più qualificati meritano il posto. Il merito non sembra essere relativo come lo è la qualifica, ma il verso di Dryden insinua che potrebbero esservi individui meritevoli che però non meritano nessuna carica, così come ci sono individui qualificati che devono cedere il passo ai più qualificati.

Ma a questa argomentazione sfugge una differenza molto importante fra il merito e la qualifica. I due termini hanno indubbiamente un significato ambiguo, e spesso li usiamo in modi che si sovrappongono; ma penso che sia possibile distinguerli facendo riferimento a determinati processi selettivi e determinati beni sociali. Mentre il *merito* comporta aver diritto in un senso molto preciso, tale che il diritto procede e determina la selezione, l'idea di *qualifica* è molto più vaga. Un premio, per esempio, può essere meritato perché appartiene già alla persona che è stata più brava: occorre soltanto identificarla. I comitati che assegnano premi somigliano alle giurie in quanto guardano all'indietro e mirano a una decisione obiettiva. Una carica, invece, non può essere meritata perché appartiene alle persone di cui è al servizio, e queste, o i loro agenti, sono libere (entro limiti che preciserò più avanti) di fare le scelte che preferiscono. I comitati di ricerca sono diversi dalle giurie in quanto i loro membri non guardano solo indietro ma anche in avanti: cercano di prevedere le prestazioni future del candidato ed esprimono delle preferenze sul modo di ricoprire la carica.

L'attribuzione delle cariche rientra fra questi due estremi. Nel prossimo paragrafo sosterrò che quando si assegnano cariche tutti i cittadini, o tutti i cittadini con un minimo di preparazione o capacità, hanno il diritto di essere presi in considerazione. Ma la competizione per una carica determinata è tale che nessuna persona in particolare merita (o ha il diritto) di vincere. Se una persona non viene scelta, quali che siano le sue qualifiche, non subisce un'ingiustizia (non voglio dire che nessuna ingiustizia possa esserle fatta, ma solo che il fatto di non averla scelta non è di per sé ingiusto). Se qualcuno viene scelto non per le sue qualifiche ma per la sua origine nobile o perché ha corrotto i membri del comitato di selezione, allora certamente diremo che non merita quella carica e che tutti gli altri candidati sono stati trattati iniquamente. E se è stato scelto un buon candidato diremo presumibilmente che merita il posto. Ma in quest'ultimo caso è probabile che anche un certo numero di altre persone lo meritino e che nessuna lo meriti *davvero*. Una carica non è fatta su misura per una persona al modo di una sentenza. Se assumiamo che la selezione sia stata onesta, nessuno può lagnarsi di essere stato trattato iniquamente — nemmeno se dal punto di vista della carica stessa e delle persone che ne dipendono è stato scelto il candidato sbagliato. Questo è più evidente nel caso delle cariche elettive, ma l'argomento vale per tutte salvo quelle puramente onorarie, che sono esattamente come premi. (E se nelle nostre considerazioni sui vari candidati si insinua la nozione di merito ciò è probabilmente perché tutte le cariche sono in parte onorarie.)

Il contrasto fra premi e cariche e fra merito e qualifica può essere acuito se consideriamo due casi ipotetici, benché non atipici. (1) X ha scritto quello che si ritiene generalmente il miglior romanzo del 1980; ma un gruppo di persone che propugnano uno stile più sperimentale di quello di X, convince i membri della giuria ad assegnare il premio del romanzo dell'anno a Y, che ha scritto un romanzo meno bello ma nello stile preferito. Benché concordino sui meriti relativi dei due libri, agiscono così per incoraggiare la letteratura sperimentale. Questa può essere o meno una buona cosa da fare ma comunque hanno trattato X iniquamente. (2) X è il candidato più qualificato alla direzione di un ospedale, perché possiede più di chiunque altro quel talento manageriale che si ritiene generalmente indispensabile per quella carica. Ma un gruppo di persone che vogliono dare all'ospedale una certa impostazione convince i membri della commissione selezionatrice a scegliere Y, che condivide le loro intenzioni. I loro programmi per l'ospedale possono essere giusti o sbagliati, ma non hanno trattato X iniquamente.

Se non avessi postulato quel "si ritiene generalmente", questi due casi potrebbero sembrare meno diversi. Se considerassimo controverse le nozioni di merito e qualifica (come realmente sono), potrebbe essere plausibile dire che il premio e il posto dovrebbero spettare alle persone che meglio corrispondono alle definizioni che risultano alla fine. Tuttavia i membri della giuria dovrebbero comunque astenersi dall'inserire nella definizione di merito il loro personale programma letterario, mentre i membri della commissione selezionatrice, nel discutere della qualifica, non sono tenuti ad autolimitazioni analoghe. Perciò sarà legittimo lamentarsi di come è stato assegnato un premio letterario, se il processo è stato apertamente politicizzato — anche se la politica in questo caso è "letteraria". Ma in circostanze analoghe non sono legittime lamentele sulla scelta di un funzionario (a meno che la scelta sia stata fatta sulla base di ragioni politiche non pertinenti, come quando si assumono, per esempio, direttori di uffici postali per la loro fedeltà a un partito e non per come pensano vada gestito un ufficio postale). La giuria, proprio perché guarda indietro, deve rispecchiare quello che è meglio secondo una tradizione comune di critica letteraria; la commissione selezionatrice è invece un momento di un processo di definizione politica o professionale.

Tuttavia la distinzione che ho cercato di elaborare sembra venir meno in tutti quei casi in cui distribuiamo cariche sulla base di risultati di esami. Senza dubbio il titolo, per esempio, di "dottore in medicina" spetta a tutte quelle persone che raggiungono un certo punteggio. L'esame non fa che determinare quante e quali sono queste persone. E allora deve essere vero che chiunque s'impegni nello studio, assimili il materiale necessario e superi l'esame merita di essere dottore e sarebbe ingiusto negargli il titolo. Non sarebbe ingiusto invece negargli un internato o un posto di ruolo in un determinato ospedale. La commissione selezionatrice di quell'ospedale non è tenuta a scegliere il candidato coi voti più alti; non guarda solo all'indietro, ai suoi esami, ma anche in avanti, alle future prestazioni. Né è ingiusto che uomini o donne si rifiutino di consultare quel medico sui loro problemi di salute. Il suo titolo lo qualifica solo a cercare un posto e una clientela, ma non gli dà diritto a nessuno dei due. L'esame per conseguire il titolo è importante, ma non è l'unica cosa importante, e proprio per questo gli assegniamo l'importanza che ha. Se le cariche, con tutta la loro autorità e le loro prerogative, si potessero meritare, saremmo schiavi del merito e non potremmo riservarci, come invece facciamo, uno spazio per la scelta. Come membri del personale di un ospedale (responsabili verso un comitato direttivo che rappresenta, almeno in teoria, l'intera comunità) scegliamo i nostri colleghi; come individui che agiscono nel mercato, scegliamo i nostri consulenti professionali. In entrambi i casi la scelta appartiene a chi sceglie in un modo diverso da come il verdetto appartiene ai membri di una giuria.

Lo stesso titolo di "dottore", pur essendo simile a un premio in quanto può essere meritato, è diverso in quanto non può essere meritato una volta per tutte. Un premio si dà per una prestazione, e poiché questa, una volta fatta, rimane, il premio non può essere tolto. La scoperta successiva di una frode, potrebbe disonorare il vincitore; ma finché regge la prestazione, regge anche l'onore, qualsiasi cosa accada in seguito. Al contrario, i titoli professionali sono soggetti a una continua verifica pubblica, e riferirsi ai voti dell'esame con cui si è ottenuto il titolo non serve a niente se le prestazioni successive non sono all'altezza degli standard pubblicamente riconosciuti. Certo, la revoca della qualifica comporta un procedimento giudiziario o semigiudiziario, e saremmo propensi a dire che solo gli individui "meritevoli" possono essere privati giustamente della qualifica. E anche in questo caso la rimozione da una carica determinata è una faccenda diversa, perché i procedimenti possono avere, e in genere hanno, un carattere politico e il merito non è necessariamente preso in considerazione. Per alcune cariche esistono procedure e giudiziarie e politiche: il presidente degli Stati Uniti, per esempio, può essere deposto oppure sconfitto in una rielezione. Si presume che possa essere deposto solo se lo merita, mentre può essere sconfitto che se lo meriti o no. La regola generale è che sia i titoli sia le cariche sono sotto controllo: i primi per quanto riguarda questioni di merito, le seconde per quanto riguarda qualsiasi questione che abbia interesse per gli uomini e le donne interessati.

Se considerassimo tutte le cariche come dei premi, e distribuissimo (e ridistribuissimo) titoli e posti particolari sulla base del merito, la struttura sociale risultante sarebbe una meritocrazia. Questo tipo di distribuzione, con questo nome, viene spesso sostenuto da persone che secondo me vogliono solo garantire che i qualificati siano presi in considerazione, e non che i meritevoli abbiano le cariche. Ma assumendo l'esistenza di persone che vogliono instaurare una meritocrazia rigorosa, vale la pena di soffermarsi a esaminare le virtù filosofiche e pratiche di questa idea. Il solo modo di stabilire una meritocrazia è di richiamarsi esclusivamente al passato dei candidati. Di qui la stretta connessione fra meritocrazia ed esami, in quanto l'esame fornisce un riscontro semplice e obiettivo. Un pubblico impiego universale esige un esame universale di ammissione. Non è mai esistita una cosa del genere, ma c'è un esempio che le si avvicina abbastanza da risultare utile.

Il sistema cinese degli esami

Per circa tredici secoli il governo cinese reclutò i suoi funzionari attraverso un complicato sistema di esami. Questo sistema riguardava soltanto il servizio imperiale mentre nella società civile vigeva il principio del *laissez faire*, cioè non c'erano esami per diventare mercanti, medici, ingegneri, astronomi, musicisti, erboristi, specialisti dell'arte divinatoria e così via. Il solo motivo di partecipare a quella che uno studioso ha chiamato "una vita di esami" era di assicurarsi un impiego pubblico.[11] Le cariche, però, erano di gran lunga la fonte di prestigio sociale più importante nella Cina postfeudale. Anche se il potere del denaro crebbe durante i tredici secoli del sistema degli esami, e anche se durante quel periodo era spesso possibile comprare le cariche, avere una posizione elevata era decisamente associato al fatto di avere voti elevati. La Cina era governata da una classe di professionisti, ed ogni membro di questa classe portava con sé un certificato di merito.

Dal punto di vista dell'imperatore gli esami avevano in primo luogo lo scopo di spezzare l'aristocrazia ereditaria e in secondo luogo quello di accaparrare allo stato i talenti. "Gli uomini che al mondo hanno ambizioni insolite sono intrappolati nella mia borsa!" esclamò compiaciuto l'imperatore T'ai-tsung (627-649) osservando una processione degli ultimi diplomati.[12] Ma la trappola non avrebbe funzionato se per i sudditi dell'imperatore non ci fosse stata eguaglianza di opportunità, o qualcosa di simile. Così il governo lottò (sempre con risorse inadeguate) per realizzare, parallelamente agli esami, un sistema di scuole pubbliche e borse di studio, e prese ogni precauzione per evitare imbrogli e favoritismi. Il sistema scolastico non fu mai completato e le precauzioni non funzionarono mai del tutto; ma i figli di contadini, gli Horatio Algers dell'antica Cina, riuscivano davvero a salire la "scala del successo", e la valutazione era molto equa, almeno prima della decadenza del sistema, nel diciannovesimo secolo. In alcuni casi rimasti famosi, gli esaminatori che cercavano di favorire i propri parenti furono messi a morte — una punizione del nepotismo che non ha uguali in Occidente. E anche il conseguente grado di mobilità sociale probabilmente non ha uguali in Occidente, nemmeno nell'epoca moderna. Una famiglia potente ed eminente non poteva sopravvivere a una, o due generazioni di figli inetti.[13]

Ma il sistema cinese era davvero meritocratico? Le cariche erano rivestite da chi "più le meritava"? Sarebbe difficile costruire un insieme di assetti che abbia più probabilità di produrre una meritocrazia, eppure la storia degli esami serve solo a illustrare che questo termine non ha significato. In un primo periodo (dinastia T'ang) gli esami erano integrati e a volte sostituiti da un sistema preesistente per il quale i funzionari locali dovevano raccomandare uomini di merito per il servizio governativo. Si presumeva che i funzionari tenessero conto di un elenco di una sessantina di "meriti", "concernenti grosso modo le qualità morali, la preparazione letteraria, le capacità amministrative e la conoscenza delle questioni militari".[14] Ma per dettagliato che fosse l'elenco, le raccomandazioni erano inevitabilmente soggettive e troppo spesso i funzionari in realtà raccomandavano amici e parenti ai superiori. E così l'imperatore non aveva come funzionari quei giovani brillanti e ambiziosi che avrebbe voluto; raramente i poveri erano raccomandati. A poco a poco, dopo un certo periodo, il sistema degli esami emerse come la via maestra, e praticamente l'unica via, della selezione e della promozione nell'apparato burocratico. Era il sistema più obiettivo e più equo. Ma si dovettero lasciar perdere i sessanta "meriti" perché con gli esami si poteva verificare solo una gamma molto più limitata di talenti e capacità.

Qui non mi è possibile descrivere nei particolari l'evoluzione successiva degli esami. In origine erano stati concepiti per verificare la conoscenza dei classici del confucianesimo da parte dei candidati e soprattutto la loro capacità di pensare "confucianamente". Le condizioni della prova erano sempre quelle tipiche di un esame di massa, in cui la tensione è accresciuta dalla posta in gioco. Chiusi in una stanzetta con una piccola provvista di cibo, i candidati scrivevano saggi elaborati e poesie sui testi classici e anche su problemi filosofici e politici del momento.[15] Ma per via di una sorta di collaborazione tra candidati ed esaminatori, l'esame lentamente diventò una routine e questo comportò l'eliminazione delle questioni più speculative. Gli esaminatori attribuivano invece sempre più importanza all'apprendimento mnemonico, alla filologia e alla calligrafia, mentre i candidati pensavano di più alle domande degli esami precedenti che al significato degli antichi libri. Ciò che veniva messo alla prova era, sempre di più, la capacità di affrontare una prova. E se non c'è dubbio che tale capacità fosse accuratamente esaminata, non è chiaro quale significato si debba attribuire a un esito positivo dell'esame. "Il talento", scrisse il romanziere satirico Wu Ching-tzu, "si conquista nel corso della preparazione all'esame. Se Confucio fosse fra noi, si dedicherebbe alla preparazione all'esame. In che altro modo si potrebbe ottenere una carica?"[16] È come dire che se Hobbes vivesse oggi, probabilmente otterrebbe una cattedra a Harvard. Certo, ma scriverebbe il *Leviatano*?

Nel momento in cui l'esame diventa il mezzo principale di ascesa sociale è probabilmente inevitabile che la "vita di esami" prenda il posto della vita intellettuale. E una volta accaduto questo, non è più sicuro che la borsa dell'imperatore sia piena di talenti: "Il punto non è che il sistema degli esami può rivelare un talento straordinario", scrisse un critico nell'Ottocento, "ma che a volte dal sistema degli esami emerga un talento straordinario".[17] Ma si potrebbe benissimo dire qualcosa di simile anche delle prime fasi del sistema. Dopo tutto c'è un'ampia gamma di capacità umane — spesso pertinenti, per esempio, per l'amministrazione delle province — che lo studio dei classici confuciani non permette di verificare. Potrebbe addirittura esserci una conoscenza intuitiva e profonda del confucianesimo che non si può verificare con un esame scritto. Tutte le prove di questo tipo sono convenzionali, e solo nell'ambito della convenzione si può dire che i candidati vittoriosi meritano il grado conseguito e che il governo che questi formeranno costituisce una meritocrazia.

In realtà i candidati prescelti non prendevano possesso automaticamente di una carica. Gli esami generavano una riserva di funzionari potenziali sulla quale un Consiglio degli Incarichi Civili — un comitato di ricerca permanente — operava una selezione, forse tenendo presente un sottoinsieme dei sessanta "meriti" o discutendo quali "meriti" fossero i più necessari in un certo momento. Perciò non si può dire che chi superava l'esame meritava di avere una carica, ma solo che aveva il diritto di essere preso in considerazione per una serie di cariche. Qualsiasi altro sistema sarebbe stato irrimediabilmente rigido, non avrebbe permesso di giudicare capacità diverse da quella di sostenere un esame né di giudicare, più avanti, il rendimento sul lavoro. Ma tutti questi giudizi erano particolaristici e politici; non avevano nulla dell'obiettività dei punteggi d'esame; e a volte intenzionalmente e a volte no, ma certamente persone in un qualche senso meritevoli saranno state messe da parte. E, analogamente, persone meritevoli qualche volta saranno state respinte. Con questo non voglio dire che queste persone meritavano una carica; così sostituirei il mio giudizio a quello dei funzionari responsabili, e io non ho alcuna intuizione particolare sul significato generale o universale del merito che non avessero anche loro.

Nella sfera della carica il lavoro svolto dalla commissione è cruciale. Oggi questo lavoro è sempre più soggetto a vincoli legali che mirano ad assicurarne l'equità e qualcosa di simile all'obiettività: uguale considerazione per candidati ugualmente preparati. Sono in pochi a sostenere che bisogna fare del tutto a meno delle commissioni, sottoporre tutti i candidati allo stesso esame (non potranno mai avere lo stesso colloquio) e attribuire automaticamente una carica ai candidati che ottengono un certo voto; per via del suo carattere rappresentantivo la commissione è la soluzione più appropriata. Non è in gioco, dopo tutto, una carica astratta, ma questo posto, in questo momento, in questa organizzazione o agenzia, dove lavorano già queste altre persone e si dibattono questi problemi. La commissione rispecchia il tempo ed il luogo, parla per altre persone, ed è essa stessa teatro di un continuo dibattito. La scelta che compie, per quanto vincolata da certi criteri universali, è essenzialmente particolaristica. I candidati non sono soltanto idonei o non idonei in generale, ma sono anche idonei o non idonei, rispetto al posto che vogliono occupare. E quest'ultimo punto è un fatto da giudicare, per cui ci deve essere un gruppo di giudici che ne discutano fra di loro. Come vedremo, certe misure dell'idoneità, nel senso di "adeguatezza", sono escluse; ma l'elenco delle qualità pertinenti è sempre lungo (come nel caso dei sessanta "meriti"), e nessun candidato le possiede tutte al massimo grado. Alla particolarità della carica corrisponde la particolarità dei candidati, uomini e donne con forze e debolezze molto diverse. Anche se si credesse nel fatto di scegliere fra la massa la sola persona meritevole (o la "più meritevole"), non ci sarebbe modo di identificarla. I membri della commissione selezionatrice avrebbero idee diverse sia sull'equilibrio giusto fra forze e debolezze sia sull'equilibrio reale in una persona determinata. E anche qui comincerebbero col dare giudizi e finirebbero col votare.

I sostenitori della meritocrazia hanno in mente una meta semplice ma di vasta portata: un posto per ogni persona e ogni persona al posto giusto. Una volta si pensava che Dio collaborasse a questa impresa; oggi, invece, si richiede l'intervento dello stato.

> Poiché vi son dei grandi, i grandi uffici
> Andranno ai gran talenti. A ognuno Dio
> Carattere, virtù, intelletto, gusto
> Dà che lo innalzi o lo sprofondi al luogo
> Che è per lui predisposto.[18]

Ma questa è una concezione mitica dell'ordine sociale, alla quale sfugge del tutto il nostro modo complesso di intendere e le persone e i posti. In base ad essa, date tutte le informazioni, in linea di principio, ogni selezione dovrebbe essere unanime, e dovrebbe essere approvata non solo dalla commissione selezionatrice e dai candidati prescelti, ma anche dai candidati scartati — proprio come nel caso delle decisioni giudiziarie in cui anche i criminali condannati dovrebbero essere in grado di riconoscere di avere avuto quello che meritavano. Ma in realtà le selezioni non sono e non è pensabile che siano così, a meno di immaginare un mondo in cui le prestazioni future dei candidati si possano non solo predire ma effettivamente prevedere, confrontando la conoscenza fattuale con la conoscenza controfattuale degli anni a venire. Ho il sospetto che anche in questo caso le discussioni dei comitati di ricerca sarebbero diverse da quelle delle giurie, ma sarebbe più difficile da precisare l'esatta natura della differenza.

Il significato della qualifica

Non esiste nulla che possa dirsi, propriamente, meritocrazia. Si devono sempre fare scelte determinate fra "meriti" possibili o, più esattamente, fra tutte le qualità umane, e poi fra individui relativamente qualificati. Non c'è modo di evitare queste scelte perché nessuno può rivendicare una carica o averne diritto *a priori*, né esiste un'unica qualità o un ordine obiettivo di qualità in base a cui operare una selezione imparziale. Chiamando "carica" un lavoro si vuol soltanto dire che l'autorità discrezionale è stata politicizzata, non che è stata abolita. Tuttavia è necessario stabilire certi vincoli anche sull'autorità delle commissioni rappresentative, distinguendo così la sfera della carica da quella politica. Le commissioni sono vincolate in due sensi: devono tenere in uguale considerazione tutti i candidati qualificati e devono tener conto solo delle qualità pertinenti. I due vincoli si sovrappongono perché l'idea di pertinenza c'entra con la nostra concezione di uguale considerazione; ma li esaminerò uno alla volta.

La cittadinanza è la prima carica, il "posto" sociale e politico cruciale e la condizione necessaria di tutto il resto. I confini della comunità politica sono anche i limiti del processo di politicizzazione. I non cittadini non hanno il diritto di candidatura e non beneficiano delle salvaguardie procedurali del principio di "uguale considerazione". Non è necessario pubblicizzare i posti di lavoro sui giornali stranieri; per assumere non occorre avventurarsi oltre confine; non c'è bisogno di fissare scadenze riguardo alla posta internazionale. Può essere stupido non prendere in considerazione gli stranieri per certe cariche ("l'esempio più lampante è quello delle cattedre universitarie, e qui potremmo anche sentirci obbligati a riconoscere l'appartenenza alla "repubblica delle lettere"), ma questa esclusione non è una violazione dei loro diritti. Il diritto ad esser tenuti in uguale considerazione, come quello a un'"equa parte" di assistenza e sicurezza, si pone solo nel contesto di una vita politica comune; è una delle cose che i membri si devono reciprocamente.

Poiché fra cittadini il principio dell'uguale considerazione vale in ogni fase della selezione, non solo fra i candidati alla carica, ma anche fra i candidati alla preparazione, esso non vincola soltanto questa particolare commissione selezionatrice, ma tutte le commissioni e tutte quelle decisioni che a poco a poco restringono il gruppo dei candidati qualificati. Immaginiamo un bambino di cinque anni capace di porsi degli obiettivi a lungo termine, di dare forma a un progetto, di decidere, poniamo, che vuole diventare dottore: dovrebbe avere all'incirca le stesse probabilità di ricevere l'istruzione necessaria e di conquistare il posto desiderato di qualsiasi altro bambino con ambizioni analoghe, intelligenza analoga e analoga sensibilità ai bisogni degli altri. Qui non cercherò di precisare — sarà l'argomento di un altro capitolo — quali strutture scolastiche sarebbero necessarie per questa eguaglianza, ma voglio invece mettere in chiaro che sarà sempre un'eguaglianza approssimativa. La pretesa che ogni cittadino abbia esattamente la stessa parte di opportunità disponibili non ha molto senso, e non solo perché non è prevedibile l'effetto di una particolare scuola o di un particolare insegnante su di un particolare studente, ma anche perché è inevitabile che persone diverse saranno collocate in gruppi di aspiranti diversi. Si può assicurare l'eguaglianza semplice solo all'interno di un singolo gruppo, in un singolo momento e in un singolo posto; invece gruppi di aspiranti si differenziano radicalmente nel tempo, e cambiano le concezioni della carica. Così, una persona che l'anno scorso sarebbe stata ben qualificata per un determinato posto, quest'anno non si distingue fra la folla, oppure le sue qualità non sono più quelle che la commissione selezionatrice considera più importanti. "Eguale considerazione" non significa che le condizioni della competizione devono essere mantenute costanti per tutti, ma solo che, quali che siano tali condizioni, si devono considerare le qualità di ognuno.

In realtà qui il problema non verte semplicemente sulle qualità, ma sulle qualifiche, che sono delle qualità specifiche, o pertinenti a una particolare carica. È ovvio che la pertinenza è sempre materia di dibattito, e che l'ambito del dissenso accettabile è vasto, ma poiché ci sono questioni che non devono entrare nella discussione della commissione selezionatrice, anch'esso ha i suoi limiti. Se non ci fossero limiti, l'idea di "eguale considerazione" crollerebbe; infatti dicendo che tutti i candidati dovrebbero essere presi in considerazione vogliamo intendere che dovrebbero tutti avere (all'incirca) le stesse possibilità di presentare le proprie credenziali e di sostenere come meglio possono gli argomenti in loro favore, vale a dire che possono fare quel lavoro e farlo bene. Per sostenerli devono avere la possibilità di farsi un'idea di che cosa significhi farlo bene, delle capacità necessarie, degli atteggiamenti e dei valori appropriati e così via. Se vengono accettati o respinti per ragioni che non hanno niente a che fare con tutto questo, allora non si può dire che si sia tenuto conto delle loro qualifiche. Se non fossimo in grado di distinguere le qualifiche dalle qualità non sapremmo mai se le persone hanno avuto una possibilità di qualificarsi. Né sarebbe possibile che una persona, per esempio il bambino di cinque anni, di cui sopra, si ponesse delle mete e si impegnasse in modo razionale per raggiungerli.

Invece sappiamo, almeno in termini generali, quali qualità sono pertinenti, poiché tali qualità sono inerenti alla pratica, astratta dall'esperienza, di rivestire una carica. Le commissioni selezionatrici sono tenute a cercare tali qualità — tenute cioè a cercare candidati qualificati, non solo per essere equi verso i candidati, ma anche nell'interesse di tutti coloro che dipendono dal lavoro di funzionari qualificati. Anche la loro dipendenza va tenuta in considerazione, ma non necessariamente le loro preferenze in materia di qualità o candidati. Il diritto ad essere ugualmente considerati funziona come ogni altro diritto ponendo dei limiti all'affermazione delle preferenze popolari. Ma limitatamente alle qualità pertinenti, o alla discussione legittima sulla pertinenza, le preferenze popolari dovrebbero contare e dovremmo esigere che siano rappresentate nella commissione selezionatrice.

Per capire quale sia l'ambito della pertinenza la cosa migliore è considerare tutto ciò che ne è escluso, ovvero le capacità che non saranno usate nel lavoro, i fattori personali che non influiranno sulle prestazioni, le affiliazioni politiche e le appartenenze a gruppi oltre a quello dei cittadini. Non chiediamo ai candidati a una carica di saltare attraverso un cerchio come i lillipuziani di Swift. Non escludiamo gli uomini e le donne che hanno i capelli rossi o cui piacciono film scadenti o il pattinaggio sul ghiaccio. I rotariani, gli avventisti del settimo giorno, i trozkisti, i membri di lunga data del partito vegetariano, gli immigranti dalla Norvegia, dalla Bessarabia, dalle isole dei mari del sud, nessuno di costoro è escluso dalle cariche. Ma questi sono casi facili. In realtà tutte e tre le categorie — capacità, fattori, identità — sono problematiche. Per esempio, è chiaro che il sistema cinese degli esami metteva alla prova, almeno nell'ultimo periodo, capacità che nel migliore dei casi erano solo marginalmente pertinenti alle cariche in palio. E lo stesso si può dire, sicuramente, di molti concorsi pubblici di oggi, che sono soltanto dei modi convenzionali di ridurre il gruppo degli aspiranti; ma se i candidati hanno eguali possibilità di preparavisi, tali concorsi non sono necessariamente contestabili. Ma nella misura in cui essi precludono la possibilità di promozioni ai livelli superiori sulla base dell'esperienza e del rendimento, dovrebbero essere avversate, perché quello che vogliamo è il miglior rendimento possibile sul lavoro, non all'esame.

Ci sono alcuni fattori personali che sollevano difficoltà maggiori. Prendiamo, per esempio, l'età. Per la maggior parte delle cariche l'età del candidato non ci dice niente su come lavorerà, ma ci dice per quanto tempo, all'incirca, lavorerà. Questa è una considerazione pertinente? Senza dubbio gli esseri umani dovrebbero poter cambiare non solo lavoro ma anche carriera, rifarsi una preparazione e ricominciare daccapo nella mezza età. La coerenza nel perseguire una carica non è sempre una qualità da ammirare. Tuttavia, è facile che nel caso di organizzazioni fondate su un impegno a lungo termine o di impieghi che richiedono un lungo apprendistato sul posto siano svantaggiati i candidati più anziani. Forse si dovrebbe mettere sull'altro piatto della bilancia la loro maturità, nonostante i candidati più giovani lamentino di non aver avuto la stessa possibilità di maturare. L'idea di mettere su un piatto la durata del servizio e sull'altro la maturità dimostra efficacemente quanto siamo lontani dai giudizi circa il merito e quanto invece siamo impegnati in controversie sulla pertinenza.

Le controversie più profonde, che creano le maggiori divisioni, riguardano l'importanza dei legami, dell'affiliazione e dell'appartenenza. L'idea di carica che ho descritto prese forma, inizialmente, proprio in riferimento a queste cose. La prima qualità ad essere dichiarata non pertinente per il conferimento di una carica fu l'esistenza di un legame familiare con la persona che la conferiva. Non che il nepotismo non sia comune nella sfera della carica, ma è comunemente considerato una forma di corruzione. È una forma (relativamente secondaria) di tirannia dire che poiché il tale è mio parente, deve esercitare le prerogative della carica. Ma nello stesso tempo, le campagne ricorrenti contro il nepotismo dimostrano quanto è problematica l'idea di pertinenza e quanto è difficile da applicare.

Cosa c'è di male nel nepotismo?

In origine questo termine si riferiva alla pratica di certi papi e vescovi di assegnare cariche ai propri nipoti (o figli illegittimi) nel tentativo di avere, come i funzionari feudali, degli eredi e non soltanto dei successori. Poiché uno degli scopi del celibato ecclesiastico era quello di rendere indipendente la chiesa dal sistema feudale e di assicurarsi una successione di persone qualificate, tale pratica venne giudicata peccaminosa molto presto.[19] La condanna era talmente rigida (benché nel periodo feudale raramente fosse possibile renderla operante) che portò a escludere tutte le nomine di parenti, anche se possedevano tutte le qualità pertinenti, da parte sia di funzionari ecclesiastici sia di patroni laici. Molto tempo dopo accadde la stessa cosa nell'ambito della politica, dove l'argomento fu esteso in genere, sia pure con un'attenuazione del senso di "peccato", dai parenti agli amici. A volte l'esclusione dei parenti è diventata una legge, per esempio in Norvegia, dove è illegale che due membri della stessa famiglia siano nello stesso governo. Anche nella vita accademica è stato vietato, spesso, ai dipartimenti universitari di assumere i parenti (ma non gli amici) dei membri. L'idea di base è che è improbabile che in simili decisioni si facciano valere criteri obiettivi. E questo è probabilmente vero; tuttavia un divieto assoluto non sembra equo. Abbiamo bisogno di una procedura di assunzione che non tenga conto dei legami familiari e non di una procedura che squalifichi tutti i membri della famiglia.

Qualche volta, però, non si può non tener conto di tali legami. Nel caso di certe cariche politiche, per esempio, si presume che i funzionari scelgano come colleghi uomini e donne sui quali possono contare, che sono loro amici o compagni in un partito o movimento. Ma allora perché non i parenti, se sono legati ai loro parenti? Può benissimo essere che la fiducia sia maggiore quando i legami sono di consanguineità, e l'esser degni di fiducia è una qualifica importante per una carica. Si potrebbe dire, dunque, che la legge norvegese è più rigida di quanto richieda il principio dell'uguale considerazione. Quando il presidente John F. Kennedy nominò suo fratello ministro della Giustizia questo fu senza dubbio un esempio di nepotismo, ma non del tipo che dovremmo preoccuparci di vietare. Robert Kennedy era sufficientemente qualificato, e il legame col fratello lo avrebbe probabilmente aiutato a svolgere il suo lavoro. Tuttavia questa permissività ha dei limiti. Possiamo vederne le difficoltà se consideriamo la richiesta di vari gruppi razziali, etnici e religiosi di avere i propri funzionari, scelti fra i propri membri. Qui abbiamo una sorta di nepotismo collettivo che causerebbe una radicale limitazione dei diritti di candidatura.

Può accadere, ancora una volta, che per certe cariche (ad esempio, in certe zone di una città) siano indispensabili persone che abbiano la stessa identità razziale o etnica dei residenti, parlino la loro lingua, conoscano bene i loro costumi, e via dicendo. Può essere una questione di efficienza quotidiana, o addirittura, ad esempio per la polizia, di sicurezza fisica; e allora sarà legittimo che le commissioni selezionatrici cerchino le persone necessarie. Ma, in tal caso, suppongo che vorremmo limitare i modi nei quali l'appartenenza a un gruppo può contare come qualifica, più o meno come limitiamo i modi nei quali contano i rapporti di consanguineità e per ragioni analoghe. L'estensione della fiducia o della "amicizia" al di là della famiglia e della cittadinanza al di là della razza, dell'etnia e della religione è una conquista politica importante, e uno dei suoi scopi principali è proprio quello di garantire alle persone di talento la possibilità della carriera, ovvero i diritti di candidatura a tutti i cittadini.

Potremmo decidere di accontentarci di questa conquista, ma il problema se l'appartenenza a un gruppo debba contare come qualifica a una carica è complicato dal fatto che molto spesso ha contato come qualifica negativa. Uomini e donne sono stati discriminati nella distribuzione delle cariche a causa della loro appartenenza, e non per ragioni che avessero a che fare con le loro qualifiche individuali. Per questo si sente dire che, per amore della giustizia e per riparare al torto, ora si dovrebbero fare delle discriminazioni a loro favore e addirittura riservare un certo numero di cariche esclusivamente per loro. Questa tesi è così centrale nel dibattito politico contemporaneo che dovrò dilungarmi nell'esaminarla. Nient'altro mette alla prova tanto puntualmente il significato del principio di uguale considerazione.

Riservare le cariche

La questione politica cruciale è se sia giusto introdurre quote o riservare cariche per le quali sia una qualifica necessaria, benché presumibilmente non sufficiente, l'appartenenza a un certo gruppo.[20] In linea di principio tutte le cariche, come ho già dimostrato, sono riservate o potenzialmente riservate ai membri della comunità politica, e ogni tentativo di riservarle ad altri scopi è o dovrebbe essere problematico. Per il momento preferisco rimandare la questione controversa se riservare cariche sia una forma di risarcimento e affrontare subito il problema se sia giustificabile in sé, come caratteristica permanente del sistema distributivo. Qualche volta, infatti, il fatto che in un gruppo ci sia un modello di distribuzione delle cariche diverso da quello di altri gruppi viene interpretato come un segno palese di discriminazione.[21] Certe cariche sono detenute in misura sproporzionata, poniamo, dagli appartenenti a una sola razza o da persone con un'origine etnica o un'affiliazione religiosa comune. Se la giustizia esige, o costituisce per necessità, un unico modello di distribuzione reiterato, si dovranno chiamare legislatori e giudici a ristabilire le giuste proporzioni. La distribuzione delle cariche prevalente nel gruppo più ricco o potente dovrà riprodursi in ogni altro gruppo. Quanto più la riproduzione sarà fedele, tanto più saremo sicuri che nessun candidato è svantaggiato per la sua appartenenza.

Il fatto che questo tipo di giustizia comporti una notevole coercizione potrebbe avere poca importanza, se la coercizione fosse un rimedio temporaneo e se il modello di distribuzione reiterato risultasse il prodotto naturale del principio di uguale considerazione. Ma nella misura in cui i gruppi costituenti la nostra società pluralistica sono realmente diversi, è probabile che non valga nessuna di queste condizioni. Infatti i modelli di distribuzione delle cariche non sono determinati soltanto dalle decisioni delle commissioni selezionatrici, ma anche da un gran numero di decisioni individuali, come prepararsi o non prepararsi, fare domanda o non fare domanda per questo o quel lavoro; e queste decisioni individuali sono determinate a loro volta dalla vita familiare, dalla socializzazione, dalla cultura di vicinato e così via. Una società pluralistica con tipi diversi di famiglie e di vicinati produrrà naturalmente una varietà di modelli. La giustizia come reiterazione non potrebbe essere che un ordine artificiale.

Questo non è ancora un argomento contro la reiterazione, ma soltanto una sua caratterizzazione. Noi interferiamo con i processi naturali, cioè spontanei e non coatti, in molti momenti della nostra vita sociale (per esempio, la distribuzione delle cariche ai parenti è senza dubbio un processo naturale). Tuttavia, in ogni singolo caso di interferenza dobbiamo considerare attentamente quello che è in gioco, e qui la prima cosa in gioco è che tutti i cittadini siano egualmente considerati. Quando si riservano cariche, ai membri di un gruppo, i membri di tutti gli altri gruppi vengono trattati come se fossero stranieri: non sono prese in considerazione le loro qualifiche, e non hanno diritti di candidatura. Una cosa del genere potrebbe essere accettabile in uno stato binazionale nel quale in realtà i membri delle due nazioni sono tra di loro come stranieri. Fra di loro c'è soltanto l'esigenza di un accomodamento reciproco, non della giustizia in un senso positivo del termine, e il modo migliore per raggiungere un accomodamento è un sistema federale che garantisca a entrambi i gruppi di essere rappresentati.[22] Anche una società pluralistica in senso lato può richiedere (per l'accomodamento reciproco) liste di candidati e di partito razzialmente o etnicamente "bilanciate" o la presenza di rappresentanti di tutti i gruppi più importanti nei governi e nei tribunali. Non sono propenso a considerare cose di questo tipo delle violazioni del diritto ad essere ugualmente considerati: dopo tutto, in politica essere un "rappresentante" è una sorta di qualifica. E finché questi assetti sono informali, possono sempre essere modificati radicalmente per il bene di candidati eccezionali. In base alla teoria della giustizia come reiterazione, però, ogni insieme di funzionari dell'impiego pubblico universale dovrebbe avere una composizione etnica corrispondente a quella della popolazione americana complessiva; e ciò richiederebbe, a sua volta, di negare un'eguale considerazione spesso e su grande scala. Ovviamente, l'eguaglianza sarebbe negata ogni volta che la proporzione degli aspiranti di questo o quel gruppo differisse dalla rappresentanza ad esso assegnata; anzi sarebbe negata anche se la proporzione fosse proprio quella giusta, perché gli aspiranti di ogni gruppo verrebbero confrontati solo con quelli del loro stesso "genere" — nell'ipotesi, necessariamente falsa per qualsiasi insieme di aspiranti, che le qualifiche siano distribuite allo stesso modo in tutti i gruppi.

Ma forse gli Stati Uniti dovrebbero essere una federazione di gruppi, anziché una comunità di cittadini, e forse ogni gruppo dovrebbe avere un proprio insieme di funzionari indigeni. Soltanto allora, si potrebbe sostenere, il gruppo nella sua globalità sarebbe uguale a tutti gli altri. Secondo questa prospettiva qui è in gioco non l'uguale considerazione degli individui, ma l'uguale dignità delle razze e delle religioni; ovvero la loro integrità comunitaria, il rispetto di sé dei loro membri in quanto membri. Questo tipo di eguaglianza è ciò che normalmente chiedono i movimenti di liberazione nazionale, poiché è tipico del dominio imperialistico colonizzare i posti chiave dello stato e dell'economia con gente venuta da fuori. Appena conquistata l'indipendenza comincia la lotta per riprendersi questi posti;

spesso è una lotta condotta con metodi brutali ed ingiusti, ma in sé non è ingiusto che una nazione da poco liberata cerchi di impiegare nell'apparato burocratico e nelle professioni propri cittadini. In queste circostanze il nepotismo collettivo e il riservare le cariche possono ben essere legittimi. Ma come questo esempio fa capire, è possibile riservare cariche solo dopo che sono stati tracciati i confini fra membri e stranieri. Nella società americana di oggi questi confini non esistono, e gli individui attraversano liberamente la linea, vaga e informale, che divide l'appartenenza dalla non appartenenza etnica o religiosa; nessuno sorveglia questa linea, e gli attraversamenti non vengono neanche registrati. Naturalmente questa situazione potrebbe essere modificata, ma è importante sottolineare che il cambiamento dovrebbe essere veramente radicale. Solo se ogni cittadino americano avesse un'indentità (o una serie di identità, poiché i gruppi ai quali apparteniamo in parte si sovrappongono) razziale, etnica o religiosa chiara e netta e solo se queste identità fossero legalmente costituite e soggette a controlli regolari, sarebbe possibile riservare ad ogni gruppo il suo insieme di cariche.*

Il principio di eguale considerazione varrebbe, allora, solo all'interno dei gruppi federati. L'eguaglianza è sempre relativa, essa ci impone di confrontare il trattamento di questa persona con quello di un certo insieme di altre persone, non con quello di tutte le altre. E possiamo sempre modificare il sistema distributivo con una semplice ridefinizione dei suoi confini. Non esiste un insieme unico di confini giusti, anche se esistono dei confini ingiusti (per esempio, quelli che isolano delle persone contro la loro volontà, come nel ghetto). Perciò non sarebbe ingiusto un assetto federativo, purché sia stabilito attraverso un processo democratico. Prima confronteremmo i membri di un gruppo fra di loro e poi confronteremmo i diversi gruppi, e le nostre valutazioni sulla giustizia dipenderebbero dai risultati di questi confronti. Ma per gli Stati Uniti odierni questo sarebbe, secondo me, una soluzione poco saggia, incompatibile con le nostre tradizioni storiche e con le nostre concezioni collettive e inoltre incompatibile con i modelli di vita contemporanei e causa di aspre e profonde divisioni. Suppongo che coloro che sostengono che si devono riservare le cariche non abbiano in mente niente di simile; la loro attenzione va a pro-

* Questo fatto diventa purtroppo evidente nel caso degli intoccabili indiani, per i quali il governo ha escogitato un complesso sistema di cariche riservate. In linea di principio, in India è stato abolito il sistema delle caste; ma è possibile aiutare gli intoccabili solo se possono essere riconosciuti, e si può introdurre la proporzionalità dei posti di funzionario solo se si possono contare. Perciò nel censimento del 1961 si è dovuta reintrodurre la categoria "intoccabile", insieme con delle procedure che permettessero a chi aspirava a una carica riservata di dimostrare la propria condizione. Secondo Harold Isaacs, che in linea generale è favorevole a riservare cariche, il risultato è stato un irrigidimento dei confini di casta: "La politica degli aiuti ai gruppi di casta ha accresciuto ... l'immobilità delle caste."[23]

blemi più immediati, e nonostante quello che a volte dicono in realtà non intendono dire che i rimedi da loro proposti dovrebbero essere generalizzati e resi permanenti.

Il caso dei neri americani

A questo punto è importante scendere nel concreto. I problemi immediati sono quelli dei neri americani, e nascono nel contesto di una storia dolorosa. In parte è una storia di discriminazione economica e culturale, per cui nella società americana il numero dei funzionari neri è stato (quanto meno fino a tempi recentissimi) inferiore al dovuto, dati i livelli delle qualifiche dei candidati neri. Ma è soprattutto una storia di schiavitù, repressione e degradazione, così che la cultura di vicinato e le istituzioni comunitarie dei neri non sostengono lo sforzo di qualificarsi come avrebbero potuto se si fossero sviluppate in condizioni di libertà e di uguaglianza razziale. (Con questo non si vuol dire che tutte le culture e le comunità, anche in condizioni ideali, formerebbero l'identico tipo di sostegno.) Al primo dei problemi dei neri americani si può rimediare insistendo sui particolari pratici del principio di uguale considerazione: procedure eque di assunzione, procedure di ricerca e di selezione pubbliche, assunzione su ampia scala, tentativi seri di scoprire il talento anche quando non si manifesta in modi convenzionali e così via. Ma il secondo problema richiede una risposta più radicale e di vasta portata. Così, qualcuno dice che per un certo periodo si dovrà garantire ai neri una certa quantità fissa di cariche perché solo l'interazione di un numero significativo di funzionari con clienti ed elettori può creare una cultura più forte.

Vorrei sottolineare che la tesi che sto considerando non è che la comunità nera dovrebbe essere servita, e può solo essere servita a buon diritto, da uomini politici, impiegati delle poste, insegnanti, medici, ecc. neri e che tutte le altre comunità dovrebbero analogamente essere servite da propri membri. La forza di questa tesi non dipende dal fatto che si può generalizzare. O meglio, la sua generalizzazione più corretta è la seguente: ogni gruppo con svantaggi analoghi dovrebbe essere aiutato in maniere analoghe. È una tesi limitata storicamente, pensata per condizioni particolari e con carattere temporaneo. La norma che tutti i cittadini siano egualmente considerati resta valida, e dovrà essere ripristinata appena i neri saranno usciti dalla trappola che è diventato il loro esser neri in una società con un lungo passato di razzismo.

Ma il problema con il rimedio proposto è che esso comporterebbe la non applicazione del principio di uguale considerazione relativamente a candidati bianchi che né prendono parte a pratiche razziste, né ne sono i diretti beneficiari. Così, uno scopo sociale importante e moralmente legittimo verrebbe ad essere servito violando i diritti di candidatura di alcune persone.[24] Ma forse questa è una descrizione troppo esasperata. Secondo Ronald Dworkin qui è in gioco non il diritto all'eguale considerazione al momento della distribuzione delle cariche, ma solo un diritto più generico all'eguale considerazione al momento dell'elaborazione della politica che riguarda il rivestire le cariche. Finché, nel calcolo dei costi e dei benefici di riservare le cariche, ogni cittadino costa allo stesso modo, non si violano i diritti di nessuno.[25] Sarà utile contrapporre questa tesi a quella dei meritocratici: se il legame proposto da questi ultimi fra lavoro e qualità pertinenti per svolgerlo è troppo stretto, quello proposto da Dworkin è invece troppo lento. Si direbbe che egli neghi l'esistenza di limiti significativi alle qualità che possono contare come qualifiche. Ma nella nostra cultura si presume che le carriere siano aperte ai talenti; chi è stato scelto per una carica vorrà avere la certezza di essere stato scelto perché possiede veramente, e in misura maggiore di altri candidati, i talenti che il comitato di ricerca ritiene necessari per quella carica; gli altri candidati, vorranno avere la certezza che i loro talenti siano stati presi seriamente in considerazione; e tutti noi vorremmo sapere che entrambe le certezze sono vere. È per questo che attualmente negli Stati Uniti le cariche riservate sono state oggetto non solo di controversie, ma anche di frodi: qui sono in gioco, oltre alla posizione sociale ed economica, anche la stima di sé, il rispetto di sé e la fiducia reciproca.

E sono in gioco anche i diritti: non i diritti naturali o dell'uomo, ma quelli derivanti dal significato sociale delle cariche e delle carriere e che si sono affermati nel corso di lunghe lotte politiche. Così come non potremmo adottare un sistema di detenzione preventiva (nemmeno valutandone equamente i costi e benefici complessivi) senza violare i diritti di persone innocenti, così non possiamo adottare un sistema di quote senza violare i diritti dei candidati. L'argomento di Dworkin ha una forma che mi pare assolutamente appropriata nel caso della spesa pubblica: finché il programma generale di spesa viene stabilito democraticamente la decisione di fare investimenti massicci in una certa area depressa o di favorire l'agricoltura rispetto all'industria non pone problemi morali, anche se qualcuno ne è, come accadrà, avvantaggiato e qualcun altro svantaggiato. Ma le cariche sono carriere e gli anni di carcere sono vite e questi sono beni che non possono essere distribuiti allo stesso modo del denaro; riguardano troppo da vicino l'individualità e l'integrità personale. Ma se la comunità comincia a distribuirli, deve stare molto attenta al loro significato sociale, e ciò significa prendere in considerazione allo stesso modo tutti i candidati egualmente seri e (come sosterrò nel capitolo 11) punire solo i criminali.

Ma se sono i diritti ad essere in gioco in questi casi, i diritti possono essere calpestati. Essi rappresentano una barriera molto solida contro certe intrusioni o sopraffazioni, ma non sono mai una barriera assoluta; e quando è necessario, in epoche di crisi o di grande pericolo, e quando pensiamo di non avere alternative, essa viene sfondata. Perciò qualsiasi argomento a favore del riservare le cariche deve comprendere una descrizione della crisi del momento e una dimostrazione dettagliata dell'inadeguatezza di ogni misura alternativa. Un tale argomento è pensabile oggi, negli Stati Uniti, ma non credo che sia già stato formulato. Per quanto brutalmente si dipinga la vita delle comunità nere, pare evidente che restano ancora intentati programmi e politiche che presumibilmente modificherebbero il quadro. Anzi, riservare le cariche è qualcosa che somiglia più a una prima che a un'ultima risorsa, anche se viene dopo molti anni di totale inattività. Il motivo per cui è stata diventata la prima è che, pur violando i diritti dell'individuo, non costituisce una minaccia per le gerarchie esistenti o per la struttura di classe complessiva; infatti lo scopo di riservare le cariche è, come ho già sostenuto, quello di reiterare una gerarchia, non di metterla in discussione o trasformarla. Per converso, le misure alternative, anche se non violerebbero i diritti di nessuno, esigerebbero una ridistribuzione significativa di ricchezza e di risorse (poniamo, per l'impegno della nazione a realizzare la piena occupazione). Ma questa sarebbe una ridistribuzione in linea con le concezioni sociali che formano lo stato assistenziale e, anche se l'opposizione sarebbe forte, è più probabile che abbia effetti duraturi ridistribuire la ricchezza che riservare le cariche. E in generale è più probabile vincere la lotta contro un passato razzista se la si combatte basandosi su, e non mettendo in discussione, le concezioni del mondo sociale condivise dalla grande maggioranza degli americani, bianchi e neri.

C'è un altro aspetto del riservare le cariche che può aiutare a spiegare la sua posizione privilegiata rispetto alle alternative (nessuna delle quali, per la verità, è sostenuta con forza dalle élites politiche contemporanee). In linea di principio gli uomini e le donne cui si negano le cariche (perché riservate ad altri) saranno gli aspiranti (bianchi) più emarginati, quale che sia la concezione di qualifica, e quindi di marginalità, adottata da una particolare commissione selezionatrice. L'impatto verrà avvertito in ogni confessione religiosa, gruppo etnico e classe sociale, in pratica però sarà certamente meno diffuso, perciò meno minaccioso per le persone e le famiglie potenti. Sarà avvertito soprattutto dal secondo gruppo più svantaggiato, da uomini e donne che non hanno dalla loro cultura di vicinato e dalle loro istituzioni comunitarie un sostegno molto maggiore di quello che hanno i candidati neri dalle proprie. Riservare le cariche non realizzerà la profezia biblica secondo cui gli ultimi saranno i primi, al massimo garantirà che gli ultimi siano penultimi. Non credo che ci sia modo di evitare questo esito, a meno di aumentare il numero dei gruppi ai quali riservare le cariche e di trasformare il programma di risarcimento in qualcosa di molto più sistematico e permanente. La considerazione diseguale mieterà vittime nel gruppo più debole o nel secondo gruppo in ordine di debolezza; se non si è disposti a rinunciare all'idea stessa di qualifica, i costi non possono essere ulteriormente distribuiti.*

Il professionismo e l'insolenza della carica

Ciò che rende la distribuzione delle cariche così importante è che con esse (o con alcune di esse) vengono distribuite molte altre cose: onore e status, potere e prerogative, ricchezza e benessere. La carica è un bene dominante che comporta necessariamente altri beni. La rivendicazione della dominanza è "l'insolenza della carica"; e se trovassimo un modo di controllare tale insolenza, il possesso delle cariche comincerebbe ad assumere le giuste proporzioni. Perciò abbiamo bisogno di descrivere la natura interna della sfera della carica: le attività, le relazioni e le ricompense che accompagnano legittimamente il possesso di una carica. Che cosa viene dopo la qualifica e la selezione?

Una carica è sia una funzione sociale sia una carriera personale ed essa esige che si applicano talenti e capacità a uno scopo. Il funzionario si guadagna da vivere con la sua prestazione, ma la sua prima ricompensa è la prestazione stessa, il lavoro per il quale si è preparato, che, presumibilmente, vuole fare e che anche altri uomini e donne vogliono fare. Può essere un lavoro angosciante, complicato, estenuante, ma è comunque una grande soddisfazione. Ed è una soddisfazione anche parlarne con i colleghi, elaborare un gergo, avere dei segreti nei confronti della gente comune. Parlare del proprio lavoro è più probabilmente un piacere di chi lavora in ufficio che di chi lavora in negozio. Il segreto cruciale, naturalmente, è che il lavoro potrebbe essere facilmente ridistribuito; moltissimi uomini e donne potrebbe-

* È interessante notare che la politica di preferenza per i reduci nelle assunzioni nell'impiego pubblico sembra essere stata ampiamente accettata, benché ci sia stata una certa opposizione politica e alcune contestazioni legali. L'ampiezza dell'accettazione potrebbe avere a che fare con quella dei benefici; poiché i reduci vengono da tutte le classi sociali e da tutti i gruppi razziali. O forse tutti sono d'accordo nel ritenere che effettivamente hanno perso anni di scuola o di esperienza lavorativa mentre gli altri della loro età andavano avanti, per cui una politica di preferenza ristabilisce l'uguaglianza fra i gruppi che l'arruolamento aveva reso disuguali. Ma in pratica i reduci vengono spesso aiutati a spese dei membri più deboli della generazione successiva di candidati, che non hanno alcun vantaggio sul piano della preparazione o dell'esperienza. Anche questo fatto viene qualche volta giustificato in quanto espressione legittima della gratitudine della nazione; ma le cariche non sono sicuramente la valuta giusta con cui pagare simili debiti. Sarebbe meglio pagarli con facilitazioni scolastiche, dato che queste vengono effettivamente pagate dalla nazione — ovvero dal corpo dei contribuenti — e non da un sottogruppo selezionato arbitrariamente. E se questo è vero, la riparazione potrebbe essere un modo migliore che non riservare cariche per risarcire i neri americani degli effetti dei maltrattamenti passati.[26]

ro farlo altrettanto bene, e trovarlo altrettanto gratificante, dei titolari effettivi.

Non intendo negare il valore della conoscenza specialistica o l'esistenza di esperti. Il meccanico che ripara la mia macchina sa cose che io non so e che anzi sono per me dei misteri; lo stesso si può dire del dottore che cura il mio corpo o dell'avvocato che mi guida attraverso il labirinto della legge. Ma, in linea di principio, anch'io posso imparare le cose che loro sanno; altre persone le hanno imparate; altre ancora ne hanno imparato una parte. Anche da solo, così come sono, ne so abbastanza da fare obiezioni ai consigli che mi danno gli esperti da me consultati, e parlando con gli amici e leggendo posso rafforzare la mia posizione. La distribuzione delle conoscenze socialmente utili non è una rete senza rattoppi, ma non ha buchi enormi. O meglio: i suoi buchi, a meno che non siano conservati artificialmente, saranno riempiti da persone di tipi diversi, con talenti e capacità diverse e diverse concezioni della competenza.

Il professionismo è una delle forme di questa conservazione artificiale. E nello stesso tempo è anche molto di più: è un codice etico, un legame sociale, un modello di regolazione reciproca e di autodisciplina. Ma scopo principale di un'organizzazione professionale è, sicuramente, rendere un particolare corpo di conoscenze il possesso esclusivo di un particolare corpo di uomini (e più recentemente anche di donne).[27] Sono i funzionari a impegnarsi, nel proprio interesse, in questa impresa, e i loro scopi sono in parte materiali: mirano ad essere in pochi così da ottenere onorari e stipendi elevati. Questa è la seconda ricompensa di essere un funzionario. Ma quando gruppi di funzionari rivendicano uno status professionale è in gioco qualcosa di più del denaro: è in gioco lo status stesso, la terza ricompensa. I professionisti sono interessati a specificare la natura delle proprie prestazioni, così da liberarsi delle mansioni che considerano inferiori al livello della loro preparazione e dei loro attestati. Cercano un posto in una gerarchia e conformano il proprio lavoro al livello che sperano di raggiungere. Nascono allora professioni nuove che ampliano la gerarchia, e ogni nuovo gruppo cerca di isolare una prestazione o un insieme di prestazioni di cui si possa certificare e, almeno in una certa misura, monopolizzare la competenza. Ma, come ha sottolineato T.H. Marshall, è tipico di queste nuove professioni che, mentre c'è una scala scolastica che porta ad esse, "non c'è una scala che porti via da esse". Le vette adiacenti possono essere raggiunte solo "da una strada diversa che parte da un livello diverso del sistema scolastico".[28] I dottori e le infermiere costituiscono un esempio prezioso di professionisti strettamente connessi i cui attestati non sono trasferibili. Il professionismo, dunque, è un modo di segnare dei confini.

Ed è anche un modo di stabilire dei rapporti di potere. I professionisti esercitano il loro potere sui livelli inferiori della gerarchia del lavoro e anche nei rapporti con i clienti. Più esattamente, ai subordinati danno ordini e ai clienti solo imperativi ipotetici. Se vuoi guarire, dicono, fa' così e così. Ma maggiore è la distanza che riescono a stabilire, più grandi sono i loro segreti, e meno ipotetici i loro imperativi. Sprezzanti verso la nostra ignoranza, ci dicono cosa dobbiamo fare. Naturalmente ci sono persone che resistono alla tentazione di passare da una conoscenza autorevole a una condotta autoritaria, ma la tentazione e l'occasione sono sempre lì, e questa è la quarta ricompensa della carica.

L'espansione delle cariche e l'ascesa del professionismo vanno di pari passo, poiché appena cerchiamo di assicurare il posto a persone qualificate, favoriamo l'inflazione delle conoscenze e delle competenze specialistiche. Questa è un'ottima ragione per contenere l'espansione e per negare l'universalità dell'impiego pubblico, ma è anche una ragione per porre dei limiti alla dominanza dello status di funzionario (e di professionista) e alla sua convertibilità a largo raggio. È chiaro che vogliamo che i burocrati, i medici, gli ingegneri, gli insegnanti ecc. siano qualificati, ma non vogliamo essere dominati da queste persone, e possiamo trovare il modo di pagare quanto è loro dovuto senza sopportare la loro insolenza.

Ma che cosa è loro dovuto? Ognuna delle quattro ricompense della carica ha forme appropriate e non appropriate, che fino a un certo punto sono determinate politicamente. Esse sono il risultato di discussioni ideologiche e di concezioni comuni, e si può soltanto ribadire che i funzionari in carica, i membri di questa o quella professione, non hanno alcun diritto esclusivo su tale processo di determinazione. Ma dovrebbe essere possibile indicare degli orientamenti generali derivati dalla concezione che la società ha della carica stessa. La prima ricompensa sono le soddisfazioni della prestazione, e senza dubbio un funzionario qualificato ha diritto a tutte le soddisfazioni che può ricavare dal lavoro che fa. Ma non ha diritto a organizzare le sue prestazioni in modo da accrescere le sue soddisfazioni (o reddito, status, potere) a spese altrui. È al servizio della comunità, e perciò il suo lavoro è soggetto al controllo dei cittadini della comunità. Noi esercitiamo tale controllo ogni volta che specifichiamo le qualifiche per una particolare carica o gli standard di una condotta competente o etica. Non c'è dunque una ragione *a priori* per assumere un particolare insieme di capacità e tecniche specialistiche. Infatti è sempre possibile che la comunità sarebbe meglio servita se i funzionari dovessero attraversare continuamente i confini esistenti fra le specializzazioni. Consideriamo, per esempio, una recente proposta di sostituire i medici che esigono un onorario con delle "squadre sanitarie funzionali":

I membri della squadra dovrebbero essere preparati ad adattare le proprie capacità ai bisogni del consumatore invece di usare l'espediente professionale di passare il consumatore a un altro operatore sanitario. Il medico dovrebbe essere preparato e disposto ad assumersi, quando ciò fosse giustificato, un ruolo "da infermiera" e le infermiere, per parte loro, a fornire, quando fosse opportuno, una cura.[29]

Questa può essere o no una buona idea, ma la proposta tocca un punto importante. Spesso le prestazioni convenzionali non sono utili ai fini della carica, ma possono addirittura rappresentare una cospirazione contro tali fini. Così chi riveste la carica deve essere ricondotto al suo vero compito.

E allora bisognerà dargli la sua giusta ricompensa finanziaria. Ma non è facile determinare le dimensioni di tale ricompensa; qui il mercato del lavoro non funziona bene soprattutto a causa della dominanza della carica, ma anche per il carattere sociale del lavoro dei funzionari e per il bisogno di certificati e licenze. Soprattutto i funzionari di grado elevato sono riusciti a limitare il numero degli aspiranti fra i quali vengono scelti i loro pari e successori, aumentando così il proprio reddito collettivo. Non c'è dubbio che per alcune cariche questo numero abbia dei limiti reali, anche nel caso di un insieme di qualifiche realistico. Ma è chiaro che a fissare la retribuzione delle cariche non è solo il mercato, o quanto meno, non il mercato libero.[30]

A volte i funzionari esagerano davvero; e allora abbiamo tutto il diritto di resistere e di cercare una controparte politica al potere dei professionisti. Quando è in gioco un lavoro importante, ha detto Tawney, "nessuna persona rispettabile può tirare sul prezzo. Un generale non mercanteggia col suo governo l'esatto equivalente pecuniario del suo contributo alla vittoria. E una sentinella che dà l'allarme a un battaglione addormentato non passa il giorno successivo a raccogliere il valore monetario delle vite che ha salvato".[31] Tawney è decisamente troppo ottimista: spesso gli equivalenti nostrani del generale e della sentinella nemmeno combatteranno o daranno l'allarme prima di avere ottenuto il proprio "prezzo". Ma non c'è motivo di acconsentire alle loro richieste, e niente fa pensare che dopo un deciso rifiuto di acconsentirvi ci saranno cariche vacanti o funzionari non qualificati. A questo proposito è interessante l'esempio della carriera militare, la quale, a quanto pare, attrae persone qualificate ogni volta che il suo prestigio sociale è alto, indipendentemente dalle paghe che generalmente sono inferiori a quelle che le stesse persone potrebbero pretendere sul mercato. Ma preferiscono, e non irragionevolmente, di usare altrimenti la loro autorità.

A volte si sostiene che le cariche, soprattutto se professionistiche, dovrebbero essere ben pagate per consentire ai loro titolari di "coltivare la vita dello spirito".[32] Ma la vita dello spirito, per com'è la vita, non costa molto, e in ogni caso, raramente la paga di un funzionario viene spesa per questo. Una volta che abbiamo penetrati i complicati

processi di selezione dei funzionari e individuate le ricompense in-
.trinseche della carica, non vedo perché non dovremmo tenere bassi i
differenziali di reddito fra le cariche ed altri tipi di impiego. È questa, di fatto, la tendenza costante presente nelle decisioni democratiche. L'esempio classico è la risoluzione della Comune di Parigi del
1871: "il servizio pubblico sia svolto per un salario da operaio".[33] Ma
la tendenza è visibile in tutti gli stati democratici, soprattutto per
quanto riguarda le cariche della burocrazia statale. Nel 1911, per
esempio, in Gran Bretagna il reddito dei funzionari pubblici di livello
superiore era 17,8 volte più elevato del reddito *pro capite* della popolazione occupata; nel 1956 era solo 8, 9 volte più alto. Negli Stati Uniti i valori corrispondenti (relativamente al 1900 e al 1958) sono 7,8 e
4,1; in Norvegia (1900 e 1957) sono 5,3 e 2,1.[34] La tendenza riguarda
tutte le cariche e le professioni con l'eccezione, negli Stati Uniti, dei
medici, per i quali sembra essere stato seguito il consiglio di George
Bernard Shaw: "Se bisogna avere dei medici, è meglio avere dei medici che se la passano bene."[35] Ma probabilmente l'introduzione di un
servizio sanitario nazionale ridurrebbe i differenziali anche in questo campo.

"L'onore", ha scritto Adam Smith, "costituisce una parte importante della remunerazione di tutte le professioni onorevoli. In termini di guadagno pecuniario, tutto considerato, esse sono generalmente sottopagate."[36] Ho dei dubbi sull'ultimo punto, ma il primo è sicuramente vero, e lo è per tutti i funzionari, a tutti i livelli di qualsiasi
gerarchia di status esistente. Ma l'onore è una ricompensa che dovrebbe essere commisurata non al posto ma alle prestazioni: solo in
questo caso è giusto parlarne come di una cosa che la gente merita. E
quando è meritato, è la più alta ricompensa della carica. Fare bene il
proprio lavoro e che questo sia risaputo: questo è ciò che uomini e
donne vogliono, sopra ogni altra cosa, dal loro lavoro. Pretendere
onore indipendentemente dalle prestazioni è invece una delle forme
più diffuse di insolenza della carica. "Se i magistrati conoscessero la
vera giustizia e i medici l'arte di guarire, non saprebbero che farsene
di berretti a quattro spicchi [simbolo della loro carica]" scrisse Pascal, che riteneva la giustizia e la capacità di guarire irraggiungibili
per l'uomo senza Dio.[37] Ma possiamo almeno esigere che i giuristi e i
dottori si avvicinino il più possibile ai nostri ideali di giustizia e di
capacità di guarire e noi possiamo rifiutarci di rendere omaggio ai
loro berretti.

Il potere dei funzionari è più difficile da limitare (ora me ne occuperò solo brevemente ma vi ritornerò sopra discutendo la sfera della
politica). La carica è una ragione importante per esercitare l'autorità, ma governare i professionisti e i burocrati, anche se qualificati,
non è avvincente. Ogni volta che potranno useranno le loro cariche
per estendere il proprio potere oltre i limiti consentiti dalle loro qualifiche o richiesti dalle loro funzioni. Per questo è così importante

che le persone soggette all'autorità dei funzionari abbiano voce in capitolo nel determinare la natura della loro funzione. Tale determinazione è in parte informale, è il risultato del contatto quotidiano fra i funzionari e i loro clienti. Uno degli scopi principali dell'istruzione pubblica dovrebbe essere quello di preparare a tale contatto, di rendere i cittadini più competenti e le cariche meno misteriose. Ma anche altre cose sono necessarie per colmare le lacune della distribuzione della conoscenza e del potere: scoraggiare l'isolamento degli specialisti e delle specializzazioni, imporre modelli di lavoro più cooperativi, integrare l'autoregolazione dei professionisti con una qualche forma di supervisione comunitaria (per esempio dei comitati di revisione). L'ultimo punto è il più importante, specialmente a livello locale dove una partecipazione popolare è più realistica. Qui il discorso sui burocrati del settore assistenziale può essere esteso a tutti i funzionari: possono fare bene il loro lavoro solo se non lo fanno da soli. Anzi, non hanno diritto di farlo da soli, a dispetto del fatto che la loro competenza sia stata certificata dalle autorità costituite, che rappresentano presumibilmente l'insieme dei clienti e dei consumatori. Infatti questi ultimi hanno un interesse più immediato, e i loro giudizi collettivi sulle prestazioni dei funzionari hanno un'importanza cruciale per il lavoro in corso. Non si tratta di assoggettare gli "esperti" ai "rossi", ma i funzionari ai cittadini; soltanto allora sarà chiaro a tutti che le cariche sono una forma di servizio e non un'altra occasione di tirannia.

Contenere le cariche

Ci sono due ragioni per l'espansione delle cariche: la prima ha a che fare col controllo politico di attività ed occupazioni vitali per il benessere della comunità, e la seconda con l'"equa eguaglianza di opportunità". Sono due ragioni valide, ma non richiedono, né separatamente né insieme, un impiego pubblico universale. Ciò che invece richiedono è l'eliminazione o la restrizione della discrezionalità privata (individuale o di gruppo) per certi tipi di lavoro. Alla discrezionalità privata subentra la politica democratica; il suo mandato può essere esercitato direttamente, da burocrati o da giudici, o indirettamente, da comitati di cittadini che agiscono secondo regole pubblicamente riconosciute; ma il termine di riferimento essenziale è l'intera comunità politica, e il potere effettivo è in mano allo stato. Qualsiasi sistema che anche solo si approssimi a un servizio pubblico universale non può che avere una gestione centralizzata. Ogni tentativo di realizzare il controllo politico e l'eguaglianza di opportunità tende inevitabilmente a rafforzare e promuovere il potere centrale. Il tentativo di sconfiggere la tirannia evoca, come negli altri settori della vita sociale, lo spettro di nuove tirannie.

Ma non occorre trasformare tutti gli impieghi in cariche. Queste, come ho già detto, appartengono a coloro che si servono di esse: le cariche elettive e quelle dell'amministrazione statale appartengono a tutto il popolo, quelle delle professioni e delle grandi imprese ai clienti e ai consumatori, che possono essere rappresentati praticamente solo attraverso l'apparato statale. Ma ci sono chiaramente impieghi ai quali applicare questa descrizione sarebbe inutile, addirittura avrebbe costi molto superiori a ogni vantaggio immaginabile; e ci sono impieghi che sembrano appartenere a gruppi molto più ristretti, la cui politica pertinente è quella del gruppo, non quella dello stato. Basterà esaminare qualche esempio per vedere subito, io credo, che esistono argomenti molto convincenti contro l'idea di carica e a favore di procedure di ricerca e di selezione decentrate.

Il mondo della piccola borghesia

Ho già sostenuto il valore dell'attività imprenditoriale. I piccoli esercizi commerciali, le fabbriche e il commercio di servizi costituiscono tutti insieme un mondo di lavoro e di scambio socialmente prezioso: sono a volte la fonte di innovazioni economiche, il centro della vita di vicinato. Negli Stati Uniti quasi tutti gli impieghi nel settore della piccola borghesia sono esenti dalle leggi sull'azione positiva e sulle procedure dell'equo impiego; una regolazione effettiva è semplicemente impossibile. Invece è possibile eliminare del tutto il settore, o almeno costringerlo alla clandestinità, come è stato fatto nei cosiddetti paesi socialisti, e questo in nome dell'eguaglianza. È evidente, infatti, che i posti di lavoro nei negozi, nelle fabbriche, nei servizi, non sono distribuiti "equamente", né un candidato che lo desideri può qualificarsi per le opportunità disponibili attraverso una procedura impersonale. L'economia piccoloborghese è un mondo personalistico nel quale si scambiano costantemente favori e si distribuiscono i lavori a parenti ed amici. Il nepotismo non è soltanto approvato, ma spesso appare moralmente doveroso. Entro i confini di questa morale la discrezionalità regna suprema: discrezionalità di proprietari, di famiglie, di sindacati molto uniti, di capi politici locali e così via.

Ciononostante, mi sembra non solo indesiderabile, ma addirittura illegittima l'interferenza delle autorità costituite. In parte è una questione di misura: considerata *en masse*, l'attività imprenditoriale è importantissima, ma le singole imprese non sono importantissime e la comunità non ha motivo di cercare di controllarle (oppure dovrebbe accontentarsi di un controllo minimo, per esempio di fissare un salario minimo). Ma si devono anche considerare le forme di vita della piccola borghesia, dove gli impieghi sono inseriti in un tipo particolare di tessuto sociale: quartieri chiusi, *routines* quotidiane, legami locali, servizio personale, cooperazione familiare. Non è un caso che vari gruppi di immigranti appena arrivati siano riusciti, uno dopo l'altro, a inserirsi in questo mondo economico e a prosperarvi: qui possono aiutarsi fra di loro in modi che diventano impossibili una volta entrati nel mondo impersonale delle cariche.

Il controllo operaio

Immaginiamo ora che una parte sostanziale dell'economia americana sia costituita da compagnie e fabbriche gestite democraticamente. Difenderò il controllo operaio più avanti, nel capitolo 12, ma qui anticipo (di nuovo) l'argomento per domandare quali generi di procedure di assunzione sarebbero opportune, poniamo, in una fabbrica autogestita. Al direttore del personale, o a un comitato di ricerca, eletto democraticamente, si deve chiedere di soddisfare le esigenze dell'"equa eguaglianza di opportunità"? In questo caso è probabilmente inesatto parlare di "procedure di assunzione". Una volta costituita la comune, la vera questione è quella dell'ammissione di nuovi membri. E la qualifica in senso stretto, cioè la capacità di fare un lavoro o di imparare a farlo, sembra essere soltanto il primo dei requisiti per essere ammessi. I membri, se vogliono, sono liberi di imporre ulteriori requisiti, connessi col loro modo d'intendere la vita in comune. Ma sono liberi di favorire i parenti, gli amici, i membri di questo o quel gruppo etnico, le persone con un certo impegno politico?

In una società con un lungo passato di razzismo avrebbe senso escludere i criteri razziali, e imporre un insieme minimo di procedure eque di assunzione. Ma a parte questo, è bene lasciare il processo di ammissione in mano ai membri della comune. Questa sarà presumibilmente inserita in una struttura federale e opererà nel contesto di certe regole: norme di sicurezza, standard di qualità e così via. Ma se i lavoratori non possono scegliere i propri colleghi è difficile vedere in che senso potrebbero dire che "controllano" il posto di lavoro. E se effettivamente lo controllano, si può presumere che esisteranno tipi diversi di posti di lavoro, gestiti con princìpi diversi, compresi quelli di omogeneità religiosa, politica ed etnica. Potrebbe benissimo accadere che in un certo posto e in un certo momento la fabbrica che va meglio sia gestita in larga misura, poniamo, da italiani, oppure da mormoni. Non ci vedo niente di sbagliato, finché questo successo non è convertibile al di fuori della sua sfera.

Il sistema del patronage

Ci sono molti impieghi governativi, specialmente a livello locale, che non richiedono grandi capacità e che normalmente cambiano di mano a un ritmo abbastanza veloce. Questi sono incarichi per definizione, dato che possono essere assegnati solo dalle autorità costituite. Un'estrazione a sorte fra gli uomini e le donne che possiedono le qualifiche minime richieste sembrerebbe una procedura distributiva ovvia. È così, per esempio, che assegniamo gli incarichi di giurato, e sicuramente questo sistema sarebbe adatto anche per consigli, commissioni e comitati di revisione a livello locale, per vari tipi di impieghi nei tribunali e così via. Ma negli Stati Uniti l'autorità del principio elettivo è tale che non sembra esservi nulla di illegittimo in un sistema di patronage, cioè in una distribuzione da parte di funzionari eletti, visti come capi politici vittoriosi, ai loro alleati e ai seguaci. Questo vuol dire trasformare le cariche in "bottino", ma poiché non si tratta di cariche per le quali possano essere necessari mesi o anni di preparazione e finché non vengono rimossi arbitrariamente funzionari esperti, tale trasformazione non è iniqua verso nessuno. E non è implausibile sostenere che per certi tipi di lavoro governativo l'attività politica stessa è una qualifica importante.

Anzi, una buona attività politica è la qualifica cruciale per le cariche più elevate: non distribuiamo i posti che chiamiamo "rappresentativi" su basi anche lontanamente meritocratiche — o quanto meno i meriti in questione non sono valutabili attraverso un sistema di esami. In questo caso il processo distributivo è totalmente politicizzato, e benché l'elettore ideale dovrebbe forse comportarsi come un membro di un comitato di ricerca, il corpo elettorale effettivo non è vincolato nello stesso modo dei comitati di ricerca. Si potrebbe vedere una crescita continua della libertà di scelta, dalle giurie ai comitati e ai corpi elettorali. Dunque è del tutto plausibile consentire ai funzionari eletti di portare con sé nella sfera della carica qualche sostenitore, esercitando la stessa discrezionalità di quando loro furono scelti.

Il sistema del patronage serve a generare lealtà, impegno e partecipazione, e potrebbe anche essere un aspetto necessario di qualsiasi democrazia veramente localistica, o decentrata. Un pubblico impiego universale è probabilmente altrettanto incompatibile con una democrazia cittadina che con una democrazia di fabbrica; ovvero il governo locale, come la piccola impresa, funziona meglio se c'è spazio per l'amicizia e per lo scambio di favori. La questione, ancora una volta, in parte è di misura e in parte riguarda la caratteristica degli impieghi in gioco. Non voglio negare l'importanza di una burocrazia impersonale e politicamente neutrale, ma tale importanza sarà minore o maggiore per tipi diversi di attività pubblica. C'è una serie di attività per le quali una discrezionalità di parte sembra essere, se non del tutto appropriata, almeno non inappropriata. Potrebbe persino diventare una questione di consenso e aspettativa generale che in certi lavori si alternino gli attivisti politici secondo il loro successo o la loro sconfitta nelle elezioni.

Questi tre esempi mostrano che per istituire un pubblico impiego universale sarebbe necessaria una guerra non solo contro il pluralismo e la complessità di qualsiasi società umana, ma anche specificamente contro il pluralismo e la complessità democratici. Ma non sarebbe forse una guerra giusta, una campagna per l'"equa eguaglianza di opportunità"? Ho cercato di dimostrare che l'eguaglianza di opportunità è un criterio valido per la distribuzione di alcuni impieghi, non di tutti gli impieghi. Esso conviene soprattutto ai sistemi centralizzati, professionalizzati e burocratici, e probabilmente la sua applicazione tende a generare proprio sistemi siffatti. Qui il controllo comunitario e la qualifica personale sono necessari, e il principio cruciale è quello dell'"equità"; e qui dobbiamo sopportare il governo delle maggioranze e quindi dei funzionari di stato, nonché l'autorità di persone qualificate. Ma esistono chiaramente anche impieghi desiderabili che non rientrano in questi sistemi, e che sono controllati giustamente (o ingiustamente) da privati, o da gruppi privati che possono anche non essere distribuiti "equamente". L'esistenza di questi impieghi apre la via verso un tipo di successo per il quale non c'è bisogno di qualificarsi (anzi, nemmeno è possibile) e pone così dei limiti all'autorità dei qualificati. Ci sono settori della vita sociale ed economica nei quali i loro decreti non hanno corso. Mentre gli esatti contorni di questi settori saranno sempre problematici, la loro realtà non lo è affatto. Se li distinguiamo dal pubblico impiego è perché in essi la struttura dei rapporti umani è migliore di quella che sarebbe se non ne venissero distinti — migliore, cioè, stando a una certa concezione di "buon rapporto umano".

Questa è dunque l'eguaglianza complessa nella sfera della carica. Essa esige che le carriere siano aperte ai talenti, ma pone dei limiti alle prerogative di chi ha talento. Se gli uomini e le donne, individualmente, devono pianificare la loro vita e farsi una carriera, non c'è modo di evitare la competizione per le cariche, con tutti i suoi trionfi e le sue sconfitte. Però si può attenuare la smania della competizione riducendo la posta in gioco. Sono in palio solo delle cariche e nient'altro. In Cina, essere respinti all'esame per il pubblico impiego era una tragedia personale: per il candidato tutto era in gioco e tutta la Cina s'inchinava al vincitore. Ma per noi questo sarebbe un fraintendimento del valore delle cariche e dei meriti di chi le detiene. Coloro che credono nell'eguaglianza complessa coltiveranno una concezione più realistica della natura di questi meriti e del loro modo di operare nella sfera della carica e riconosceranno l'autonomia di altre sfere nelle quali prevalgono legittimamente altre forme di competizione e cooperazione, altre forme di elevazione, onore e servizio.

6. Lavoro duro

Eguaglianza e durezza

Non si tratta qui di lavoro impegnativo o accanito: in questo senso quasi ogni incarico o impiego può essere un duro lavoro. Può essere un duro lavoro scrivere questo libro, e a volte lo è. Ed è ovvio che un compito o una causa che per noi valga il duro lavoro che comporta è una buona cosa. Nonostante la nostra naturale pigrizia, noi cerchiamo proprio questo. Ma *duro* ha anche un altro senso, come in "duro inverno" e "cuore duro", dove significa rigido, sgradevole, crudele, difficile da sopportare. Così nell'Esodo è descritta l'oppressione di Israele: "E gli Egiziani amareggiarono la loro vita con duro lavoro" (1,14). Qui il termine si riferisce a lavori che sono come condanne al carcere: un lavoro che nessuno cerca, e che nessuno sceglierebbe se ci fosse un'alternativa minimamente attraente. Questo genere di lavoro è un bene negativo, e di solito comporta necessariamente altri beni negativi: miseria, insicurezza, cattiva salute, pericolo fisico, disonore, degradazione. E tuttavia è un lavoro socialmente necessario: deve essere fatto, e perciò bisogna trovare qualcuno che lo faccia.

La soluzione tradizionale di questo problema è una semplice equazione: al bene negativo corrisponde la posizione sfavorevole delle persone alle quali lo imponiamo. Il lavoro duro viene distribuito a persone degradate. I cittadini ne sono esentati; il lavoro viene imposto a schiavi, a stranieri residenti, a "lavoratori" ospiti, insomma ad estranei. Oppure i cittadini che lo svolgono diventano stranieri in patria, come gli intoccabili in India o i neri americani dopo l'emancipazione. In molte società le donne sono state il gruppo di stranieri in patria più importante: facevano i lavori disprezzati dagli uomini e li lasciavano liberi di occuparsi non solo di attività economiche più rimunerative, ma anche di politica. In effetti i lavori domestici svolti tradizionalmente dalle donne — cucinare, fare le pulizie, assistere i malati e i vecchi — costituiscono gran parte di quel duro lavoro dell'economia odierna per il quale sono reclutati gli stranieri (soprattutto donne).

In tutti questi casi l'idea sottostante è crudele: persone negative per un bene negativo. Il lavoro dev'essere svolto dalle persone con le presunte qualità necessarie. Meritano di farlo e non meritano di non farlo, o sono in qualche modo qualificati a farlo, per la loro razza, sesso, intelligenza presunta o condizione sociale. Non è un lavoro da cittadini, da uomini liberi, da uomini bianchi e via dicendo. Ma che razza di merito, di qualifica sono mai questi? Sarebbe difficile dire che cosa hanno fatto questi lavoratori di questa società, o di qualsiasi altra, per meritarsi il pericolo e la degradazione che generalmente comporta il loro lavoro, o come si sono qualificati, ed essi soltanto, per svolgerlo. Quali segreti sappiamo sul loro carattere morale? Quando sono dei condannati a fare i lavori forzati, almeno possiamo dire che meritano la propria pena. Ma nemmeno loro sono schiavi di stato: la loro degradazione è (il più delle volte) limitata e temporanea, e non è affatto scontato che i lavori più opprimenti debbano essere assegnati proprio a loro. Ma se non toccano a loro, certamente non toccano a nessun altro. Anzi, se i condannati sono destinati ai lavori forzati allora, probabilmente, gli uomini e le donne ne dovrebbero essere tenuti lontani, affinché sia chiaro che non sono dei condannati e non sono mai stati dichiarati colpevoli da una giuria di loro pari. E se nemmeno i condannati dovrebbero essere costretti a sopportare questa oppressione (poiché il carcere li opprime già a sufficienza) allora, *a fortiori*, nessun altro dovrebbe sopportarla.

Né la possiamo imporre agli estranei. Come già sostenuto, coloro che svolgono questo genere di lavoro sono legati così strettamente alla vita quotidiana della comunità politica che non si ha diritto di negar loro di esserne membri. Il duro lavoro è un processo di naturalizzazione, e comporta che sia data la cittadinanza a quelli che ne sopportano la fatica. Ma nello stesso tempo c'è qualcosa di attraente in una comunità i cui membri rifuggono dal duro lavoro (e i cui nuovi membri diventano cittadini acquistando tale avversione). Hanno un'idea di se stessi e della propria carriera che impedisce loro di accettare l'oppressione: rifiutano di lasciarsi degradare e hanno la forza di sostenere questo rifiuto. Né l'idea di se stessi, né la forza di carattere sono poi tanto frequenti nella storia umana: rappresentano una conquista importante della democrazia moderna, strettamente connessa, certo, allo sviluppo economico, ma anche al successo, o al successo parziale, dell'eguaglianza complessa nella sfera dell'assistenza. A volte il fatto che i suoi membri non siano disposti ad accettare certi impieghi è ritenuto un argomento contro lo stato assistenziale, mentre in realtà è un segno del successo. Quando progettiamo un sistema di forniture comunitarie, uno dei nostri scopi è liberare la gente dai vincoli immediati del bisogno fisico.

Finché la gente è sottoposta a quei vincoli, è disponibile a ogni sorta di duro lavoro, umiliata, per così dire, dal bisogno. Affamata, impotente, sempre insicura, costituisce "l'esercito di riserva del proletariato". Una volta che avrà delle alternative prenderà coraggio e dirà "No". Il lavoro, però, va fatto. E chi dovrà farlo?

È un vecchio sogno dire che nessuno dovrà farlo. Risolveremo il problema con l'abolizione di quel tipo di lavoro, sostituendo ovunque alle persone le macchine dove il lavoro sia sgradevole. Così scrive Oscar Wilde nel suo eccellente saggio *L'anima dell'uomo sotto il socialismo*:

> Tutto il lavoro non intellettuale, tutto il lavoro monotono e ottuso, tutto il lavoro che ha a che fare con cose orrende e comporta condizioni sgradevoli, deve essere svolto dalle macchine. Le macchine devono lavorare per noi nelle miniere di carbone, e occuparsi di tutti i servizi igienici, e alimentare le caldaie sui vapori, e pulire le strade, e consegnare la posta nei giorni di pioggia, e fare tutto quello che è noioso e deprimente.[1]

Ma questa non è mai stata una situazione realistica, perché è necessario molto duro lavoro per le attività umane per le quali non è possibile l'automazione. E anche nei casi in cui era ed è possibile, l'invenzione e la messa in opera delle macchine necessarie va molto più a rilento di quanto si pensasse; senza contare che le macchine spesso sostituiscono tanto chi fa un lavoro piacevole quanto chi fa un lavoro "noioso e deprimente". La tecnologia non fa discriminazioni morali.

Se lasciamo perdere l'automazione, l'argomento egualitario più comune è che il lavoro dovrebbe essere condiviso, a rotazione (come le cariche politiche), dai cittadini. Dovrebbero farlo tutti tranne, naturalmente, i condannati, che ora sono da escludere per garantire che il lavoro non sia segno d'infamia. Questo è un altro esempio di uguaglianza semplice, che credo abbia avuto origine dall'attività pericolosa della guerra. Come arruoliamo giovani per la guerra così, è stato detto, dovremmo arruolare in generale uomini e donne per tutti quei lavori necessari che hanno poche probabilità di attrarre dei volontari. Un esercito di cittadini sostituirebbe l'esercito di riserva del proletariato. È una proposta attraente, e intendo riconoscere i suoi meriti. Ma non è difendibile oltre un certo grado di durezza e anche di pericolosità. Perciò dovrò prendere in considerazione distribuzioni più complesse. I beni negativi devono essere disseminati non solo fra gli individui, ma anche fra le sfere distributive. Possiamo condividerne alcuni, così come condividiamo i costi dello stato assistenziale; altri, se le condizioni del mercato sono grosso modo egualitarie, li possiamo comprare e vendere; altri ancora richiedono una discussione politica e una decisione democratica. Ma tutti questi casi hanno una cosa in comune: la distribuzione va contro la natura del bene (negativo). Tranne nel caso della punizione, è semplicemente impossibile adeguare la distribuzione al significato sociale del bene, perché non esiste una razza, un sesso, una casta o un insieme concepibile di individui che possa essere individuato come il gruppo di chi fa il duro lavoro della società. Nessuno si qualifica — non c'è un'assemblea pascaliana — e così tutti noi dobbiamo essere a disposizione, in modi e occasioni diversi.

Lavoro pericoloso

Fare il soldato è un tipo particolare di duro lavoro. In realtà in molte società non è per nulla considerato tale: è l'occupazione normale dei giovani, la loro funzione sociale; per la quale vengono non tanto arruolati quanto iniziati ritualmente, e dove vengono ricompensati col cameratismo, con una vita eccitante e con la gloria. In questi casi sarebbe fuori luogo tanto parlare di coscritti come parlare di volontari: nessuna delle due categorie è pertinente. A volte intere classi di età partono per la guerra, e fanno quello che ci si aspetta da loro e che loro stessi (almeno in maggioranza) vogliono fare. A volte combattere è il privilegio esclusivo dell'élite, e al suo confronto tutto il resto è duro lavoro, più o meno degradante. I giovani sono energici, combattivi, ansiosi di mettersi in mostra; combattere per loro è o può essere una forma di gioco, e solo di ricchi possono permettersi di giocare tutto il tempo. John Ruskin aveva un'idea splendidamente romantica della "guerra consensuale", combattuta dai giovani aristocratici più o meno con lo spirito col quale potrebbero giocare a football; solo che i rischi sono maggiori, l'eccitazione raggiunge livelli alti, la gara più bella.[2]

Ma potremmo anche tentare un romanticismo più pratico: i giovani fanno i soldati così come i bambini avrebbero dovuto fare, secondo il socialista francese Fourier, gli spazzini. In entrambi i casi la passione viene messa al servizio di una funzione sociale. Ai bambini piace giocare in mezzo al sudiciume, dunque, pensava Fourier, sono meglio disposti di chiunque altro a raccogliere ed eliminare le immondizie — e propose di organizzare la sua comunità utopistica in modo da sfruttare la loro disponibilità.[3] Ma ho il sospetto che avrebbe trovato più difficoltà del previsto perché non è certo una descrizione accurata dire che ciò che gli spazzini fanno è giocare con la spazzatura. E, analogamente, la descrizione della guerra come attività naturale di giovani o sport per aristocratici conviene solo a pochissime guerre o a certi modi di combattere, e non conviene affatto alla guerra moderna. In genere i soldati hanno poche occasioni di giocare, e gli ufficiali non sarebbero affatto contenti della loro giocosità. Quello che fanno i soldati è duro lavoro, nel senso più rigoroso del termine, tanto che potremmo prendere la guerra di trincea nella prima guerra mondiale o la guerra nella giungla durante la seconda come primo archetipo della durezza.

Ma fare il soldato, anche quando se ne comprende la vera natura, non è un'attività del tutto degradata. Spesso i militari di truppa sono reclutati nelle classi inferiori, o fra reietti e stranieri, e spesso sono visti con disprezzo dai cittadini comuni. Ma il valore attribuito al loro lavoro è soggetto ad un'inflazione repentina, ed è sempre possibile un giorno che questi uomini saranno visti come i salvatori del paese che difendono. Il lavoro del soldato è, almeno in certi casi, socialmente necessario, e quando lo è, la sua necessità è drammatica ed evidente. E allora è anche un lavoro pericoloso, in un modo che segna la nostra immaginazione. Il pericolo non viene dalla natura, ma dall'uomo; il soldato abita un mondo nel quale altre persone, i suoi, ma anche i nostri nemici, cercano di ucciderlo. E lui deve cercare di uccidere loro. Corre il rischio di uccidere e di essere ucciso. Per tali ragioni, a mio avviso, questa è la prima forma di duro lavoro che si richiede ai cittadini, o che i cittadini si impongono, di condividere. La coscrizione ha anche altri fini, primo fra tutti quello di fornire gli eserciti di massa richiesti dalla guerra moderna; ma il suo fine morale è quello di generalizzare o ripartire la probabilità dei rischi della guerra su una data generazione di giovani.

Tuttavia, quando i rischi sono di altro tipo questo fine sembra meno impellente. Prendiamo il caso delle miniere di carbone: "Fra i minatori," ha scritto George Orwell in *The Road to Wigan Pier*, "la percentuale degli incidenti è così alta... che si danno per scontate perdite come quelle di una guerra minore."[4] Ma non è facile immaginare che si condivida questo tipo di lavoro. Il lavoro del minatore non è forse un lavoro altamente qualificato, ma di sicuro è molto difficile ed è svolto meglio da coloro che lo fanno da molto tempo. Richiede qualcosa di più di una "preparazione di base". "Potrei essere, a comando," ha scritto Orwell, "uno spazzino accettabile o un bracciante agricolo di quart'ordine. Ma nessuno sforzo e nessuna preparazione immaginabile basterebbero a farmi diventare un minatore: quel lavoro mi ammazzerebbe in poche settimane."[5] Né avrebbe molto senso intrufolarsi nel gruppo solidale dei minatori. Il lavoro nei pozzi crea un forte legame, una comunità compatta che non accoglie volentieri chi è di passaggio. Questa comunità è la grande forza dei minatori. Un profondo senso del luogo e del clan e generazioni di lotta di classe hanno creato radici tenacissime; i minatori costituiscono probabilmente la popolazione industriale moderna più stabile. Anche se fosse possibile, un esercito di leva di minatori non sarebbe un'alternativa invitante a quella vita sociale che i minatori si sono costruiti.

Ma c'è una ragione più profonda per cui la coscrizione di cittadini comuni per il lavoro nelle miniere di carbone non è mai stata chiesta da nessun movimento politico, né è mai diventata argomento di dibattito pubblico. I rischi coi quali i minatori convivono non sono imposti da un nemico pubblico e non comportano la particolare paura di essere uccisi o uccidere. È vero che in una certa misura sono imposti da proprietari negligenti o profittatori; e allora diventano una questione politica. Ma il rimedio ovvio è razionalizzare le miniere o regolarne il funzionamento; non c'è bisogno di arruolare minatori.

Ha senso cercare un rimedio del genere per i rischi imposti dalla natura. Nell'antica Atene i lavoratori delle miniere di argento erano schiavi di stato, al servizio permanente della città. Oggigiorno i minatori sono cittadini liberi ma, qualunque sia la proprietà delle miniere, possiamo vederli come cittadini al servizio della nazione. E allora potremmo trattarli come se fossero coscritti, e condividere non i loro rischi, ma i costi dei provvedimenti: ricerche sulla sicurezza delle miniere, assistenza sanitaria per i loro bisogni immediati, pensionamento anticipato, pensioni decenti e così via. Lo stesso argomento vale plausibilmente anche per altre attività pericolose, purché socialmente neccesarie; perciò non per l'alpinismo, ma per la costruzione di ponti, grattacieli, piattaforme petrolifere d'alto mare e così via. In tutti questi casi le statistiche delle perdite possono anche avvicinarsi a quelle di una guerra; ma sono diverse l'esperienza quotidiana del lavoro e la concezione che noi ne abbiamo.

Lavoro faticoso

In tempo di pace la coscrizione pone problemi ancora diversi. Rimane sempre un certo pericolo di guerra, che varia per ogni contingente di leva secondo la situazione politica del momento. In genere, comunque, ciò che viene condiviso è il peso del servizio: perdita di tempo, addestramento difficile, disciplina rigida. Ovviamente potremmo rimunerare il servizio militare, arruolare dei volontari, aprire possibilità di avanzamento e incoraggiare i soldati a vedere l'esercito come una carriera, non come l'interruzione di una carriera. Esaminerò questa alternativa più avanti; ma qui devo far presente un'importante obiezione politica contro di essa, e cioè che è meno probabile che diventino strumenti di oppressione interna i cittadini-soldato che i militari di professione o i mercenari. L'argomento, tuttavia, vale soltanto per il lavoro dei soldati (e dei poliziotti), mentre l'aspetto più interessante della coscrizione in tempo di pace è che stimola ad assimilare il lavoro del soldato a molte altre forme di duro lavoro. Se l'esercito ha i suoi uomini perché non dovrebbero essere i coscritti a costruire le strade, tagliare la canna da zucchero e raccogliere la lattuga?

Fra i teorici della politica, è Rousseau che dà la risposta più convincente a questa domanda, ricorrendo ad un argomento morale centrale a tutta la sua teoria. Gli uomini (e, aggiungiamo noi, anche le donne), se devono essere cittadini di una comunità che si governi da sé, devono condividere il lavoro socialmente necessario così come condividono la politica e la guerra. Se sono necessari la partecipazione politica e il servizio militare, lo sarà anche la corvé, o lavoro dovuto; altrimenti la società si dividerà in due gruppi, padroni e servi, presi entrambi nella trappola della gerarchia e della dipendenza. Ci accorgiamo che la repubblica è in decadenza, sostiene Rousseau, quando i cittadini "vorrebbero servirla piuttosto col proprio denaro che con la propria persona":

Se bisogna andare a combattere, pagano truppe mercenarie, e restano a casa; se bisogna andare al consiglio, eleggono dei deputati, e restano a casa... In uno stato veramente libero i cittadini fanno tutto con le loro braccia e niente col denaro... Io sono ben lontano dalle idee correnti, e considero i servizi obbligatori meno contrari alla libertà di quanto lo sono le tasse.[6]

L'opinione comune è che gli uomini e le donne siano liberi solo quando scelgono il proprio lavoro. Le tasse sono il prezzo da pagare di questa scelta, e la conversione della corvé in imposte è considerata ovunque una vittoria della gente comune. La posizione di Rousseau, che è certamente radicale, è però indebolita da un'insolita vaghezza: non si esprime sulla quantità del lavoro della comunità che deve essere condivisa dai cittadini. Su quale ventaglio di lavori si estenderà la corvé? Possiamo immaginare che questa arrivi a comprendere tutti i tipi di duro lavoro. Allora i cittadini dovrebbero essere organizzati, più o meno, come nell'esercito industriale di Trotzkij; alle scelte individuali resterebbe poco spazio, e la struttura di comando dell'esercito riprodurrebbe, in forme nuove, il vecchio schema di gerarchia e dipendenza. Rousseau pensava, quasi certamente, a qualcosa di più modesto, ed è probabile che avesse in mente quei tipi di lavoro per i quali, nella storia, era stata usata la corvé, come la costruzione delle strade reali. Insomma un impegno parziale, che lasciasse agli artigiani e ai piccoli proprietari, che popolavano la repubblica ideale di Rousseau, tempo più che sufficiente per occuparsi dei propri affari; possiamo anche pensarlo come un impegno simbolico (anche se il lavoro condiviso sarebbe stato reale).

Se le cose stanno così, allora la scelta dei simboli è molto importante, e il suo scopo deve essere chiaro. Per Rousseau la costruzione di strade era una buona scelta perché era il tipico esempio del lavoro forzato nell'*ancien régime*: i nobili erano esonerati in linea di principio, la borghesia era esonerata di fatto e il lavoro veniva imposto ai più poveri e ai più indifesi fra i sudditi del re, per cui era vissuto come il tipo di lavoro più degradante. Se invece venisse assunto dai cittadini, come collettività, si libererebbero i poveri non solo dalla fatica fisica ma anche dallo stigma, dal disprezzo aristocratico e dall'imitazione borghese di tale disprezzo. Questo non significa che lavorare alle strade non sarebbe più un bene negativo per quasi tutti quelli che lo fanno, coscritti o volontari. Massacrante, faticoso e opprimente, tale lavoro suggerisce il secondo archetipo della durezza. Ma basterebbe impegnarvisi a tempo pieno perché non comportasse più la mancanza di rispetto dei propri simili. Dopo di che, anche le altre implicazioni potrebbero essere gradualmente eliminate, e i cittadini sarebbero pronti a pagare le strade di cui hanno bisogno, e gli operai sarebbero pronti a chiedere una paga migliore. Tutto questo potrebbe accadere, e anzi abbiamo le prove di una trasformazione molto più radicale dell'atteggiamento verso il lavoro fisico che è realmente accaduta e, per giunta, in una comunità simile a quelle rousseauiane.

Il kibbutz israeliano

La creazione di una classe operaia ebraica fu, fin dall'inizio, un presupposto del movimento sionista, di cui l'ideologia marxista, in una forma o in un'altra, esaltando il potere dei lavoratori, costituì sempre una tendenza significativa. Ma c'era anche, pure fin dall'inizio, un'altra tendenza, filosoficamente e politicamente più originale, che esaltava non il potere dei lavoratori ma la dignità del lavoro e mirava a creare non una classe ma una comunità. Il prodotto di questa seconda tendenza, il kibbutz o comunità collettiva, rappresenta un esperimento nel cambiamento dei valori: la nobilitazione del lavoro attraverso la collettivizzazione. Il credo dei primi coloni era una "religione del lavoro" nella quale si faceva la comunione lavorando i campi. E il lavoro più faticoso era quello che più elevava spiritualmente.[7]

Le prime comunità vennero fondate agli inizi del secolo. Già negli anni cinquanta, quando Melford Spiro pubblicò il suo studio ormai classico *Kibbutz: Venture in Utopia*, il cambiamento dei valori era così riuscito che non era più necessario chiedere ai membri della comunità di partecipare al lavoro fisico. Tutte le persone che potevano volevano farlo: una mano callosa era un segno di onore. Solo i lavori con orari scomodi (mungitore, guardiano notturno) dovevano essere assegnati a rotazione. Era invece necessario coscrivere gli insegnanti di scuola superiore, perché il loro lavoro era molto meno stimato di quello dei campi — un fatto sorprendente data la cultura degli ebrei europei.[8] (È meno sorprendente che anche il lavoro in cucina ponesse dei problemi, di cui mi occuperò fra breve.)

Penso che per il successo del kibbutz fosse decisivo che ogni insediamento collettivo era pure una comunità politica. Tutti partecipavano non solo al lavoro, ma anche alle decisioni sul lavoro; perciò i lavoratori erano liberi in quel senso importantissimo che Rousseau chiama "libertà morale": essi stessi si imponevano i carichi che sopportavano. Chi non voleva accettarli poteva andarsene; chi li rifiutava poteva essere espulso. Ma i membri del kibbutz avrebbero sempre saputo che la struttura della giornata lavorativa e l'assegnazione dei compiti per lunghi periodi erano questioni da decidere in comune; e in tali decisioni il loro parere era, e sarebbe stato, importante. Per questo potevano condividere ogni cosa. Nel caso della corvé in una repubblica, in una comunità più ampia e in un'economia più complessa e differenziata, in cui la partecipazione dei lavoratori ai processi decisionali può essere solo indiretta, sarebbe più appropriata una condivisione parziale. Ma l'esperienza del kibbutz indica anche un'altra contrapposizione: fra la forte integrazione di lavoro e politica possibile in una comunità residenziale e l'integrazione più parziale possibile in vari ambienti di lavoro. Il controllo operaio o l'autogestione fornisce, come vedremo, un'alternativa alla corvé. Qualche volta la riorganizzazione politica del lavoro può sostituire la sua condivisione, anche se in un kibbutz proprio il fatto che le due cose vadano insieme è un aspetto essenziale e una chiave per la comprensione della sua natura morale.

Il kibbutz si fonda sul tentativo radicale di rendere positivo un bene negativo. Ho detto che tale tentativo ha avuto successo e nel complesso questo è vero. C'è però un settore in cui è fallito. "Certi lavori sono considerati così disgustosi," scrive Spiro, "che sono assegnati con un sistema di rotazione permanente... l'esempio più notevole è il lavoro nella cucina e nelle mense (comuni): cucinare, lavare i piatti, servire a tavola."[9] Nel kibbutz studiato da Spiro le donne avevano turni in cucina di un anno, gli uomini di due o tre mesi. La differenziazione sessuale nel lavoro può anche non essere problematica se è scelta liberamente (dai singoli individui o da un'assemblea in cui uomini e donne hanno lo stesso peso) e se i diversi lavori sono ugualmente rispettati; ma in questo caso la seconda condizione non sussisteva. Si può ben dire che, per quanto riguarda il cibo, la cucina è altrettanto importante dei campi, ma i membri dei kibbutz in generale disprezzavano i "lussuosi" cibi borghesi e come Rousseau, si sentivano a disagio in tutto ciò che sapesse lontanamente di lusso. Perciò, riferisce Spiro, "non si fecero grandi sforzi per migliorare la preparazione del cibo disponibile".[10] (In realtà, nei primi anni cinquanta, il cibo era razionato.) Il lavoro in cucina avrebbe forse goduto di maggior rispetto se i suoi prodotti fossero stati più curati e apprezzati. Perciò possiamo sperare che sarà tenuto in maggior considerazione man mano che si smusseranno le punte estreme dell'ideologia del kubbutz. Ma anche dopo un pasto molto saporito può essere disgustoso lavare i piatti e non è l'unico tipo di pulizia che può essere disgustosa. Qui forse l'ideologia del kibbutz si scontra con un bene negativo che non può essere trasformato. La maledizione di Adamo non sarebbe affatto una maledizione se si potesse rimediare ad ogni durezza del lavoro duro che ci spetta. Ed evidentemente anche nel kibbutz la maledizione pesa più su alcuni che su altri.

Lavoro sporco

In teoria non esiste un lavoro intrinsecamente degradante: la degradazione è un fenomeno culturale. Ma in pratica probabilmente è vero che alcune attività che hanno a che fare con la sporcizia, i rifiuti e la spazzatura sono state disprezzate e si è tentanto di evitarle in ogni società umana o quasi. (I bambini di Fourier non hanno ancora appreso i costumi dei grandi.) L'elenco esatto varia secondo l'epoca e il luogo, ma la classe di queste attività e più o meno universale. In India, per esempio, l'elenco comprende lavori che nelle culture occidentali hanno una posizione abbastanza diversa, come la macellazione delle vacche e la conciatura della loro pelle. Ma per il resto le occupazioni tipiche degli intoccabili indiani suggeriscono quello che possiamo considerare il terzo archetipo del duro lavoro: il netturbino, lo spazzino e il trasportatore di rifiuti e letame. Non c'è dubbio che gli intoccabili siano particolarmente degradati, ma è difficile credere che questo lavoro possa mai diventare attraente o ampiamente apprezzato. Bernard Shaw aveva perfettamente ragione di dire che "se tutti gli spazzini fossero duchi, la sporcizia non darebbe fastidio a nessuno"[11], ma non è facile immaginare come realizzare questa facile soluzione. Se tutti gli spazzini fossero duchi troverebbero un nuovo gruppo di persone, con un nome diverso, che facciano gli spazzini per loro. Perciò la domanda: in una società di uguali, chi farà il lavoro sporco? è particolarmente importante; e l'inevitabile risposta è che, almeno in un senso parziale e simbolico, dovremmo farlo tutti. E allora non ci saranno più duchi, e forse neanche spazzini. Era a questo che mirava Gandhi quando imponeva ai suoi seguaci, e anche a se stesso, di pulire le latrine dell'ashram.[12] Era un modo simbolico di eliminare l'intoccabilità, dalla società indù, ma anche un principio pratico: ognuno dovrebbe pulire il proprio sporco. In caso contrario gli uomini e le donne che lo fanno non solo per se stessi ma anche per tutti gli altri non saranno mai dei membri della comunità politica uguali agli altri.

È necessaria, dunque, una sorta di corvé domestica, e non solo nelle famiglie anche se lì è particolarmente importante, ma anche nelle comuni, nelle fabbriche, negli uffici e nelle scuole. In tutti quei luoghi non potremmo fare niente di meglio che seguire l'esortazione di Walt Whitman (i versi non sono granché, ma il ragionamento è giusto):

> Che ogni uomo provveda a far davvero
> qualcosa, e ogni donna pure
> ....
> Con piccole invenzioni — ma ingegnose —
> aiutare chi lava, cucina, pulisce.
> E non considerare offesa dare una mano
> personalmente.[13]

Probabilmente ci sarebbe meno sporcizia se ognuno sapesse di non poter lasciare a qualcun altro il compito di pulire. Però ci sono persone, per esempio i pazienti di un ospedale, che non possono occuparsi della pulizia, e a volte è più conveniente organizzare su grande scala certi tipi di pulizia. I lavori di questo tipo potrebbero essere sbrigati nel quadro di un programma nazionale di servizi. In effetti la guerra e i rifiuti sembrano proprio gli oggetti ideali di un servizio nazionale: la prima perché comporta rischi particolari i secondi perché comportano un particolare disonore. Forse il lavoro dovrebbe essere fatto dai giovani, non perché ci si divertono, ma perché non manca di valore educativo; o si dovrebbe permettere a ogni cittadino di scegliere a che punto della propria vita fare il suo turno. Ma non ci sono dubbi sull'opportunità che la pulizia, per esempio, delle strade cittadine o dei parchi nazionali diventi il lavoro (part-time) dei cittadini.

Tuttavia la politica sociale non dovrebbe avere fra i suoi obiettivi quello di ripartire fra tutti i cittadini tutto il lavoro sporco necessario. Ciò implicherebbe un elevatissimo controllo statale sulla vita di ognuno ed interferirebbe radicalmente con altri tipi di lavoro, alcuni necessari a loro volta, altri semplicemente utili. Io sono favorevole a una condivisione parziale e simbolica perché lo scopo è di rompere il legame fra fare un lavoro sporco e non essere rispettati. In un certo senso la rottura c'è già stata, o in sostanza c'è stata, attraverso un lungo processo di trasformazione culturale che è cominciato, al sorgere dell'età moderna, con l'attacco alla gerarchia feudale. I predicatori puritani insegnavano che davanti a Dio tutte le professioni umane, tutti i lavori utili, erano uguali;[14] oggi è più probabile che i lavori vengano classificati in base alla loro desiderabilità che alla loro rispettabilità, e quasi tutti negherebbero che un qualsiasi lavoro socialmente utile possa o debba essere degradante. Ciononostante, noi imponiamo ancora ai nostri concittadini che fanno un duro lavoro, modelli di comportamento e distanze che li chiudono entro una sorta di steccato: un atteggiamento deferente da una parte, ordini perentori, e rifiuti di un riconoscimento dall'altra. Quando uno spazzino, scrive un sociologo contemporaneo, si sente bollato dal lavoro che fa, questo traspare nel suo sguardo. Agisce in collusione con noi per evitare di contaminarci con la sua infima persona. Evita lo sguardo e noi facciamo lo stesso. "I nostri sguardi non si incontrano; egli diventa una non-persona."[15] Un modo di rompere questa collusione, e forse il migliore, è quello di far sì che ogni cittadino sappia per esperienza che cos'è una giornata di lavoro dei suoi concittadini che fanno i lavori più pesanti. Fatto questo, sarà possibile prendere in considerazione altri meccanismi, compresi quelli del mercato, per organizzare il duro lavoro di una società.

Finché esiste un esercito di riserva, una classe di persone degradate, in balìa della miseria e di un diminuito senso del proprio valore, il mercato non sarà mai efficace. In simili condizioni il lavoro più duro è anche il meno pagato, anche se nessuno lo vuole fare. Ma ad un certo livello di fornitura comunitaria e di senso del proprio valore nessuno farà questo lavoro, a meno che non sia pagato veramente bene (o che le condizioni di lavoro non siano davvero ottime). I cittadini scopriranno che se vogliono assumere dei concittadini come spazzini o netturbini, la paga sarà alta, molto superiore, in effetti, a quella dei lavoratori più prestigiosi o gradevoli. È una diretta conseguenza del fatto che vengono assunti dei *concittadini*. È stato affermato che in condizioni di autentica parità nessuno accetterebbe di fare lo spazzino o il netturbino; e allora il lavoro dovrebbe essere condiviso. Ma probabilmente questa affermazione è falsa. "Siamo talmente abituati," ha scritto Shaw, "a veder fare il lavoro sporco da persone sporche e mal pagate che abbiamo finito per credere che farlo sia una disgrazia e che se non esistesse una classe sporca e disgraziata non verrebbe fatto niente."[16] E Shaw insisteva, giustamente, che se si fosse offerto denaro o tempo libero a sufficienza la gente si sarebbe fatta avanti.

Personalmente, egli avrebbe preferito ricompense sotto forma di tempo libero o "libertà", che, sosteneva, saranno sempre l'incentivo più forte e il miglior compenso di un lavoro che dà di per sé poca soddisfazione:

In una galleria d'arte troverete una signora ben vestita, seduta a un tavolo, che non deve fare altro che dire il prezzo di un certo quadro a chi glielo chiede e prendere le ordinazioni quando vengono fatte. Spesso chiacchiera piacevolmente con giornalisti e artisti, e se si annoia può leggere un romanzo... Ma tutti i giorni la galleria ha bisogno di essere spazzata e spolverata; e le sue finestre vanno tenute pulite. È chiaro che la signora ha un lavoro molto più leggero di quello della donna delle pulizie. Per riequilibrare la situazione, o si devono dare il cambio, alla scrivania e agli strofinacci a giorni alterni o settimane alterne; oppure, dato che una donna che spazza, spolvera e pulisce di prim'ordine può essere una donna d'affari pessima e una donna d'affari affascinante può essere una pessima donna di fatica, bisognerà che la donna delle pulizie vada a casa e disponga del resto della giornata prima della signora che sta alla scrivania.[17]

La contrapposizione fra le donne delle pulizie "di prim'ordine" e la donna d'affari "affascinante" combina molto bene i pregiudizi di classe e di sesso; ma se mettiamo da parte tali pregiudizi è meno difficile da immaginare lo scambio periodico del lavoro. Dopo tutto la signora dovrà pur lavare i pavimenti, spolverare e pulire a casa sua (a meno di avere, come probabilmente Shaw supponeva, una donna delle pulizie anche lì). E la donna di fatica che se ne farà nel tempo libero? Forse dipingerà quadri o leggerà libri d'arte. Ma in tal caso lo scambio, per quanto facile, potrebbe benissimo incontrare delle resistenze da parte della donna delle pulizie. Uno degli aspetti attraenti della proposta di Shaw è che fa del duro lavoro un'opportunità per le persone che vogliono proteggere il proprio tempo; perciò puliranno, laveranno i pavimenti o raccoglieranno le immondizie per avere tempo libero; e se potranno, eviteranno ogni impiego più impegnativo, competitivo e che occupi più tempo. In condizioni adeguate il mercato fornisce una specie di santuario immune dalle sue stesse pressioni. Il prezzo di questo santuario è una certa quantità di ore al giorno di duro lavoro, e, almeno per qualcuno, è un prezzo che vale la pena di pagare.

L'alternativa principale alla proposta di Shaw è la riorganizzazione del lavoro in modo da cambiarne non i requisiti materiali (presumo, infatti, che non siano mutabili), ma il carattere morale. La storia della raccolta delle immondizie nella città di San Francisco offre un ottimo esempio di questo tipo di trasformazione, sul quale voglio soffermarmi brevemente, sia per il suo interesse intrinseco, sia perché si ricollega utilmente all'analisi, già svolta, della carica e alle argomentazioni, che seguiranno, sull'onore e sul potere.

I netturbini di San Francisco

· Da circa sessant'anni circa metà della spazzatura di San Francisco viene raccolta ed eliminata dalla Sunset Scavenger Company, una cooperativa di proprietà degli operai, delle persone che guidano i camion e trasportano i bidoni. Nel 1978 il sociologo Stewart Perry ha pubblicato uno studio su questa compagnia che è un bel saggio di etnografia urbana e una riflessione preziosa su "lavoro sporco e orgoglio della proprietà". Questo studio costituisce l'unica fonte di questo paragrafo. La compagnia è gestita democraticamente: i funzionari sono eletti fra il personale e la loro paga non è superiore a quella degli altri lavoratori. I suoi membri, che negli anni trenta furono costretti dall'International Revenue Service ad adottare uno statuto nel quale vengono definiti "azionisti", hanno sempre ribadito di essere e di voler restare fedeli al programma dei primi organizzatori, "che si proponevano di formare e gestire una cooperativa... in cui ogni membro fosse un lavoratore e fosse realmente impegnato nel lavoro comune, e in cui ogni membro facesse la sua parte del lavoro e si aspettasse che ogni altro membro lavorasse e facesse del suo meglio per accrescere i guadagni collettivi".[18] E i guadagni sono realmente aumentati (più di quelli della media dei lavoratori manuali); la compagnia è cresciuta; i suoi funzionari elettivi hanno dato prova di un notevole talento imprenditoriale. Secondo Perry la compagnia assicura un servizio superiore alla media ai cittadini di San Francisco e (cosa per noi più importante) condizioni di lavoro superiori alla media ai suoi membri. Ciò non significa che il lavoro sia diventato materialmente più facile, ma piuttosto che la cooperazione lo ha reso più piacevole — lo ha addirittura trasformato in motivo di orgoglio.*

* Dunque, il libro di Perry, è un argomento contro il pessimismo di Oscar Wilde. "Spazzare un incrocio fangoso" ha scritto Wilde, "è un'occupazione disgustosa. Spazzarlo con dignità mentale, morale o fisica mi sembra impossibile. Spazzarlo con gioia sarebbe spaventoso."[19] Lo studio di Perry fa pensare che Wilde sottovalutasse le possibilità di dignità, se non di gioia. Il modo in cui il lavoratore si rapporta al proprio lavoro, ai colle-

In un certo senso il lavoro è veramente più facile: fra i membri della compagnia il tasso di incidenti è inferiore, in modo significativo, alla media dell'industria. La raccolta della spazzatura è un'attività pericolosa. Oggi negli Stati Uniti nessun'altra occupazione presenta un rischio di infortuni più elevato (anche se nelle miniere di carbone si rischiano infortuni più gravi).

Non è ben chiaro quale sia la spiegazione di questi dati statistici. Raccogliere immondizie è un lavoro faticoso, ma non più di altri che risultano essere più sicuri. Perry ipotizza un collegamento fra sicurezza e autostima. "Gli infortuni nascosti del prestigio personale potrebbero essere collegati con gli infortuni manifesti che gli esperti della sanità pubblica e della sicurezza possono documentare."[20] Il primo "incidente" della raccolta di immondizie è l'interiorizzazione della mancanza di rispetto, dopo di che vengono gli altri. Un uomo che non stima se stesso, non ha cura di se stesso come dovrebbe. Se questo è vero, che i dati della Sunset Company siano migliori potrebbe essere collegato con il fatto che le decisioni vengono prese in comune e con il sentirsi proprietari.

L'appartenenza della Sunset Scavenger Company viene distribuita attraverso una votazione dei membri effettivi, e poi con l'acquisto di azioni (in generale non è stato difficile farsi prestare il denaro necessario e il valore delle azioni è aumentato costantemente). I fondatori della compagnia erano italoamericani, e tale è la maggioranza dei membri attuali; circa metà dei membri hanno parenti nella compagnia, e un discreto numero di figli ha seguito le orme dei padri in questo lavoro. Forse il successo della compagnia è dovuto in parte alla facilità di rapporto fra i membri — i quali, in ogni caso, e qualunque cosa si voglia dire del loro lavoro, hanno fatto dell'appartenenza un bene. Tuttavia essi non distribuiscono il bene che hanno creato in base "all'equa eguaglianza di opportunità". A New York, essendoci un sindacato potente, la raccolta delle immondizie è un lavoro molto richiesto e lì questo lavoro è stato trasformato in carica. I candidati si devono qualificare sostenendo un esame per il pubblico impiego.[21] Sarebbe interessante sapere come valutano se stessi quegli uomini che superano l'esame e vengono assunti come pubblici dipendenti. Probabilmente guadagnano di più dei membri della cooperativa Sunset, ma non godono della stessa sicurezza: non sono padroni del proprio lavoro. E non condividono i rischi e le opportunità, non gestiscono una compagnia propria. Quelli di New York si definiscono "operatori ecologici", quelli di San Francisco "spazzini": chi deve essere più orgoglioso? Se i favoriti sono, come credo che siano, i membri della Sunset Company, ciò è strettamente legato alla natura della Sunset Company: una compagnia di compagni che scelgono i propri colleghi.

ghi, ai cittadini conta molto. Ma non voglio dimenticare l'osservazione di Wilde che conta anche quello che il lavoratore fa: non c'è modo di rendere attraente o intellettualmente stimolante il lavoro dello spazzino.

Non c'è altro modo di qualificarsi per il lavoro che appellarsi a quelli che sono già membri della compagnia. E questi cercano, senza dubbio, uomini capaci di fare il lavoro necessario e di farlo bene, ma presumibilmente cercano anche dei buoni compagni.

Ma non voglio sminuire il valore della sindacalizzazione, che può essere un'altra forma di autogestione e un altro modo di far funzionare il mercato. Non c'è dubbio che i sindacati siano stati efficaci nell'ottenere salari e condizioni di lavoro migliori per i propri membri; a volte sono persino riusciti a spezzare il legame fra differenziali di reddito e gerarchia di status (i netturbini di New York ne sono un esempio principe). Forse la regola generale dovrebbe essere che se un lavoro non può essere sindacalizzato o gestito in cooperativa, deve essere condiviso dai cittadini e non simbolicamente o parzialmente, ma universalmente, Anzi, quando ognuno potrà trovare un lavoro in cooperativa o sindacalizzato (quando non ci sarà un esercito di riserva) nessuno farà gli altri lavori, a meno che ognuno li faccia per se stesso. È chiaramente il caso del lavoro in cucina e della pulizia della casa, un settore coperto sempre di più dai nuovi immigrati e non dai cittadini.

"Proprio poche le ragazze nere che fanno le domestiche oggi," disse a Studs Tarkel una nera molto anziana che aveva fatto la domestica per tutta la vita. "E io sono contenta. Per questo voglio che i ragazzi vanno a scuola. E questa signora mi dice 'Tutta la tua gente sta diventando così' e io dico 'Sono contenta'. Non devono più mettersi in ginocchio."[22] Questo è il tipo di lavoro che dipende in larga misura dalla sua qualità morale (degradato). Se si cambia la qualità, il lavoro può benissimo diventare ineseguibile, non solo dal punto di vista del lavoratore, ma anche da quello del datore di lavoro. "Quando i domestici sono trattati come esseri umani," ha scritto Shaw, "non vale la pena di tenerli."[23]

Questo non vale, però, per i netturbini o i minatori, anche se la richiesta di un trattamento umano renderà sicuramente più costoso di prima ogni tipo di lavoro sporco o pericoloso. Se valga per i soldati, è un problema interessante. Come ho già detto, è possibile arruolare attraverso il mercato del lavoro: ma, in mancanza di un esercito di riserva, gli incentivi dovrebbero raggiungere o superare quelli di altre forme di duro lavoro. Comunque, la disciplina indispensabile all'efficienza militare rende difficile la sindacalizzazione e impossibile l'autogestione; e forse questo è il migliore argomento a favore di un servizio di leva anche in tempo di pace. La leva è un modo di condividere la disciplina e (cosa forse più importante) di esercitare un controllo politico sulla sua severità. Esistono uomini e donne a cui questa severità piace, ma dubito che siano abbastanza per difendere il paese. E mentre l'esercito offre una carriera attraente per chi spera di diventare ufficiale, non lo è, o non dovrebbe esserlo, in una comunità di cittadini per chi sarà nei ranghi inferiori. Fare il soldato è molto più prestigioso di raccogliere immondizie, ma in confronto a un soldato semplice dell'esercito i netturbini di San Francisco e gli operatori ecologici di New York sembrano uomini liberi.

L'aspetto più attraente dell'esperienza della Compagnia Sunset (e del kibbutz israeliano) è il modo in cui il duro lavoro è collegato ad altre attività — in questo caso, alle assemblee degli azionisti, ai dibattiti sulla politica aziendale, all'elezione dei funzionari e dei nuovi membri. Ora la compagnia si occupa anche di operazioni di interramento e di recupero e fornisce lavori nuovi e diversificati (a volte anche dirigenziali) ad alcuni dei suoi membri; ma tutti, qualsiasi cosa facciano adesso, hanno guidato camion e trasportato bidoni per anni. In quasi tutta l'economia la divisione del lavoro si è sviluppata in modo molto diverso, continuando a separare, anziché a integrare, i tipi di lavoro più pesanti. Questo è vero soprattutto nel campo dei servizi umanitari, per le cure che forniamo ai malati e agli anziani. Gran parte di questo lavoro si fa ancora a casa, dove è connesso con una serie di altri lavori, e dove le sue difficoltà sono alleviate dai rapporti che contribuisce a mantenere. Tuttavia, diventa sempre più istituzionale e nelle grandi istituzioni di assistenza — ospedali, manicomi, ospizi per anziani — il lavoro più duro, il lavoro sporco, i servizi e la sorveglianza più personali sono relegati ai dipendenti di grado più basso. I dottori e le infermiere, difendono la propria posizione nella gerarchia sociale, li scaricano sulle spalle degli ausiliari e degli inservienti, che fanno per degli estranei, giorno dopo giorno, quello che noi possiamo solo concepire di fare in caso di emergenza per le persone che amiamo.

Forse gli ausiliari e gli inservienti si guadagnano la gratitudine dei pazienti o delle loro famiglie. Non vorrei sottovalutare questa ricompensa, ma il più delle volte, e più palesemente, essa riguarda i medici e le infermiere, e cioè quelli che guariscono i malati e non quelli che li assistono soltanto. E il risentimento dei secondi è ben noto. W.H. Auden pensava chiaramente ai pazienti e non al personale degli ospedali quando scrisse:

> ... gli ospedali soltanto ci ricordano
> l'uguglianza degli uomini.[24]

Gli ausiliari e gli inservienti devono far fronte per lunghe ore a condizioni che i loro superiori istituzionali vedono solo ogni tanto e la gente non vede per niente e non vuole vedere. Spesso badano a persone cui il resto del mondo ha rinunciato (e quando il mondo rinuncia, si volta dall'altra parte). Sottopagati, sovraccarichi di lavoro, con una posizione sociale delle peggiori, ciò nonostante sono gli ultimi a recare conforto al genere umano — anche se ho l'impressione che, a meno di avere una vocazione per il loro lavoro, recano tanto conforto quanto ne ricevono. A volte si macchiano di quelle piccole crudeltà

185

che facilitano i loro compiti e che i loro superiori, sono fermamente convinti, sarebbero altrettanto pronti a commettere al loro posto.

"Qui c'è una quantità di problemi," ha scitto Everett Hughes, "che non possono essere risolti da un miracoloso cambiamento della selezione sociale dei nuovi assunti."[25] In realtà, se l'assistenza fosse condivisa — se dei giovani con estrazioni sociali diverse, facessero dei turni come inservienti e ausiliari — la vita interna degli ospedali, manicomi e ospizi per anziani cambierebbe sicuramene in meglio. Forse sarebbe meglio organizzare queste cose a livello locale anziché nazionale, in modo da stabilire una connessione fra assistenza e rapporti di vicinato; con un po' d'inventiva si potrebbe addirittura riuscire a ridurre la rigida impersonalità degli ambienti istituzionali. Ma simili iniziative possono avere, al massimo, una funzione complementare. La maggior parte del lavoro dovrà essere svolta da persone che l'hanno scelto come professione, e non sarà facile motivare questa scelta in una società di cittadini uguali. Già oggi dobbiamo assumere stranieri per gran parte del lavoro pesante e sporco dei nostri istituti di assistenza; e se vogliamo evitare questo tipo di assunzione (o l'oppressione che in genere comporta) dobbiamo, di nuovo, trasformare il lavoro. "Ho l'impressione," dice Hughes, "che... il 'lavoro sporco' sia più facilmente sopportabile quando rientra in un ruolo positivo, un ruolo ricco di gratificazioni personali. Un'infermiera può fare le stesse cose con più garbo di una persona che non ha il diritto di definirsi infermiera ma è detta 'sottoprofessionale' o 'non professionale'."[26] Giustissimo. Un servizio nazionale potrebbe funzionare, almeno per un certo periodo, perché il lavoro necessario sarebbe garantito dalla figura del vicino e del cittadino: ma nel lungo periodo può essere garantito solo da un senso accresciuto delle propria posizione istituzionale o professionale.

Senza cambiamenti di ampia portata nelle nostre istituzioni e professioni questo accrescimento è improbabile; dunque esso dipende dall'esito di una lotta politica lunga, dall'equilibrio delle forze sociali, dall'organizzazione degli interessi e così via. Ma potremmo anche vederlo in termini più suscettibili di discussione filosofica. È necessaria quella che i cinesi chiamano "rettificazione dei nomi". Per un verso i nomi sono dei dati storici e culturali; per un altro sono soggetti al gioco del potere sociale e politico. Il fenomeno dei funzionari e professionisti che si tengono stretti il titolo e il prestigio di un determinato posto e ne dirottano i doveri più sgradevoli è un esempio, forse l'esempio cruciale, di un gioco di potere. Ma a meno di essere dei nominalisti radicali, ciò lascia irrisolta la questione dei nomi. Una volta rimescolate le mansioni delle infermiere, chi chiameremo infermiera, chi insegna e sovrintende? Chi dà conforto al capezzale? O magari chi svolge i servizi più umili?[27] Non c'è dubbio: dovremmo dare il nome, e tutto ciò che esso comporta, alla persona che fa il "lavoro da infermiera", che (come dice il vocabolario) "serve ed assiste" i malati. Non voglio rivendicare nulla sull'essenza del lavoro da infermiera, né voglio discutere una questione puramente linguistica; mi riferisco, ancora una volta, alle concezioni comuni, che possono sempre essere messe in discussione. E tuttavia, mi sembra giusto dire che esiste una serie di attività di gran valore che comprendono "servizi umili" e che valgono, almeno in parte, perché comprendono tali servizi. C'è un legame fra le durezze del lavoro e la gloria, e non dovremmo mai essere disposti a permettere la loro separazione, neanche in nome dell'efficienza e del progresso tecnologico.

Non esistono soluzioni facili o eleganti, del tutto soddisfacenti del problema del duro lavoro. I beni positivi hanno magari una destinazione appropriata; i beni negativi no. "Per evitare di confrontarci con questo fatto," ha scritto Shaw, "potremmo sostenere che alcune persone hanno dei gusti talmente bizzarri che è quasi impossibile menzionare un'occupazione per la quale non si trovi nessuno che la desideri ardentemente... Il detto che Dio non ha mai creato un lavoro, ma ha creato un uomo e una donna per farlo, è vero solo fino a un certo punto".[28] Ma questa dichiarazione non ci porta molto lontano. La verità è che il duro lavoro è un lavoro privo di attrattive per quasi tutti gli uomini e le donne che si trovano a farlo. Quando erano bambini sognavano di fare altre cose. Col passare degli anni il lavoro diventa sempre più difficile. Così ha detto un netturbino di cinquant'anni a Studs Terkel: "Le strade sono più lunghe e i bidoni più grossi. Divento vecchio."[29]

Possiamo condividere (e in parte trasformare) il duro lavoro mediante un qualche tipo di servizio nazionale; possiamo compensarlo con denaro o tempo libero; possiamo renderlo più gratificante collegandolo ad altri tipi di attività — politiche, dirigenziali, professionali. Possiamo arruolare, ruotare, cooperare e compensare; possiamo riorganizzare il lavoro e rettificarne il nome. Ma anche se facciamo tutte queste cose, il duro lavoro non sarà abolito né sarà abolita la classe di quelli che lo fanno. Il primo tipo di abolizione, come ho già sostenuto, è impossibile; il secondo non farebbe che aggiungere la coercizione alla durezza. Le misure da me proposte sono, nel migliore dei casi, parziali e incomplete; esse hanno un fine adeguato ad un bene negativo: una distribuzione del duro lavoro che non corrompa le sfere distributive cui si sovrappone, non porti la miseria nella sfera del denaro, la degradazione nella sfera dell'onore, la debolezza e la rassegnazione nella sfera del potere. Escludere la dominanza negativa: questo è lo scopo della contrattazione collettiva, della gestione cooperativa, del conflitto professionale, della rettifica dei nomi — della politica del duro lavoro. Gli esiti di questa politica sono indeterminati, sicuramente diversi in epoche e luoghi diversi, condizionati da gerarchie e concezioni sociali preesistenti. Ma saranno condizionati anche dalla solidarietà, dall'abilità e dall'energia dei lavoratori stessi.

7. Tempo libero

Il significato del tempo libero

Diversamente dal denaro, dalle cariche, dall'istruzione e dal potere politico, il tempo libero non è un bene pericoloso. Non si converte facilmente in altri beni e non può essere usato per dominare altre distribuzioni. Gli aristocratici, gli oligarchi e i loro imitatori, i capitalisti, godono, indubbiamente, di molte ore di tempo libero, che però utilizzano generalmente, come sosteneva Thorstein Vablen alla fine dell'Ottocento, per esibire invece di acquisire, ricchezza e potere. Perciò mi occuperò solo brevemente di queste persone e dei loro piaceri; il tradizionale ozio delle classi superiori ha solo una piccola parte nel mio discorso.

Anzi, la descrizione vebleniana dell'"ozio onorifico" dà l'idea che esso possa diventare una faccenda faticosa e frenetica (anche se non è mai duro lavoro). Non si tratta soltanto di oziare: bisogna accumulare "prove utili dell'improduttiva spesa di tempo".[1] La cosa essenziale è non far niente di utile e nello stesso tempo far sapere al mondo che non si sta facendo niente di utile. La presenza di una moltitudine di domestici indaffarati è di grande aiuto; ma c'è il problema che le attività permesse agli aristocratici e agli oligarchi non lasciano prodotti materiali dietro di sé. Perciò le "prove utili" prendono la forma di conversazione spiritosa, maniere squisite, viaggi all'estero, intrattenimenti stravaganti, "opere di erudizione e di arte". Credo che sia un errore supporre che l'alta cultura dipenda da questo genere di cose, anche se spesso persone che non hanno niente da fare si dilettano di arte e di letteratura o proteggono gli scrittori e gli artisti. "Ogni progresso intellettuale nasce dall'ozio," ha scritto Samuel Johnson,[2] ma non era questo il tipo di ozio che aveva in mente (né la sua vita conferma la sua affermazione). In ogni caso, in condizioni di eguaglianza complessa l'oziosità delle classi superiori non sarà più possibile. La concentrazione di beni sociali necessari sarà improbabile; la servitù sarà difficile da trovare, oppure non si darà da fare abbastanza; l'inutilità avrà un valore sociale minore. Tuttavia è una buona cosa stare in ozio, sprecare il tempo almeno qualche volta; e la libertà di farlo, in villeggiatura, vacanza, weekend, ore libere dal lavoro, è una questione fondamentale della giustizia distributiva.

Per la maggioranza della gente il tempo libero è semplicemente il contrario del lavoro, l'ozio è la sua essenza. La radice etimologica del greco *scholé* e dell'ebraico *shabatt* è il verbo "smettere" o "fermare".[3] Probabilmente è il lavoro che si ferma, e il risultato è quiete, pace, riposo (ma anche divertimento, gioco, festa). C'è però una interpretazione alternativa del tempo libero che richiede almeno una breve descrizione. Il tempo libero non è solo tempo "vacante", è anche tempo a nostra disposizione. L'espressione "dolce far niente" non vuole sempre dire che non abbiamo niente da fare, ma piuttosto che non c'è niente che dobbiamo fare. Perciò potremmo dire che il contrario del tempo libero non è il lavoro in quanto tale, ma il lavoro necessario, il lavoro imposto dalla natura o dal mercato o, soprattutto, dal caporeparto e dal padrone. Così c'è un modo di lavorare a proprio comodo (al proprio ritmo) e ci sono forme di lavoro compatibili con una vita libera da occupazioni. "Infatti tempo libero non significa ozio," ha scritto T.H. Marshall in un saggio sul professionismo, "significa essere liberi di scegliere le proprie attività secondo le proprie preferenze e ciò che si ritiene essere meglio."[4] Un tempo i professionisti erano ansiosi di rivendicare questa libertà, che ne faceva dei gentiluomini; infatti pur guadagnandosi da vivere col lavoro, lavoravano senza costrizioni. Non è difficile immaginare un contesto in cui questa stessa libertà favorisca non la condizione di gentiluomo ma quella di cittadino. Prendiamo, per esempio, l'artigiano greco, il cui scopo nella vita, si è detto, era quello di "preservare la sua piena autonomia personale e libertà d'azione, lavorare quando ne aveva voglia e i suoi doveri di cittadino glielo permettevano, armonizzare il suo lavoro con tutte le altre occupazioni che riempivano (la sua giornata), partecipare al governo, sedere in tribunale, essere presente ai giochi e alle feste".[5] Il quadro è sicuramente idealizzato, ma è importante osservare che l'ideale in questione è quello di un lavoratore il cui tempo è tutto libero, che non ha bisogno di "vacanze retribuite" per godersi un momento di libertà.

Aristotele sosteneva che solo del filosofo si può dire con verità che abbia vita libera, la filosofia è l'unica attività umana ad essere perseguita senza il vincolo di un fine ulteriore.[6] Ogni altra occupazione, politica compresa, era legata a uno scopo e in ultima istanza non libera, mentre la filosofia era fine a se stessa. L'artigiano era schiavo non solo del mercato, sul quale vendeva i suoi prodotti, ma anche di questi ultimi. Suppongo dunque che i libri correntemente attribuiti ad Aristotele, invece, non fossero affatto dei prodotti ma solo dei sottoprodotti della riflessione filosofica. Non furono scritti per fare soldi o vincere una cattedra, o anche per la fama eterna. In teoria, la filosofia non porta ad alcun risultato; o quanto meno non viene praticata per via dei suoi risultati. Possiamo vedere qui l'origine (o forse già un riflesso) del disprezzo aristocratico per il lavoro produttivo. Ma fare della non produttività l'aspetto centrale del tempo libero è una restrizione del suo significato tanto superflua quanto interessata. Probabilmente solo per il filosofo è affascinante l'idea che la nozione di tempo libero non sia contaminata dai pensieri del filosofo e lo sia dal tavolo o dal vaso o dalla statua dell'artigiano.

Dal punto di vista morale sembra più importante che l'attività umana sia ulteriormente determintata che non che abbia un fine esterno o un esito materiale; e se ci concentriamo sull'autodeterminazione, possiamo far rientrare nell'ambito di una vita libera un'ampia varietà di attività finalizzate.

Il lavoro intellettuale è sicuramente una di queste, non perché sia inutile — non si può mai esserne certi — ma perché in genere gli intellettuali sono in grado di progettare e di definire autonomamente il loro lavoro. Ma anche altri tipi di lavoro possono essere progettati (pianificati, programmati, organizzati), individualmente o collettivamente, dai lavoratori stessi; e allora non è implausibile descrivere il lavoro come "attività libera" e il tempo come "tempo libero".

Marx ha scritto, criticando la descrizione di Adam Smith del riposo come la condizione umana ideale, identica alla libertà e alla felicità, che gli esseri umani hanno bisogno anche di un'"interruzione del riposo". E prosegue: "Certo, la misura del lavoro stesso si presenta come data dall'esterno, dal fine da raggiungere e dagli ostacoli che il lavoro deve superare per pervenirvi. Ma Smith non sospetta neppure che tale superamento di ostacoli sia in sé attuazione della libertà." Marx vuole dire che qualche volta può essere un'attuazione della libertà — ogni volta che "gli scopi esterni vengano sfrondati dalla parvenza della pura necessità e siano i posti come fini che soltanto l'individuo stesso pone".[7]

Qui in parte, si tratta della questione, che riprenderò in un capitolo successivo, del controllo del lavoro, della distribuzione del potere nel luogo di lavoro e nell'economia in generale. Ma Marx voleva anche accennare a una grandiosa trasformazione del modo in cui l'uomo si rapporta alla natura, una fuga dal regno della necessità, un superamento dell'antica distinzione fra lavoro e gioco. Allora non sarà più necessario parlare, come ho fatto io, di lavoro svolto coi ritmi liberamente scelti o inserito in una vita di tempo libero, perché il lavoro sarà tempo libero e il tempo libero sarà lavoro: attività libera e produttiva, "vita di specie" dell'umanità.

Per Marx il grande fallimento della civiltà borghese sta nel fatto che quasi tutti gli uomini e le donne fanno esperienza, se mai ne fanno, di questo tipo di attività solo nei pochi ritagli di tempo, come se fosse un hobby, e non il loro lavoro. Nella società comunista, al contrario, il lavoro di ognuno sarà il suo hobby e la vocazione di ognuno sarà la sua occupazione. Ma questa visione, per quanto grandiosa, non è materia adatta per una teoria della giustizia. Se mai verrà realizzata, la giustizia non sarà più un problema. A noi interessa la distribuzione del tempo libero nell'età che precede la trasformazione, la fuga, il superamento: cioè, qui adesso, dove il ritmo del lavoro e del riposo è ancora cruciale per il benessere dell'uomo, e dove alcune persone, a dir poco, non hanno affatto una vita di specie se non c'è una pausa dalle loro occupazioni normali. Comunque il lavoro sia organizzato e per quanto sia fatto con comodo — e questi sono problemi cruciali — gli uomini e le donne hanno ugualmente bisogno del tempo libero nel senso più ristretto e convenzionale di "interruzione del lavoro".

Due forme di riposo

Ma Marx, nei momenti più cupi, scrisse che il lavoro resterà sempre un regno della necessità. Il libero sviluppo delle potenzialità umane avviene al di là di questo regno: "Il suo requisito primario è l'accorciamento della giornata lavorativa."[8] E, potremmo aggiungere, "della settimana lavorativa, dell'anno lavorativo, della vita lavorativa". Tutto ciò è stato al centro dei conflitti distributivi, o guerre di classe, del secolo passato. Il capitolo sulla giornata lavorativa nel primo volume del *Capitale* è una brillante descrizione di questi conflitti; ma per quanto riguarda la giustizia, è contrassegnato da un onnipresente (e tipico) dualismo. Da un lato Marx insiste nel dire che non c'è modo di derivare dall'idea di giustizia la giusta lunghezza della giornata lavorativa:

Il capitalista cercando di rendere il più lunga possibile la giornata lavorativa... sostiene il suo diritto di compratore... l'operaio, volendo limitare la giornata lavorativa ad una grandezza normale determinata, sostiene il suo diritto di venditore. Qui ha dunque luogo una *antinomia*: diritto contro diritto, entrambi consacrati dalla legge dello scambio delle merci. Fra diritti uguali decide la *forza*.[9]

Ma dall'altro lato Marx insiste anche, e con passione, che la forza può decidere in modo sbagliato:

... il capitale, nel suo smisurato e cieco impulso, nella sua voracità da lupo mannaro di pluslavoro, scavalca non soltanto i *limiti massimi morali della giornata lavorativa, ma anche quelli puramente fisici.* Usurpa il tempo necessario per la crescita, lo sviluppo e la sana conservazione del corpo.[10]

Esistono sicuramente dei limiti fisici, anche se spaventosamente ridotti: "le poche ore di riposo senza le quali la forza-lavoro ricusa assolutamente di rinnovare il suo servizio"[11] E se si vuole un lavoro accurato o inventivo o massimamente produttivo i limiti sono più severi, poche ore non basteranno. Anzi, la produttività aumenta col riposo, almeno fino a un certo punto; e i capitalisti razionali, proprio per la loro "voracità da lupi mannari", dovrebbero individuare esattamente quel punto. Ma questo è un problema di prudenza o di efficienza, non di giustizia. I limiti morali, invece, sono molto più dificili da specificare perché variano da una cultura all'altra, a seconda del comune modo d'intendere una vita umana decorosa. Ma ogni concezione della quale si abbia memoria storica comprende il lavoro e il riposo. Per Marx non fu difficile smascherare l'ipocrisia degli apologeti inglesi della giornata di dodici ore e della settimana di sette giorni: "e sia pure nella terra dei sabbatari"! In effetti, vista sullo sfondo della lunga storia del lavoro e del riposo, l'Inghilterra del ventennio 1840-60 sembra un'aberrazione infernale. Benché il ritmo e la periodicità del lavoro presentino differenze radicali, poniamo, fra i contadini, gli artigiani e gli operai dell'industria, e benché la lunghezza delle giornate lavorative presenti pure grosse variazioni, l'anno lavorativo, così sembra, ha invece una forma normativa — o quanto meno una forma che si ripete in molte condizioni culturali diverse. Dai calcoli fatti, ad esempio, per l'antica Roma, per l'Europa medioevale e per la Cina rurale prima della Rivoluzione risulta un rapporto fra giornate lavorative e giornate di riposo di circa 2:1.[12] E più o meno questo vale anche ora (calcolando una settimana lavorativa di cinque giorni, due settimane di ferie e da quattro a sette festività civili).

Lo scopo del riposo varia enormemente. La descrizione che ne dà Marx è tipica dei liberali e dei romantici dell'Ottocento: "Tempo per un'educazione da esseri umani, per lo sviluppo intellettuale, per l'adempimento di funzioni sociali, per rapporti socievoli, per il libero gioco delle energie vitali fisiche e mentali."[13] La politica, che aveva una parte tanto importante nel tempo libero dell'artigiano greco, non è nemmeno menzionata, né lo è l'osservanza religiosa. E, a meno che nel "libero gioco", non rientrino anche i pensieri in libertà, i sogni a occhi aperti e le fantasticherie non è nemmeno molto sentito quello che qualsiasi bambino avrebbe potuto spiegare a Marx: il valore del non far niente, di "far passare" il tempo. Potremmo aggiungervi la definizione aristotelica del tempo libero e dire che la mancanza di scopo, il non avere mete prefissate, è uno (ma uno soltanto) degli scopi caratteristici del tempo libero.

Ma comunque si descrivano questi scopi, essi non individueranno un gruppo determinato di persone aventi più, o meno, diritto al tempo libero. A tal riguardo non c'è modo di qualificarsi. È certamente possibile, qualificarsi per certi tipi di lavoro libero, per esempio le professioni. E, analogamente, è possibile vincere una borsa di studio che assicuri del tempo libero per fare ricerca o per scrivere. La società ha interesse a far sì che, poniamo, nei corsi di filosofia insegnino persone qualificate, ma non le interessa chi sia a pensare pensieri filosofici e chi no. Il libero gioco dei corpi e delle menti è... libero; non si giudica la qualità di come si perde tempo. Dunque il tempo libero, così come viene concepito in un luogo e in un momento determinato, sembra appartenere a tutti gli abitanti di quel luogo e momento; non è disponibile alcun principio di selezione o di esclusione. La secolare associazione della ricchezza e del potere con l'ozio non è che un'altra forma di tirannia: poiché io sono potente ed esigo obbedienza, io riposerò (e tu lavorerai). Sarebbe più esatto dire che la ricompensa del potere sta nel suo esercizio, e che la sua giustificazione sta nel suo esercizio coscienzioso o efficiente — e quest'ultimo è una forma di lavoro, che ha tra i suoi scopi che altri possano riposare. Così l'Enrico V di Shakespeare, ripetendo la solita autodifesa dei re, dice:

> poco sospetta... grossolano cervello quante veglie debba
> fare il re per mantenere quella pace che d'ora in ora, è di
> sommo beneficio al contadino.[14]

Ma nessuno sa a chi, fra i contadini, sia davvero di "sommo" beneficio. Però fin qui il ragionamento, pur escludendo giornate lavorative come quelle descritte da Marx, non richiede che ognuno abbia la stessa esatta quantità di tempo libero. In realtà dati i moli tipi diversi di lavoro che la gente svolge, sono possibili e anzi desiderabili variazioni notevoli. *Intelligent Woman's Guide* Shaw dice, con molta forza che la giustizia esige che "il riposo o libertà ... sia equamente distribuito fra tutta la popolazione".[15] Si tratta dell'eguaglianza semplice nella sfera del tempo libero; la lunghezza della giornata lavorativa sarebbe stabilita sommando le ore di lavoro e dividendo per il numero delle persone. Ma l'affermazione egalitaria di Shaw è seguita immediatamente da una discussione incredibilmente articolata, dei diversi tipi di lavoro e di lavoratori. Ho già citato la sua tesi secondo cui chi fa i lavori di fatica dovrebbe essere ricompensato con del tempo libero in più. Né Shaw rifugge dal porre le sue rivendicazioni: "Nel mio caso, nonostante... il fatto che il lavoro di uno scrittore, di regola, si possa benissimo dividere in periodi della giornata, in genere sono costretto a lavorare fino a bloccarmi completamente e poi ad allontanarmi per molte settimane per recuperare."[16] E ciò sembra abbastanza ragionevole; ma adesso dobbiamo considerare più da vicino come si potrebbe correttamente conciliare questi modi di organizzarsi.

Breve storia delle vacanze

Nel 1960 ogni giorno un milione e mezzo di americani, il 2,4% della forza lavoro era in vacanza.[17] Una cifra straordinaria, che senza dubbio non era mai stata superata prima. In effetti le vacanze hanno una storia breve, anzi, per la gente comune, brevissima. Sebastian de Grazia riferisce che fino agli anni venti solo un piccolo numero di salariati poteva vantare delle ferie retribuite.[18] Oggi questa è una condizione molto più comune e anzi è un aspetto centrale di ogni contratto sindacale; e l'abitudine di "partire", se non per molte settimane, almeno per una o due settimane, ha anche incominciato a diffondersi in tutte le classi. Anzi, le vacanze sono diventate la norma, sicché siamo portati a pensare ai weekend come a vacanze brevi e agli anni che seguono il pensionamento come una vacanza lunghissima. Eppure l'idea è nuova. L'uso della parola *vacation* (vacanza) per indicare giorno di festa privata risale agli anni settanta del secolo scorso, mentre il verbo *to vacation* (andare in vacanza) alla fine degli anni novanta.

Tutto cominciò come imitazione borghese dell'abitudine degli aristocratici di ritirarsi dalla vita di corte e di città nelle loro proprietà di campagna, ma poiché ben pochi borghesi avevano proprietà di campagna, si ritrovarono invece al mare o in montagna. All'inizio non si usava dire che si andava a riposarsi e a divertirsi, ma si parlava piuttosto delle proprietà benefiche dell'aria di campagna e delle acque minerali e di quelle marine: ed ecco allora nel Settecento, Bath e Brigthon, dove si andava a mangiare, chiacchierare, passeggiare, e qualche volta anche a "passare le acque". Ma ben presto la fuga da città e paesi divenne popolare per se stessa, e in risposta l'imprenditoria moltiplicò a poco a poco il numero della località di villeggiatura e rese più economiche le distrazioni che venivano offerte. Con l'invenzione della ferrovia una simile fuga fu alla portata degli operai dell'Ottocento, che però avevano tempo soltanto per la "gita": andare al mare e tornare tutto in un giorno. Soltanto dopo la prima guerra mondiale cominciò la grande espansione delle vacanze di massa, più tempo, più posti dove andare, più soldi, sistemazioni a buon mercato e i primi progetti di fornitura comunitaria — spiagge pubbliche, parchi nazionali e così via.

L'aspetto essenziale delle vacanze, il loro carattere individualistico (o familiare), fu esaltato naturalmente dall'arrivo dell'automobile. Ognuno pianifica le proprie vacanze, va dove vuole andare e fa quel che vuole fare. È ovvio che in realtà il comportamento da vacanza è altamente stereotipato (soprattutto in base alla classe sociale) e la fuga che rappresenta è normalmente da un insieme di abitudini a un altro.[19] Ma si tratta, chiaramente, di una sensazione di libertà: si lascia il lavoro, si va in un posto nuovo e diverso e forse si divertirà. Il fatto che la gente vada in vacanza tutta insieme è effettivamente un problema e man mano che le dimensioni di queste folle aumentano, è sempre più un problema distributivo, dove il bene che scarseggia è lo spazio, non il tempo. Però non capiremmo il valore delle vacanze se non mettessimo in rilievo che sono le singole persone a scegliere e pianificarle. Non ci sono due vacanze perfettamente uguali.

La pianificazione, tuttavia, è commisurata al portafoglio della persona (o della famiglia). Le vacanze sono merci: bisogna comprarle, utilizzando la paga precedente e spendendo soldi, e la scelta è limitata dal potere d'acquisto. Non voglio dare troppa importanza a questo punto, perché è anche vero che la gente si batte per le vacanze: organizza sindacati, contratta coi datori di lavoro, sciopera per avere giornate libere, per ottenere le giornate lavorative più brevi, pensionamento anticipato e così via. Un storia delle vacanze non sarebbe completa se non tenesse conto di queste lotte, che tuttavia non sono l'aspetto essenziale delle distribuzioni contemporanee. Potremmo, in effetti, mettere in rapporto diretto le giornate libere e il lavoro, così che una persona possa scegliere, come suggerisce Shaw, fra un lavoro duro e sporco con vacanze lunghe e un lavoro più piacevole con vacanze più brevi. Ma oggi, per la maggior parte dei lavoratori, la forma e il valore delle vacanze sono probabilmente determinate non tanto dal tempo, quanto dal denaro che possono spendere.

Se tutti gli stipendi e i salari fossero approssimativamente uguali, non ci sarebbe niente di male nel fare delle vacanze una cosa che si può comprare. Il denaro è lo strumento appropriato per i progetti individuali perché esso impone il giusto tipo di scelta: fra il lavoro e la sua paga da un parte e le spese per un certo modo di impiegare (o di non impiegare) il tempo libero dall'altra. Si può ipotizzare che persone con risorse analoghe farebbero scelte diverse, e che il risultato sarebbe una distribuzione complessa e altamente parcellizzata. Alcuni, per esempio, prenderebbero poche o nessuna vacanza, preferendo guadagnare più soldi e circondarsi di belle cose, anziché fuggire verso qualche bel posto. Altri potrebbero preferire vacanze brevi e frequenti; altri ancora una lunga tirata lavorativa seguita da un lungo riposo. E qui sono possibili decisioni sia individuali, sia collettive (per esempio nei sindacati e nelle cooperative); però le scelte decisive vanno fatte a livello personale perché tali sono le vancanze. Portano il segno della loro origine liberale e borghese.

Ma in condizioni di eguaglianza complessa, stipendi e salari non saranno eguali: saranno solo molto meno diseguali di oggi. Nel mondo piccoloborghese ci saranno sempre persone che rischiano il proprio denaro, e anche il proprio tempo, per trovarsi alla fine con più o meno denaro e tempo rispetto agli altri. Le fabbriche autogestite andranno più o meno bene, e quindi avranno più o meno denaro e tempo da distribuire ai propri membri e anche per uno come Shaw l'esatta lunghezza delle sue "molte settimane" di riposo e le condizioni nelle quali le passerà dipenderanno probabilmente dal successo delle sue commedie non meno che dalle esigenze della sua musa. D'altra parte, appena le vacanze diventano, com'è il caso, ormai, negli Stati Uniti, un aspetto centrale della vita sociale e della cultura è indispensabile un qualche tipo di fornitura comunitaria. È necessario non solo assicurarsi che la distribuzione non sia totalmente dominata dalla ricchezza e dal potere, ma anche garantire una pluralità di scelte e agevolare la realizzazione dei progetti individuali. Di qui, per esempio, la difesa della natura e delle zone selvatiche, senza le quali certi tipi di vacanze, molto apprezzate, non sarebbero più possibili, e di qui anche la destinazione di una parte del gettito fiscale a parchi, spiagge, campeggi, ecc, per garantire che non manchino posti per tutti quelli che vogliono "andar via". Anche se le scelte personali o familiari — dove andare, come sistemarsi, quali attrezzature portare con sé — non saranno tutte limitate allo stesso modo, deve comunque essere a disposizione di tutti una certa gamma di scelte.

Ma tutto questo presuppone la centralità delle vacanze e qui è importante sottolineare che esse sono il prodotto di un'epoca e di un luogo particolare. Non sono l'unica forma di tempo libero; per la maggior parte della storia dell'umanità nemmeno si sapeva che cosa fossero, e la loro principale alternativa, la festa pubblica, sopravvive tuttora anche negli Stati Uniti. Quando gli antichi romani, o i cristiani medievali, o i contadini cinesi, si prendevano del tempo libero dal lavoro, non era per andare via, da soli o con la famiglia, ma per partecipare a qualche festa della comunità. Un terzo del loro anno, e a volte di più, se ne andava in commemorazioni civili, solennità religiose, ricorrenze dei santi e così via. Questi erano i loro giorni di festa (*holidays*) — in origine giorni santi (*holy days*) — che stanno alle nostre vacanze come la salute pubblica sta alle cure private o i trasporti pubblici all'automobile privata. Erano fornite a tutti, nella stessa forma e nello stesso tempo, ed erano fruite collettivamente. Ci sono ancora delle feste di questo tipo, anche se sono decisamente in declino e nell'occuparcene sarà utile concentrarsi su una delle più importanti.

L'idea del sabato

Secondo il *Deuteronomio* il sabato venne istituito per commemorare la fuga dall'Egitto. Gli schiavi lavorano senza interruzione, o sono agli ordini dei padroni, e così gli israeliti ritennero che il primo contrassegno di un popolo libero fosse che i suoi membri godessero di un giorno fisso di riposo. In effetti il comandamento divino riportato nel *Deuteronomio* si riferisce in primo luogo agli schiavi degli israeliti: "che il tuo servo e la tua serva riposino come te" (5,14). Anche se la schiavitù vera e propria non era stata abolita, non si doveva rinnovare l'oppressione egiziana. Il sabato è un bene collettivo; è, come dice Martin Buber, "proprietà comune di tutti", cioè di tutti quelli che partecipano alla vita in comune. "Anche allo schiavo accolto nella comunità domestica, anche al *ger*, all'estraneo [straniero residente] accolto nella comunità nazionale si deve permettere di partecipare al riposo divino".[20] E sono compresi pure gli animali domestici, "il tuo bue ... il tuo asino ... le tue bestie", perché gli animali possono presumibilmente godere del riposo (anche se non possono andare in vacanza).

Ma Weber sostiene che il riposo era imposto anche agli estranei o stranieri residenti per negare loro ogni vantaggio competitivo.[21] Non c'è motivo per una simile affermazione, né c'è alcuna testimonianza nelle fonti a parte la convinzione, che non sempre appartiene a Weber, che i moventi economici debbano per principio essere i più importanti. Ma è vero che anche in un'economia precapitalistica sarebbe difficile garantire il riposo a tutti senza imporlo a tutti. Le feste pubbliche richiedono la coercizione. Credo che il divieto assoluto di qualsiasi tipo di lavoro si trovi esclusivamente nel sabato ebraico; ma senza un obbligo universalmente sentito ed un meccanismo di imposizione non potrebbero esserci feste. È per questo che al declinare dell'obbligatorietà e dell'imposizione, le feste non sono più state ricorrenze pubbliche, sono state assorbite dai weekend e sono diventate parte indistinta dalle vacanze individuali. Questo può essere un argomento a favore delle leggi puritane, che si possono giustificare più o meno come le tasse: le une e le altre gravano sul tempo produttivo e salariato, per il bene della fornitura comunitaria.

Il riposo del sabato è più egualitario delle vacanze perché non lo si può acquistare: è un'altra di quelle cose che il denaro non può comprare. È ingiunto a tutti e goduto da tutti.* Questa eguaglianza ha effetti indotti interessanti. Poiché la celebrazione richiedeva certi tipi di cibo e di abbigliamento, le comunità ebraiche sentirono l'obbligo di fornirli a tutti i loro membri. Così parla Neemia agli ebrei che con lui erano tornati a Gerusalemme da Babilonia: "Questo giorno è sacro al Signore, vostro Dio. ... Andate, mangiate carni grasse, bevete vini dolci e mandatene porzioni a chi non ha nulla di preparato" (8,9-10). Non mandare porzioni sarebbe opprimere i poveri, poiché verrebbero esclusi da una celebrazione comune; sarebbe una sorta di bando immeritato. E poi, quando il riposo del sabato fu condiviso, si cominciò a sostenere che anche il lavoro di preparazione del sabato doveva essere condiviso. Come poteva riposare chi prima non aveva lavorato? "Anche chi è una persona di altissimo rango e non si occupa di regola della spesa o di altre mansioni domestiche," ha scritto Maimonide, che pensava soprattutto ai rabbini e ai dotti, "dovrebbe ciononondimeno adempiere a uno di questi compiti in preparazione del sabato. ... Anzi, più si fa per tale preparazione e più si è degni di lode."[23] E così l'universalismo del settimo giorno venne esteso, quanto meno, al sesto.

Si potrebbe dire, tuttavia, che questo è solo un ennesimo caso in cui l'eguaglianza e la perdita della libertà procedono di pari passo. Senza dubbio il sabato è impossibile senza il comandamento universale del riposo; o meglio, ciò che sopravvive senza un tale comandamento è qualcosa di meno del vero sabato. E però l'esperienza stori-

* Secondo il folclore ebraico anche i dannati dell'inferno hanno il permesso di riposare il sabato. Determinate concezioni del riposo "necessario" pongono dunque dei limiti tanto alla punizione quanto al lavoro. Si potrebbe dire che infliggere una pena di sabato sarebbe una "punizione crudele ed insolita".[22]

ca del sabato non è un'esperienza di non libertà. Nella letteratura ebraica, e religiosa e secolare, la sensazione predominante è che quel giorno fosse atteso con ansia e accolto con gioia, proprio come un giorno di liberazione, un giorno a disposizione. Era destinato, come ha scritto Leo Baeck, "a dare all'anima uno spazio ampio ed elevato" — e così sembra che fosse.[24] Indubbiamente questa sensazione di vastità non coinvolgerà quelle persone che stanno al di fuori della comunità dei credenti, ma che sono sempre soggetti, in maggiore o minor misura, alle sue regole. Ma la loro esperienza, qui, non è determinante. Le feste sono per i membri, e i membri possono essere liberi entro i limiti della legge. Quanto meno, possono essere liberi, quando la legge è un patto, un contratto sociale, anche se non si tratta mai di un patto concepito individualmente.

Ma la gente preferisce le vacanze private alle feste pubbliche? Non è facile immaginare una situazione in cui la scelta si presenti in modo così netto e semplice. In qualsiasi comunità in cui siano possibili, le feste ci saranno già; faranno parte di quella vita in comune, fondamento della comunità, e daranno forma e significato alla vita personale dei suoi membri. La storia della parola *vacation (vacanza)* dà un'idea di quanto ci siamo allontanati da quel tipo di vita in comune. Nell'antica Roma i giorni in cui non c'erano feste religiose o giochi pubblici erano chiamati *dies vacantes*, "giorni vuoti". Le feste, invece, erano piene — piene di obblighi ma anche di celebrazioni, piene di cose da fare, festeggiamenti, danze, riti, spettacoli. Era allora che il tempo era maturo per produrre i beni sociali delle solennità e dei divertimenti collettivi. Chi avrebbe rinunciato a simili giorni? Ma noi abbiamo perduto quel senso di pienezza e i giorni che agognamo sono quelli vuoti, che possiamo riempire come vogliamo, soli o con la famiglia. Qualche volta proviamo la paura del vuoto — per esempio la paura di andare in pensione, che oggi è visto come una successione indefinita di giorni vuoti.* Ma la pienezza agognata da molti pensionati, e l'unica che essi conoscano, è la pienezza del lavoro, non del riposo. Ho l'impressione che le vacanze abbiano bisogno del contrasto col lavoro, che questo sia un elemento essenziale della soddisfazione che procurano. È così anche per le feste? Così la pensa il principe Hal nell'*Enrico IV*, Parte I, di Shakespeare:

---

* O la paura della disoccupazione: nella nostra cultura, quanto meno, è improbabile che i disoccupati vivano il proprio tempo come un tempo di pienezza o di libertà. Subito dopo il licenziamento possono magari fare una breve vacanza, ma poi il tempo libero diventa per loro un peso; la disoccupazione produce tempo morto.[25] Poiché concepiamo le vacanze come qualcosa di guadagnato con un lavoro utile, come un riposo "meritato", la disoccupazione minaccia non solo il nostro benessere materiale, ma anche la nostra identità di membri rispettabili di una società nella quale è presente un certo modello di lavoro e di riposo. Un forte senso della cittadinanza potrebbe rendere meno pericolosa la disoccupazione, perché permetterebbe ai cittadini senza lavoro di "lavorare" in un movimento politico volto a riformare l'economia o lo stato assistenziale. Ritornerò su questi problemi nei capitoli 11 e 12.

Se tutto l'anno fosse festa ed allegria
divertirsi sarebbe noioso come lavorare,
ma poiché rare vengono, desiderabili sono le feste.[26]

Il punto di vista di Hal è sicuramente il più comune, e sembra concordare con la nostra esperienza. Ma secondo i rabbini del passato, nel sabato noi pregustiamo l'eternità. Il regno messianico, che verrà, secondo l'antico detto, nella pienezza dei giorni, sarà un sabato (non una vacanza) senza termine.[27]

Devo osservare, tuttavia, che le feste tradizionali, i sabati, le ricorrenze dei santi, le solennità sono state contestate da ogni grande rivoluzione, in parte per far aumentare la produttività, ma in parte anche per tentare di abolire gli stili di vita e le gerarchie sacerdotali tradizionali. L'esempio più recente è quello dei comunisti cinesi. "Ci sono state troppe feste religiose," scriveva uno di loro nel 1958. "A causa delle superstizioni e delle feste la produzione è stata interrotta per più di 100 giorni all'anno, e in alcune zone per 138... La classe reazionaria ha usato questi rituali e costumi dannosi per rendere schiavo il popolo."[28] Si può anche ammettere che ci sia qualcosa di vero; tuttavia la shiavizzazione non è affatto ovvia, e l'abolizione delle feste ha incontrato un'aspra resistenza. I comunisti, forse rendendosi conto delle ragioni di tale resistenza, hanno cercato di istituire nuove feste (Primo maggio, Giornata dell'armata rossa, ecc.) al posto delle vecchie e di inventare nuove cerimonie e celebrazioni. Per loro, come era stato per i rivoluzionari francesi, non si tratta di scegliere fra tempo libero pubblico e privato, ma fra due tipi diversi di tempo libero pubblico. Ma probabilmente è un'alternativa mal posta. Non si estraggono feste da un cappello ideologico. In molti villaggi, riferiscono due studenti della nuova Cina, "le tre principali feste [rivoluzionarie] comportano soltanto non dover lavorare o poco più."[29] Dunque la Cina, nonostante abbia scelto il collettivismo, potrebbe ancora scivolare inesorabilmente verso la distribuzione del tempo libero adottata per la prima volta dalla borghesia europea. Ma se davvero lì o altrove si svilupperanno nuove comunità, si svilupperanno congiuntamente nuovi tipi di celebrazione pubblica. Non sarà necessario l'aiuto di un'avanguardia di burocrati: i membri delle nuove comunità troveranno i loro modi di esprimere il senso di comunanza e di esternare la politica e la cultura che hanno in comune.

Feste e vacanze sono due modi diversi di distribuire il tempo libero, e ciascuno ha la sua logica interna. Più esattamente, le vacanze hanno una logica unica, mentre ogni festa ha una sua sottologica particolare che possiamo evincere dalla sua storia e dai suoi rituali. Si può immaginare una mescolanza di feste e vacanze, che è poi quella che c'è da circa un secolo. Tale mescolanza sembra instabile, ma permette, finché dura, alcune scelte politiche. Tuttavia sarebbe sciocco supporre che queste scelte siano vincolate dalla teoria della giustizia. La Carta Internazionale dei Diritti Sociali Economici e Culturali dell'ONU comprende nel suo lunghissimo elenco di diritti quello di avere "periodicamente dei giorni di festa retribuiti", vale a dire delle vacanze.[30] Ma questo non è per definire i diritti umani; ma è semplicemente per sostenere un particolare insieme di assetti sociali, che non è necessariamente il migliore, o il migliore rispetto a ogni società e cultura. Il diritto che occorre proteggere è di un tipo completamente diverso: è il diritto di non essere esclusi dalle forme di riposo fondamentali del proprio tempo e del proprio luogo, di andare in vacanza (non la stessa in tutti i casi) se le vacanze sono fondamentali, e di partecipare alle feste che danno forma alla vita in comune ogni volta che una vita in comune c'è. Il tempo libero non ha una unica struttura giusta o moralmente necessaria. Ciò che è moralmente necessario è che questa struttura, qualunque essa sia, non venga distorta da quelle che Marx chiamava le "usurpazioni" del capitale, o dalla mancanza delle forniture comunitarie di cui ci sia esigenza, o dall'esclusione di schiavi, stranieri e paria. Una volta liberato da queste distorsioni, il tempo libero sarà vissuto e goduto dai membri di una società libera in tutti i modi che essi sapranno inventare, collettivamente o individualmente.

8. Istruzione

L'importanza della scuola

Ogni società umana educa i propri bambini, i propri membri futuri. L'istruzione esprime quello che forse è il nostro desiderio più profondo: continuare, proseguire, persistere, a dispetto del tempo. Essendo un programma di sopravvivenza sociale, l'educazione è sempre relativa alla società per la quale è concepita. Secondo Aristotele, essa ha lo scopo di riprodurre in ogni generazione il "tipo di carattere" su cui si fonda la costituzione — ad ogni costituzione corrisponde un carattere.[1] Ma ci sono delle difficoltà: è poco probabile che i membri della società si trovino d'accordo su quello che effettivamente è o sta diventando, o dovrebbe essere la costituzione, nel senso ampio di Aristotele; e nemmeno è probabile che si trovino d'accordo sul tipo di carattere più atto a sostenerla o sul modo migliore di produrlo. In realtà la costituzione avrà probabilmente bisogno di più di un tipo di carattere: le scuole non dovranno soltanto preparare gli studenti, ma dovranno anche dividerli in categorie diverse, e questa non può non essere una faccenda problematica.

L'istruzione, dunque, non è soltanto relativa, o almeno la sua relatività non ci dice tutto quello che dobbiamo sapere sulla sua funzione normativa o sulle sue conseguenze effettive. Se fosse vero che la scuola è sempre servita a riprodurre la società così com'è — le gerarchie costituite, le ideologie prevalenti, la forza lavoro esistente — e che non ha mai fatto nient'altro, non avrebbe senso parlare di una giusta distribuzione dei beni dell'istruzione. La sua distribuzione ne ricalcherebbe altre e non ci sarebbero né una sfera indipendente né una logica interna. Qualcosa di simile può benissimo verificarsi quando non ci sono scuole, quando sono i genitori a dare un'istruzione ai loro figli o a insegnare loro il mestiere. In questo caso la riproduzione sociale è diretta e non mediata; il processo di divisione in categorie si svolge nella famiglia, senza bisogno di interventi della comunità; e non esistono un corpus di conoscenze e una disciplina intellettuale distinti dalla cronaca familiare e dai segreti del mestiere e tali che siano la base per interpretare, valutare e discutere la costituzione. Ma la scuola, gli insegnanti e le idee creano e occupano uno spazio intermedio: forniscono un contesto — non il solo, ma di gran lunga il più importante — per lo sviluppo della comprensione critica e per la produzione e riproduzione della critica sociale. È un dato di fatto in tutte le società complesse e perfino i professori marxisti riconoscono l'autonomia relativa della scuola (che preoccupa gli statisti conservatori).[2] Ma la critica sociale, essendo il risultato di questa autonomia, non aiuta a spiegarla. La cosa più importante è che le scuole, gli insegnanti e le idee costituiscono un nuovo insieme di beni sociali, concepiti indipendentemente dagli altri beni e che richiedono a loro volta un insieme indipendente di processi distributivi.

Si devono distribuire le cattedre e i banchi, l'autorità nella scuola, i voti e le promozioni, i diversi tipi e livelli di conoscenza, e poiché questi beni sono beni particolari, lo schema della distribuzione non può limitarsi a rispecchiare quello dell'economia e dell'ordinamento politico. Certo l'educazione va sempre a sostegno di una determinata forma di vita adulta, ed è sempre legittimo riferirsi per la scuola alla società, e per una concezione della giustizia nell'istruzione a una concezione della giustizia sociale. Ma nel farlo dobbiamo tener conto anche del carattere particolare della scuola, del rapporto insegnante-studente, della disciplina intellettuale in generale. L'autonomia relativa è funzione di quello che è il processo educativo e dei beni sociali che implica appena smette di essere diretto e non mediato.

Desidero sottolineare il verbo essere: quello che è il processo educativo. La giustizia ha a che fare non solo con le conseguenze, ma anche con l'esperienza dell'istruzione. La scuola riempie sia uno spazio intermedio fra la famiglia e la società, sia un tempo intermedio fra l'infanzia e l'età adulta. Si tratta, certo, di un tempo e di uno spazio per la preparazione, le prove generali, le cerimonie iniziatiche, i "cominciamenti" e così via; ma essi sono importanti anche in quanto tali, senza pensare al futuro. L'istruzione distribuisce alle persone non solo il futuro, ma anche il presente. Ogni volta che ci sono spazio e tempo sufficienti per simili distribuzioni il processo educativo assume una caratteristica struttura normativa. Non pretendo di descrivere la sua "essenza", o qualcosa di simile; voglio solo indicare a che cosa dovrebbe somigliare secondo la concezione più comune. Questa concezione, l'unica di cui mi occuperò, si trova in molte società diverse. Un corpo di insegnanti, che affrontano i loro studenti in una comunità più o meno chiusa (quello che John Dewey chiamava "un ambiente sociale speciale"),[3] rappresentano il mondo adulto e ne interpretano il sapere e le tradizioni. Agli studenti è concessa una sospensione parziale dalle richieste della società e dell'economia, e anche gli insegnanti sono protetti dalle forme più immediate di pressione esterna. Insegnano le verità che capiscono, le stesse verità a tutti gli studenti che hanno davanti, rispondono alle loro domande come meglio possono, senza badare alle loro origini sociali.

Ma suppongo che in pratica le cose non vadano sempre o di norma, così. Sarebbe fin troppo facile formare un elenco di intrusioni tiranniche nelle comunità educative e descrivere la precarietà della libertà nella scuola, la dipendenza degli insegnanti da funzionari e finanziatori, i privilegi abituali degli studenti benestanti, nonché le aspettative, i pregiudizi, le abitudini alla deferenza o all'autoritarismo che studenti e insegnanti portano con sé nell'aula scolastica. Assumerò tuttavia che norma e realtà coincidano, perché le questioni distributive più interessanti e difficili nascono solo in seguito a questa assunzione. Quali bambini vengono ammessi nella comunità chiusa? Chi va a scuola? E in che genere di scuola? (Quanto è forte la chiusura?) Per studiare che cosa? Per quanto tempo? Con quali altri studenti?

Non mi dilungherò sulla distribuzione delle cattedre. Di solito l'insegnamento è concepito come una carica, per cui è necessario cercare persone qualificate e dare a tutti i cittadini eguali possibilità di qualificarsi. Anzi, è una carica particolare; richiede particolari qualifiche, che dovranno essere specificate da consigli comunali, commissioni governative e comitati di ricerca. Devo sottolineare, però, che la mia assunzione generale (che la scuola costituisce un ambiente particolare con una determinata struttura normativa) va contro la prassi di lasciare l'istruzione nelle mani degli anziani della comunità allargata o di far insegnare a rotazione i cittadini comuni.[4] Tali pratiche indeboliscono infatti il carattere di mediazione del processo educativo e tendono a riprodurre una trasmissione più diretta di memorie, tradizioni e capacità popolari. A rigore, l'esistenza della scuola è legata a quella delle discipline intellettuali, e quindi all'esistenza di un gruppo di persone qualificate in quelle discipline.

La "casa dei giovani" degli aztechi

Consideriamo per un momento un esempio esotico, ma non atipico: il sistema scolastico degli aztechi. Nel Messico, una volta, c'erano due specie di scuola. Una si chiamava semplicemente "casa dei giovani", ed era frequentata da gran parte dei bambini maschi; vi si insegnava "a usare le armi, arti e mestieri, la storia e la tradizione, e le normali osservanze religiose", e sembra che fosse diretta da cittadini comuni scelti fra i guerrieri più esperti, che "continuavano in locali appositi l'insegnamento fornito, più semplicemente, dagli anziani del clan".[5] Ai bambini dell'élite (e ad alcuni bambini selezionati di famiglie plebee) veniva data un'educazione molto diversa: più austera, più rigorosa e anche più intellettuale. Nelle scuole speciali, annesse a templi e monasteri, "si insegnava tutto il sapere dell'epoca e del paese: leggere e scrivere in caratteri pittografici, divinazione, cronologia, poesia e retorica". Qui gli insegnanti venivano dalla classe sacerdotale ed erano "scelti senza considerare la loro famiglia ma solo la loro moralità, le abitudini, la conoscenza della dottrina e la purezza della vita".[6] Non sappiamo come venissero scelti i bambini; è probabile che, almeno in linea di principio, fossero richieste qualità analoghe, poiché i sacerdoti venivano proprio da queste scuole. Benché un'istruzione elitaria richiedesse sacrificio e autodisciplina, sembra verosimile che la gente e soprattutto i plebei ambiziosi si prodigassero per essere ammessi a queste scuole. In ogni caso, io assumo l'esistenza di scuole di questo secondo tipo; se non ci fossero, non si porrebbero questioni distributive.

Si potrebbe sostenere che la "casa dei giovani" era anche un'istituzione intermedia. Le bambine azteche, a meno di essere avviate al sacerdozio, solitamente, restavano a casa e apprendevano le arti femminili dalle donne più anziane della famiglia. Ma questi sono due esempi della stessa cosa e cioè della riproduzione sociale in forma diretta. Le bambine d'ora in poi sarebbero restate a casa mentre i bambini avrebbero formato bande per combattere guerre interminabili con i paesi e le tribù circostanti. E nemmeno la selezione di un piccolo numero di donne anziane per insegnare gli usi e costumi tradizionali in una "casa delle giovani" avrebbe costituito un processo educativo autonomo. Per ottenerlo sono necessari insegnanti preparati ed esaminati nella "conoscenza della dottrina". Ma assumiamo che questi insegnanti esistano: a chi dovrebbero insegnare?

La scolarizzazione di base: autonomia ed eguaglianza

Per quanto riguarda l'istruzione, l'insieme dei bambini può essere diviso in vari modi. Il modo più semplice e più comune, di cui quasi tutti i programmi educativi sono stati, fin nell'età moderna, delle semplici varianti, è questo: istruzione mediata per pochi, istruzione diretta per molti. È così che, storicamente, si sono distinti gli uomini e le donne nei loro ruoli tradizionali — governanti e governati, sacerdoti e laici, classi superiori e classi plebee. Ed è così, suppongo, che si sono riprodotti, anche se è importante ribadire che è sempre possibile che l'istruzione mediata produca scettici e avventurieri accanto ai suoi prodotti più convenzionali. In ogni caso, la scuola è quasi sempre stata un'istituzione elitaria, dominata dalla nascita e dal sangue, o dalla ricchezza, o dal sesso, o dal rango gerarchico, e dominante a sua volta le cariche politiche e religiose. Ma ciò ha poco a che fare con la sua natura interna, tant'è vero che non è facile far valere le necessarie distinzioni dall'interno della comunità educativa. Prendiamo, per esempio, un insieme di conoscenze che ha a che fare col governo: a chi si deve insegnare? Le autorità costituite rivendicano a sé e ai propri figli quelle conoscenze; ma a meno che i bambini non si dividano naturalmente in governanti e governati, dal punto di vista degli insegnanti sembrerebbe che queste vadano insegnate a chiunque si presenti e sia in grado di apprenderle. "Se gli uni fossero tanto diversi dagli altri", scrisse Aristotele, "quanto riteniamo che differiscano gli dèi e gli eroi dagli uomini", avrebbe senso che gli insegnanti si dedicassero solo a certi allievi. Ma "non è facile cogliere tale superiorità e non c'è tra noi qualcosa che risponda a quella differenza che Scilace sostiene esista presso gli Indiani fra re e sudditi".[7] A parte l'India di Scilace, dunque, non si può escludere a buon diritto nessun bambino dalla comunità chiusa nella quale si insegna il sapere del governo. E lo stesso vale per altri saperi; non occorre essere filosofi per capirlo.

Hillel sul tetto

Una vecchia leggenda popolare ebraica descrive il grande saggio talmudista come un giovanotto senza un soldo che desiderava studiare in una delle scuole di Gerusalemme. Hillel si manteneva spaccando legna, ma guadagnava appena per non morire di fame, e certo non poteva pagarsi l'ammissione ai corsi. In una gelida notte invernale, rimasto senza un soldo, si arrampicò sul tetto della scuola e ascoltò dal lucernario. Esausto, si addormentò, e ben presto fu coperto dalla neve. Il mattino dopo i dotti videro la figura addormentata che non faceva passare la luce. Quando capirono quello che Hillel aveva fatto, lo ammisero immediatamente alla scuola, esonerandolo dalla retta. Non contava che fosse mal vestito, squattrinato, arrivato da poco da Babilonia e di famiglia sconosciuta: era chiaramente uno studente.[8]

L'efficacia della storia dipende da un insieme di assunzioni sulla giusta distribuzione dell'istruzione. Non è un insieme completo; non si può derivare un sistema scolastico da questo tipo di saggezza popolare. Ma qui c'è una concezione della comunità degli insegnanti e degli studenti nella quale non ci sono distinzioni sociali. Se gli insegnanti vedono un probabile studente, lo accolgono. Così, almeno, si comportano gli insegnanti leggendari, cioè ideali; non fanno nessuna delle domande di prammatica sulla ricchezza e la condizione sociale. Si potrebbero quasi certamente trovare leggende e biografie reali simili alla storia di Hillel in altre culture. Molti funzionari cinesi, per esempio, cominciarono la propria carriera come contadini poveri accolti dal maestro del villaggio.[9] È così che si dovevano comportare gli insegnanti? Non conosco la risposta per quanto riguarda l'antica Cina, ma credo che oggi siamo ancora disposti ad accettare la morale della storia di Hillel. "È parte dell'onore dell'insegnante," ha scritto R.H. Tawney, "soddisfare il bisogno di istruzione senza badare a cose volgari e non pertinenti come la classe e il reddito."[10] Quando la scuola è esclusiva è perché è diventata proprietà di un'élite sociale, non perché è una scuola.

Ma è solo lo stato democratico (o la chiesa o sinagoga democratica) a sostenere la causa di una scuola *per tutti*, nella quale i futuri cittadini possano essere preparati alla vita politica (o religiosa). Ora, la distribuzione è determinata da ciò che la scuola si propone e non soltanto da ciò che è, dal significato sociale della guerra o del lavoro o del culto — o della cittadinanza, che generalmente le include tutte. Non voglio dire che la democrazia richieda scuole democratiche; Atene se la cavò abbastanza bene anche senza. Ma se c'è un corpus di conoscenze di cui i cittadini devono appropriarsi, o ritengono di doversene appropriare, per fare la propria parte, allora devono andare a scuola; e allora devono andarci tutti. Così Aristotele, criticando i sistemi della sua stessa città, dice: "unica ed identica deve essere l'educazione per tutti i cittadini, e ... [deve] essere impartita a cura della comunità".[11] Questa è l'eguaglianza semplice nella sfera dell'istruzione; anche se la semplicità va subito perduta — nessun sistema scolastico potrà mai essere "lo stesso per tutti" —, così si stabilisce ciò nonostante la politica di una scuola democratica. L'eguaglianza semplice degli studenti è relativa all'eguaglianza semplice dei cittadini: una persona/un voto, un bambino/un posto nel sistema scolastico. Possiamo concepire l'eguaglianza nell'ambito dell'istruzione come una forma di fornitura comunitaria: tutti i bambini, in quanto futuri cittadini, hanno lo stesso bisogno di conoscere, e il miglior modo di servire l'ideale dell'appartenenza in una comunità è quello di insegnare a tutti le stesse cose. Non si può lasciare che la loro istruzione dipenda dalla posizione sociale o dalle capacità economiche dei genitori. (Resta da vedere, e lo vedremo in seguito, se deve dipendere dalle loro convinzioni morali e politiche, dato che i cittadini democratici possono benissimo dissentire su ciò che i loro figli hanno bisogno di conoscere.)

L'eguaglianza semplice è connessa al bisogno: tutti i futuri cittadini hanno bisogno di essere istruiti. Dal punto di vista interno alla scuola, naturalmente, il bisogno non è affatto l'unico criterio di distribuzione del sapere. Sono almeno altrettanto importanti, come suggerisce la storia di Hillel, l'interesse e la capacità, e anzi è soprattutto su questi che si basa il rapporto insegnante-allievo. Gli insegnanti cercano allievi e gli allievi cercano insegnanti che abbiano i loro stessi interessi, e quindi lavorano insieme finché gli allievi hanno imparato quello che volevano sapere o sono arrivati fin dove potevano. Ciò nonostante il bisogno di democrazia non è affatto un'imposizione politica sulla scuola. I difensori della democrazia sostengono a ragione che tutti i bambini sono interessati al governo dello stato e hanno la capacità di comprenderlo. Soddisfano i requisiti essenziali. Ma è anche vero che i bambini non sono tutti interessati nella stessa misura e non hanno la stessa capacità di comprensione. Così, appena entrano in aula, non possono non cominciare a differenziarsi.

La risposta di una scuola a questo processo dipende in larga misura dai suoi scopi e dal programma scolastico. Gli insegnanti di materie fondamentali, necessarie per la politica democratica cercheranno di far sì che i loro allievi abbiano le stesse conoscenze, e siano tutti più o meno allo stesso livello. Mirano non a reprimere le differenze, ma solo a posticiparle, in modo che i bambini imparino prima a essere cittadini e solo in seguito operai, dirigenti, commercianti e professionisti. Tutti studiano le materie che i cittadini devono sapere. L'istruzione cessa di essere il monopolio dei pochi e non assicura più automaticamente il rango e il posto.[12] Non esiste infatti un accesso privilegiato alla cittadinanza, né un modo di ottenerne di più, o di ottenerla più rapidamente eccellendo a scuola. L'istruzione, che non garantisce niente e si scambia con ben poche altre cose, fornisce la valuta corrente della vita sociale e politica. Questa non è forse una descrizione plausibile, quanto meno, dell'istruzione di base? Dopo tutto, insegnare a leggere ai bambini è un'attività egualitaria, mentre insegnare, poniamo, critica letteraria non lo è. Chi insegna a leggere non si propone di assicurare uguali possibilità, ma di ottenere risultati eguali. E assume, come l'idealista democratico, che tutti i suoi allievi siano interessati, e capaci di imparare. Non cerca di dare agli allievi le stesse possibilità di leggere; cerca di impegnarli nella lettura e di *insegnar loro a leggere*. Forse questi allievi devono avere le stesse possibilità di diventare critici letterari, di coprire cattedre universitarie, di pubblicare articoli, di attaccare libri altrui; invece non ci sono dubbi sul fatto che debbano imparare a leggere: (anche se col saper leggere non si comprano privilegi). Qui l'impegno democratico della comunità generale è non tanto rispecchiato quanto corrisposto e accresciuto dalla pratica democratica della scuola.

L'esempio giapponese

Nelle attuali circostanze, questa corrispondenza è tanto più probabile quanto più una scuola è autonoma entro la comunità. Infatti la spinta ad approfondire le differenze naturali già esistenti fra gli allievi, a individuare ed isolare i futuri dirigenti del paese, viene soprattutto dall'esterno. In un pregevole studio sullo sviluppo dell'eguaglianza nell'ambito dell'istruzione in Giappone dopo la Seconda guerra mondiale, William Cummings sostiene che la scuola può fornire un'istruzione veramente generale solo se è protetta da ogni intrusione del governo e di corporazione; e che, per converso, se è protetta avrà probabilmente conseguenze egualitarie anche in una società capitalistica.[13] Assumendo, come sto facendo, l'esistenza di comunità educative più o meno aperte, ne seguirà che gli studenti sono in un certo senso uguali di fronte all'insegnante. Si aggiunga che tutti i bambini vanno a scuola, che esiste un programma scolastico comune e che la comunità è rigidamente chiusa e allora è probabile che la sfera dell'istruzione sia un luogo dove vige l'eguaglianza.

Ma solo tra gli studenti: questi, infatti, non sono uguali agli insegnanti, anzi l'autorità dei secondi è necessaria per l'eguaglianza dei primi. Gli insegnanti sono i guardiani dello spazio chiuso. Nel caso del Giappone, secondo Cummings, la condizione cruciale dell'eguaglianza di istruzione è stata la forza relativa del sindacato degli insegnanti;[14] e che si tratti di un sindacato socialista è certamente un aspetto particolare del caso. Tuttavia i socialisti, o coloro che si dicono tali, hanno creato tipi di scuola molto diversi. In Giappone l'eguaglianza è stata favorita dal fatto che l'ideologia ha portato il sindacato a resistere alle pressioni (non egualitarie) dei funzionari governativi, sui quali faceva pressioni a sua volta l'élite dei dirigenti di corporazioni. La configurazione della scuola è stata determinata non tanto dalle teorie socialiste, quanto dalle conseguenze naturali di tale resistenza, cioè dalla pratica quotidiana dell'autonomia. Qui si tratta di insegnanti indipendenti, di un corpus di conoscenze e di studenti che hanno bisogno di conoscere. Che cosa ne deriva? Citerò e commenterò alcune delle conclusioni di Cummings.

1. "Le scuole sono strutturate organicamente con un minimo di differenziazione interna ... A livello elementare non ci sono insegnanti specializzati, e non si formano le classi secondo test attitudinali".[15] È la realizzazione del precetto aristotelico per la scuola democratica: "Delle cose comuni comune dev'essere anche l'esercizio".[16] L'esistenza di una differenziazione interna fin dalle classi inferiori è segno di una scuola debole (o di insegnanti incerti della propria carriera), arrendevole di fronte alla tirannia razziale o classista.

2. Gli insegnanti "cercano di portare tutti gli studenti [ad uno stesso livello] creando una situazione positiva in cui ognuno trovi delle gratificazioni ... adeguando il passo della classe al ritmo di apprendimento degli allievi e contando sull'insegnamento reciproco fra questi ultimi".[17] E non si può dire che i bambini più intelligenti siano frenati da tali metodi. Insegnare ai propri compagni di scuola è una forma di riconoscimento, ed è anche un'esperienza di apprendimento tanto per l'"insegnante" quanto per l'allievo — un'esperienza importante e valida per una politica democratica. *Impara e poi insegna* è la pratica di una scuola forte, capace di coinvolgere gli allievi nella sua impresa principale; ed ha l'effetto di "minimizzare l'incidenza degli elementi con un rendimento eccezionalmente basso".

3. "Il... programma è impegnativo essendo basato sul ritmo di apprendimento di un allievo al di sopra della media."[18] Un altro segno di scuola forte e di insegnanti ambiziosi. Spesso si dice che la decisione di dare un'istruzione a tutti porta necessariamente a un abbassamento di livello; ma questo è vero solo se la scuola è debole e incapace di resistere alle pressioni di una società gerarchica. E non penso solo

alle pressioni dei dirigenti aziendali, che chiedono operai con un'istruzione minima e senza ambizioni, ma anche all'apatia e all'indifferenza di molti genitori bloccati ai livelli inferiori della gerarchia, nonché all'arroganza di altri genitori dei livelli superiori. Anche questi gruppi tendono a riprodursi socialmente, e un'istruzione democratica ha buone possibilità di riuscire solo in quanto trascina nel proprio spazio chiuso i loro bambini. Nel caso del Giappone potrebbe essere una caratteristica importante, dunque, che "gli studenti trascorrano a scuola un numero molto maggiore di ore dei loro colleghi di quasi tutte le altre società avanzate".

4. "La relativa eguaglianza dei loro risultati modera la propensione dei bambini a classificarsi. ... Essi tendono invece a considerarsi persone che lavorano insieme per dominare le materie del programma scolastico."[19] E questa tendenza può essere ancora più spiccata per il fatto che gli studenti, e anche gli insegnanti, si dividono i lavori di pulizia e di riparazione della scuola. Nelle scuole giapponesi gli addetti alla manutenzione, praticamente, non esistono: la comunità educativa è autosufficiente, comprende solo insegnanti e studenti. "Ognuno è responsabile della manutenzione della scuola."[20] Imparare tutti e lavorare tutti: ciò prefigura un mondo di cittadini, e non una divisione del lavoro; e così si scoraggiano i paragoni che questa divisione, almeno nelle sue forme convenzionali, provoca incessantemente.

Ho omesso varie complicazioni dell'analisi di Cummings che qui non sono direttamente pertinenti. Era mio intento dare un'idea degli effetti di una scolarizzazione normativa in condizioni democratiche. Tali effetti possono essere così brevemente riassunti: a tutti vengono insegnate, e la grande maggioranza degli studenti impara, le conoscenze di base necessarie per essere un cittadino attivo. La stessa esperienza dell'apprendimento è democratica, e comporta non solo il successo individuale, ma anche la solidarietà e il cameratismo. Naturalmente è anche possibile far venire i bambini a scuola al solo scopo di non istruirli, o di insegnar loro a malapena a leggere e scrivere; ma allora l'istruzione, per la carenza della scuola, di fatto non è mediata ed ha luogo in famiglia o per la strada, oppure è mediata dalla televisione, dal cinema, dall'industria musicale, e la scuola è (letteralmente) soltanto un contenitore che funziona finché i bambini sono abbastanza grandi per lavorare. Una scuola di questo genere avrà anche pareti che tengono dentro i bambini, ma non ha pareti che tengano fuori la società e l'economia. È un edificio inutile, non un centro autonomo di apprendimento; e allora è necessaria un'alternativa che prepari non i cittadini, ma i dirigenti e i professionisti della generazione successiva — riproducendo così in forma nuova la vecchia distinzione fra istruzione mediata e non mediata e conservando la struttura di base di una società di classe. La distribuzione di beni relativi all'istruzione entro una scuola autonoma favorirà invece l'eguaglianza.

L'istruzione democratica comincia con l'eguaglianza semplice: lavoro comune per un fine comune. L'istruzione è distribuita in modo uguale ad ogni bambino, o, più esattamente, ogni bambino viene aiutato ad acquisire lo stesso corpus di conoscenze; il che non significa che tutti i bambini siano trattati nello stesso identico modo. Nelle scuole giapponesi, per esempio, le lodi sono distribuite in abbondanza, ma non in misura uguale a tutti i bambini. Alcuni di essi svolgono regolarmente la parte di allievi-insegnanti, altri sono sempre allievi; ed è probabile che gli insegnanti dedichino una attenzione maggiore ai bambini apatici e che restano indietro. Ma ciò che li tiene uniti è l'autorità della scuola e il programma scolastico di base.

Ma una volta realizzato il programma di base e raggiunto il fine comune, l'eguaglianza semplice diviene del tutto inadeguata. Da quel momento in poi, l'istruzione deve adattarsi agli interessi e alle capacità dei singoli studenti; e la scuola deve diventare più ricettiva alle particolari esigenze del mondo di tutti i giorni. Secondo Bernard Shaw, a quel punto si deve semplicemente fare a meno della scuola, proprio perché questa non è più in grado di stabilire dei fini comuni per tutti i suoi studenti. Shaw identificava l'istruzione con l'eguaglianza semplice:

> Quando un bambino ha imparato il suo credo e il suo catechismo sociale e sa leggere, scrivere, far di conto e usare le mani; quando, in breve, è qualificato a farsi strada nelle città moderne e a fare un normale lavoro utile, sarebbe meglio lasciare che scopra da sé che cosa gli serve per una cultura superiore. Se è un Newton o uno Shakespeare imparerà il calcolo infinitesimale o l'arte teatrale senza doverli ingoiare a forza: tutto ciò che è necessario è l'accesso ai libri, agli insegnanti e ai teatri. E se il suo cervello non desidera l'alta cultura, dovrebbe essere lasciato in pace, per la semplice ragione che il suo cervello sa che cosa è bene per lui.[21]

Questa è la versione shawiana della "descolarizzazione", che, al contrario di quella difesa da Ivan Illich negli anni settanta, presuppone che prima si passino molti anni a scuola, e dunque non è sciocca.[22] Shaw probabilmente ha ragione nel sostenere che ai giovani si dovrebbe permettere di prendere vie diverse e di farsi strada nel mondo senza certificati ufficiali. Ai nostri giorni si dà troppa importanza non alla scuola in sé, ma a un protrarsi indefinito della scuola, e la conseguenza è che all'economia viene sottratto il suo unico proletariato legittimo, quello giovanile, e che i veri proletari hanno più difficoltà del dovuto nella promozione ai livelli superiori.

Ma non è affatto chiaro quanto tempo ci voglia per imparare il proprio "catechismo sociale" o che cosa occorra sapere per orientarsi in una città moderna. Certamente qualcosa di più di un sapere di strada, o la scuola sarebbe superflua fin dal principio; né sarebbe soddisfacente, da un punto di vista democratico, che alcuni bambini smettessero presto di andare a scuola e ad altri bambini i genitori procurassero un'istruzione superiore che dà loro accesso ai posti privilegiati. È per questo che ogni aumento dell'età dell'obbligo scolastico è stato una vittoria dell'eguaglianza; a un certo punto, tuttavia, questo non sarà più vero, perché è impossibile che ci sia un unico modello di vita per tutti i bambini. Per quanto riguarda il modello rappresentato dalla scuola, è più plausibile la tesi opposta: non ci sarà mai una comunità di cittadini uguali se l'unica via di accesso alle responsabilità degli adulti è proprio la scuola. Per alcuni bambini, dopo una certa età, la scuola è una specie di prigione (che non hanno fatto niente per meritare) che essi sopportano solo perché richiesto dalla legge o per conseguire un diploma. Certamente si dovrebbero lasciar andare questi bambini e aiutarli a imparare, attraverso la pratica, il lavoro che vogliono fare. L'eguaglianza dei cittadini esige un'istruzione comune, la cui precisa durata sarà discussa in sede politica, ma non esige una carriera scolastica uniforme. Che dire degli ex giovani, che vogliono continuare ad andare a scuola per acquisire, poniamo, una cultura generale e liberale? Il modo più semplice di provvedere alle loro esigenze sarebbe assicurare la possibilità di iscriversi oltre l'età dell'obbligo: niente più voti e niente bocciature; e selezionare, se necessario, solo al termine dell'iter. Gli studenti studierebbero tutto quello che li interessa e continuerebbero a studiare fino ad esaurire il proprio interesse per un certo argomento (o per lo studio); dopo di che farebbero qualcos'altro. Ma gli interessi, almeno potenzialmente, sono infiniti; e se si intende la vita in un certo modo, si dovrebbe studiare finché si respira. È davvero poco probabile che la comunità politica possa trovare il denaro per un'istruzione di questo tipo, e non c'è ragione di supporre che chi lascia gli studi sia moralmente tenuto a mantenere chi li continua. È vero che i monaci del Medioevo e i talmudisti erano mantenuti dal lavoro della gente comune; e può darsi che fosse una buona cosa. Ma in una società come la nostra questo aiuto non è una necessità morale, e non lo sarebbe nemmeno se la possibilità di diventare monaco o talmudista o l'equivalente contemporaneo fosse egualmente accessibile a tutti.

Ma se la comunità ratifica l'istruzione superiore ad alcuni dei suoi cittadini, come facciamo noi oggi per gli studenti dei *college*, deve farlo per tutti quelli che ne sono interessati, non solo nei *college*, ma anche, come ha detto Tawney, "nel mezzo del tran-tran di una vita di lavoro". E Tawney, che dedicò molti anni alla "Workers' Educational Association", aveva perfettamente ragione di sostenere che questo tipo di istruzione superiore non dovrebbe essere accessibile solo a chi ha avuto "una frequenza scolastica continua dai cinque ai diciotto anni".[23] È possibile immaginare un'enorme varietà di scuole e di corsi, destinati a studenti diversi per età e storia scolastica, gestiti a livello nazionale e locale, collegati ai sindacati, associazioni professionali, fabbriche, musei, case di riposo per anziani e così via. In questo contesto, indubbiamente, l'insegnamento scolastico muta a poco a poco in altri tipi di insegnamento e apprendimento, meno formali. La "comunità chiusa" perde la sua realtà fisica, diventa una metafora della distanza critica. Ma nella misura in cui distribuiamo dei posti a scuola, non credo che dovremmo rinunciare all'idea della chiusura o aumentare la distanza più del dovuto. L'unica estensione dell'istruzione di base opportuna in una democrazia è quella che fornisce opportunità reali e una reale libertà intellettuale non solo ad alcuni studenti riuniti nelle forme convenzionali, ma anche a tutti gli altri.

Non sono in grado di specificare esattamente fino a che punto si dovrebbe sostenere questa fornitura: anch'essa è una questione da discutere democraticamente. Né si può accettare la tesi radicale che la democrazia stessa è impossibile senza un programma pubblico di educazione permanente.[24] La democrazia è in pericolo solo se un simile programma è organizzato in modo non democratico, non se non è organizzato affatto. Come per i monaci e i talmudisti, così per i cittadini comuni: è una bella cosa che siano in grado di studiare sempre, non per scopi professionali, ma per ciò che Tawney chiama "una condotta di vita ragionevole e umana"; ma per la teoria della giustizia l'unico punto essenziale è che questo tipo di studio non sia privilegio esclusivo di poche persone scelte dai pubblici funzionari attraverso un sistema di esami. Per studiare la "condotta di vita umana" non c'è bisogno di qualificarsi.

Le cose sono diverse, però, per l'istruzione specialistica o professionale. Qui il solo interesse non può costituire il criterio distributivo; né lo possono l'interesse e la capacità, perché sono troppe le persone capaci e interessate. Nel migliore dei modi possibili, forse, istruiremmo tutte queste persone finché fossero in grado di imparare. Si potrebbe dire che questo è l'unico criterio intrinseco all'idea di istruzione — come se le persone capaci fossero dei recipienti vuoti da riempire fino all'orlo. Ma questo è un concetto di istruzione che prescinde da ogni corpus di conoscenze determinato e da ogni sistema di pratica professionali. Lo studio per una specializzazione non continua finché lo studente ha imparato tutto quello che può imparare: termina quando ha imparato qualcosa, quando ha acquistato un certo livello di conoscenze in un certo campo. È plausibile cercare preventivamente di assicurarsi che possa imparare almeno questo, e impararlo bene. E se possiamo spendere solo una quantità limitata di denaro, o se esiste solo un numero limitato di posti che richiedono quella determinata preparazione sarà anche plausibile cercare di assicurarsi che possa impararlo particolarmente bene.

L'istruzione dei cittadini è un problema di fornitura comunitaria, è una forma di assistenza; e direi che normalmente pensiamo l'istruzione più specialistica, come una sorta di carica. Per essa gli studenti si devono qualificare, e presumibilmente lo fanno mostrando interesse e capacità; ma queste non danno il diritto a un'istruzione specializzata, perché spetta alla comunità decidere quali specializzazioni sono necessarie e quindi anche il numero dei posti disponibili nelle scuole specializzate. Gli studenti hanno lo stesso diritto che hanno in generale i cittadini riguardo alle cariche: quello di essere tutti ugualmente considerati nell'assegnazione dei posti disponibili. Inoltre, hanno un altro diritto: poiché le *public schools** li preparano a diventare funzionari, devono ricevere, nei limiti del possibile, la stessa preparazione.

John Milton scrisse che un'educazione da gentiluomini avrebbe dovuto preparare i bambini "a svolgere giustamente, abilmente, magnanimamente tutti le funzioni, private e pubbliche, della pace e della guerra".[25] In uno stato democratico moderno i cittadini assumono le prerogative e gli obblighi dei gentiluomini, ma la loro educazione li prepara soltanto a essere elettori e soldati, o magari presidenti e generali, non a consigliare presidenti circa i pericoli della tecnologia nucleare né generali circa i rischi di questo o quel piano strategico, né a prescrivere medicine, progettare edifici, insegnare alla nuova generazione e così via. Questi compiti specialistici richiedono un'istruzione ulteriore. La comunità politica vorrà essere sicura che i suoi dirigenti — e anche i suoi membri comuni — ricevano i consigli e i servizi migliori possibili, e la collettività degli insegnanti è parallelamente interessata agli studenti migliori. Perciò è necessario un processo di selezione volto ad individuare, nell'insieme dei futuri cittadini, un sottoinsieme di futuri "esperti". La forma canonica di questo processo non è difficile da scoprire: è la semplice introduzione nella scuola dell'esame universale per l'impiego pubblico, che ho già descritto nel capitolo 5. Ma così si introducono anche forti tensioni nel contesto dell'istruzione democratica.

Più ha successo l'istruzione di base, più è intelligente il gruppo dei futuri cittadini, più è intensa la competizione per essere ammessi agli studi superiori e più è profonda la frustrazione di quei ragazzi che non riescono a qualificarsi.[26] È probabile, allora, che le élites esistenti chiedano di anticipare sempre più la selezione, così che andare a scuola diventi per gli studenti non selezionati un addestramento alla passività e alla rassegnazione. Gli insegnanti delle scuole forti resisteranno a tale richiesta, e lo stesso faranno i bambini, o meglio i loro genitori, se hanno capacità e consapevolezza politica. Anzi, una tale resistenza sembra essere necessaria affinché i bambini ricevano un'eguale considerazione poiché essi imparano in tempi diversi, e si svegliano intellettualmente a età diverse. Qualsiasi selezione definitiva sarà sicuramente iniqua verso alcuni studenti, nonché verso quei giovani che hanno smesso di studiare e sono andati a lavorare. Dun-

* Nonostante il nome, le *public schools* inglesi sono in realtà istituti privati di élite [N.d.T.].

que devono esistere delle procedure di seconda istanza e, cosa più importante, delle procedure per cui le scuole specializzate siano accessibili non solo agli studenti regolari.

Senonché, posto che ci sia un numero limitato di posti, queste procedure non fanno che moltiplicare il numero dei candidati che alla fine saranno frustrati. E non c'è modo di evitarlo. Ma ciò è moralmente disastroso soltanto se oggetto della competizione sono non tanto i posti a scuola e le possibilità di istruirsi, quanto lo status, il potere e la ricchezza tradizionalmente associati alla posizione professionale. La scuola, in ogni caso, non deve avere niente a che fare con questa trinità di vantaggi. Niente nel processo educativo richiede il legame tra istruzione superiore e rango gerarchico; né c'è ragione di pensare che gli studenti più dotati rinuncerebbero a tale istruzione se il legame venisse spezzato e ai futuri funzionari fosse destinato, poniamo, un "salario da operai". Alcuni studenti saranno sicuramente ingegneri, chirurghi, fisici nucleari, ecc., migliori dei loro compagni; compito delle scuole specializzate è proprio individuarli, renderli coscienti delle proprie possibilità e avviarli sulla loro strada. L'istruzione specialistica è inevitabilmente monopolio di chi ha talento, o almeno degli studenti più capaci, in qualsiasi momento, di mostrare il loro talento. Ma questo è un monopolio legittimo. La scuola non può evitare di differenziare gli studenti, di mandarne avanti alcuni e respingerne altri; ma le differenze rilevate e sancite dovrebbero essere intrinseche al lavoro stesso, non allo status del lavoro. Dovrebbero essere relative ai risultati ottenuti e non alle conseguenti gratificazioni economiche e politiche; dovrebbero essere circoscritte, e oggetto di lode e orgoglio nella scuola e poi nella professione, e avere un valore indefinito nel mondo circostante. Indefinito: perché i buoni risultati possono sempre comportare, con un po' di fortuna, non ricchezza e potere, ma autorità e prestigio. E non sto descrivendo scuole per santi, ma solo luoghi di apprendimento molto più estranei di oggi alla preoccupazione di "farcela".

La scuola di George Orwell

Può essere utile, a questo punto, considerare un esempio negativo. Nell'immensa letteratura sulla scuola e la vita scolastica non esiste un esempio negativo più perfetto della descrizione di Orwell delle scuole preparatorie inglesi, da lui frequentate negli anni dieci. Sono stati sollevati dei dubbi sull'esattezza di questa descrizione, ma penso che si possa assumere la veridicità dei punti che qui sono più pertinenti.[27] La "Crossgates" di Orwell doveva preparare gli studenti all'ammissione a scuole come Harrow e Eton, da cui provenivano gli alti funzionari pubblici e i più eminenti professionisti d'Inghilterra. Per definizione, una scuola preparatoria non è un luogo di apprendimento autonomo, e la dipendenza di Crossgates era aggravata dal fatto che non si trattava soltanto di una scuola ma anche di un'impresa commerciale, e per di più abbastanza precaria. Perciò i proprietari e gli insegnanti si regolavano, nel lavoro, sia sulle esigenze di Harrow e Eton, sia sui pregiudizi e le ambizioni dei genitori degli allievi. La prima di queste forze esterne determinava i contenuti del programma di studi. "Il tuo compito," scrive Orwell, "era di imparare esattamente quelle cose con cui avresti dato l'impressione a un esaminatore di sapere più di quanto in realtà sapevi, e di evitare, per quanto era possibile, di oberare il cervello con altre cose. Gli argomenti che non avevano valore per gli esami... non venivano quasi considerati." La seconda forza esterna determinava la gestione della scuola e le sue relazioni sociali interne. "Tutti i ragazzi molto ricchi erano favoriti più o meno sfacciatamente. ... Dubito che Sims [il preside] abbia mai battuto un ragazzo il cui padre avesse un reddito molto superiore alle 2000 sterline all'anno."[28] E così il sistema di classe veniva riprodotto in modo ingenuo da parte dei ragazzi, calcolato da parte degli insegnanti.

Queste forze esterne (le *public schools* d'élite e i genitori finanziatori) non spingevano sempre nella stessa direzione. Se Crossgates voleva attrarre gli studenti, doveva fornire una preparazione accademica seria, e poi esibire i successi ottenuti. Perciò aveva bisogno non solo di ragazzi ricchi, ma anche di ragazzi intelligenti. E poiché non sempre i genitori con maggiori disponibilità economiche generavano ragazzi con le maggiori probabilità di eccellere agli esami, i proprietari di Crossgates investivano su un piccolo numero di studenti non paganti o con una retta ridotta, cercando un tornaconto sul piano del prestigio accademico. Orwell era uno di questi studenti. "Se avessi 'perso la testa' come fanno a volte i ragazzi promettenti, immagino che [Sims] si sarebbe subito sbarazzato di me. Invece, quando fu il momento, vinsi per lui due borse di studio di cui sicuramente fece pieno uso nelle sue presentazioni della scuola."[29] Nell'ambiente profondamente antiintellettuale della scuola preparatoria vivevano dunque alcuni intellettuali potenziali, inquieti, ora ostili, ora pieni di gratitudine, e qualche volta ribelli. Tollerati grazie alla loro intelligenza, erano sottoposti a mille piccole umiliazioni che dovevano insegnar loro quello che era scontato per gli altri ragazzi, cioè che nessuno contava davvero se non era ricco e che la massima virtù non stava nel guadagnare denaro, ma nell'averlo. Orwell fu incoraggiato a qualificarsi per gli studi superiori e poi per un impiego nella burocrazia o una libera professione, ma sempre all'interno di un sistema in cui le qualifiche più elevate erano ereditarie. Benché in realtà i genitori ricchi pagassero perché i propri figli fossero avvantaggiati, a questi ultimi si insegnava a rivendicare il diritto a tali vantaggi; e non veniva loro insegnato molto altro. Nella descrizione di Orwell, Crossgates è una perfetta illustrazione della tirannia della ricchezza e della classe sull'apprendimento.

215

Temo che qualsiasi scuola preparatoria, concepita come impresa commerciale, sarà uno strumento di tirannia, anzi di queste particolari tirannie. Il mercato, infatti, non può mai essere un ambiente chiuso ed è (e deve essere) un posto dove i soldi contano. È per questo che, ancora una volta, è importante che tutti i bambini abbiano una preparazione comune, in una scuola forte e indipendente. Ma come si può impedire ai genitori di spendere il proprio denaro per una preparazione supplementare? Anche se avessero tutti lo stesso reddito, alcuni sarebbero più disposti di altri ad usare quello che hanno per l'istruzione dei loro figli; e anche se le scuole come Crossgates fossero abolite, legalmente vietate, i genitori potrebbero sempre assumere un insegnante privato per i propri figli. Oppure, se sono abbastanza colti, loro stessi potrebbero insegnare ai loro bambini; e così professionisti e funzionari trasmetterebbero i loro istinti di sopravvivenza e di carriera, e il modo di vivere della loro classe.

A meno di separare i bambini dai loro genitori, non c'è modo di impedire queste cose, che però possono avere un ruolo più o meno importante nel complesso della vita sociale. Per esempio, l'appoggio dei genitori a scuole come Crossgates varierà secondo la ripidezza della scala sociale e la quantità delle vie di accesso a una preparazione specialistica e a un posto di funzionario. A Orwell fu detto che o faceva bene agli esami o sarebbe finito come "impiegatuccio a quaranta sterline all'anno".[30] Il suo destino si doveva decidere, senza possibilità di rinvio, all'età di dodici anni. Se questo quadro è accurato, Crossgates sembra quasi un'istituzione sensata, forse oppressiva, ma non irrazionale. Ma supponiamo che il quadro fosse diverso; supponiamo che il sogghigno col quale si diceva, e il brivido col quale si ascoltava, l'odiosa espressione "impiegatuccio a quaranta sterline all'anno" fossero entrambi fuori luogo; supponiamo che le cariche fossero organizzate in maniera diversa da come lo erano nel 1910; supponiamo che le *public schools* fossero una via, ma non l'unica, per trovare un lavoro interessante e prestigioso. Allora Crossgates potrebbe cominciare ad apparire tanto poco attraente a molti genitori quanto lo era ai loro figli. La scuola preparatoria sarebbe meno decisiva, gli esami meno terrificanti, e aumenterebbero enormemente lo spazio e il tempo disponibili per imparare. Anche le scuole specializzate per funzionare hanno bisogno di una certa libertà dalle pressioni sociali, e quindi di una società organizzata in modo da dare questa libertà. Una scuola non può mai essere totalmente libera, ma se deve avere una qualche libertà sono necessari dei vincoli, più o meno del tipo già descritto, sulle altre sfere distributive: vincoli, per esempio, su ciò che il denaro può comprare o sull'ambito e l'importanza delle cariche.

L'istruzione di base è un'istruzione coatta. Almeno ai livelli inferiori, la scuola è un'istituzione che i bambini sono obbligati a frequentare.

> Lo scolaretto frignoso, con la cartella, rubizzo nel
> mattino, che a passo di lumaca si trascina malvolentieri a
> scuola

è uno stereotipo di molte culture diverse.[31] Ai tempi di Shakespeare il ragazzo svogliato veniva trascinato a scuola per volontà dei genitori, e non per obbligo dello stato. L'istruzione dei bambini dipendeva dalla ricchezza, dall'ambizione e dalla cultura dei genitori. A noi questo sembra sbagliato, in primo luogo perché l'intera comunità ha interesse nell'istruzione, e in secondo luogo perché si presume che gli stessi bambini ce l'abbiano, anche se forse non lo capiscono ancora. Sono interessi che riguardano entrambi il futuro, quello che i bambini saranno e il lavoro che faranno, e non (o non soltanto) quello che sono i loro genitori, la loro posizione sociale o la loro ricchezza. La fornitura comunitaria è ciò che meglio soddisfa tali interessi, poiché guarda in avanti ed è concepita per promuovere le capacità dei singoli e l'integrazione dei cittadini (futuri). Ma si tratta necessariamente di una fornitura di tipo particolare, i cui beneficiati non sono iscritti volontariamente, ma coscritti. Se fosse abolita la coscrizione, i bambini sarebbero lasciati non alle loro risorse, come piace dire ai sostenitori della "descolarizzazione", ma a quelle dei loro genitori.

In quanto coscritti, gli scolari somigliano ai soldati e ai carcerati e sono diversi dai cittadini comuni, che decidono da soli che cosa fare e con chi stare. Ma non si deve dare troppo peso a queste somiglianze e differenze.[32] I carcerati a volte vengono "riformati", e i soldati a volte possono riutilizzare da civili l'addestramento ricevuto; ma mentiremmo a noi stessi se pretendessimo che prigioni ed eserciti abbiano principalmente uno scopo educativo. Queste sono istituzioni commisurate agli scopi della comunità, non a quelli delle persone ivi trascinate. I soldati servono il proprio Paese, i carcerati "servono" la loro pena; ma gli scolari servono, in senso forte, se stessi. La distribuzione di posti nelle prigioni e qualche volta anche nell'esercito, è una distribuzione di mali sociali, di sofferenze e pericoli. Ma l'idea che i posti a scuola siano beni sociali non è soltanto una finzione degli adulti: quando lo affermano, gli adulti parlano per esperienza personale e anticipano quello che sarà un giorno l'opinione dei loro figli; senza contare che ricordano, ovviamente, che al di fuori delle ore di scuola i bambini godono di una libertà che loro possono solo invidiare, e mai più ritrovare.

Comunque, è obbligatorio andare a scuola; e, a causa di tale obbligo, non solo si distribuiscono i posti fra i bambini, ma anche i bambini fra i posti disponibili. Le *public schools* non esistono a priori; ci deve essere una decisione politica a costituirle e ad assegnar loro degli studenti. Dunque abbiamo bisogno di un principio associativo. Chi andrà a scuola con chi? È un problema distributivo in due sensi. In primo luogo lo è perché il contenuto del programma varia secondo il carattere dei suoi destinatari. Se i bambini vengono raggruppati in quanto futuri cittadini, studieranno la storia e le leggi del loro Paese; se vengono raggruppati in quanto correligionari, studieranno liturgia e teologia; se vengono raggruppati in quanto futuri lavoratori, riceveranno un'istruzione professionale; se in quanto futuri professionisti, una istruzione "accademica". Gli studenti brillanti, se vengono messi insieme, riceveranno un insegnamento di un certo livello, che sarà diverso da quello degli studenti lenti. Gli esempi che illustrano l'insieme delle differenze fra gli uomini e delle distinzioni sociali prevalenti sono infiniti. E anche se assumiamo, come ho fatto, che i bambini siano raggruppati in quanto cittadini e ricevano un'istruzione comune, resta sempre che non possono studiare tutti insieme: devono essere segregati in scuole e classi diverse. Come questo sia fattibile è un problema distributivo perché, ecco il secondo punto, i bambini sono una risorsa l'uno per l'altro: sono compagni e rivali, si aiutano e si sfidano fra di loro, stringono quelle che potrebbero essere le amicizie decisive della loro vita di adulti. Il contenuto del programma ha, probabilmente, meno importanza dell'ambiente umano in cui viene svolto. Non sorprende, dunque, che nella sfera dell'istruzione le questioni più violentemente dibattute siano quelle dell'associazione e della segregazione. Ai genitori interessano molto di più i compagni di scuola che i libri di testo dei loro figli; e hanno perfettamente ragione non solo nel senso cinico che "conta più chi conosci di cosa conosci". Poiché moltissimo di quello che sappiamo lo impariamo dai nostri pari, il "chi" e il "cosa" vanno sempre insieme.

Il principio associativo più ovvio è la casualità. Se raggruppassimo i bambini senza considerare l'occupazione, la ricchezza e le idee religiose o politiche dei loro genitori, e se, inoltre, li raggruppassimo in collegi, tagliandoli fuori dal contatto quotidiano coi genitori, potremmo forse creare delle comunità educative assolutamente autonome. L'insegnante si rapporterebbe ai suoi studenti come se questi non fossero nient'altro che studenti, senza un passato e con un futuro aperto — quale che sia il futuro reso possibile dai loro studi. Questo modo di raggruppare i ragazzi è stato a volte sostenuto da gruppi di sinistra in nome dell'uguaglianza (semplice), obiettivo che potrebbe benissimo essere realizzato. Sicuramente questo sarebbe il modo più equo per distribuire le possibilità di qualificarsi per un'istruzione specializzata; senonché l'associazione casuale non rappresenterebbe un trionfo solamente per la scuola, ma anche per lo stato. Il bambino che non è nient'altro che uno studente non esiste; dovrà essere creato, e temo che ciò si potrebbe fare soltanto in una società tirannica. In ogni caso, è più esatto definire l'istruzione come la preparazione di persone determinate, con un'identità, una vita, delle aspirazioni proprie. Queste particolarità sono rappresentate dalla famiglia e difese dai genitori.

Una scuola autonoma è un'istituzione mediatrice, è in tensione coi genitori (ma non solo con loro). Si abolisca l'istruzione obbligatoria e la tensione svanirà: i bambini diventeranno dei puri e semplici sudditi delle proprie famiglie e della gerarchia sociale in cui queste sono inserite. Si abolisca la famiglia, e di nuovo la tensione svanirà: i bambini diventeranno dei puri e semplici sudditi dello stato.

Nella sfera dell'istruzione il problema distributivo cruciale è quello di far sì che i bambini siano uguali davanti all'istruzione, senza distruggere ciò che essi non hanno in comune, le loro peculiarità sociali e genetiche. La mia tesi sarà che, date certe condizioni sociali, esiste una soluzione privilegiata del problema, una forma di eguaglianza complessa che meglio corrisponde sia al modello normativo di scuola, sia alle esigenze di una politica democratica. Ma non esiste una soluzione unica. Il carattere di un'istituzione mediatrice può essere determinato solo in riferimento alle forze sociali che essa media. Si deve sempre raggiungere un equilibrio, che sarà diverso in epoche e luoghi diversi.

Nel discutere alcune delle possibilità, trarrò i miei esempi dagli Stati Uniti di oggi, cioè da una società molto più eterogenea dell'Inghilterra di Orwell o del Giappone dopo la Seconda guerra mondiale. È qui che le esigenze di un'istruzione di base e di un'uguale considerazione si scontrano, più chiaramente che altrove, con le realtà di fatto del pluralismo etnico, religioso e razziale, ed è qui che i problemi dell'associazione e della segregazione assumono una forma particolarmente acuta. Tuttavia vorrei sottolineare immediatamente che questi problemi hanno anche una forma generale. I marxisti hanno ipotizzato a volte che l'avvento del comunismo metterà fine a tutte le differenze radicate nella razza e nella religione. Può darsi. Ma nemmeno i genitori comunisti la penseranno tutti allo stesso modo sull'istruzione (qualunque altra cosa abbiano in comune); dissentiranno sul tipo di scuola più adatto per la comunità in generale, o per i loro figli, e così ci sarà ancora il problema se dei bambini i cui genitori la pensano diversamente sull'istruzione debbano frequentare le stesse scuole. In realtà questo è un problema anche oggi, benché di secondo piano rispetto a differenze meno intellettuali.

Da un punto di vista interno alla scuola, quali principi associativi appariranno più adeguati? Che ragioni abbiamo di mettere insieme questo particolare gruppo di bambini? A parte un'assoluta incapacità di imparare, non ci sono motivi di esclusione che abbiano a che fare con la scuola in quanto tale; i motivi di inclusione sono invece connessi alle materie scolastiche. Le scuole specializzate riuniscono studenti qualificati, con interessi e capacità particolari; nel caso dell'istruzione di base, il motivo per mettere insieme degli studenti è il bisogno (assumiamo che l'interesse e la capacità esistano). Qui è essenziale il bisogno di ogni bambino di crescere in questa comunità democratica e di prendere il proprio posto come cittadino competente. Perciò la scuola dovrebbe tendere a un modello associativo che anticipi quello degli adulti in una società democratica. Questo è il principio che corrisponde meglio allo scopo fondamentale della scuola. Ma è un principio molto generale; esclude la casualità, perché certo gli adulti (per definizione, e in ogni comunità) non si associeranno a caso, prescindendo dai loro interessi, legami parentali, occupazione, ecc. Ma oltre a questo, esiste un certo numero di modelli associativi e di forme istituzionali che sono o almeno sembrano compatibili con l'istruzione di cittadini democratici.

Scuole private e buoni scolastici

Né l'istruzione obbligatoria né un programma comune comportano necessariamente che tutti i bambini frequentino lo stesso tipo di scuola o che tutte le scuole abbiano lo stesso rapporto con la comunità politica. È una caratteristica del liberalismo americano che imprenditori del settore educativo, gruppi di genitori ideologicamente affini e organizzazioni religiose abbiano la possibilità di finanziare scuole private. Qui il principio associativo è probabilmente meglio rappresentato dall'interesse e dall'ideologia dei genitori, benché si debbano ritenere compresi anche un interesse per la posizione sociale e un'ideologia di classe. Ciò che si afferma è che i genitori dovrebbero essere in grado di ottenere quello che vogliono, anzi esattamente quello che vogliono, per i loro figli. Questo non comporta l'eliminazione del ruolo di mediazione della scuola, perché lo stato può sempre riconoscere legalmente le scuole private e fissare dei requisiti comuni per i programmi; né accade sempre che i genitori vogliano, per i loro figli, proprio quello che loro stessi sono in grado di fornire. Forse hanno delle ambizioni sociali, o intellettuali, o anche religiose: sono desiderosi di vedere diventare i figli più importanti di loro, o più raffinati, o più devoti. E in molte scuole private gli insegnanti, a differenza di quelli di Orwell, hanno un forte senso della loro identità di gruppo e della loro missione intellettuale. In ogni caso, gli adulti non si associano proprio così, sulla base della classe sociale o delle aspirazioni di classe o dell'impegno religioso, o di come intendono educare i figli?

Ma le scuole private sono costose, e dunque non tutti i genitori sono ugualmente in grado di far sì che i loro figli frequentino le scuole e le persone che vorrebbero. Questa diseguaglianza appare ingiusta, specialmente se le amicizie sono considerate benefiche: perché a un bambino dovrebbe essere negato questo beneficio solo per le circostanze accidentali della sua nascita? Un aiuto pubblico permetterebbe di distribuire molto più ampiamente il presunto beneficio. È a questo che mira il "piano dei buoni" (*voucher plan*), per il quale il gettito fiscale destinato all'istruzione dovrebbe essere messo a disposizione dei genitori sotto forma di buoni da usare sul mercato aperto.[33] Per assorbire questi buoni verrebbero fondate nuove scuole di tutti i tipi, rispondendo così a tutta la gamma degli interessi e delle ideologie dei genitori. Ci sarebbero sempre delle scuole che soddisfano interessi di classe, esigendo il pagamento di un retta ben oltre i buoni e garantendo così ai ricchi che i loro figli abbiano come compagni solo o prevalentemente bambini di estrazione sociale analoga. Ma non tratterò questo punto (cui si può facilmente porre rimedio con delle leggi). La cosa più importante è che il piano dei buoni garantirebbe che i bambini vadano a scuola con altri bambini i cui genitori siano come minimo, molto simili a loro.

Il piano dei buoni è una proposta pluralistica, ma il pluralismo che propone è di un tipo particolare. Può darsi, infatti, che rafforzi delle organizzazioni tradizionali come la chiesa cattolica, ma l'unità per la quale è specificamente concepito è l'organizzazione di genitori ideologicamente affini. La società cui esso tende e che contribuirebbe a creare è caratterizzata non dalle divisioni geografiche e dalla fedeltà alla tradizione, ma da una varietà ampia e mutevole di gruppi ideologici — o meglio, di gruppi di consumatori compattati dal mercato. I cittadini, molto instabili e senza radici, passerebbero facilmente da un'associazione all'altra. I loro spostamenti sarebbero frutto delle loro scelte, evitando così le interminabili discussioni e i compromessi della politica democratica, in cui le persone sono legate tra di loro in modo più o meno permanente. Un cittadino con un buono in mano potrebbe sempre, come dice Albert Hirschman, scegliere di abbandonare la scena anziché dire la sua battuta.[34]

Dubito che fra simili cittadini possa esistere una comunanza di idee e sentimenti sufficiente a sostenere il piano dei buoni, che dopo tutto è sempre una forma di fornitura comunitaria. Persino uno stato assistenziale minimo richiederebbe legami più forti e profondi. In ogni caso, l'esperienza effettiva che i bambini avrebbero in una scuola liberamente scelta dai loro genitori non anticipa certo una situazione di sradicamento e di facile mobilità. Per la maggioranza dei bambini la scelta dei genitori implicherebbe quasi sicuramente meno varietà, meno tensione, meno possibilità di cambiare rispetto a ciò che troverebbero in una scuola cui fossero assegnati su base politica. La scuola somiglierebbe di più a casa loro. Forse un simile assetto prefigurerebbe le loro scelte future, ma certo non tutta la gamma dei contatti, rapporti di lavoro e alleanze politiche di una società democratica. La scelta dei genitori potrebbe attraversare i confini etnici e razziali come non avviene, a volte, per le assegnazioni politiche; ma nemmeno questo è sicuro, dato che l'appartenenza etnica e la razza sarebbero certamente, come lo sono oggi, due dei principi attorno ai quali si organizzerebbero le scuole private. E anche ammesso che siano principi accettabili (a patto che non siano gli unici) in una società pluralistica, occorre sottolineare che per alcuni bambini sarebbero i soli.

Il "piano dei buoni" presuppone che i genitori si diano da fare, non nella comunità in generale, ma in senso più ristretto nell'interesse dei propri figli. Penso però che il suo maggior pericolo stia nel fatto che esporrebbe molti bambini sia alla spietatezza imprenditoriale, sia all'indifferenza dei genitori. Dopo tutto, anche i genitori più premurosi hanno spesso altre cose a cui pensare; e allora i bambini possono essere difesi solo da rappresentanti dello stato, da ispettori governativi che facciano rispettare un codice generale. Anzi, anche se i genitori si danno da fare e si impegnano, ai rappresentanti dello stato resta comunque del lavoro da svolgere; la comunità, infatti, è interessata all'educazione dei bambini, e lo sono anche i bambini, che né i genitori né gli imprenditori rappresentano adeguatamente. Questo interesse, però, dev'essere dibattuto pubblicamente e gli si deve dare una forma specifica; è questo un compito che spetta alle istanze democratiche — assemblee, partiti, movimenti, circoli e così via. E l'istruzione di base deve anticipare proprio il modello associativo necessario per questo lavoro — cosa che non fanno le scuole private. La fornitura comunitaria di beni relativi all'istruzione deve assumere dunque una forma più pubblica, o non contribuirà all'educazione dei cittadini. Non credo che sia indispensabile un attacco frontale al fatto che siano i genitori a scegliere, finché il suo effetto principale è quello di creare ideologie marginali entro un sistema prevalentemente pubblico. In linea di principio, i beni relativi all'istruzione non dovrebbero essere acquistabili, ma l'acquisto è tollerabile se non comporta (come accade ancor oggi, per esempio, in Gran Bretagna) enormi vantaggi sociali. Qui, come in altri settori della fornitura comunitaria, più il sistema pubblico è forte e più si può essere tolleranti con l'uso del denaro ai suoi margini. Né ci sono molte ragioni di preoccuparsi di quelle scuole private che forniscono un'istruzione specializzata, finché c'è un'ampia disponibilità di borse di studio ed esistono vie d'accesso alternative alle cariche, publiche e private. Un "piano dei buoni" avrebbe decisamente senso per le scuole specializzate e per l'apprendistato sul luogo di lavoro; tuttavia non servirebbe mettere insieme i ragazzi in base alle preferenze dei genitori, ma a permettere loro di seguire le proprie preferenze.

Classi speciali per i bambini dotati

Il principio della carriera aperta ai talenti è un principio caro al liberalismo americano, e si è spesso sostenuto che la scuola dovrebbe essere strutturata secondo i requisiti di tale carriera. Ai ragazzi capaci di progredire rapidamente si dovrebbe permettere di farlo, mentre il lavoro degli studenti più lenti dovrebbe essere adattato al loro ritmo di apprendimento. Entrambi i gruppi si troveranno meglio, prosegue questo ragionamento ; così i ragazzi avranno le amicizie più autentiche e durature e forse incontreranno addirittura i futuri coniugi. Quando cresceranno continueranno a frequentare persone con un'intelligenza più o meno come la loro. I genitori che considerano particolarmente intelligenti i loro figli favoriscono, tendenzialmente, questo tipo di segregazione, in parte perché i figli stiano con le persone "giuste", in parte perché non si annoino a scuola, in parte perché credono che l'intelligenza aumenti se stimolata.

È proprio per questa ragione, però, che spesso si avanza una controrichiesta: che ragazzi brillanti siano distribuiti in tutte le classi in modo da stimolare gli altri. È un po' usare gli studenti bravi come risorsa per i meno bravi, trattando i primi come mezzi anziché come fini, pressapoco come facciamo coi giovani fisicamente abili quando li arruoliamo per difendere i cittadini comuni. Rispetto agli studenti, tuttavia, questa operazione sembra sbagliata, perché si suppone che la loro istruzione serva tanto ai loro interessi quanto a quelli della comunità. Ma distribuire gli studenti bravi significa davvero usarli? Dipende da quello che prendiamo come punto di partenza del loro reclutamento. Se il punto di partenza, per esempio, sono la residenza e le amicizie di tutti i giorni, allora è plausibile criticare la segregazione degli studenti bravi, che si presenta ora come un impoverimento intenzionale dell'esperienza educativa degli altri.

Al culmine della guerra fredda, subito dopo il lancio del primo razzo sovietico nello spazio, il sistema di formare le classi in base a test preliminari fu sostenuto come una sorta di difesa nazionale: era un primo ampio reclutamento di scienziati e tecnici, persone preparate che ci erano necessarie, o che credevamo necessarie. Tuttavia, se la comunità che si vuole difendere è una democrazia, nessuna forma di reclutamento può precedere il "reclutamento" dei cittadini. Oggi, senza dubbio, è necessario che ai cittadini siano insegnate le materie scientifiche, o non saranno preparati a "tutti gli uffici, sia pubblici sia privati, di pace e di guerra".

Così presumibilmente, ad alcuni verrà l'ispirazione di perseguire una certa specializzazione scientifica; e se occorrono molte persone così, si possono offrire ulteriori incentivi. Ma non è necessario scegliere i futuri specialisti in tenera età, dando loro, per così dire, nome e cognome prima che gli altri abbiano avuto la loro possibilità di ispirazione. Fare questo è soltanto dichiararsi sconfitti prima ancora che il "reclutamento" dei cittadini sia veramente avviato — a parte che, come mostra l'esempio giapponese, ci sarebbero delle resistenze nelle scuole, soprattutto a livello elementare.

E non è neanche vero che questo modo di formare le classi anticipi i modelli associativi dei cittadini adulti, anche se può contribuire a formarli. Nel mondo adulto non vige un sistema di segregazione sulla base dell'intelligenza. Tutti i tipi di rapporti di lavoro, a tutti i livelli della scala sociale, impongono una mescolanza — e, soprattutto, la impone una politica democratica. Non è concepibile che si possa organizzare una società democratica senza mettere insieme persone di tutti i livelli e tipi di talento — e non solo nelle città, grandi e piccole, ma anche nei partiti e nei movimenti (per non parlare della burocrazia e dell'esercito). Il fatto che gli esseri umani tendano a sposare persone del loro stesso livello intellettuale ha soltanto un interesse marginale, perché in una società democratica la pubblica istruzione è solo secondariamente una preparazione al matrimonio o alla vita privata in generale. Se non esistesse una vita pubblica o se la politica democratica perdesse radicalmente di valore, l'isolamento dei talenti sarebbe più facile da difendere.

Tuttavia un uso più limitato della segregazione è ammissibile, anche tra futuri cittadini. Ci sono, per esempio, motivi didattici che consigliano di raggruppare a parte i bambini con particolari difficoltà in matematica, per esempio, o in una lingua straniera. Ma non ci sono motivi né didattici né sociali per trasformare queste distinzioni in barriere, creando dentro la scuola un sistema a due livelli o dei tipi di scuola radicalmente diversi per studenti diversi. Se si fa questo, e soprattutto se lo si fa fin dagli inizi del processo educativo, non si prefigurano le associazioni fra i cittadini, ma il sistema di classe, più o meno nella sua forma attuale. Si mettono insieme i bambini soprattutto sulla base della loro socializzazione prescolastica e dell'ambiente familiare, negando così il principio della scuola come spazio chiuso. Negli Stati Uniti di oggi questa negazione produrrebbe, probabilmente, una gerarchia non solo di classi sociali, ma anche di gruppi razziali. Si raddoppierebbe la disuguaglianza; e conosciamo ottime ragioni per cui questo raddoppiamento è particolarmente pericoloso per una politica democratica.

Integrazione e busing*

Ma non si eviterà la segregazione razziale associando i bambini sulla base della residenza e delle amicizie: oggi, negli Stati Uniti, è raro che i bambini di razza diversa abitino nello stesso luogo e giochino insieme. E non ricevano un'istruzione comune. La causa principale di questa situazione nella diversa quantità di denaro spesa per la loro istruzione, o nella diversa qualità dell'insegnamento, o nei programmi scolastici diversi; sta nell'identità sociale e nelle aspettative degli stessi bambini. Nelle scuole dei ghetti e dei bassifondi i bambini vengono preparati e si preparano a vicenda alla vita dei ghetti e dei

* La pratica di trasportare in autobus dei bambini in scuole lontane da casa e razzialmente miste (N.d.T.).

bassifondi. I confini della scuola non sono mai abbastanza solidi da proteggerli da se stessi e dall'ambiente circostante. Sono catalogati in base al loro territorio sociale e imparano a catalogarsi a vicenda. L'unico modo di cambiare questa situazione, dicono molti, è separare la scuola dal quartiere: i bambini dei ghetti e dei bassifondi non dovrebbero frequentare le scuole del quartiere, oppure dovrebbero frequentarle anche altri bambini; in entrambi i casi cambierà il modello associativo.

Lo scopo è l'integrazione dei futuri cittadini, ma non è facile indicare con precisione quali siano le strutture necessarie. Dal punto di vista logico sarebbe preferibile un sistema pubblico in cui ogni scuola abbia esattamente la stessa composizione sociale: non un'associazione casuale ma un'associazione proporzionale. In tutte le scuole entro una certa zona ci sarebbe lo stesso rapporto numerico tra i bambini di diversa provenienza (tale rapporto varia di zona in zona secondo la struttura complessiva della popolazione). Ma come delimitare le zone? E come dobbiamo classificare i bambini: solo per razza? o per religione, per gruppo etnico, per classe sociale? Una proporzionalità perfetta sembrerebbe richiedere zone che comprendano la più ampia varietà possibile di gruppi, e quindi la classificazione più dettagliata possibile. Ma i giudici federali che negli anni settanta si pronunciarono su questi problemi concentrarono la loro attenzione esclusivamente sulle unità politiche riconosciute (sulle città) e sull'integrazione razziale. "A Boston," ha dichiarato il giudice William Garrity in una sentenza che imponeva un massiccio *busing* urbano, "la popolazione delle scuole pubbliche è, approssimativamente, bianca per due terzi e nera per un terzo; in teoria ogni scuola dovrebbe avere le stesse proporzioni."[35] Ci sono, indubbiamente, delle buone ragioni per fermarsi a questo punto, ma vale la pena sottolineare che il principio dell'associazione proporzionale richiederebbe soluzioni molto più articolate.

D'altronde nessuna forma di associazione proporzionale prefigura le scelte dei cittadini democratici. Consideriamo, ad esempio, la tesi di molti militanti o simpatizzanti neri del movimento per i diritti civili: anche in una comunità politica in cui non ci sia traccia di razzismo, la maggior parte dei neri americani preferirebbe vivere insieme, formare quartieri propri e controllare le istituzioni locali. L'unico modo di prefigurare questo modello è stabilire ora un controllo locale. Se le scuole fossero gestite da neri e sostenute da genitori neri, il ghetto non sarebbe più un luogo di scoraggiamento e di sconfitta.[36] Secondo questa posizione, perché vi sia eguaglianza, il rinforzo reciproco derivante dall'associare bambini neri con altri bambini deve essere lo stesso di quello ottenuto associando i bambini bianchi con altri bambini bianchi. Optare per la proporzionalità è ammettere che questo rinforzo è impossibile prima ancora di aver fatto un tentativo serio.

È un argomento convincente, ma nell'America di oggi si scontra con una grossa difficoltà. La segregazione in cui vivono gli americani neri è assai diversa da quella degli altri gruppi: è molto più profonda e molto meno volontaria. Prefigura non tanto il pluralismo quanto il separatismo; e non è questo che ci aspetteremmo di trovare fra dei cittadini democratici. In questa situazione il controllo locale vanificherebbe, probabilmente, gli scopi della mediazione della scuola. Nel caso di una vittoria politica degli attivisti politici locali, la scuola diventerebbe uno stumento per imporre una versione molto forte di identità di gruppo, più o meno come succede nelle scuole pubbliche di un nuovo stato nazionale.[37] I bambini sarebbero educati ad una cittadinanza più ideologica che reale; e non c'è motivo che la comunità complessiva finanzi un'educazione di tal genere. Ma fin dove ce ne possiamo allontanare continuando a rispettare le associazioni che i neri formerebbero anche in un paese assolutamente democratico? E — cosa altrettanto importante — fin dove ce ne possiamo allontanare continuando a rispettare le associazioni che altre persone hanno già formato? Non so dove vada tracciato esattamente il confine, ma sono propenso a credere che una rigida proporzionalità traccerebbe un confine sbagliato.

Assumiamo che la società sia pluralista: finché potranno associarsi liberamente, gli adulti formeranno comunità e culture diverse entro la comunità politica generale. Sicuramente lo faranno in un paese di immigrati, ma lo faranno anche altrove; e a quel punto l'istruzione dei bambini dipenderà dal gruppo cui appartengono, almeno nel senso che la peculiarità del gruppo, rappresentata concretamente dalla famiglia, sarà uno dei poli fra i quali la scuola medierà. L'altro polo è invece la comunità generale, rappresentata concretamente dallo stato, che si regge sulla cooperazione e sui legami reciproci di tutti i gruppi. Perciò la scuola, pur rispettando il pluralismo, deve anche impegnarsi a raggruppare i bambini in modi che tengano aperte le possibilità di cooperazione, e ciò è ancora più importante quando il pluralismo è forzato e distorto. Non è necessario che tutte le scuole abbiano la stessa composizione sociale; è necessario che vi si incontrino bambini di provenienza diversa.

A volte questa necessità impone quello che è chiamato (dai suoi oppositori) "*busing* forzato" — come se la pubblica istruzione dovesse, per qualche motivo, fare a meno dei trasporti pubblici. L'espressione, in ogni caso, è ingiusta, dato che tutte le assegnazioni hanno carattere obbligatorio. La stessa scolarizzazione ce l'ha: s'impone di imparare a leggere, s'impone l'aritmetica. Tuttavia i programmi di *busing* destinati a soddisfare le esigenze di una proporzionalità rigida rappresentano forse un tipo di coercizione più aperto, e una rottura di modelli di vita quotidiani più diretta, del desiderabile. L'esperienza americana, inoltre, indica che una scuola che venga integrata mettendo assieme bambini che vivono in zone completamente diverse, ha poche probabilità di diventare una scuola integrata. Anche una scuola forte può fallire quando è costretta a fare i conti con conflitti sociali esterni (e continuamente rinforzati dall'esterno). Ma è anche chiaro che pubblici funzionari hanno imposto il separatismo razziale anche in casi in cui l'assetto reale della popolazione richiedeva, o almeno permetteva, forme associative diverse. A questo si deve riparare, e oggi a tal fine potrebbe essere necessario il *busing*. Sarebbe stupido escluderlo. Ma c'è anche da sperare che siano attaccate in modo più diretto le distribuzioni tiranniche nella sfera dell'abitazione e dell'occupazione, che nessuna riorganizzazione della scuola potrà mai riparare.

Le scuole di quartiere

Come ho già sostenuto, in linea di principio i quartieri non hanno delle politiche di ammissione. Quale che sia l'origine della loro formazione — lo stanziarsi di individui e famiglie, decisioni amministrative, la costruzione di un'autostrada, la speculazione edilizia, lo sviluppo industriale, la rete della metropolitana e degli autobus, ecc. col tempo i quartieri giungeranno (escludendo l'uso della forza) a comprendere una popolazione eterogenea: "non una selezione, ma un campione di tutti gli esseri viventi", o almeno di tutti gli esseri viventi della nazione. Una scuola di quartiere, dunque, non serve, almeno non per molto, un gruppo di persone che hanno scelto di vivere insieme; ma nella misura in cui gruppi diversi la considereranno propria, la sua esistenza può servire a rafforzare il senso d'identità della comunità. E questo è stato fin dagli inizi uno degli scopi delle scuole pubbliche: ognuna di esse doveva essere un piccolo crogiolo e il senso d'identità di quartiere era il primo dei suoi prodotti e un primo passo verso la cittadinanza. Si supponeva che i distretti scolastici definiti secondo criteri geografici sarebbero stati socialmente misti e che nella stessa aula scolastica si sarebbero ritrovati bambini con origini etniche e di classe molto diverse. Tuttavia, trattati di protezione, leggi urbanistiche e distretti scolastici determinati con secondi fini hanno fatto sì che questo non fu vero, in generale, in nessuna città, e non so bene se oggi sia più o meno vero di allora. Ma per quanto riguarda la mescolanza razziale, i dati parlano chiaro: le scuole di quartiere tengono separati i bambini bianchi e quelli neri. È per questo che il principio associativo del quartiere è stato aspramente criticato.

Ma, nonostante tutto, è il principio migliore. La politica, infatti, è sempre basata sul territorio; e il quartiere (o il distretto, il paese, la periferia o l'insieme di quartieri contigui) è storicamente la prima, e la più ovvia ed immediata base della politica democratica. È più probabile che una persona sia ben informata, interessata, attiva ed efficiente quando è vicina a casa sua, in mezzo agli amici e ai nemici ben conosciuti. Una scuola democratica, dunque, dovrebbe essere uno spazio chiuso all'interno di un quartiere: un ambiente speciale all'interno di un mondo conosciuto, nel quale i bambini stiano insieme come studenti proprio come un giorno staranno insieme come cittadini. In questo contesto la scuola realizza il suo ruolo di mediazione nel modo più facile. Da un lato, i bambini frequentano una scuola che i loro genitori probabilmente conoscono e sostengono; dall'altro, le decisioni politiche sulla scuola vengono prese da un gruppo eterogeneo di genitori e non genitori, entro i limiti fissati dallo stato. Tali decisioni sono poi messe in pratica da insegnanti che si sono formati (quasi sempre) fuori del quartiere e che hanno responsabilità sia professionali che politiche. È un sistema fatto per scatenare conflitti — e in effetti, negli Stati Uniti, la politica più vivace e più avvincente è, probabilmente, quella scolastica. I genitori non sono quasi mai soddisfatti dei suoi esiti, e i bambini, quasi certamente, trovano a scuola un mondo diverso da quello che conoscono a casa loro. La scuola è contemporaneamente una "casa dei giovani e delle giovani" e un luogo caratterizzato da una disciplina intellettuale tutta sua.

I genitori cercano spesso di sconfiggere questa disciplina che non sempre il corpo degli insegnanti è abbastanza forte da conservare. La distribuzione effettiva dell'istruzione risente in vario modo delle lotte politiche locali sulle dimensioni e la gestione quotidiana del distretto scolastico, l'assegnazione di fondi, la ricerca di nuovi insegnanti, il preciso contenuto dei programmi e così via. Le scuole di quartiere non saranno mai uguali in tutti i quartieri; perciò un'eguaglianza semplice del tipo un bambino/un posto nel sistema scolastico costituisce solo una parte della storia della giustizia nell'ambito dell'educazione. Credo però che sia giusto dire che se i quartieri sono aperti (se l'identità razziale o etnica non pregiudica il diritto a stabilirsi in un quartiere) e se ognuno di essi ha la propria scuola, allora c'è giustizia. Entro un insieme complesso di assetti distributivi i bambini sono eguali: ricevono la stessa istruzione, anche se da luogo a luogo c'è qualche variazione nel programma (e nel modo in cui gli insegnanti sottolineano od omettono questa o quella parte del programma). Anche la coesione del corpo insegnante e lo zelo dei genitori nel collaborare o nel criticare varieranno; ma si tratta di variazioni connaturate ad una scuola democratica, aspetti inevitabili dell'eguaglianza complessa.

Lo stesso vale per i modi in cui sono raggruppati gli studenti. Alcuni distretti scolastici saranno più eterogenei di altri, alcuni rapporti tra i gruppi saranno più tesi di altri. Ogni scuola dovrà far fronte alle controversie sui confini, endemiche in una società pluralista, in forme più o meno acute. Ci vuole uno zelo ideologico straordinario o una grande rigidezza mentale per sostenere che bisogna affrontarle nelle forme più acute sempre e ovunque. Lo si potrebbe anche fare, ma solo con un uso radicale del potere statale. Ora, lo stato ha molto a che fare con l'istruzione: impone l'obbligo scolastico, fissa le linee generali dei programmi, controlla la concessione dei titoli di studio. Ma se la scuola deve avere una forza propria, devono esserci dei limiti all'intervento dello stato: limiti posti dall'integrità delle discipline accademiche, dalla professionalità degli insegnanti, dal principio di uguale considerazione e da una forma di assicurazione che prefiguri la politica democratica, ma che non sia dominata dai poteri costituiti o dalle ideologie regnanti. Così come il successo nella guerra fredda non era un motivo per fare qualcosa di più che migliorare le scuole specializzate e renderle più attraenti, così l'obiettivo di una società integrata non è mai stato un motivo per spingersi oltre i rimedi necessari a mettere fine a una segregazione volontaria. Qualsiasi altra subordinazione più radicale della scuola ad uno scopo politico mina la forza della scuola, il successo della sua mediazione e lo stesso valore della scolarizzazione come bene sociale. In ultima analisi l'assoggettamento di studenti e insegnanti alla tirannia della politica non accresce l'eguaglianza, ma la diminuisce.

9. Parentela e amore

La distribuzione dell'affetto

Generalmente si pensa che i vincoli di parentela e le relazioni sessuali costituiscano un dominio che trascende l'ambito della giustizia distributiva. Vengono giudicati in altri termini, o ci insegnano di non giudicarli: la gente ama come meglio può, e i sentimenti non possono essere ridistribuiti. Puo darsi che, come disse una volta Samuel Johnson, "I matrimoni sarebbero in generale altrettanto felici, e spesso ancor di più, se fossero sempre combinati dal Lord Cancelliere"[1]: ma nessuno ha mai proposto seriamente di dare al Lord Cancelliere quest'ulteriore potere, nemmeno per una maggiore felicità (e, se mai, perché non per l'eguaglianza della felicità?) Tuttavia sarebbe un errore concepire la parentela e l'amore come una sfera diversa da tutte le altre, un recinto sacro — come il Vaticano nell'Italia repubblicana, — al riparo dalla critica filosofica. In realtà, la sfera della parentela e dell'amore è strettamente connessa con altre sfere distributive, delle quali subisce le molte inferenze, e che a sua volta influenza pervasivamente. Spesso i suoi confini devono essere difesi, se non dal Lord Cancelliere, da altre intrusioni tiranniche, ad esempio l'acquartieramento di truppe in case private, la richiesta di manodopera infantile in fabbriche e miniere, le "visite" di assistenti sociali, di funzionari che controllano le assenze ingiustificate di poliziotti e altri dei rappresentanti dello stato moderno. E altre sfere dovono essere difese dalle sue intrusioni, dal nepotismo e dal favoritismo, che sono atti d'amore vietati nella nostra società, ma non certo in tutte.

Nelle famiglie e con l'imparentarsi fra famiglie, si realizzano distribuzioni importanti. Doti, doni, eredità, alimenti e tante altre forme di aiuto reciproco sono determinate dal costume e da regole convenzionali e rispecchianti concezioni profonde, anche se non eterne.

E, cosa più importante, lo stesso vale anche per l'amore, il matrimonio, la sollecitudine per i figli e il rispetto filiale. "Onora il padre e la madre" è una regola distributiva, così come lo è la massima confuciana sui fratelli maggiori.[2] E lo sono anche le innumerevoli prescrizioni rilevate dagli antropologi e che legano, per esempio, i bambini agli zii materni o le mogli alle suocere. Anche queste distribuzioni dipendono da concezioni culturali che col tempo cambiano. Se ci si ama e ci si sposa liberamente, come presumibilmente facciamo noi, è per via di quello che significano l'amore e il matrimonio nella nostra società. E la nostra libertà, nonostante una serie di lotte di liberazione, non è totale. L'incesto è ancora vietato: "La permissività sessuale del mondo occidentale contemporaneo non ha eliminato questa restrizione."[3] Anche la poligamia è vietata; il matrimonio omosessuale non è legalmente riconosciuto e resta politicamente problematico; i matrimoni misti non più penalizzati sul piano legale, lo sono ancora su quello sociale. In tutti questi casi (molto diversi) la "liberazione" sarebbe un atto ridistributivo, strutturerebbe in modo nuovo impegni, obblighi, responsabilità e parentele.

In quasi tutta la storia dell'umanità l'amore e il matrimonio sono stati regolati molto più rigidamente di quanto lo siano oggi negli Stati Uniti. Le regole della parentela, per la loro varietà e le loro caratteristiche, sono la gioia degli antropologi. Ci sono mille modi di porre e di rispondere alla domanda distributiva fondamentale, "Chi... con chi?". Chi può dormire con chi? Chi può sposare chi? Chi vive con chi? Chi mangia con chi? Chi festeggia con chi? Chi deve mostrare rispetto a chi? Chi è responsabile di chi? Le risposte a queste domande formano un sistema di regole assai elaborato; ed è tipico del più primitivo modo d'intendere il potere politico considerare tiranni i capi o i principi che violano tali regole.[4] Il senso più profondo della tirannia, probabilmente, è proprio questo: è la dominanza del potere sulla parentela. È raro che il matrimonio sia, come sosteneva John Selden, "nient'altro che un contratto civile".[5] Il matrimonio fa parte di un più ampio sistema, di cui il legislatore si occupa, normalmente, solo marginalmente o *post festum*, per dare un assetto morale, e anche materiale, alla vita "privata": abitazioni, pasti, visite, doveri, espressione dei sentimenti, trasferimenti di beni.

In numerosi luoghi ed epoche la parentela determina anche molte altre cose, fino a influenzare la politica, e a fissare lo stato legale e le possibilità di vita degli individui. C'è, addirittura, una concezione della storia dell'umanità secondo la quale tutte le sfere di rapporto e di distribuzione, tutte le "assemblee" di uomini e donne, derivano dalla famiglia, o più o meno come tutto l'insieme delle cariche pubbliche e delle istituzioni derivano dalla corte del re. Ma l'opposizione fra parentela e politica è molto antica, forse primordiale. "Ogni società," scrive l'antropologo contemporaneo Meyer Fortes, "... comprende due ordini fondamentali di relazioni sociali... l'ambito familiare e l'ambito politico-giuridico, la parentela e la politica."[6] Non è insensato, dunque, dire che le regole della parentela non riguardano tutto il mondo sociale, ma segnano il primo insieme di confini al suo interno.

La famiglia è una sfera di rapporti speciali. Questo bambino è la pupilla degli occhi di suo padre, quest'altro è la gioia di sua madre. Quella sorella e quel fratello si amano più di quanto dovrebbero. Quello zio coccola la nipotina favorita. È un mondo di passioni e di gelosie i cui membri cercano spesso di monopolizzare l'affetto, e tutti hanno, contemporaneamente, qualche rivendicazione minima — almeno rispetto agli estranei, che possono benissimo non averne nessuna. Spesso il confine fra i parenti e gli estranei è molto netto: solo all'interno della famiglia vale la "regola dell'altruismo prescrittivo".[7] Perciò la famiglia è una fonte perenne di disuguaglianze; e non solo per la ragione addotta di solito, cioè che essa funziona (diversamente in società diverse) come un'unità economica nella quale la ricchezza viene accumulata e trasmessa, ma anche perché funziona come un'unità emotiva nella quale viene accumulato e trasmesso l'amore. O meglio, circola e poi viene trasmesso — e, almeno inizialmente, per ragioni interne. Il favoritismo comincia nella famiglia — come quando Giuseppe è preferito ai suoi fratelli — e solo dopo si estende alla politica, alla religione, alla scuola, al mercato, al luogo di lavoro.

I custodi di Platone

Dunque la proposta egualitaria più radicale, la via più semplice all'eguaglianza semplice, è l'abolizione della famiglia. Ho già considerato questa proposta nella sfera dell'istruzione, in cui la scuola offre un'alternativa immediata. Ma la scuola, anche se è un collegio, abolisce la relazione speciale dei genitori coi figli solo dopo una certa età; vale la pena prendere in esame un'abolizione più radicale.* Immaginiamo una società in cui, come quella descritta da Platone, tutti i membri di una stessa generazione siano fratelli e sorelle, ignari dei propri legami di sangue, e producano, attraverso una sorta di incesto civico, una nuova generazione di figli di cui siano genitori solo collettivamente, non individualmente. La parentela è universale e perciò in pratica non esiste, ed è assimilata all'amicizia politica. C'è da aspettarsi che la passione e la gelosia compaiano anche nei cuori di questi fratelli universali; ma senza un significato chiaro di "mio" e "tuo",

---

* Una certa tendenza all'abolizionismo è frequente nel pensiero egualitario, anche in autori palesemente a disagio con questa idea. John Rawls, per esempio, dice che "il principio dell'equa opportunità può essere realizzato soltanto in modo imperfetto, almeno fino a quando esisterà l'istituzione della famiglia".[8] L'affermazione viene ripetuta[9] ma non sviluppata. Probabilmente Rawls non vuole che la distribuzione dell'amore e della sollecitudine sia governata dal secondo principio della giustizia. Ma allora, quale principio dovrebbe governarla?

senza legami esclusivi con persone o con cose, secondo Platone "l'accendersi di passione più difficilmente darà luogo a una lite seria". Non esisterà più l'individuo come lo conosciamo noi (e come lo conosceva Platone) che "porta nella propria casa privata, dove ha una famiglia soltanto sua, fonte di piaceri e dolori privati, tutto ciò che può ottenere per sé."

Gli uomini e le donne vivranno invece i piaceri e i dolori come passioni comuni, e le gelosie della vita familiare saranno rimpiazzate da un egualitarismo non solo materiale, ma anche emotivo, il regime del "sentire comune".[10] È il trionfo dell'equanimità sulla passione dei sentimenti.

Ma è anche il trionfo della comunità politica sulla famiglia; infatti, come scrive Lawrence Stone nel suo studio sullo sviluppo della famiglia contemporanea, "la distribuzione dei legami affettivi... è una specie di gioco a somma zero... La famiglia molto personalizzata, rivolta verso l'interno, è stata raggiunta anche a costo... di un allontanamento dalla ricca e integrata vita comunitaria del passato".[11] Ma sembra che questo allontanamento sia già avvenuto anche nel passato; forse la vita comunitaria del passato appartiene a un'età dell'oro e l'abolizionismo è una perenne utopia. In ogni caso, il suo scopo non è il raggiungimento di un equilibrio fra parentela e comunità, ma il rovesciamento radicale dell'esito del "gioco". Ovviamente Platone impone il suo regime egualitario solo ai custodi; il suo scopo non è quello di creare un *amour social* veramente universale o di equalizzare l'esperienza amorosa (anche se attribuisce un valore autentico all'equanimità) ma di eliminare ogni effetto dell'amore sulla politica della *polis*, di "liberare i custodi dalla tentazione di preferire gli interessi della famiglia a quelli dell'intera comunità".[12] Orwell descrive un progetto analogo in *1984*, in cui la Lega Antisesso cerca di impedire ogni legame di parentela fra i membri del partito, in modo da legarli senza riserve a quest'ultimo (e al Grande Fratello). I proletari, invece, sono liberi di sposare chi vogliono e di amare i propri figli. Ritengo che un regime democratico non possa tollerare una simile divisione: l'abolizione della parentela dovrebbe essere totale. Tuttavia non è un caso che i filosofi e i romanzieri che hanno immaginato questa abolizione l'abbiano riferita tanto spesso solo a un'élite, i cui membri potevano essere compensati della perdita degli affetti particolari con particolari prerogative.

Perché è davvero una perdita, ed è tale che verosimilmente quasi tutti gli uomini e le donne le si opporranno. Quella che potremmo ritenere la forma più elevata di vita comunitaria, la fratellanza e sorellanza universale, probabilmente è incompatibile con qualsiasi processo decisionale popolare, e ciò vale anche in filosofia morale. Diversi autori hanno sostenuto che la forma più alta di vita etica è quella in cui la "regola dell'altruismo prescrittivo" ha validità universale e non ci sono obblighi speciali verso i congiunti (o gli amici).[13] Dovendo scegliere fra salvare da un pericolo terribile e imminente mio figlio o il figlio di qualcun altro, io adotterei una procedura di decisione casuale. Ma ciò sarebbe, ovviamente, molto più facile se non fossi in grado di riconoscere i miei figli o non avessi dei figli miei. Ma questa forma suprema di vita etica è accessibile solo a pochi filosofi molto determinati, oppure a monaci, eremiti e custodi platonici. Tutti gli altri dovranno accontentarsi di qualcosa di meno che probabilmente è anche considerato migliore: tracceranno come meglio possono il confine fra famiglia e comunità e il loro amore avrà intensità diverse.

Questo significa che alcune famiglie daranno più calore e affetto di altre, che alcuni bambini saranno più amati di altri, che alcune persone entreranno nella sfera dell'istruzione, del denaro e della politica con tutta la sicurezza di sé che l'affetto e il rispetto dei genitori possono dare, mentre altri, incerti e sfiduciati, esiteranno a farsi avanti. (Ma possiamo ugualmente cercare di escludere il favoritismo dalla scuola e le "alleanze familiari" dall'impiego pubblico.)

Se rinunciamo alla parentela universale, nessun assetto dei legami familiari appare teoricamente indispensabile, o anche genericamente preferibile. Non esiste un insieme unico di legami passionali che sia più giusto di tutti gli altri. Credo che ciò sia generalmente concesso da autori che tuttavia mirano in altre sfere a una giustizia molto specifica e unitaria. Ma anche qui vale lo stesso discorso di sempre: non sappiamo, per esempio, se la comunità politica deve rendere ugualmente accessibile a tutti i suoi membri il teatro finché non sappiamo che cosa significhi il teatro in questa data cultura. Non sappiamo se la vendita di armi da fuoco debba essere uno scambio bloccato finché non sappiamo come vengono usate queste armi in determinate strade; e non sappiamo quanto affetto e quanto rispetto siano dovuti ai mariti finché non conosciamo la risposta alla domanda con cui Lucy Mair inizia la sua ricerca antropologica sul matrimonio: "A che servono i mariti?"[14]

Naturalmente in ogni contesto locale esistono dei principi obiettivi, a volte contestati, spesso violati, ma ben noti a tutti. I fratelli di Giuseppe erano risentiti per il favoritismo del padre perché questo oltrepassava, secondo loro, i limiti della benevolenza patriarcale. In simili casi, benché spesso le conseguenze siano spiacevoli, lasciamo l'applicazione dei principi pertinenti ai membri della famiglia. Non vogliamo che entrino in scena funzionari governativi per assicurarsi che ognuno (o nessuno) abbia un cappotto colorato. È indispensabile intervenire solo quando una distribuzione familiare minaccia i beni promessi dall'appartenenza e dall'assistenza comunitaria, come per esempio nel caso di bambini abbandonati, o di mogli picchiate. Anche la distribuzione delle proprietà della famiglia è regolata dalla legge; ma è probabile, come ho già ipotizzato analizzando i doni e l'eredità, che questa regolamentazione rappresenti l'imposizione all'esterno di principi in origine interni a una particolare concezione dei legami familiari.

Famiglia ed economia

I primi pensatori politici dell'età moderna descrivono spesso la famiglia come un "piccolo stato" nel quale i bambini imparano la virtù dell'obbedienza e si preparano ad essere cittadini (o, più spesso, sudditi) dello stato più grande, dell'intera comunità politica.[15] Questo, oltre a sembrare una ricetta per l'integrazione, ha anche un altro scopo. Se la famiglia era un piccolo stato il padre era un piccolo re, e il suo regno non poteva essere invaso nemmeno dal re in persona. I piccoli stati limitavano e tenevano a freno quello più grande, del quale erano anche parti. E possiamo pensare la famiglia, analogamente, come un'unità economica parzialmente integrata nella sfera del denaro e delle merci, di cui però anche determina i confini. Una volta, certo, l'integrazione era perfetta: la parola greca da cui deriva il termine *economia* significa semplicemente "governo della casa", e descrive una sfera a sé stante, distinta da quella politica. Ma ogni volta che l'economia si rende indipendente e favorisce l'associazione non tra parenti ma tra estranei, ogni volta che il mercato prende il posto della famiglia autosufficiente, la nostra concezione della parentela, creando uno spazio nel quale le norme del mercato non valgono, pone dei limiti all'estensione dello scambio. Ciò è evidente soprattutto se consideriamo un periodo di rapida trasformazione economica, come, per esempio, l'inizio della Rivoluzione industriale.

Manchester, 1844

Nella sua descrizione della vita di fabbrica a Manchester nel 1844 Engels trattò diffusamente delle famiglie operaie. La loro è una storia non solo di miseria, ma anche di catastrofe morale: uomini, donne e bambini che lavorano dall'alba al tramonto; bambini piccoli lasciati a casa, chiusi in stanze anguste e non riscaldate; totale assenza di socializzazione; crollo delle strutture dell'amore e della reciprocità; perdita dei sentimenti di parentela, in condizioni che non lasciavano loro spazio e non ne permettevano la realizzazione.[16] Gli storici di oggi sono dell'avviso che Engels abbia sottovalutato la forza e la capacità di reazione della famiglia e, se le condizioni non erano assolutamente terribili, l'aiuto che essa sapeva dare ai suoi membri.[17] Ma a me interessa non tanto la precisione della descrizione engelsiana (che è sufficiente) quanto ciò che essa rivela degli intendimenti dei primi pensatori e organizzatori socialisti: essi vedevano il capitalismo come un attacco alla famiglia, una rottura tirannica dei vincoli domestici; "tutti i legami familiari fra i proletari vengono infranti, i loro figli sono trasformati in meri articoli commerciabili e in strumenti di lavoro".[18] E a questa tirannia essi si opposero.

Manchester, nella descrizione di Engels, è un altro esempio di città senza divisioni interne, nella quale il denaro trionfa ovunque. I bambini sono venduti alle fabbriche, le donne si prostituiscono e la famiglia è "dissolta". Non c'è senso della casa e del focolare, né tempo per progetti o feste in famiglia, né riposo, né intimità. Il rapporto familiare, scrivevano Marx ed Engels nel *Manifesto* è "ridotto... a un puro rapporto monetario". Il comunismo — proseguivano — avrebbe comportato l'abolizione della famiglia borghese; ma poiché questa, secondo loro, rappresentava già l'abolizione della parentela e dell'amore, per via della schiavitù dei bambini e della "comunanza delle donne", essi pensavano in realtà a qualcosa di simile, per i suoi probabili effetti, a una restaurazione. Più esattamente essi sostenevano che una volta socializzata definitivamente e pienamente la produzione, la famiglia finalmente sarebbe emersa come una sfera indipendente, come una sfera di relazioni personali basate sull'amore sessuale e interamente libere dalla tirannia del denaro — e anche, secondo loro, da quella, strettamente connessa, dei padri e dei mariti.[19*]

La reazione dei sindacalisti e dei riformatori alle condizioni descritte da Engels fu più difensiva e più semplice: volevano "salvare la famiglia", così com'era. Gran parte della legislazione sulle fabbriche dell'Ottocento aveva questo scopo. Le leggi sul lavoro minorile, la riduzione della giornata lavorativa, le restrizioni sul lavoro femminile avevano tutte lo scopo di proteggere i legami familiari dal mercato, di delimitare un certo spazio e liberare qualche ora per la vita familiare. Al fondo di questi tentativi stava una concezione molto antiquata della famiglia: quello spazio e quel tempo erano destinati soprattutto alle madri e ai bambini, che erano il centro della casa, mentre i padri erano dei protettori più lontani, che proteggevano se stessi solo per proteggere chi da loro dipendeva. Perciò "le donne erano generalmente escluse dai sindacati, e i sindacalisti chiedevano un salario che potesse mantenere l'intera famiglia".[21] La sfera domestica era il posto della donna, intorno alla quale si raccoglievano i bambini, al sicuro sotto la sua protezione. Il sentimentalismo vittoriano è una creazione tanto proletaria quanto borghese; e la famiglia sentimenta-

* Benché Engels insista pesantemente sulle sofferenze dei bambini nella sua drammatica descrizione della vita della classe operaia di Manchester, la sua famiglia ricostituita — e anche quella di Marx — sembra limitata agli adulti. La comunità si occuperà dei bambini, così da permettere a entrambi i genitori di contribuire alla produzione sociale. La proposta ha senso quando la comunità è piccola e i rapporti sono stretti, come in un kibbutz israeliano. Ma in una società di massa è probabile che si risolva in una grande perdita di amore — per di più, sopportata in prima istanza dai membri più deboli. La famiglia, nella sua grande molteplicità di varianti, in cui è inclusa e superata quella borghese convenzionale (perché i genitori non potrebbero contribuire alla riproduzione sociale?), cerca di impedire questa perdita.[20]

le è, almeno in Occidente, la prima forma che assume la distribuzione della parentela e dell'amore dopo la separazione della vita domestica dall'economia.

Il matrimonio

Ma l'istituzione della sfera domestica comincia molto prima della Rivoluzione industriale e ha conseguenze a lungo termine molto diverse da quelle suggerite dalla parola *domesticità*. Tali conseguenze, evidenti soprattutto nelle classi superiori, derivano dal tracciare un doppio confine, non solo fra parentela e vita economica, ma anche fra parentela e politica. Le famiglie aristocratiche e altoborghesi degli inizi dell'età moderna erano delle piccole dinastie; i loro matrimoni erano questioni complesse di alleanze e di scambi, ed erano attentamente pianificati e negoziati minuziosamente. Questo genere di cose sopravvive pure nella nostra epoca, anche se oggi è raro che i negoziati siano espliciti. Suppongo che questo sarà sempre un aspetto del matrimonio, finché le famiglie avranno posizioni sociali e politiche diverse, e finché esisteranno aziende familiari e solide reti di parenti. L'eguaglianza semplice eliminerebbe gli scambi e le alleanze eliminando le differenze fra le famiglie. "Se ogni famiglia fosse tirata su allo stesso costo," ha scritto Shaw, "avremmo tutti le stesse abitudini, maniere, cultura e raffinatezza; e la figlia dello spazzino potrebbe sposare il figlio del duca con la stessa facilità con cui oggi il figlio dell'agente di cambio sposa la figlia del direttore di banca."[22] Ci sarebbero solo matrimoni d'amore — ed è proprio questa la tendenza e, per così dire, l'intenzione, del sistema della parentela, come oggi lo intendiamo.

Ma Shaw sopravvaluta il potere del denaro. Avrebbe dovuto esigere che nessun bambino debba crescere in una famiglia non solo più ricca, ma anche con più influenza politica o prestigio sociale di altre famiglie. Credo che nessuna di queste cose sia possibile, a meno di abolire la famiglia stessa. Tuttavia possiamo ottenere effetti simili separando le sfere distributive. Se l'appartenenza a una famiglia e l'influenza politica sono cose del tutto distinte, se il nepotismo è escluso, la trasmissione ereditaria è limitata, i titoli nobiliari sono aboliti e via dicendo, allora non è più così motivato pensare il matrimonio come uno scambio o un'alleanza; e i figli e le figlie possono cercare (e cercheranno) compagni che trovano attraenti fisicamente o spiritualmente. Finché la famiglia era integrata nella vita politica ed economica, il posto dell'amore romantico era fuori di essa; ciò che i trovatori celebravano era, per così dire, una distribuzione marginale. L'indipendenza della famiglia ha favorito una nuova collocazione dell'amore.

O almeno di quello romanzato, perché l'amore di certo esisteva anche nella vecchia famiglia, sebbene spesso fosse retoricamente sminuito dal tono con cui se ne parlava. Oggi l'amore romantico, più o meno esaltato, è considerato l'unica base soddisfacente del matrimonio e della vita matrimoniale. Ma questo significa che i matrimoni sono tolti di mano ai genitori e ai loro agenti (alle agenzie matrimoniali, per esempio) e consegnati ai figli. Il principio distributivo dell'amore romantico è la libera scelta, ma questa non è il solo principio distributivo nella sfera della parentela. E non potrà mai esserlo: infatti scelgo, sì, la mia sposa, ma non scelgo i suoi parenti, e gli obblighi ulteriori del matrimonio dipendono dalla cultura e non dall'individuo. L'amore romantico, tuttavia, concentra la nostra attenzione su due persone che si scelgono reciprocamente. E ha un'implicazione cruciale: l'uomo e la donna non solo sono liberi, ma sono ugualmente liberi. Il sentimento dev'essere reciproco, il tango si balla in due, eccetera, eccetera.

Per questo chiamiamo tiranni i genitori che cercano di usare il loro potere economico o politico per contrastare i desideri dei figli. Una volta che questi sono maggiorenni, i genitori in realtà non hanno alcun diritto legale di punirli o ostacolarli; e benché si possa sempre lasciare, come si suol dire, senza un centesimo i figli e le figlie che si sposano "male", questa minaccia non fa più parte dell'arsenale morale della famiglia (e in certi paesi nemmeno del suo arsenale legale): in simili faccende i genitori hanno ben poca autorità legittima. Se possono, devono far leva sui sentimenti dei figli; è ciò che si dice, quando funziona, "tirannia emotiva". Ma penso che questa espressione sia sbagliata — o che sia usata metaforicamente, come la "schiavitù umana" di Somerset Maugham; infatti il gioco dei sentimenti, l'esperienza delle emozioni intense, è un aspetto intrinseco della sfera della parentela, non un'intrusione. La libertà in amore rappresenta una scelta indipendente dai vincoli dello scambio e dell'alleanza, non dai vincoli dell'amore stesso.

Il ballo civico

Se i figli sono liberi di amare e sposare chi preferiscono, deve esserci uno spazio sociale, un insieme di assetti e di usanze dove possano fare le loro scelte. Fra i teorici della politica e della società, Rousseau ha riconosciuto questo fatto con maggior lucidità e, con la straordinaria preveggenza che contraddistingue tanto spesso le sue opere, ha descritto una soluzione che sarebbe diventata poi la più comune: un tipo particolare di festa pubblica, il "ballo dei giovani da sposare". Nella *lettera a d'Alembert sugli spettacoli*, si lamenta che ci siano tanti "dubbi scrupolosi" sul ballo fra i ginevrini. Che c'è di meglio, infatti, di questo "gradevole esercizio" nel quale uomini e donne giovani possono "far mostra di sé, con le qualità e i difetti che potrebbero avere, coloro che hanno interesse a conoscerli bene prima di essere obbligati ad amarli?"[23] Rousseau riteneva, a dire il vero, che i padri e le madri (e i nonni e le nonne) dovessero assistere, come spettatori non partecipanti, a questi balli — il che avrebbe conferito, a dir poco, una certa "serietà" all'occasione. E tuttavia ricorrenze come quelle da lui descritte svolgono, da diversi secoli, un ruolo importante nell'esperienza romantica dei giovani. Spesso sono organizzate in modo classista — balli al *Country Club* o feste per "debuttanti" — ma ci sono anche forme più democratiche, come il ballo di fine liceo, che mirano, anche al giorno d'oggi, a ciò che Rousseau cautamente esprimeva così: che "le inclinazioni dei figli siano un po' più libere; che la loro prima scelta dipenda un po' di più dai loro cuori; che si tenga più conto della concordanza di età, temperamento, gusto e carattere; e che si faccia meno attenzione a quelle della posizione e del patrimonio". Le relazioni sociali diventerebbero più facili e "i matrimoni, meno limitati dal rango, ... tempererebbero l'eccessiva diseguaglianza".[24]

I paragoni impliciti nel brano appena citato riguardano il sistema dei matrimoni combinati, lo scambio di figli (nonché di beni materiali) e le alleanze fra famiglie. Il ballo civico di Rousseau ha lo scopo di agevolare e insieme di esprimere il nuovo sistema della libera scelta. La presenza dei genitori serve in primo luogo a segnalare il loro consenso e, ovviamente, anche a contenere la libertà in forme più o meno sottili. L'approvazione della città ha invece lo scopo di confermare la separazione (parziale) della famiglia dalla vita politica ed economica e di garantire, o almeno proteggere, la libertà di scelta in amore. I magistrati della città potrebbero sponsorizzare una fiera o un mercato e garantire il libero scambio esattamente alla stessa maniera. Ma la città non surroga in nessun modo il potere perduto dai genitori. Rousseau, in effetti, aveva proposto che un gruppo di giudici eleggesse una "regina del ballo": ma né i magistrati, né i cittadini, possono votare per decidere chi si deve sposare con chi.

L'idea dell'"appuntamento"

Intendo soffermarmi un po' su questi meccanismi di distribuzione dell'amore e del matrimonio perché sono così fondamentali nella vita di tutti i giorni, e tuttavia compaiono molto di rado nelle discussioni sulla giustizia distributiva. Oggi li concepiamo quasi completamente in termini di libertà, di diritto individuale di fare ciò che si preferisce all'interno di una certa cornice legale e morale (che determina, in sostanza, i diritti degli altri individui). Così, attualmente le vecchie leggi contro la fornicazione, o il sesso extraconiugale, sono viste come pure e semplici violazioni della libertà individuale. E suppongo che lo siano davvero, almeno per noi; anzi siamo inclini a ritenere che siano emanate proprio per questo da legislatori meschini, offesi dai piaceri altrui. Ma queste leggi, o meglio il sistema di vincoli morali e legali di cui esse sono un residuo malridotto, sono state concepite per dei fini meno ristretti. Sono tanti tentativi di difendere dei beni sociali: per esempio, l'"onore" di una donna e della sua famiglia, oppure il valore del matrimonio o quello dello scambio o dell'alleanza, incarnato dal matrimonio; e diventano tiranniche solo quando l'amore fisico è concepito pubblicamente come un bene in sé (privatamente, non dubito che lo sia sempre stato). O anche quando è concepito come un bene strumentale a una libera scelta matrimoniale: un "gradevole esercizio" nel quale giovani uomini e donne "fanno mostra di sé... a coloro che hanno interesse a conoscerli bene prima di essere obbligati ad amarli". Se non fosse strumentale (almeno a volte) al matrimonio, credo che ci preoccuperemmo di più di questo convegno privato, nel quale i figli sono del tutto liberi e la presenza dei genitori scompare.

La versione addomesticata di tale convegno è l'"appuntamento", la forma di corteggiamento probabilmente più comune oggi in Occidente. Agli inizi, l'uscire insieme aveva forme molto contenute. Possiamo farcene un'idea, per esempio, da questa descrizione del corteggiamento nella Spagna rurale: "I giovanotti scelgono le loro ragazze nella passeggiata della domenica sera, quando tutte le persone non sposate del paese camminano insieme per le strade. Il corteggiatore prima passeggia con la ragazza, poi l'accompagna fino all'angolo della sua strada e infine si compromette chiedendo di entrare in casa sua."[25] La passeggiata è qui una sorta di mercato: i giovani (ma soprattutto le ragazze) sono le merci e il camminare insieme è una proposta di scambio. Queste procedure generali si sono dimostrate straordinariamente stabili nel tempo, benché negli ultimi anni siano state anche caratterizzate da una maggiore eguaglianza e intimità dello scambio, entrambe conseguenze della libertà in amore. Molto spesso il culmine dell'intero processo è sempre la visita in famiglia, la presentazione ai genitori e così via. Ma ovviamente, può anche culminare diversamente, non in un matrimonio ma in una semplice relazione amorosa, e in tal caso è probabile che la visita in famiglia venga evitata, e in tal caso è probabile che la connessione fra amore e parentela sia del tutto interrotta.

Forse si dovrebbe dire che esiste una sfera delle relazioni nella quale ogni uomo e ogni donna è radicalmente libero ed ogni obbligo di parentela è vissuto come una sorta di tirannia. In realtà, non ci sono affatto obblighi, almeno finché non compare qualche giudice a imporre una sorta di surrogato di parentela, per esempio, ingiungendo il pagamento degli alimenti a un vecchio amore. Questa sfera delle relazioni somiglia in tutto al mercato delle merci, salvo che qui le merci possiedono se stesse: il modello di transazione è costituito dal dono di sé e dallo scambio volontario di sé. L'amore, l'affetto, l'amicizia, la generosità, la sollecitudine e il rispetto dipendono da scelte individuali, e non solo all'inizio, ma sempre in ogni momento. Il meccanismo distributivo attraverso il quale si fanno queste scelte non sarà il ballo civico o la passeggiata del paese ma caso mai somiglierà di più al bar per persone sole e agli annunci economici. E, anche se le opportunità sono più o meno le stesse per tutti, le distribuzioni risultanti saranno, ovviamente, molto diseguali, e soprattutto saranno molto precarie. Su questo sfondo la famiglia ci appare come una sorta di stato assistenziale che garantisce a tutti i suoi membri un po' di amore, amicizia, generosità, ecc., e li tassa per questa garanzia. L'amore familiare è radicalmente incondizionato; una relazione è un affare (buono o cattivo).

I bambini sono ovviamente una minaccia per l'assoluta libertà della relazione — che infatti è esemplificata in modo più perfetto dall'amicizia e non dall'amore eterossessuale. E chi è impegnato nella relazione deve trovare un modo di liberare i genitori dai figli, o gli uomini e le donne in generale dall'essere genitori. Perciò sono state avanzate diverse proposte che mirano, in generale, a una qualche forma di istituzionalizzazione. È crudele affermare che l'integrità delle relazioni richiede una licenza di abbandono, ma è vero. E se dei bambini abbandonati si prenderà cura lo stato, perché non di tutti, in nome dell'eguaglianza? E si potrebbe andare ancora oltre, liberando non solo i genitori dall'occuparsi dei figli, ma anche le donne dal parto, per esempio con la clonazione delle nuove generazioni o con l'acquisto di bambini di paesi sottosviluppati.[26] Questa non è la ridistribuzione, ma l'abolizione dell'amore dei genitori, e ho il sospetto che produrrebbe in poco tempo una razza di persone incapaci d'impegnarsi anche solo in una relazione. La forza della famiglia sta, ancora una volta, nel garantire l'amore. Non è una garanzia che funzioni sempre: ma, almeno per i figli, non si è ancora trovato niente che la sostituisca.

La sfera delle relazioni non potrà mai essere un luogo stabile. Per quanto riguarda le merci, il mercato funziona perché le persone che le commerciano hanno anche altri legami (in genere con la propria famiglia). Ma qui gli uomini e le donne commerciano se stessi e sono soggetti assolutamente privi di legami e indipendenti. È un modo di vivere che quasi tutti sceglieranno, se ne hanno la possibilità, solo per un certo tempo. Dal punto di vista della società nel suo insieme, le relazioni sono marginali e parassitarie rispetto al matrimonio e alla famiglia, e non giova, se non marginalmente, concepire la propria vita personale come una relazione. Il centro della vita individuale è la famiglia, anche quando è centro di tensioni e opposizioni. Dicendo questo non voglio assolutamente difendere un intervento politico nella sfera delle relazioni. "Poiché noi amiamo liberamente, secondo la nostra volontà di amare o no," tali interventi sono esclusi: rappresentano un esercizio del potere al di fuori della sua sfera.[27] Desidero solamente ribadire che i vincoli della parentela, pur essendo spesso pesanti e rigidi, non per questo sono ingiusti. Data la natura della famiglia, raramente la libertà in amore può essere qualcosa di più di una libera accettazione (di un particolare insieme) di legami domestici.

La questione femminile

La libertà in amore modifica radicalmente la posizione delle donne, ma certo non comporta automaticamente la fine della loro oppressione, poiché questa ha luogo solo in parte nella famiglia. In quanto piccola economia e piccolo stato governato da un padre-re, la famiglia è stata per molto tempo il teatro del dominio sulle mogli e sulle figlie (e anche sui figli). Non è difficile raccogliere storie di brutalità fisica o descrivere consuetudini e cerimonie religiose che sembrano fatte apposta per spezzare lo spirito delle giovani donne. Nello stesso tempo, la famiglia è stata per secoli il posto della donna, che era assolutamente necessaria per la sua esistenza e quindi per il suo benessere; e a un certo livello, in molte culture la donna doveva essere considerata un membro prezioso. La donna aveva spesso un potere notevole ma solo all'interno della famiglia. In realtà il dominio sulle donne ha a che fare non tanto col loro posto nella famiglia quanto con la loro esclusione da ogni altro posto: a loro sono state negate le libertà cittadine, e sono state tagliate fuori dai processi distributivi e dai beni sociali esterni alla sfera della parentela e dell'amore.

La forma più evidente della dominanza della famiglia, ma non la più importante, è il nepotismo. La famiglia non solo favorisce alcuni dei suoi membri, ma ne sfavorisce altri; essa riproduce le strutture della parentela nel mondo esterno, e impone quelli che oggi chiamiamo "ruoli sessuali" a una serie di attività per le quali il sesso è del tutto irrilevante. Accanto al nepotismo — un'espressione delle predilezioni parentali dove la preferenza è fuori luogo — esiste da molto tempo una sorta di suo contrario, di misoginia politica ed economica — un'espressione di vincoli parentali dove il vincolo è fuori luogo —; e così alle donne è stato negato il diritto di votare, o di ricoprire cariche, o di avere delle proprietà, o di far causa in tribunale e via dicendo. In ognuno di questi casi le ragioni addotte, quando capita che qualcuna le adduca, si riferiscono al posto della donna nella famiglia.[28] Così i modelli della parentela dominano al di fuori della propria sfera, ed è lì che comincia la liberazione, col rivendicare che questo o quel bene sociale deve essere distribuito per ragioni sue proprie, non per ragioni familiari.

Consideriamo solo qualche esempio. Nella Cina dell'Ottocento una delle richieste principali dei ribelli Taiping era che uomini e donne avessero lo stesso diritto di sostenere gli esami per l'impiego pubblico.[29] Come poteva essere giusta l'esclusione delle donne da un sistema il cui solo scopo era quello di scoprire gli individui meritevoli e qualificati? Non dubito che siano state necessarie profonde trasformazioni culturali perché diventasse possibile anche solo porre questa domanda. Dopo tutto, era da molto tempo che esistevano gli esami. Ma se questi, di per sé, non provocavano la domanda, ne fornivano però la base morale — nonché la base morale della risposta articolata che essa riceve. Se le donne dovevano sostenere gli esami, dovevano avere la possibilità di prepararli: dovevano essere ammesse alle scuole, liberate dal concubinaggio, dai matrimoni combinati, dalla fasciatura dei piedi e così via. La famiglia stessa andava riformata affinché il suo potere non si estendesse più alla sfera delle cariche.

Il movimento per il voto alle donne in Occidente presenta delle analogie. Le sue dirigenti facevano leva sul significato di essere cittadino di una società democratica. Avevano, indubbiamente, molte cose da dire sui valori specifici di cui le donne sarebbero state portatrici nell'ambito della politica, e che erano, essenzialmente, i valori della famiglia: lo spirito materno, la sollecitudine, la compassione;[30] ma non erano questi argomenti a rendere incontrovertibili, in ultima analisi, le loro rivendicazioni. Anzi, può darsi che risultino ancora più vicini alla verità i controargomenti dei loro oppositori, che sostenevano che l'ampia partecipazione delle donne alla politica avrebbe introdotto nuove forme di conflitto e nuovi calcoli di interesse nel sistema della parentela. Ho l'impressione che Mao Tse-Tung quando, nel 1927, preoccupato di non urtare la sensibilità dei contadini (uomini e donne), cercò di mitigare l'attacco comunista alla famiglia tradizionale, stesse tenendo a freno delle compagne che non vedevano l'ora di portare la guerra di classe nella sfera domestica. Scriveva, allora, che "L'abolizione del sistema del clan, delle superstizioni (cioè del culto degli antenati) e della disuguaglianza fra uomini e donne seguirà, come conseguenza naturale, la vittoria nelle lotte politiche ed economiche"; e metteva in guardia contro gli interventi "rozzi e arbitrari" nella gestione quotidiana della vita familiare.[31] Si presume che le donne si comporteranno in politica come gli uomini, cioè useranno il potere che riusciranno a procurarsi per i propri fini — e non solo come membri del proprio sesso (o della propria famiglia), ma anche come membri di altri gruppi e come individui. Ed è proprio per questo che in una democrazia la loro esclusione è ingiustificata.

E, per finire, le cose stanno allo stesso modo anche per le attuali richieste di un'"azione positiva" nella sfera economica. Benché a volte sembrino richieste di trattamento preferenziale, il loro scopo più profondo è solo quello di assicurare alla donna un posto nel libero mercato. Così come non si deve permettere alle forze di mercato di distruggere i legami familiari, così non si deve permettere a un particolare insieme di legami familiari di vincolare il gioco delle forze di mercato. Anche in questo caso, fra le femministe è circolata l'idea che le donne avrebbero cambiato (o dovuto cambiare) le regole del gioco, per esempio, rendendo meno esasperata la concorrenza, oppure trasformando la disciplina del lavoro a tempo pieno o l'impegno richiesto finora dalla carriera. Ma oggi la cosa più importante è che il mercato, per come ne intendiamo il funzionamento e per come funziona davvero, non pone di per sé barriere alla partecipazione delle donne; esso è incentrato sulla qualità dei beni e sull'abilità e sull'energia degli individui, non sulla posizione della famiglia o sul sesso — a meno che non sia proprio il sesso ad essere in vendita; e rimane sempre aperta la questione se una maggiore presenza delle donne sul mercato comprometterebbe il commercio del sesso e della sessualità o lo renderebbe solamente più vario. In ogni caso a popolare il mercato, come il tribunale, sono sia uomini che donne.

La famiglia sarà sicuramente diversa quando non sarà più il luogo esclusivo della donna e quando le strutture della parentela non verranno più reiterate in altre sfere distributive. Costretta a contare solo sulle proprie risorse, potrebbe dimostrarsi un'associazione più fragile dei gruppi di parentela di altre società del passato. Comunque, la sfera delle relazioni, della vita domestica, della riproduzione e dell'educazione dei bambini rimane, anche nella nostra società, il punto focale di distribuzioni di enorme importanza. La maggioranza non sarà disposta a rinunciare spontaneamente alla "regola di altruismo prescrittivo"; anche nello stato assistenziale, la condivisione della ricchezza familiare (con la garanzia che alle donne spetti la loro parte) è una precauzione cruciale. Forse l'aumento dei divorzi indica che il legame d'amore, senza gli antichi rinforzi del potere e dell'interesse, non favorisce la stabilità sociale, ma poiché siamo solo all'inizio della storia della famiglia indipendente, e della posizione dell'uomo e della donna, sarebbe sciocco fare una semplice proiezione delle tendenze attuali. E anche oggi, come ho già detto, l'amore liberamente scelto non è la sola base della famiglia. È importante, per esempio, anche l'amore fra fratelli, e nonostante tutto nella vita moderna tenda a minarlo, tanto che "la solidarietà fra fratelli sembrerebbe... avere poche probabilità di sopravvivere alla prima infanzia... i fatti dimostrano che per la maggioranza delle persone rimane per tutta la vita una forza affettiva e morale dominante".[32] E la crescita e l'educazione dei figli stanno al centro della famiglia in un modo nuovo: oggi è più probabile che siano orgogliosi i genitori dei risultati dei loro figli, anziché i figli dello stato sociale dei genitori (o dei loro antenati). Anche questo è una conseguenza della separazione della famiglia dalla politica e dall'economia, del declino delle dinastie nazionali e locali, del trionfo dell'eguaglianza complessa. Oggi noi proteggiamo i nostri figli come meglio possiamo, preparandoli alla scuola, agli esami, al matrimonio e al lavoro. Ma non possiamo deciderne o garantirne la carriera, destinando, per esempio, le figlie alla casa e alla maternità, e i figli alla chiesa, alla legge o alla proprietà terriera. I figli vanno per la propria strada, portando su di sé il peso diseguale delle aspettative dei genitori e la garanzia diseguale del loro amore. E queste diseguaglianze non sono eliminabili; anzi, la famiglia esiste, e continuerà ad esistere, proprio per dare loro un posto.

10. La grazia divina

La grazia è, presumibilmente, il dono di un Dio misericordioso, che la concede a suo arbitrio: a chi la merita (come se fosse stabilito da una giuria di angeli) e a chi è da Lui, e per ragioni note solo a Lui, reso meritevole. Ma noi non sappiamo nulla di questi doni. Gli uomini e le donne, nella misura in cui si credono salvi, e sono creduti tali da altri, ricevono un bene sociale la cui distribuzione è mediata da un'organizzazione ecclesiastica o da una dottrina religiosa. Non è un bene disponibile in tutte le culture e le società; ma nella storia dell'Occidente ha avuto una tale importanza che è necessario che me ne occupi.

Spesso la grazia è stata un bene controverso, non perché sia per necessità scarsa e il fatto che io l'abbia diminuisca le tue probabilità di ottenerla, ma per due ragioni diverse: primo, perché a volte si è ritenuto che la sua disponibilità dipendesse da assetti pubblici specifici; secondo, perché a volte si è ritenuto che il fatto che la possedessero alcuni (e non altri) comportasse certe prerogative politiche. Oggi in genere si negano entrambe le cose, ma nel passato spesso c'è voluto un certo coraggio per negarle e per opporsi alla loro messa in pratica coatta.

Oggi è facile negarle perché è opinione comune che il perseguimento della grazia (e certamente la sua distribuzione da parte di un Dio onnipotente) non possa essere che libero. La versione estrema di questa idea è la concezione protestante del rapporto fra l'individuo e il suo Dio (il possessivo è importante) come una questione totalmente privata. "Ognuno rappresenta se stesso quando è in gioco la promessa divina," ha scritto Lutero. "La sua fede è necessaria. Ciascuno risponde per se stesso."[1] E anche se immaginiamo che la grazia dipenda dalla pratica sociale della comunione, questa è comunque ritenuta essere libera, una questione di scelta personale. Questo è, forse, l'esempio più chiaro di sfera autonoma nella nostra cultura. La grazia non può essere comprata né ereditata, e nemmeno imposta. Non la si può ottenere passando un esame o coprendo una carica. E non è materia di fornitura comunitaria, benché una volta lo fosse.

Non è stato facile arrivare a questa autonomia. Certo, in Occidente ci sono sempre stati dei governanti che hanno sostenuto che la religione è una sfera a sé stante — e che perciò i preti non dovevano interferire con la politica. Ma anche questi governanti spesso trovavano utile controllare, se potevano, il meccanismo per distribuire la comunione e la garanzia della salvezza. E altri governanti, forse più pii (beneficiari essi stessi della grazia) o più arrendevoli alle interferenze dei preti, hanno sostenuto che era loro dovere organizzare il regno politico perché il dono di Dio fosse disponibile, o magari addirittura egualmente disponibile, per tutti i loro sudditi, i Suoi figli.

Questi governanti in quanto uomini e donne mortali, non potevano fare di più; ma poiché avevano il potere temporale, potevano essere molto efficaci in tutto quello che facevano, come regolare l'insegnamento della dottrina religiosa e l'amministrazione dei sacramenti, imporre di andare in chiesa e così via. Non intendo negare che fosse loro dovere fare queste cose (anche se vorrei che bruciare gli eretici rimanesse ben all'esterno di questo confine); che lo fosse o no dipende dalle concezioni della grazia e del potere politico che condividevano coi propri sudditi — e non, va sottolineato, dalle loro concezioni private.

Tuttavia la coesistenza fra costrizione politica e dottrina cristiana è stata difficile fin dal principio. La grazia si poteva ottenere con le opere buone o magari solo con la fede, ma non fu mai vista come qualcosa di particolarmente attinente ai sovrani.

Perciò i sovrani che interferivano con la pratica religiosa dei loro sudditi erano spesso chiamati tiranni, almeno da quelli che subivano le loro interferenze. I protestanti, di vario tipo, che nei secoli XVI e XVII difesero la tolleranza religiosa, furono in grado di richiamarsi a concezioni latenti, ma radicate, del vero significato della pratica religiosa, delle opere buone, della fede e della salvezza. Quando Locke, nella *Lettera sulla tolleranza*, asserisce che "nessuno potrebbe, nemmeno se volesse, conformare la sua fede ai dettami di un altro", non faceva che riecheggiare l'affermazione di Agostino, citata a sua volta da Lutero, che "Nessuno può o deve essere costretto a credere".[2]

La dottrina cristiana reca l'impronta di una regola distributiva originale, "Rendete a Cesare ciò che è di Cesare e a Dio ciò che è di Dio" (MT, 22,21). Spesso ignorata dagli entusiasmi imperiali o da quelli dei crociati, questa regola veniva regolarmente riaffermata ogni volta che i servi di Dio, o quelli di Cesare, lo ritenevano utile. E sopravvisse, in una forma o nell'altra, fino a servire gli scopi degli oppositori della persecuzione religiosa, agli inizi dell'età moderna. Due "versioni", due giurisdizioni, due sfere distributive: su di una presiede il magistrato che "procura, preserva e promuove", come diceva Locke, gli interessi civili dei suoi sudditi;[3] sull'altra presiede Dio stesso, con il Suo potere invisibile, che lascia che quelli che Lo cercano e Lo venerano promuovano come meglio possono i loro interessi spirituali e assicurino a se stessi, o si assicurino a vicenda, il favore divino. A tal fine possono organizzarsi come preferiscono e sottomettersi, se vogliono, a vescovi, preti, sacerdoti, pastori e via dicendo. Ma l'autorità di questi funzionari è limitata alla chiesa, come quella dei magistrati è limitata allo stato, "perché la chiesa... è un ente del tutto distinto e separato dallo stato, e i confini, da entrambe le parti, sono fissi e immutabili. Confonde cielo e terra... chi mescola questi due organismi".[4]

Il muro fra chiesa e stato

Meno di un secolo dopo essere stata scritta, la *Lettera* di Locke trovò espressione legale nel primo emendamento della costituzione degli Stati Uniti: "Il Congresso non farà leggi che istituiscano una religione di stato o che proibiscano al riguardo il libero esercizio." Questa semplice affermazione blocca ogni tentativo di fornitura comunitaria nella sfera della grazia. Lo stato non ha niente a che fare con la cura delle anime. I cittadini non possono essere tassati o subire costrizioni per la cura delle loro anime o per quella di anime altrui. Nella sfera della grazia, i pubblici funzionari non possono controllare neanche le attività imprenditoriali: devono assistere in silenzio alla continua proliferazione di sette che offrono la salvezza a buon mercato oppure, il che è forse più eccitante, a costi esorbitanti di denaro e di spirito. I consumatori non possono essere protetti dalle frodi, perché il primo emendamento impedisce allo stato di riconoscerle (né è facile riconoscere la frode nella sfera della grazia, in cui, come si suol dire, le persone più improbabili possono benissimo fare l'opera di Dio).

Noi chiamiamo tutto questo libertà religiosa, ma è anche egualitarismo religioso. Il primo emendamento è una regola di eguaglianza complessa. Non distribuisce la grazia equamente, anzi non la distribuisce affatto; tuttavia il muro che innalza ha conseguenze profonde nella distribuzione. Dal lato della religione, favorisce il sacerdozio universale dei credenti, cioè lascia ad ogni credente la responsabilità della propria salvezza. Il credente può riconoscere le gerarchie ecclesiastiche che preferisce, ma il riconoscimento dipende da lui, non è imposto per legge, né è legalmente vincolante. E dal lato della politica il muro favorisce l'eguaglianza dei credenti e dei non credenti, dei santi e dei mondani, dei salvati e dei dannati. Tutti sono ugualmente cittadini: hanno lo stesso insieme di diritti costituzionali. La politica non è dominante sulla grazia, né la gerarchia lo è sulla politica.

La seconda di queste proposizioni negative va messa in evidenza.

Gli americani sono molto sensibili alla prima: la disposizione a tollerare l'obiezione di coscienza (religiosa) ha origine in questa sensibilità, e indica senza dubbio una significativa indulgenza delle autorità politiche. Chi crede che la salvezza della sua anima immortale dipenda dall'evitare qualsiasi tipo di partecipazione alla guerra è esonerato dal servizio militare. Lo stato non può garantire l'immortalità, ma almeno si astiene dal toglierla; non nutre le anime, né le uccide. Ma la seconda negazione esIclude un tipo di dominanza di cui oggi, almeno in Occidente, non parla nessuno, sicché forse abbiamo dimenticato la sua importanza storica. Per Locke, nel Seicento, era ancora fondamentalmente negare l'affermazione che "il dominio è fondato sulla grazia".[5] Tale affermazione era recente, essendo stata sostenuta, con notevole veemenza, nel corso della Rivoluzione puritana. In effetti il primo parlamento di Cromwell, il "parlamento dei santi", fu un tentativo di realizzarla politicamente, e Cromwell ne aprì la prima sessione affermando proprio quello che Locke voleva negare: "Dio ci manifesta che questo è il giorno del potere di Cristo, poiché attraverso tanto sangue e tante prove quante ne sono state inflitte a queste nazioni, ha fatto sì che questo fosse uno dei magnifici risultati: che il Suo popolo fosse chiamato dall'autorità suprema."[6]

Il Commonwealth puritano

Cromwell riconosceva la disuguaglianza di questa "chiamata". Solo i santi erano invitati a condividere l'esercizio del potere, e non avrebbe avuto senso sottoporre i santi a un'elezione democratica o anche, più verosimilmente nell'Inghilterra del Seicento, a un'elezione da parte dei possidenti maschi. Il "Suo popolo" non avrebbe ottenuto in nessun caso la maggioranza. Cromwell sperava che un giorno le elezioni sarebbero state possibili, cioè che un giorno il popolo, tutto il popolo, sarebbe stato composto di eletti di Dio. "Vorrei che tutti potessero essere chiamati." Ma "Chi sa quando Dio renderà idoneo il popolo a simile cosa?"[7] Nel frattempo era necessario cercare i segni esteriori della luce interiore. Perciò i membri del parlamento furono scelti non da un elettorato, ma da un comitato di ricerca, e l'Inghilterra fu governata dai monopolisti della grazia.

La tesi di Locke, e quella insita nella costituzione degli Stati Uniti, è che i santi sono liberi di conservare il monopolio e di governare qualsiasi società (chiesa o setta) fondata da loro stessi. La grazia è senza dubbio un grande privilegio, ma non c'è modo di darla a chi non crede nella sua esistenza, o ne ha una concessione radicalmente diversa da quella dei santi, o la concepisce allo stesso modo ma con meno fervore; né c'è modo di imporre ai santi una visione più egualitaria del loro dono speciale. In ogni caso, il monopolio dei santi, finché non si estende al potere politico, è abbastanza innocuo. Non possono rivendicare il governo dello stato, che hanno fondato, e per il quale la garanzia divina non è una qualifica. Lo scopo del muro costituzionale è il contenimento della grazia, non la sua ridistribuzione.

Tuttavia, si potrebbe concepire lo stato in modo diverso, non come regno secolare, ma come regno religioso, e gli interessi civili si potrebbero intendere come interessi di Dio. Dopo tutto il muro fra chiesa e stato è una costruzione dell'uomo: può essere abbattuto, oppure può non essere mai stato eretto, come nell'Islam. E allora il governo dei santi, apparirebbe diversamente: chi altri, se non il Suo popolo, dovrebbe governare un regno in cui Dio stesso ha dato le leggi? Inoltre potrebbe accadere che solo i santi siano in grado di stabilire l'assetto sociale che rende possibile al resto della popolazione la vita buona, e quindi la vita eterna. Infatti questi provvedimenti vanno forse rintracciati nelle Scritture, ed è la luce interiore a illuminare il Verbo. Se l'adesione alla dottrina religiosa sottostante è abbastanza diffusa, l'argomento è davvero efficace. Ma se un numero sufficiente di persone sta dalla parte del governo dei santi, questi non dovrebbero avere difficoltà a vincere le elezioni.

In ogni caso, l'efficacia dell'argomento diminuisce appena l'adesione vacilla, cioè è ben esemplificato dai puritani della Nuova Inghilterra. L'intero sistema educativo era subordinato al fine della conversione religiosa, e suo scopo principale era riprodurre nella seconda generazione l'"esperienza della grazia" che i fondatori avevano conosciuto. Inizialmente non si dubitava che ciò fosse possibile. "Dio ha così tracciato la linea degli eletti," scrisse Increase Mather, "che per la massima parte corre per i lombi di genitori devoti".[8] Tutto ciò che restava da fare agli insegnanti era risvegliare lo spirito latente. Ma il dono della vitalità spirituale non si trasmette, né attraverso i lombi né attraverso la scuola: né la natura né l'educazione possono, a quanto pare, garantirne l'eredità. Agli occhi dei più anziani e anche ai propri occhi, la seconda generazione dei puritani americani risultò, come molte altre seconde generazioni, mancare di grazia: di qui l'"Half-Way Covenant" del 1662, che permetteva ai figli dei santi, anche se non avevano esperienza della grazia, di conservare, per il bene dei nipoti, un qualche legame con la chiesa. Ma questo era solo un modo di rimandare un'evidente difficoltà. Consideriamo, scrive uno studioso contemporaneo, "l'ironia di una situazione in cui un popolo eletto non può trovare abbastanza eletti per prolungare la propria esistenza".[9] Il secolarismo si insinua nel Commonwealth puritano sotto forma di sconforto religioso, poiché in realtà, l'appartenenza al Commonwealth si trasmette attraverso i lombi di genitori devoti *ed empi*. E così, il Commonwealth ben presto comprese non solo santi e mondani, dove i primi governavano i secondi, ma anche mondani che erano figli di santi e santi che erano figli di mondani. Il dominio della grazia non poté sopravvivere a questo risultato, assolutamente prevedibile e assolutamente imprevisto.

Un'altra forma sotto la quale il secolarismo si insinua nel Commonwealth puritano è il dissenso religioso, per esempio quando i santi sono in disaccordo circa le cose della vita di tutti i giorni necessari alla vita eterna, oppure quando si negano reciprocamente la condizione di santo. Naturalmente è sempre possibile reprimere il dissenso, esiliare i dissidenti o anche torturarli e ucciderli, come nell'Europa dell'Inquisizione, per la loro salvezza (e di quella di tutti gli altri). Ma anche in questo ci sono delle difficoltà, già segnalate per quanto riguarda il cristianesimo, che sono comuni, a mio avviso, a tutte le religioni che predicano la salvezza.

L'idea di grazia appare profondamente refrattaria alle distribuzioni coatte. Forse la tesi di Locke che "gli uomini non possono essere costretti a salvarsi"[10] può essere la posizione di un dissidente o addirittura di uno scettico, ma è basata su una concezione della salvezza condivisa da molti credenti. E se le cose stanno così, il disaccordo e il dissenso religioso pongono dei limiti all'uso della forza, quali alla fine assumono la forma di una separazione radicale, del muro fra chiesa e stato. E a quel punto sarà giusto chiamare tirannici i tentativi di abbattere il muro, di imporre gli assetti o il comportamento che si presume favoriscano la salvezza.

11. Il riconoscimento

La lotta per il riconoscimento

Una sociologia dei titoli

In una società gerarchica come quella dell'Europa feudale, un titolo è il nome di un ceto aggiunto al nome di una persona. Chiamare una persona col suo titolo significa collocarla nell'ordine sociale e, secondo il posto, onorarla o disonorarla. I titoli, in genere, proliferano ai livelli più alti, dove contrassegnano sottili distinzioni e indicano quanto sia serrata e importante la lotta per il riconoscimento. Ai livelli inferiori i titoli sono più generici, e gli uomini e le donne di infima condizione non hanno alcun titolo, ma sono chiamati col nome proprio o con qualche appellativo generico denigratorio ("schiavo", "ragazzo", "ragazza" e così via). C'è un modo appropriato di rivolgersi ad ogni persona, con il quale si indica il grado di riconoscimento legittimo e contemporaneamente le si concede esattamente quel grado.[1] Spesso occorre accompagnare l'uso del titolo con gesti convenzionali, come inginocchiarsi, chinare il capo, levarsi il cappello, che sono un'estensione del titolo, un titolo mimato, per così dire, e servono allo stesso duplice scopo. E si può, analogamente, indossare il proprio titolo — velluto, o velluto a coste, calzoni corti o *sans-culottes* —, così che vestirsi è una sorta di autoriconoscimento e andare a passeggio è una richiesta di rispetto o un riconoscimento di inferiorità. Se conosciamo il titolo di ognuno, allora conosciamo l'ordine sociale; sappiamo verso chi dobbiamo essere deferenti, e da chi pretendere deferenza; siamo preparati a qualsiasi incontro. E le società gerarchiche hanno il grande vantaggio che è facile venire a sapere queste cose, che sono molto note.

I titoli sono riconoscimenti istantanei. Nella misura in cui c'è un titolo per ognuno, ognuno è riconosciuto e non esistono uomini invisibili. È questo che intende Tocqueville quando dice che nelle società aristocratiche "nessuno può... sperare, o temere, di non essere visto ... non vi sono uomini posti così in basso, che non siano anch'essi alla ribalta e che sfuggano, per la loro oscurità, al biasimo o alla lode".[2] Ma la descrizione di Tocqueville è sicuramente sbagliata per quanto riguarda la posizione degli schiavi in tutte le aristocrazie schiaviste;* è probabilmente sbagliata per quanto riguarda i domestici e i servi della gleba, che in ogni caso non hanno una ribalta molto spaziosa; e potrebbe essere sbagliata anche riguardo agli stessi aristocratici. Egli sostiene che per ogni ceto, anche il più basso e, dunque, tanto più per il più alto, ci sono degli standard e che gli uomini e le donne che non sono all'altezza di tali standard possono perdere l'onore dei loro titoli. Ma proprio questo è impossibile per gli aristocratici.

Del vertice della gerarchia si può dire quello che disse con ammirazione Lord Melbourne del Nobilissimo Ordine della Giarrettiera: "Non c'è un accidente di merito in questa cosa." Lode e biasimo non sono pertinenti; non c'è niente da mettere alla prova e niente da dimostrare.

Naturalmente nobili e gentiluomini possono comportarsi male, anzi lo fanno spesso, ed è probabile che i loro sottoposti se ne accorgano e ne parlino tra di loro. Ma non possono parlarne più apertamente, né possono mimare le loro osservazioni in pubblico. A meno di una ribellione o di una rivoluzione, possono soltanto trattare gli aristocratici, buoni e cattivi, con l'onore, il rispetto e la deferenza dovuti per tradizione; non hanno altra società. Non è verosimile che un servo della gleba dica al suo signore, o un domestico al padrone, "Lei non è un gentiluomo". In una società gerarchica si possono elogiare o rimproverare gli eguali e gli inferiori, ma per i superiori c'è solo il puro e semplice riconoscimento.

Il ceto, dunque, è dominante sul riconoscimento. Se i titoli sono ereditari, il sangue è dominante sul ceto; se possono essere acquistati, è dominante il denaro; se sono in mano ai governanti, è dominante il potere politico. In nessuno di questi casi si può elogiare e biasimare liberamente (anzi, in nessuno di essi si può amare e odiare libera-

---

* Come sostiene Orlando Patterson, lo scopo dello schiavismo è fondamentalmente degradare e disonorare lo schiavo, negargli un posto nella società, una propria "ribalta". Agli occhi dei loro padroni gli schiavi sono ignobili, irresponsabili, svergognati e infantili. Potranno essere frustati o vezzeggiati, ma non possono essere elogiati o rimproverati, nel senso proprio di queste parole. Il loro valore è il prezzo che raggiungono all'asta, e ogni altro valore o riconoscimento di valore viene loro negato. Essi non condividono, però, questa negazione. "Nei lunghi e terribili annali della schiavitù," ha scritto Patterson, "non c'è alcuna testimonianza che faccia pensare che un gruppo di schiavi abbia mai interiorizzato il concetto di degradazione dei loro padroni." Schiavi e padroni non abitano un mondo di significati comuni. I due gruppi, come sosteneva Hegel, sono in guerra: e si capisce meglio la moralità del loro scontro con la teoria delle guerre giuste e ingiuste, che con quella della giustizia distributiva.[3]

252

mente, o si possono esprimere liberamente simpatie e antipatie, cosa forse ancora più importante; ma qui si tratta di qualcosa d'altro: del rispetto e non dell'amore, del disprezzo e non dell'odio, di come valutiamo le persone e di come queste sono valutate nell'intera società).

Si può anche immaginare che la dominanza del ceto e del sangue (non quella della ricchezza e del potere) sia così forte che sia impossibile perfino pensare a un riconoscimento libero. Nel mondo giudeo-cristiano, tuttavia, tale pensiero è sempre stato possibile perché Dio ne fornisce un modello, giudicando uomini e donne senza considerare il loro stato nel mondo ed ispirando un certo scetticismo sulla società:

> Quando Adamo zappava ed Eva filava
> dov'era, allora, il gentiluomo?

Ma questa era una domanda sovversiva. La gerarchia esistente era più spesso ratificata dalla dottrina religiosa e duplicata con sollecitudine dalle istituzioni religiose, confermando così le verità fondamentali di un ordinamento gerarchico. I riconoscimenti dipendono non da giudizi indipendenti ma da pregiudizi sociali che si materializzano in nomi come "nobiluomo", "egregio signore", "sir", "lord" ed "eminenza reverendissima". E della realtà che sta dietro a questi nomi non si deve parlare.

Ma la lotta per il riconoscimento, pur essendo sempre vincolata ai pregiudizi sociali, non ne è totalmente determinata. Chi sta al margine di un certo ceto è insofferente verso ogni affronto, ed è doppiamente attaccato al titolo, che assume un valore indipendente, e viene difeso come se fosse stato guadagnato. Inoltre, ogni ceto elabora una sua concezione specifica dell'onore. Agli estranei queste concezioni appaiono spesso arbitrarie o addirittura bizzarre, ma stabiliscono i criteri in base ai quali le persone che portano lo stesso titolo si differenziano tra di loro; e le dispute intorno a queste differenze sono tanto più aspre quanto più il loro oggetto appare evanescente. Hobbes considerava le dispute degli aristocratici del suo tempo, e in particolare il duello, una delle forme archetipiche della guerra di tutti contro tutti. Gli uomini rischiavano la vita per il proprio onore, eppure le questioni per le quali si battevano erano, oggettivamente, di poca importanza — "inezie, come una parola, un sorriso, un'opinione differente, ed ogni altro segno di sottovalutazione".[4]

Battaglie del genere avvengono solo fra eguali, all'interno di un ceto, non fra ceti diversi. Quando i ceti inferiori sfidano quelli superiori, non è un duello: è una rivoluzione. Esistono molti tipi diversi di rivoluzione, ma qui esaminerò solo le rivoluzioni democratiche dell'età moderna, che rappresentano un attacco all'intero sistema dei pregiudizi sociali e culminano nella sostituzione di un titolo unico alla gerarchia dei titoli. Il titolo che alla fine prevale (non il primo ad essere scelto) viene dal livello più basso dell'aristocrazia. In Inglese questo titolo comune è *mister*, abbreviato in *Mr.* che nel Seicento divenne "il titolo convenzionale premesso al nome di qualsiasi uomo sotto il livello di cavaliere e sopra un certo livello, infimo ma imprecisato di condizione sociale. ... Come per altri titoli di cortesia, il limite inferiore della sua applicabilità ha continuato ad abbassarsi.[5] Negli Stati Uniti (in Gran Bretagna non ancora) non c'è un limite superiore di applicabilità: e anche in Gran Bretagna questo titolo universale è stato adottato da uomini molto potenti. "Mr. Pitt, come Mr. Pym," ha scritto Emerson, "pensava che andasse bene il titolo di *mister* davanti a qualsiasi re europeo."[6] Durante il primo Congresso fu proposto di dare al presidente degli Stati Uniti qualche titolo più elevato, derivato dal passato aristocratico, ma si decise che era sufficiente il nome della sua carica; e ci si rivolge a lui con: *Mr. President.*[7] Lo stesso è accaduto in tutta Europa: *monsieur, Herr, signor, señor* corrispondono tutti al termine inglese *mister/Mr.* Ovunque un titolo d'onore, benché non del massimo onore, è diventato il titolo generale. Le alternative rivoluzionarie — "fratello", "cittadino", "compagno" — cui tornerò in seguito, rappresentano il rifiuto di questa generalizzazione.

È un fatto di grande importanza che per le donne non esiste un titolo paragonabile a *Mr.* Anche dopo la rivoluzione democratica si è continuato a chiamare le donne con nomi, come *Miss* e *Mrs.* ("signorina", "signora") che descrivono il loro posto nella famiglia, non nella società. Le donne erano "sistemate" in base al posto della loro famiglia, e non ci si aspettava che andassero per la propria strada. L'invenzione di *Ms.* è un rimedio disperato, un'abbreviazione alla quale non corrisponde nessuna parola. Ciò che sto per sostenere vale, in parte, per le donne come per gli uomini, ma solo in parte. La mancanza di un titolo universale indica la persistente esclusione delle donne, o di molte donne, dall'universo sociale, dalla normale sfera del riconoscimento.

In una società di *mister* le carriere sono aperte ai talenti e i riconoscimenti sono per chi li riesce a conquistare. Dall'eguaglianza di titoli sorge, per parafrasare Hobbes, l'eguaglianza nella speranza e quindi una competizione generale.

Ora tutti partecipano a quella lotta per l'onore che infuriava un tempo fra gli aristocratici, e che ha avuto tanta parte all'inizio della letteratura moderna. Ma non è l'onore aristocratico ad essere cercato. Man mano che la lotta si estende, il bene sociale in gioco si diversifica infinitamente e i suoi nomi si moltiplicano. *Onore, rispetto, stima, lode, prestigio, status, reputazione, dignità, rango, riguardo, ammirazione, valore, distinzione, deferenza, omaggio, apprezzamento, gloria, fama, celebrità*: queste parole, accumulatesi nel tempo, in origine erano usate in contesti sociali diversi e per scopi diversi. Ma il loro elemento comune si afferma subito: sono nomi di riconoscimenti favorevoli, oggi privi in larga misura di qualsiasi specificità di classe. I loro contrari sono o riconoscimenti sfavorevoli (*disonore*) o non riconoscimenti (*non considerazione*). Tocqueville riteneva che sotto il vecchio regime i non riconoscimenti fossero impossibili, nonché superflui: per offendere un uomo gli si ricordava (che si sapeva) il suo posto. Con il nuovo regime nessuno ha un posto fisso; per offendere un uomo si nega la sua presenza, si nega che abbia un qualsiasi posto. Si rifiuta di riconoscere la sua personalità, ovvero la sua esistenza morale e politica; e non è difficile vedere che questo può essere peggio che venire "sistemati" nel ceto più basso possibile. Essere intoccabili è (forse) meno terribile che essere invisibili. In certe parti dell'India, non molti anni fa, "un intoccabile doveva avvisare gridando quando passava per strada, affinché le persone più sante potessero evitare la sua ombra contaminatrice".[8] Mi è quasi impossibile immaginare come ci si senta a gridare questo avvertimento, ma almeno la persona che grida è una presenza formidabile, e forse la fuga terrorizzata degli altri le dà una certa soddisfazione. Chi è invisibile non ha niente di simile; tuttavia, appena si sbarazza del suo status di straniero o di paria, entra nella società non in una certa posizione inferiore, ma come un aspirante — uguale agli altri — all'onore e alla reputazione. E annuncia il suo ingresso dicendo "Chiamatemi *mister*".

Rivendica il titolo generale ed entra nella lotta generale. Poiché non ha una collocazione sociale fissa, e nessuno sa quale sia il suo posto, tocca a lui stabilire il proprio valore, e può farlo solo conquistando il riconoscimento dei suoi simili che, a loro volta, cercano di fare lo stesso. Perciò la competizione non ha confini sociali, a parte la frontiera nazionale, e non ha nemmeno limiti temporali. Continua ad andare avanti, e i partecipanti imparano velocemente che l'onore di ieri serve a poco sul mercato di oggi. Non possono riposare sugli allori; devono fare attenzione ad ogni mancanza di riguardo. "Ogni uomo infatti bada che il suo compagno lo valuti allo stesso grado in cui egli innalza se stesso," scrive Hobbes, "e ad ogni segno di disprezzo o di scarsa valutazione naturalmente si sforza, per quanto osa... di estorcere una valutazione più grande da quelli che lo disprezzano."[9]

Tuttavia è eccessivo parlare solo di estorsione. Come le forme di riconoscimento sono diverse, così sono diversi i metodi coi quali è ottenibile. I competitori speculano sul mercato, tramano contro i rivali più prossimi, contrattano dei piccoli scambi: ti ammirerò se tu ammirerai me. Esercitano il potere, spendono soldi, sfoggiano beni, fanno regali, spettegolano, inscenano delle recite: tutto per avere un riconoscimento. E dopo averlo fatto lo rifanno, e leggono i profitti e le perdite della giornata negli occhi dei compagni, come un agente di cambio li legge sul giornale del mattino.

Ma per quanto la lotta sia complessa, l'"estorsione" di Hobbes ne coglie veramente un aspetto centrale: si deve ottenere il riconoscimento di persone che, pensando alle proprie rivendicazioni, lo danno con riluttanza. Io sospetto, a dire il vero, che quasi tutti noi vogliamo o addirittura abbiamo bisogno non solo di ricevere ma anche di dare dei riconoscimenti, abbiamo bisogno di eroi, di uomini e donne che possiamo ammirare senza negoziati e senza costrizioni.[10] Ma diffidiamo dal ritrovare queste persone fra gli amici e i vicini; tali scoperte sono scomode, perché mettono in forse il nostro valore e ci costringono a confronti spiacevoli. In una società democratica i riconoscimenti sono più facili a distanza. E sono facili anche i riconoscimenti improvvisi e transitori: per esempio, le celebrità per un giorno create dai mass media. L'eccitazione con cui ne seguiamo l'ascesa è accresciuta dall'attesa della loro caduta. Chi sono, dopo tutto, se non uomini e donne come noi, forse un po' più fortunati? Non hanno una posizione stabile, e non è certo se domani li ricorderemo ancora. I media fanno apparire il riconoscimento un bene molto abbondante, e le assegnazioni sono instabili ma, in linea di principio, illimitate. Nella pratica, tuttavia, si tratta di un bene scarso. I nostri confronti quotidiani hanno l'effetto di trasformare la vincita di una persona nella perdita di un'altra, anche quando tutto ciò che si è perso era una posizione relativa. Nella sfera del riconoscimento la posizione relativa è importantissima.

È inevitabile che si desideri, qualche volta, la comodità di una posizione stabile. Una società di *mister* è un mondo di speranza, fatica e ansietà senza fine. L'immagine della corsa, inventata da Hobbes, nel Seicento, da allora è rimasta una caratteristica centrale della nostra coscienza sociale. È una corsa democratica, una corsa alla quale tutti partecipano, e nessuno fa da spettatore: tutti devono correre. E tutti i nostri sentimenti, su noi stessi e sugli altri, dipendono da come stiamo correndo.

> Guardare gli altri che stanno dietro, è gloria
> Guardare quelli che stanno davanti, è umiltà
> L'essere in fiato, speranza
> L'essere stanco, disperazione
> Sforzarsi di superare chi sta immediatamente davanti, emulazione
> Perdere terrreno per piccoli impedimenti, pusillanimità
> Cadere all'improvviso, è disposizione al pianto
> Vedere un altro cadere, disposizione al riso
> Essere superato continuamente, è infelicità
> Superare continuamente quelli davanti, è felicità
> E abbandonare la pista, è morire.[11]

Perché corriamo ? "Non c'è altra meta né altra corona", ha scritto Hobbes, "dell'essere primi."[12] Ma questa affermazione si basa eccessivamente sull'esperienza della vecchia aristocrazia. Era più preveggente Pascal nei suoi *Pensée:* "Siamo così presuntuosi che vorremmo essere conosciuti da tutti, persino da coloro che verranno quando non ci saremo più; e siamo tanto vanitosi che la stima di cinque o sei persone che ci stanno d'intorno ci rende lieti e ci appaga."[13] Corriamo per essere visti, riconosciuti e ammirati da un qualche gruppo di persone. Se non fossero possibili delle vittorie locali saremmo tutti presi dalla disperazione molto prima di arrivare alla fine. D'altra parte, la soddisfazione cui accenna Pascal non dura a lungo; la nostra presunzione prima viene blandita, poi repressa e infine rinasce. Pochissime persone sperano seriamente nella gloria eterna, ma praticamente tutti vorrebbero avere maggiori riconoscimenti di quelli che hanno.

L'insoddisfazione non è permanente, ma è periodica e i nostri successi ci rendono ansiosi quanto gli insuccessi.

Pur essendo chiamati tutti con lo stesso titolo, non otteniamo tutti gli stessi riconoscimenti. La corsa hobbesiana è certo più fluida e più vaga della gerarchia, tuttavia in qualsiasi momento dato, c'è un ordine tra i corridori che, dal primo all'ultimo, vincono o perdono rispetto alla società complessiva e al proprio gruppo. E, anche se sembrano ingiuste o immeritate, non è facile presentare appello contro le sconfitte. La ricchezza e le merci possono sempre essere ridistribuite (lo stato se ne appropria e poi le riassegna in base a qualche principio astratto); ma il riconoscimento è un bene infinitamente più complesso.

In un certo senso, esso dipende totalmente da atti individuali di stima e disistima, di considerazione e non considerazione.

Naturalmente ci sono anche il riconoscimento pubblico e la disgrazia pubblica, su cui mi soffermerò più avanti. Il "re", dice una vecchia massima legale, "è la fonte dell'onore". Potremmo concepire il buon nome del re, o la legittimità dello stato, come un fondo di riconoscimento di cui si distribuiscono delle porzioni a singoli individui: ma questa distribuzione, se non è ratificata e ribadita dalla gente comune, non lascia un gran segno. Mentre il denaro deve solo essere accettato, il riconoscimento, per avere valore, va ribadito. Perciò il re farà bene a onorare solo persone che siano generalmente considerate degne d'onore.

Non è possibile realizzare l'eguaglianza semplice del riconoscimento, e l'idea stessa è una battuta mal riuscita. Una volta Andy Warhol disse che nella società del futuro "ognuno sarà famoso in tutto il mondo per un quarto d'ora". È chiaro che in realtà, nel futuro, come nel passato, alcuni saranno più famosi di altri e alcuni non lo saranno affatto.

Possiamo garantire ad ognuno la visibilità (rispetto ai funzionari governativi, ad esempio), ma non l'eguale visibilità (rispetto ai concittadini). Possiamo affermare per principio che ognuno, da Adamo ed Eva in poi, è un gentiluomo, ma non possiamo fornire ad ognuno la stessa reputazione di persona ben educata, "cioè dalle maniere spontanee ma delicate". Le posizioni relative dipenderanno sempre dalle risorse che gli individui possono schierare nella continua lotta per il riconoscimento; e così non possiamo ridistribuire la fama, così non possiamo ridistribuire tali risorse, le quali altro non sono che le qualità, le capacità e i talenti personali apprezzati in una certa epoca e luogo, e con cui certe persone riescono a imporsi all'ammirazione dei compagni. Ma non c'è modo di stabilire in anticipo quali capacità e talenti saranno apprezzati o chi li possiederà. E se mai si potesse in qualche modo individuare, raccogliere e poi riassegnare in parti eguali tali cose, esse cesserebbero immediatamente (per via dell'eguaglianza) di riscuotere ammirazione.

Ma se nella lotta per il riconoscimento non può esserci eguaglianza di risultati, ci può essere eguaglianza di opportunità — che finora ho postulato implicitamente. È questo che permette la società dei *mister*. Ma è mai stato realizzato in una qualsiasi società? Un sociologo contemporaneo, Frank Parkin, ci ammonisce di non confondere lo status di un persona con le sue "qualità di reputazione": lo status dipende dal posto, dalla professione e dalla carica, non da particolari riconoscimenti di successi particolari.[14] L'abolizione dei titoli non è l'abolizione delle classi. Le concezioni dell'onore sono più controverse che sotto il vecchio regime, ma le distribuzioni sono sempre modellate, e, oggi, dominate non dal sangue o dal ceto, ma dall'occupazione. Ecco dunque l'insolenza della carica da un lato, e la degradazione degli uomini e delle donne che svolgono il lavoro pesante e sporco, dall'altro. Nella corsa hobbesiana molti concorrenti corrono sul posto, incapaci di superare i vincoli del modello generale. E non serve descrivere quel modello come il prodotto delle loro stesse valutazioni, come una sorta di stenografia sociale del riconoscimento individuale. Esiste davvero una simile stenografia, ma essa deriva dall'ideologia dominante, che è a sua volta funzione delle cariche e del potere — per cui i funzionari esigono, allo stesso modo, rispetto e stipendi alti senza dover dimostrare di esserne degni ai colleghi o ai clienti.

Ma questa ideologia dominante non è nient'altro che la corsa hobbesiana, concepita ora come una lotta non più per il prestigio e l'onore ma per l'occupazione e il reddito. O meglio, si afferma che le due lotte in realtà sono una sola: una competizione generale per i beni sociali in cui alla fine trionfano il merito, l'ambizione, la fortuna, o altro. Onoriamo le persone in base alle loro vittorie perché le qualità necessarie per vincere nella competizione generale sono all'incirca le stesse che ammireremmo, probabilmente, in ogni caso. E se esistono qualità ammirevoli estranee alla competizione generale, siamo liberi di ammirarle, per così dire, a parte, fra parentesi, localmente, all'interno di un certo gruppo. Così, possiamo rispettare la gentilezza di un vicino senza che ciò interferisca con i nostri calcoli, più precisi, dello status sociale.

Lo status (la posizione nella corsa) domina il riconoscimento. È molto diverso dalla dominanza del rango gerarchico, ma non è ancora il libero apprezzamento di ognuno da parte di ogni altro. Il libero apprezzamento richiederebbe la disgregazione dei beni sociali, l'autonomia relativa dell'onore. Non è facile dire in questo caso che cosa potrebbe significare esattamente l'autonomia, dato che l'onore è legato così strettamente ad altri tipi di beni; per esempio segue la conquista di una carica, il conseguimento di un punteggio elevato nei consigli medici, il successo di una nuova impresa economica. Probabilmente simili risultati imporranno sempre rispetto, ma non sempre esattamente come oggi, in cui ciascuno di essi è visto come un passo decisivo sulla via della ricchezza e del potere. Presi autonomamente, quale rispetto imporranno? In realtà non sappiamo che aspetto avrebbe il mondo sociale se l'onore di ognuno dipendesse interamente dal riconoscimento, liberamente dato o negato, di ogni altra persona.* Ci sarebbero ovviamente ampie variazioni culturali; ma anche nella nostra società non è difficile immaginare valutazioni molto diverse da quelle oggi prevalenti: un nuovo rispetto, ad esempio, per il lavoro socialmente utile, o per la fatica fisica, o per l'efficienza di funzionari (anziché per il semplice fatto di essere funzionari).[16] Il libero apprezzamento produrrebbe, a mio avviso, anche un sistema di riconoscimenti molto più decentrato, per cui l'ordinamento generale presupposto da Hobbes perderebbe importanza o diventerebbe addirittura indistinguibile. Si ricordi il lamento di John Stuart Mill (vedi p. 19): "è alla folla che piacciono le cose"; è vero, ma possiamo egualmente distinguere le forme di folle diverse, con criteri (almeno inizialmente) diversi di gradimento e avversione. La competizione generale sopprime queste differenze; ma se si ponesse fine ad essa, se la ricchezza non comportasse più una carica — o la carica il potere — anche i riconoscimenti sarebbero liberi.

Avremmo così l'eguaglianza complessa nella sfera del riconoscimento e, sicuramente, una distribuzione dell'onore e del disonore molto diversa da quella prevalente. Ma le singole persone sarebbero sempre onorate in misura diversa, e non sono certo che la competizione sarebbe meno aspra che nel mondo descritto da Hobbes. Anche se ci fossero più vincitori (e una maggior varietà di vittorie possibili) ci sarebbero sempre, inevitabilmente, dei perdenti. L'eguaglianza

* Per il momento (e nel futuro prevedibile), scrive Thomas Nagel, "salvo un gigantesco aumento del controllo sociale, non abbiamo modo di far divorziare lo status professionale dalla stima sociale e dalla ricompensa economica".[15] Ma qui non si tratta di divorzio — o meglio, il divorzio e un maggior controllo sono richiesti dall'eguaglianza semplice, ma non da quella complessa. Il conseguimento di uno status professionale dà sicuramente diritto a un uomo o a una donna *un certo* grado di stima sociale e anche di ricompensa economica. Tutti noi siamo pronti a riconoscere la capacità e il talento e a pagare (individualmente o collettivamente) i servizi che ci vengono resi, ma vogliamo essere in grado di riconoscere un'ampia gamma di capacità e talenti e di pagare non più del prezzo di mercato o, nel caso di servizi coatti, un salario equo. Andrebbe esclusa solo la conversione illegittima dello status professionale in stima e ricchezza, e con essa i metodi di conversione: accessi limitati, mistificazioni intellettuali e così via. Questo richiederà molto meno di un "gigantesco aumento del controllo sociale".

complessa non garantisce neanche che i riconoscimenti sarebbero distribuiti a persone degne di ricerverli, in un qualche senso oggettivo.

Naturalmente esistono dei criteri oggettivi, almeno per alcune forme di riconoscimento. Ci sono, per esempio, degli scrittori che meritano l'attenzione della critica e altri che non la meritano: e se i critici fossero liberati da vincoli della gerarchia sociale e del mercato, si occuperebbero più facilmente degli scrittori giusti. Comunque, più in generale, i riconoscimenti andrebbero a persone ritenute, e liberamente ritenute, di valore da un certo numero dei loro simili. Onoreremmo, rispetteremmo, stimeremmo, apprezzeremmo liberamente gli uomini e le donne che ci sembrano meritevoli, e qualche volta apprezzeremmo uomini e donne così come li amiamo, senza considerare affatto i loro meriti oggettivi. Fra di noi, dunque, resterebbero sempre dei poveri meritevoli. Per parafrasare Marx, se una persona, attraverso il proprio manifestarsi come persona di valore, non è in grado di fare di se stessa una persona apprezzata, allora il suo valore è impotente, è una sventura. Sventure simili non sarebbero più monopolio di una classe, di una casta o di un gruppo occupazionale particolare; ma non riesco ad immaginare una forma plausibile di assicurazione sociale contro la loro incidenza generale.

Ma forse un minimo di rispetto è veramente proprietà comune nella società dei *mister*. Può essere utile distinguere quello che chiamerò *riconoscimento semplice* dal più complesso *riconoscimento come questo o quest'altro*. Oggi il riconoscimento semplice è un'esigenza morale: dobbiamo riconoscere che ogni persona che incontriamo è, almeno potenzialmente, una persona degna di onore e di ammirazione, un rivale, e perfino un pericolo. Con la frase "Chiamatemi *mister*" si rivendica non un grado determinato di onore, ma la possibilità di essere onorati. Non conosciamo questa persona che si presenta a noi senza contrassegni di nascita e di ceto: ciò nonostante, non possiamo escluderla dal gioco. Merita almeno un nostro giudizio, e noi siamo esposti al suo. Questi elementi della nostra vita sociale aggiungono alle forme attuali della cortesia una certa cautela, non senza una certa tensione emotiva. L'impazienza con cui gli americani passano dal *mister* al nome proprio deriva dal desiderio di ridurre la tensione emotiva e di trovare un modo di rilassarsi un poco: e quando sappiamo che nessuna delle due parti intende rilassarsi davvero, che è una forma minima e fondamentale di rispetto, consideriamo disonesta tale impazienza.

"Essi riconoscono se stessi," ha scritto Hegel, "come reciprocamente riconoscentisi".[17] Il che può risultare, però, una faccenda carica di tensioni.

Onore pubblico e merito individuale

Finora ho parlato della sfera del riconoscimento come se fosse un sistema di libera iniziativa. Gli onori sono come le merci: circolano da persona a persona per mezzo di scambi, estorsioni e doni, e l'offerta risponde alla domanda solo in modo grossolano e inadeguato. Non ci sono né stato assistenziale, né ridistribuzione della ricchezza, né un minimo garantito (oltre al mero riconoscimento che ogni individuo è in competizione). E questo sembra essere il miglior assetto possibile. Il più delle volte il flusso del riconoscimento è distorto dalla dominanza di altri beni e dal potere monopolistico di antiche famiglie, caste e classi. Se ci sbarazziamo di simili distorsioni, otteniamo una versione attenuata della corsa hobbesiana; saremo, nel migliore dei casi, degli imprenditori nella sfera del riconoscimento, e alcuni saranno ricchi, altri poveri.

Tutto questo è vero, ma è solo parte della verità, poiché accanto alle distribuzioni individuali ci sono numerosissime distribuzioni collettive: le ricompense, i premi, le medaglie, gli encomi, e le corone d'alloro. Se le onorificenze pubbliche non si conformano ai criteri dei privati è probabile, come ho già detto, che risultino inefficaci; ma qui è importante notare che gli individui impongono criteri più rigidi per i riconoscimenti concessi a loro favore che per quelli che essi concedono. Il criterio decisivo dell'onirificenza pubblica è il merito. Non il merito concepito in modo casuale o particolaristico, né il merito secondo gli amici o i nemici personali: l'onorificenza pubblica è approvata e riveduta dai privati solo se è considerata conforme a una misura oggettiva. Per questo viene distribuita da giurie i cui membri non emettono un parere ma un verdetto — una "parola definitiva" sulle qualità dei beneficiari. E le giurie non sono libere di pensare quel che vogliono, ma sono vincolate da regole e da dati di fatto. Ciò che si pretende è un giudizio assoluto. Quando la chiesa canonizza i suoi santi o lo stato i suoi eroi, si fanno delle domande cui si deve rispondere Sì o No. Il miracolo c'è stato o non c'è stato; l'atto di coraggio è stato, o no, compiuto.

Lo scopo dell'onorificenza è scoprire non i poveri meritevoli, ma semplicemente i meritevoli, poveri o no. Ma sicuramente si scopriranno uomini e donne i cui atti eroici, imprese eccezionali, o servizi allo stato per una ragione o per l'altra sono stati ignorati dai loro simili. Perciò in un certo senso si tratta di una distribuzione che è anche una riparazione non perché livelli la bilancia dell'onore, ma perché realizza i giusti dislivelli. E i suoi agenti sono legati più strettamente (in teoria) ai criteri che assumono di quanto lo siano i privati. L'onorificenza pubblica, infatti, è distribuita per ragioni pubbliche: ma queste entrano in gioco, al contrario di quelle private, solo quando si scelgono le qualità degne di onore, non quando si scelgono le persone. Se i funzionari statali selezionassero sistematicamente le

persone che fosse politicamente vantaggioso onorare, svilirebbero
così le onorificenze che distribuiscono. Questo spiega il fenomeno
della distribuzione mista: alla lista delle onorificenze si aggiunge
qualche individuo meritevole che serve da copertura a quelli onorati
per ragioni politiche. Ma di solito la copertura non funziona.

Le onorificenze pubbliche non sono distribuite soltanto da pubblici funzionari, ma anche da società, fondazioni e comitati privati.
Si possono onorare prestazioni di tutti i tipi: quelle utili allo stato,
quelle socialmente utili e quelle semplicemente memorabili, superiori, eccellenti o entusiasmanti. Finché la scelta si conforma a una misura oggettiva, e non è una questione di volontà o capriccio individuale, possiamo legittimamente considerarla una forma di rendere
onore pubblico. Il criterio è il merito e ciò che viene ricompensato è
il merito: una certa prestazione, un'impresa, una buona azione, un
compito ben svolto o un lavoro ben fatto che attribuiamo a una persona o a un gruppo di persone.*

Il merito non ha un grande ruolo nella distribuzione di quasi nessun bene sociale. La sua importanza è minima e indiretta nel caso
delle cariche e dell'istruzione; è inesistente nel caso dell'appartenenza, del benessere, della ricchezza, del duro lavoro, del tempo libero,
dell'affetto familiare e del potere politico; ed è un'incognita nel caso
della grazia divina.

Il merito, tuttavia, non è squalificato perché l'aggettivo *meritevole* non possa caratterizzare o non caratterizzi esattamente singole
persone: può farlo e lo fa. I difensori dell'eguaglianza si sono spesso
sentiti costretti a negare la realtà del merito,[18] sostenendo che le persone che chiamiamo meritevoli sono soltanto fortunate. Naturalmente dotate, cresciute da genitori affettuosi, o esigenti, o stimolanti,
queste persone si trovano poi a vivere, per puro caso, in un'epoca e in
un luogo in cui le loro particolari capacità, coltivate con tanta cura,
sono anche apprezzate. Ma per nessuna di queste possono rivendicare alcun merito e in fondo non sono responsabili dei risultati che ottengono. Nemmeno la fatica e la dura preparazione cui si sottopongono provano qualche merito personale: infatti, la capacità di lavoro
o di sopportazione, come tutte le loro altre capacità, non è che il dono
arbitrario della natura o dell'educazione. Ma questo è uno strano argomento: il suo scopo è che tutte le persone abbiano gli stessi titoli,

---

* Ma sono meritate le ricompense che si ottengono non per quello che si fa, ma per
quello che si è? La vincitrice di un concorso di bellezza è *degna d'onore*? Gli organizzatori degli odierni concorsi di bellezza sembrano pensare, vagamente e con un certo imbarazzo, che la vincitrice non sarebbe onorata se fosse scelta soltanto per le sue doti naturali; perciò hanno introdotto tutta una gamma di criteri per il "talento". L'onore (per noi)
è il riconoscimento di un atto, e il mettere in mostra la propria bellezza fisica o il proclamare la nobiltà della propria nascita e del proprio sangue non è, a rigore, un atto. È necessario usare le proprie doti in una maniera socialmente apprezzata. Ma ovviamente
non è difficile immaginare società fondate su concezioni diverse dall'onore.

ma in realtà è difficile vedere come quel che ci rimane si possano considerare delle *persone*. Come dobbiamo considerare questi uomini e queste donne se le loro capacità e realizzazioni sono viste come accessori accidentali, simili ai capelli e ai cappotti che, per caso, indossano? E in che modo queste persone dovranno considerare se stesse? Le forme riflessive del riconoscimento, la stima di sé e il rispetto di sé — i nostri beni più importanti, dei quali tratterò solo alla fine di questo capitolo — devono apparire prive di significato a individui le cui qualità non sono che dei colpi di fortuna.

Al fondo di tutto ciò vi è un impulso strettamente imparentato con quello che spinge i filosofi contemporanei a ignorare il significato concreto dei beni sociali. Le persone astratte dalle loro qualità e i beni astratti dai loro significati si prestano, ovviamente, a distribuzioni secondo princìpi astratti. Ma è dubbio che simili distribuzioni possano mai rendere giustizia alle persone così come sono, alla ricerca di beni secondo come li concepiscono. Le persone che incontriamo non sono della *tabulae rasae* morali e psicologiche, dei portatori neutri di qualità accidentali. Non è che ci sia X e poi ci siano le qualità di X, per cui si può reagire separatamente all'uno e alle altre. Il problema posto dalla giustizia è proprio quello di distribuire beni a una folla di X in modi che rispondano alle loro identità concrete e complete; in altre parole, la giustizia comincia a partire dalle persone. Di più: dalle persone-nel-mondo-sociale, con i beni che possiedono e che concepiscono. Uno di questi beni è l'onore pubblico, e non ci vuol molto a capire che esso non può, letteralmente, esistere come bene se non ci sono uomini e donne meritevoli. Questo è l'unico caso in cui il merito deve contare se deve esserci una qualsiasi distribuzione, o un qualsiasi valore nelle cose distribuite.

Naturalmente potremmo conferire onorificenze pubbliche per ragioni utilitaristiche, in modo da incoraggiare prestazioni politicamente o socialmente utili. Queste ragioni saranno sempre presenti, ma non vedo come potrebbero essere le sole. Come sapremo chi onorare se non ci impegniamo a prestare attenzione al merito personale? Finché l'incoraggiamento risulterà efficace, andrà bene chiunque. Le autorità potrebbero addirittura pensare che la cosa migliore è inventare una prestazione e "incorniciare" un opportuno esecutore, in modo da essere sicure di incoraggiare proprio quello che vogliono incoraggiare. Questa possibilità (che rispecchia un vecchio argomento contro la concezione utilitaristica della punizione) fa pensare che esistano buone ragioni per aderire alla concezione comune del merito individuale, altrimenti l'onore sarà soltanto disponibile per uso tirannico. Poiché io ho il potere, conferirò onore in questo e quel modo. Non importa chi scelgo, perché nessuno merita davvero di essere onorato. E non importa quale sia l'occasione, perché non riconosco alcuna connessione (sociale) intrinseca fra l'onore e un particolare insieme di prestazioni. Il sistema funzionerà solo se il tiranno resterà al potere abbastanza a lungo da trasformare la concezione comune di prestazione onorevole. Ma proprio questo è il suo scopo.

Gli stakhanovisti di Stalin

Stakhanov non era un'invenzione, ma avrebbe potuto benissimo esserlo. Era un minatore eccezionalmente forte ed energico che produceva più carbone della quota obbligatoria ufficiale. In una società socialista, in uno stato proletario, questa era sicuramente una prestazione onorevole. Altrettanto sicuro è che la forza e l'energia di Stakhanov erano, per usare un'espressione dei nostri giorni, "arbitrarie dal punto di vista morale": non costituivano un motivo per distinguerlo dagli altri operai, meno dotati, che lavoravano sodo anche loro. (Né ci sarebbe motivo, data questa concezione dell'arbitrarietà, di distinguere quelli che lavorano sodo da quelli che lavorano e basta.) Ma scegliendo Stakhanov, non solo per onorarlo, ma come simbolo vivente dell'onore socialista, Stalin sposava, presumibilmente, l'idea di merito. Stakhanov meritava di essere onorato perché aveva fatto quello che aveva fatto, e quello che aveva fatto era onorevole. In realtà lo stesso Stalin, quasi certamente, non credeva nella prima di queste proposizioni, e i compagni di lavoro di Stakhanov non credevano nella seconda.

L'idea di merito implica una certa concezione dell'autonomia dell'uomo. Prima di poter fare cose onorevoli, una persona deve essere responsabile delle proprie azioni; deve essere un agente morale, l'azione deve essere sua. Negli anni trenta c'erano dei filosofi e degli psicologi sovietici che avevano questa concezione dell'agire umano; però, quando, subito dopo la seconda guerra mondiale, Stalin finalmente si espresse su tali questioni, prese una posizione molto diversa, adottando un pavlovismo radicale e sostenendo che "l'uomo è un meccanismo reattivo il cui comportamento, compresi tutti i processi mentali superiori, può essere compreso esaustivamente mediante la conoscenza delle leggi del condizionamento e... controllato mediante l'applicazione di questa conoscenza".[19] Questa è solo una delle teorie che sorreggono in modo plausibile la negazione del merito individuale, e si deve ammettere che lo fa molto bene. Stalin probabilmente aveva una posizione del genere anche negli anni trenta, quando fu lanciato l'esperimento dello stakhanovismo. Ma se l'energica attività di Stakhanov (lascio da parte, adesso, la sua forza fisica) è il prodotto del suo condizionamento, in che senso merita di essere onorato per essa? Stalin lo aveva scelto per ragioni utilitaristiche: lo scopo dello stakhanovismo era di condizionare altri lavoratori a fornire prestazioni analoghe, così che potessero aumentare le quote di produzione, accelerare le linee di montaggio e via dicendo. Il premio allo stakhanovista non era un riconoscimento, ma un incentivo, uno stimolo, una di quelle offerte che si trasformano molto facilmente in minacce.

E non penso che un premio possa essere altro in mancanza di una teoria del merito.

Naturalmente, gli altri lavoratori avevano delle obiezioni da fare. I vantaggi cui pensava Stalin non erano i loro, ma le obiezioni non si fermavano qui. Infatti, quale fosse la loro opinione su Stakhanov, decisamente non ritenevano che i suoi successori, gli stakhanovisti della metà degli anni trenta, meritassero di essere onorati. I vincitori del premio avevano (poniamo) lavorato sodo, ma avevano anche violato le norme della propria classe, e infranto la sua solidarietà. Sotto tutti gli aspetti erano considerati degli opportunisti e dei rinnegati, l'equivalente proletario degli zii Tom; e sul luogo di lavoro erano disprezzati, ostracizzati e tormentati.[20] Gli onori di Stalin erano motivo di disonore individuale e collettivo. Questo disonore, senza dubbio, era in parte inteso come disincentivo, ma suppongo che gli operai avrebbero anche detto che era una reazione alla vergogna delle prestazioni degli stakhanovisti e degli stakhanovisti stessi, cioè avrebbero detto che credevano nel principio di dare alla gente ciò che (realmente) merita.

Ma è possibile? È una domanda difficile. Anche se respingiamo il "Chi sfuggirebbe alle frustate?" di Amleto ed assumiamo che esistano persone che meritano le onorificenze pubbliche, resta da vedere se c'è modo di trovare le persone giuste. Le giurie possono veramente emettere delle sentenze che non siano semplici pareri? E i premi non continueranno a essere arbitrari, anche se conveniamo che i risultati ottenuti non lo siano? Qui è importante non fissare dei criteri troppo elevati. Non siamo dèi, e non ne sappiamo mai abbastanza per dire l'assoluta verità delle qualità e delle prestazioni di altri esseri umani. Quella che conta, tuttavia, è l'aspirazione: noi aspiriamo alle sentenze, non alle opinioni, e proprio a tal fine escogitiamo certe soluzioni. Così (ancora una volta) consideriamo la giuria, un insieme di uomini e donne tenuti per giuramento a cercare la verità. A volte la verità è irraggiungibile, e i giurati si trovano a scegliere fra approssimazioni rivali. A volte commettono degli errori, a volte alcuni membri sono corrotti o partigiani. A volte i dissensi sono troppo profondi e nessun verdetto è possibile; a volte i giurati mercanteggiano fino a raggiungere un accordo. Ma le critiche che riserviamo in genere alle giurie servono, in realtà, a ratificare il loro scopo. In questi casi diciamo, infatti, che la giuria avrebbe dovuto fare di meglio, o che noi avremmo potuto fare di meglio, non che non c'è niente da fare. Almeno in linea di principio, non è impossibile dire la verità.

Il premio Nobel per la letteratura

Consideriamo ora una delle onorificenze pubbliche più rispettate e più controverse. Nel 1986 per disposizioni testamentarie di Alfred Nobel fu istituito un premio letterario; ma le indicazioni erano poche e non del tutto chiare. Il premio doveva andare "alla persona che avrà prodotto nel campo della letteratura l'opera più straordinaria di tendenza idealistica".[21] Le giurie che si sono poi succedute hanno dovuto decidere come circoscrivere "il campo della letteratura" ai fini del premio e come intendere, in riferimento a tale campo, l'"idealismo"; dopo di che hanno dovuto scegliere fra una incredibile varietà di candidati che scrivono in stili e lingue diverse e che appartengono a tradizioni letterarie diverse. Come potevano anche solo avvicinarsi a un verdetto? "È assolutamente impossibile," scrisse Carl David af Wirsén, il membro più eminente della prima giuria, "decidere se è meglio un drammaturgo, un poeta epico o lirico... un autore di ballate o un uomo d'ingegno. È come decidere sui meriti relativi dell'olmo, del tiglio, della quercia, della rosa, del giglio o della viola."[22] Eppure i verbali delle riunioni della giuria indicano che Wirsén aveva idee molto chiare su chi avrebbe dovuto ottenere il premio. Né quelli che hanno criticato le giurie successive, e ce ne sono stati molti, hanno mai insistito sull'impossibilità. Se da un lato sembra pazzesco anche solo tentare una classifica di tutti gli scrittori del mondo, dall'altro sembra quasi naturale riconoscere un numero esiguo di scrittori preminenti. E poi critici e lettori si ritroveranno immediatamente a litigare su chi sia il migliore.

Io ritengo che non ci sia mai un'unica risposta a questa domanda. In un certo arco temporale, potrebbe però esserci una serie di risposte che esaurisca, più o meno, il campo. Lo scopo delle giurie successive era proprio di fornire questa serie; ma il fatto che Tolstoj, Ibsen, Strindberg, Hardy, Valéry, Rilke e Joyce non siano mai stati premiati fa pensare che non sia stato del tutto raggiunto. Tuttavia, per i critici non è difficile elencare le omissioni che costituiscono il fallimento delle giurie. Naturalmente noi abbiamo il vantaggio del senno di poi; ed è importante ricordare che il premio è e deve essere un riconoscimento immediato di uno scrittore considerato eminente dai suoi contemporanei, non un tentativo di registrare i giudizi della storia. Tuttavia, Tolstoj, Ibsen, Strindberg, Hardy, Valéry, Rilke e Joyce erano considerati eminenti da molti dei loro contemporanei... Forse a volte i membri delle giurie si sentono vincolati da fattori politici, o forse pensano che i premi debbano riflettere una certa distribuzione geografica. Così scivolano nel ruolo di un comitato di ricerca, alla caccia di candidati che riempiano dei buchi: e allora la critica classica è che dovrebbero comportarsi più come una giuria. In ogni caso, è possibile comportarsi come una giuria; e la storia del premio Nobel e delle controversie che hanno accompagnato certe scelte suggerisce certamente che tutti noi crediamo che esistano scrittori che meritano di essere onorati.

Tuttavia non è necessario (se non per il volere di Alfred Nobel) puntare soltanto alla realizzazioni "più straordinarie"; si può più semplicemente puntare a tutte le realizzazioni fuori dell'ordinario.

Questa è la forma più comune di onorificenza pubblica nelle società moderne, in cui l'elenco delle onorificenze è sempre pubblicato (l'albo d'onore è sempre proclamato) con le scuse implicite a chiunque, meritevole di farne parte, ne sia stato inavvertitamente escluso. Forse c'è una certa tensione fra l'elenco esteso e il massimo premio. Nel *Governo della Polonia*, Rousseau sfrutta questa tensione per fare una proposta democratica: descrive un comitato dei Censori che "compilerebbe... liste esatte dei privati di ogni condizione, la cui condotta fosse degna di onore e di ricompensa", e prosegue dicendo che tale comitato

deve tener conto più delle persone che di alcuni fatti isolati. Il vero bene si fa con poco clamore. È con una condotta uniforme e costante, con virtù private e domestiche, con l'adempimento di tutti i doveri del proprio stato... che un uomo può meritare gli onori, più che con qualche colpo di scena, che trova già la sua ricompensa nell'ammirazione pubblica. L'ostentazione filosofica si compiace molto delle azioni di effetto.[23]

L'ultimo punto probabilmente è giusto, anche se non vedo perché si dovrebbe modificare il proprio atteggiamento per non sottoscrivere l'ammirazione del grande pubblico per questo o quel "colpo di scena". Ma Rousseau aveva ragione di insistere sull'importanza di riconoscere le virtù della gente comune, specialmente in un regime democratico. Il premio Stakhanov di Stalin era una grottesca parodia di quello che bisognerebbe fare, che tuttavia era evidente anche nella parodia. Negli eserciti contemporanei, in cui la concessione della massima onorificenza per un'azione eroica non pregiudica onorificenze minori per azioni meno importanti, tale bisogno è in genere soddisfatto. Non è invece soddisfatto per nulla nelle occupazioni socialmente poco prestigiose: "l'eroismo, talvolta incredibile, mostrato da minatori e pescatori," ha scritto Simone Weil, "a malapena rieccheggia fra i minatori e i pescatori stessi."[24] Qui le onorificenze sono, ovviamente, riparatorie, e anche istruttive: invitano i cittadini comuni a superare i propri pregiudizi e a riconoscere il merito dovunque si trovi, anche fra loro stessi.

Il trionfo romano e altri trionfi

Questo genere di distribuzione non è politicamente neutro; mentre la democrazia sembra richiederlo, altri regimi lo sopportano solo a proprio rischio. Nelle monarchie e nelle oligarchie il merito è un principio sovversivo, anche quando si tratta solo di "colpo di scena". Questo è un vecchio argomento della teoria politica, ma vale la pena riprenderlo perché aiuta a capire perché l'autonomia delle sfere distributive è sempre relativa. Il riferimento canonico è il trionfo romano, "il massimo vertice dell'onore", ha scritto Jean Bodin, "cui un cittadino romano potesse aspirare... L'ingresso del trionfatore era più onorevole di quello di un re nel suo regno". Vestito di porpora e d'oro, incoronato d'alloro, alla guida di un carro alla testa del suo esercito, preceduto dai prigionieri in catene, il comandante vittorioso andava in parata fino al Campidoglio "inebriando il cuore di tutti, in parte di incredibile gioia e in parte di stupore e ammirazione". Il trionfo si addice soltanto a uno stato popolare (con un forte senso delle virtù civiche). Un re, al contrario, deve essere geloso dell'onore: è una fonte assai avara, un monopolista della gloria. Non può permettere che qualcun altro inebri il cuore dei suoi sudditi. "E perciò," prosegue Bodin, "non succede mai che i monarchi, e tanto meno i tiranni, concedano trionfi ed ingressi d'onore ai loro sudditi, quale che sia la vittoria conseguita sul nemico... l'onore della vittoria è sempre dovuto al sovrano, anche se il giorno della battaglia non c'era."[25] Francis Bacon nei *Saggi* sostiene la stessa cosa: "Ma quest'onore (del trionfo) forse non sarebbe adatto alle monarchie, a meno che non si tratti del monarca stesso o dei suoi figli."[26]

L'argomento vale *a fortiori*, come accennava Bodin, per i tiranni. È per questo che governanti come Stalin e Mao hanno sempre preteso per sé l'onore di grandi imprese, non solo in guerra ma anche nella scienza, nella linguistica, nella medicina, nella poesia, nell'agricoltura e via dicendo. Ed è per questo che il povero Stakhanov non poteva essere onorato per qualcosa che fosse considerato degno d'onore dagli altri lavoratori; per timore che il "dolce seducente richiamo dell'onore" lo spingesse a cercare un ruolo rappresentativo o di comando. I tiranni dispensano onori per calcolo o per capriccio, così da togliere valore a ciò che donano, ma esigono di essere onorati per i loro presunti meriti. Un tempo, naturalmente, i re venivano onorati per le origini e la stirpe o per la loro stessa regalità: cose di per sé onorevoli. Né Bodin, né Bacone, tuttavia, ponevano la cosa in questi termini, ma facevano appello alla prudenza in politica. Per loro, come per noi, l'onore appartiene ai meritevoli: perciò l'onore del re è una menzogna politica. Benché Bodin e Bacone non l'abbiano mai detto, ogni re è un usurpatore e un tiranno. "Poiché... l'onore, la sola ricompensa della virtù, è sottratto, almeno in larga parte, a coloro che lo meritano."[27] Il riconoscimento degli uomini e delle donne meritevoli, di tutti gli uomini e le donne meritevoli, è possibile solo in una democrazia.

E il riconoscimento, si dice, fa miracoli. Le democrazie hanno più eroi, più cittadini intraprendenti, più cittadini disposti a sacrificare se stessi per il bene comune, di qualsiasi altro regime; tutti sedotti, come diceva Bodin, dal dolce richiamo dell'onore. Ma nello stesso tempo non si deve distribuire tanto generosamente l'onore da svalutarlo. I filosofi sostenitori dell'eguaglianza ritengono normalmente che in una comunità democratica i cittadini abbiano diritto ad essere egualmente rispettati.[28] Più avanti cercherò un modo di giustificare questa affermazione; ma in base al discorso svolto finora avrebbe più senso negarla. La legge non porta rispetto a nessuno. Quando i cittadini fanno petizioni al governo, hanno diritto a un'eguale attenzione; quando sono disponibili delle cariche, hanno diritto a un'eguale considerazione; quando si distribuisce l'assistenza, hanno diritto a un'eguale trattamento. Ma quando si tratta di rispetto, "stima e deferenza", particolari riguardi, eminenza, non hanno diritto a nessuna di queste cose finché non sono stati giudicati meritevoli.

Certo questo giudicare è diverso dai "giudizi" del mercato e della corsa hobbesiana, perché, in linea di principio, è esente da ogni sorta di contrattazione ed estorsione. L'onorificenza pubblica non è un dono o un mezzo di corruzione, ma una parola definitiva sulla distinzione e sul valore. Ma i valori affermati nel discorso devono essere comprensibili a chi normalmente prende parte al mercato e alla corsa, e le distinzioni lì sostenute devono essere quelle che la gente è propensa a fare. L'onore pubblico, dunque, non può essere più egualitario dell'onore privato; almeno, non in un senso semplice della parola. Anche quando vengono riconosciuti e onorati — per esempio da un comitato di censori rousseauiano — uomini e donne normalmente ignorati, ciò è dovuto per un'impresa o per la testimonianza di un'impresa che, se risaputa avrebbe in ogni caso conquistato l'ammirazione dei concittadini. Il riconoscimento che l'onore può essere meritato anche da persone che non sono degne d'onore in senso convenzionale è una caratteristica essenziale dell'eguaglianza complessa, e ciò non annulla né riduce l'eccezionalità dell'onore.

La pena

Le cose stanno allo stesso modo per la pena, l'esempio più importante di disonore pubblico. Tutti i cittadini sono innocenti finché non se ne sia dimostrata la colpevolezza; questa massima non è una richiesta di rispetto universale ma di universale assenza di mancanza di rispetto. La legge non manca di rispetto a nessuno; non giudica anticipatamente (o non dovrebbe) per via della nascita illustre o del possesso di un titolo nobiliare o di molto denaro o di un determinato insieme di opinioni politiche. La pena richiede un giudizio specifico, il verdetto di una giuria, e questo indica che noi puniamo la gente solo quando merita di essere punita. La pena, come l'onore, è distintiva; anzi, somiglia di più a un'alta onorificenza che a una lista delle onorificenze in quanto una persona viene punita per un singolo atto (e in modo particolarmente severo per un "colpo di scena") non per una vita cattiva. Forse sarebbe possibile elaborare qualcosa di analogo all'onore rousseauiano, una sorta di riconoscimento pubblico dei vizi non criminali, ma nulla di simile svolge, o per quanto ne so, ha mai svolto un ruolo nell'istituzione della pena.

La pena marchia fortemente e disonora la sua vittima. Secondo il racconto biblico, Dio pose un segno su Caino per proteggerlo; ma quel segno lo marchiava come assassino, e dunque era una pena; e tutti noi saremmo grati se Dio ci proteggesse, ma nessuno di noi vorrebbe portare il segno di Caino. Non si può punire senza segnare e stigmatizzare chi viene punito, e questo è vero e per la pena utilitaria e per la giustizia divina. Quale che sia lo scopo della pena e comunque sia essa giustificata, l'effetto distributivo è lo stesso. Se puniamo allo scopo di dissuadere altre persone dal crimine, dobbiamo individuare un criminale determinato: la deterrenza richiede un esempio e gli esempi devono essere specifici. Se puniamo allo scopo di condannare certi tipi di azione, dobbiamo condannare un agente; la condanna deve essere concreta per essere capita. Se puniamo allo scopo di correggere l'uomo o la donna che ha infranto la legge, dobbiamo dichiarare che quest'uomo o questa donna particolare è una persona che ha bisogno di essere corretta. Nei primi due casi (ma non nel terzo) potrebbe prendere una persona a caso e, dopo aver fabbricato delle prove, "incastrarla" per il delitto, quale che sia, da cui vogliamo distogliere o che vogliamo condannare. Se gli individui non fossero responsabili del proprio carattere e della propria condotta, potremmo scegliere chiunque. Comunque una giusta distribuzione sarebbe fuori questione, perché le persone prive di responsabilità non sono oggetti propri della giustizia. E una pena di questo tipo, se tutti ne capissero la natura, non sarebbe in alcun senso disonorevole. Ma se la pena è disonorevole, e lo è, allora le singole persone devono meritare o non meritare di essere disonorate, quindi è importante, anzi essenziale, trovare le persone giuste, mettere il segno di Caino *su Caino*. Non siamo, ancora una volta, degli dèi, non possiamo mai essere veramente certi, ma dobbiamo far sì che le istituzioni distributive ci portino il più vicino possibile alla certezza.

C'è un tipo di ansietà morale che accompagna la pratica della punizione e che probabilmente ha a che fare col disonore non meno che con la coercizione e la sofferenza che la pena comporta. Coercizione e sofferenza caratterizzano anche il servizio militare, ma in questo caso non generano la stessa ansietà e non ci spingono a cercare uomini e donne che lo meritino. Il servizio militare, però, non è disonorevole e non è, o non dovrebbe essere, una pena: cerchiamo di distribuirlo equamente: ma lo facciamo, e possiamo farlo, senza preoccuparci affatto del merito. La coscrizione non è basata su una serie di verdetti; e la pena, analogamente, non è basata sulla chiamata generale di una classe di età; non scegliamo i carcerati con un'estrazione a sorte e non esoneriamo dal carcere chi ha l'asma o le vene varicose. Arruoliamo le persone fisicamente abili, uomini e donne considerati in grado di sopportare le durezze della guerra. Ma puniamo soltanto chi lo merita: non le persone che più sono in grado di sopportare lo stigma della pena, o una selezione casuale di simili persone, ma quelle che devono sopportarlo. Miriamo ad una precisione straordinaria, e difficile.

E decidiamo quali sono le persone giuste attraverso il meccanismo del processo, che è un'indagine pubblica volta a scoprire la verità intorno a una determinata azione. Il processo, organizzato in modo diverso in culture diverse, è un'istituzione antichissima; lo si trova quasi ovunque, e si distingue sempre per essere una procedura speciale mirante non a un'opinione comune o a una decisione politica, ma a un giudizio, una dimostrazione, un verdetto. A parte nel Paese delle Meraviglie di Alice, la pena è successiva al verdetto ed è impossibile senza di esso. Si potrebbe dire, addirittura, che il verdetto stesso è la pena: il verdetto conferisce lo stigma, in seguito simbolizzato e rafforzato dalla coercizione e dalla sofferenza.

Senza il verdetto, la coercizione e la sofferenza non sono che malevolenza, e, posto che ciò sia noto, non comportano alcuno stigma. Analogamente, se il processo è una frode, le sue vittime saranno più probabilmente onorate che disonorate "dalla pena".

Se distribuissimo le pene in modo diverso non sarebbero affatto pene. Ciò è ben esemplificato da due meccanismi distributivi diversi, che chiamerò "elezione" e "ricerca". Potremmo votare per decidere chi punire, come facevano una volta gli ateniesi quando sceglievano i cittadini da ostracizzare; oppure potremmo cercare i candidati più qualificati, come vorrebbero oggi i fautori della detenzione preventiva. Sono due soluzioni estremamente pratiche; ma nella misura in cui distribuiscono il disonore lo fanno, secondo me, tirannicamente.

L'ostracismo ad Atene

Nel mondo antico l'esilio era una forma di pena, usata spesso anche per i crimini più gravi; comportava la perdita dell'appartenenza politica e dei diritti civili, e nessun greco o romano accettò mai l'idea hobbesiana che "un semplice cambiamento d'aria non è una pena".[29] Questo modo di pensare appartiene a un'altra epoca, in cui il senso del luogo e della comunità aveva perso la sua forza. Ma l'esilio, almeno ad Atene, era un pena solo quando seguiva un processo e un verdetto. L'ostracismo era una cosa molto diversa: il cittadino esiliato non era stato giudicato, ma eletto dai suoi pari. La procedura fu ideata, proprio agli inizi del regime democratico, per consentire ai cittadini di sbarazzarsi delle persone potenti o ambiziose che avrebbero potuto mirare alla tirannia, o le cui rivalità minacciavano la pace della città. L'ostracismo era dunque una sorta di sconfitta politica, uno dei rischi della politica democratica; non voleva dire che le persone scelte meritassero l'esilio, ma solo che, secondo i cittadini, era meglio per la città che fossero esiliate. Non c'erano né accusa né difesa. La legge si limitava a escludere il dibattimento, forse con l'intento consapevole di evitare qualsiasi analogia con un processo. I cittadini si limitavano a scrivere su un coccio o una mattonella (gli archeologi contemporanei ne hanno trovate migliaia) il nome di chi volevano ostracizzare, e chi riceveva un gran numero di voti era bandito senza appello per dieci anni. Questa procedura implicava, come dice Finley, che l'ostracismo fosse un "esilio onorevole... senza la perdita delle proprietà e senza cadere in disgrazia".[30]

Ma, continua Finley, quando, alla fine del quinto secolo, fu abbandonata la pratica dell'ostracismo, "rimase ancora possibile l'esilio ordinario sulla base di 'accuse penali'".[31] In altre parole, era possibile usare il sistema della giuria per infliggere a un oppositore o a un rivale lo stesso tipo di sconfitta politica. La giuria ateniese, infatti, era una piccola assemblea, i giurati si contavano a migliaia e i processi penali si politicizzavano facilmente. Ma quando si condannavano e si mandavano in un esilio che non poteva più essere detto "onorario" non dei criminali, ma degli oppositori e dei rivali, la condanna era chiaramente un atto di tirannia. Poiché ho il potere politico e controllo un numero sufficiente di voti, io ti punirò. La distinzione fra ostracismo e pena segna molto bene il confine fra opinione pubblica e verdetto di una giuria, fra sconfitta politica e demerito criminale, e ci insegna un'ottima lezione: la caduta in disgrazia, se deve essere distribuita con giustizia, deve derivare da un verdetto, deve essere una funzione del demerito.

La detenzione preventiva

Come gli ateniesi ostracizzavano i cittadini pericolosi così noi, qualche volta, siamo esortati a imprigionarli. Se esistesse una forma di "carcerazione onoraria", questa potrebbe essere una sistemazione attraente; ma oggi non esiste nulla di simile, e i fautori della detenzione preventiva non sono stati capaci di descrivere qualcosa che sia diverso dalla carcerazione ordinaria quanto l'ostracismo lo era dall'esilio ordinario. Né le prospettive sono promettenti, perché ciò che essi hanno in mente è un pericolo criminale, non politico, e non è facile immaginare come potremmo incarcerare onorevolmente uomini e donne che abbiamo classificato come criminali potenziali.[32]

L'idea di fondo della detenzione preventiva è che dovremmo riempire le nostre prigioni attraverso una ricerca di candidati qualificati (uomini e donne che probabilmente agiscono male) proprio come riempiamo i nostri uffici attraverso una ricerca di uomini e donne che probabilmente agiscono bene. Occorre prevedere, non giudicare, e perciò occorre un comitato di ricerca e non una giuria. Forse il comitato, a differenza di una giuria, dovrà esigere dai suoi membri una conoscenza specialistica, o, almeno, dovrà consultare degli esperti. Se le sue previsioni sono giuste, dovrebbe essere possibile incarcerare una persona prima che sia necessario l'arresto aumentando così la sicurezza della vita quotidiana. Naturalmente una previsione non è la stessa cosa di un verdetto, anche se qualcuno potrebbe dire che, date le bizzarrie delle giurie e la presunta competenza dei comitati di ricerca, entrambi hanno la stessa probabilità di dire la verità. Ma così ci sfuggirebbe la differenza cruciale fra le due cose. Una volta che agiamo sulla base di una previsione, non potremo mai sapere se questa era vera. È possibilissimo che l'incidenza del crimine diminuisca bruscamente, una volta avviato un programma di detenzione preventiva; e diminuirà di sicuro se incarceriamo abbastanza persone. Ma non sapremo mai se questa determinata persona che adesso è rinchiusa avrebbe o no commesso un delitto.

Nel caso delle cariche tolleriamo questo tipo di incertezza perché non abbiamo scelta. È impossibile sapere se quel candidato bocciato avrebbe fatto meglio di questo che è stato promosso. Le cariche richiedono prestazioni che, a differenza di quelle presupposte dalla pena, avvengono solo dopo che la distribuzione è stata effettuata. Senza dubbio un certo onore viene anche subito, dalla carica stessa, prima di qualsiasi prestazione, ma ho cercato di mostrare che in condizioni di eguaglianza complessa i massimi onori andranno solo ai funzionari che lavorano bene. Ora, la pena è un onore negativo, non una carica negativa; è una conseguenza di determinate azioni, non di determinate qualifiche; noi puniamo chi ha già agito male. Si potrebbe difendere questa concezione della pena richiamandoci al valore della libertà: anche gli uomini e le donne dei quali si può dire che molto probabilmente commetteranno dei delitti hanno il diritto di decidere se commetterli davvero.[33] Ma credo che sia più sensato porre la questione in altri termini. Se dessimo meno valore alla libertà avremmo escogitato una forma di detenzione onoraria, simile alla quarantena imposta ai pazienti con malattie infettive, per la quale la gente potrebbe qualificarsi (anche se è presumibile che preferirebbe non farlo); ma poiché non lo abbiamo fatto — non abbiamo voluto o non ci siamo riusciti — la detenzione preventiva è ingiusta. Essa punisce i detenuti per ragioni estranee alla nostra concezione della natura della pena e della sua giusta distribuzione; dunque è un atto di tirannia.

Stima di sé e rispetto di sé

L'onore e il disonore sono particolarmente importanti perché assumono immediatamente una forma riflessiva. La tesi che il concetto di sé non è che l'interiorizzazione dei giudizi sociali è di vecchia data: non c'è conoscenza di sé senza l'aiuto degli altri, noi ci vediamo nello specchio dei loro occhi, ci ammiriamo quando siamo ammirati da chi ci sta accanto. Certo, ma si deve aggiungere: non solo allora, e anche allora non sempre. Il circolo del riconoscimento è problematico. Prendiamo una persona presuntuosa o piena di sé: ammira se stessa più di quanto lo facciano gli altri. E prendiamo una persona con un radicato complesso d'inferiorità: si considera inferiore mentre gli altri non la considerano tale. Forse qualcuno, un tempo, ha idolatrato la prima persona o umiliato la seconda, ma queste sono interruzioni del circolo, che dovrebbero segnalarci le difficoltà della forma riflessiva. Ciò che ci distribuiamo reciprocamente è la stima, non la stima di sé; il rispetto, non il rispetto di sé; la sconfitta, non il senso di sconfitta; e la relazione del primo termine di ciascuna di queste coppie col secondo è indiretta ed incerta.

La stima di sé può avere la sua forma massima nelle società gerarchiche, salvo nel rango più basso della gerarchia. I membri di tutti gli altri ranghi guardano, come dice Rousseau, "più in basso che in alto", per cui gustano la deferenza loro dovuta più di quanto li infastidisca quella che concedono. In questo senso le società gerarchiche riproducono, per tutti i ranghi tranne l'ultimo, quella gioia che, secondo Tertulliano, i santi proverebbero osservando le sofferenze dei dannati. Non è una gioia puramente sensuale: è anche mentale, è un'accresciuta stima di sé legata alle altezze·sociali (o spirituali) che i santi pensano di avere raggiunto. Cesserebbero di essere felici — come dice Rousseau dei ricchi e dei potenti — nel momento stesso in cui quelli inferiori a loro "cessassero di essere infelici".[34] Ma l'infelicità di chi sta in basso non comporta sempre e necessariamente una minore stima di sé; i ceti inferiori imitano quelli superiori e cercano qualche vantaggio relativo. È il caso degli spazzini indiani i quali, secondo un antropologo contemporaneo, riconoscono la propria posizione nel sistema gerarchico, ma "associano il loro lavoro... con una robustezza che ammirano sia negli uomini che nelle donne, col bere e mangiare sostanze piccanti, carni e liquori forti. A ciò si collega la convinzione di essere passionali e sessualmente dotati".[35] Possiamo anche dire che si tratta di compensazione, come dire che ha soltanto un valore soggettivo, ma ha pur sempre un valore. Dalle loro vette, gli spazzini guardano dall'alto in basso le pallide ed astemie caste "superiori".

Non voglio sostenere che se la gerarchia fosse abolita, gli spazzini non avrebbero una maggior stima di sé, tutt'altro. Ma forse la quantità complessiva della stima di sé, se fosse calcolabile, sarebbe minore (il che è un argomento a favore della gerarchia). Nella società dei *mister* dovremmo aspettarci di trovare una stima di sé di tipo più uniforme, più diffusa ma anche più ansiosa, tale che gli uomini e le donne colgano ogni occasione pur di distinguersi dagli altri. "Nella nostra società," scriveva Thackeray verso il 1850, "è impossibile non essere, qualche volta, uno snob."[36] Lo snobismo, essendo l'orgoglio di chi è più sicuro della propria posizione, è un vizio tipicamente democratico. Di uno snob diciamo che "è altezzoso", "si dà delle arie"; lo snob si comporta come se fosse un aristocratico, e rivendica un titolo non suo. È difficile vedere come evitare cose simili anche se, man mano impallidisce il ricordo dell'aristocrazia, esse hanno cominciato a prendere forme abbastanza diverse (benché, sorprendentemente, non ancora molto diverse) da quelle descritte da Thackeray. Se eliminiamo il ceto come motivo dello snobismo, la gente sarà snob per via della ricchezza, della carica, dell'istruzione e della cultura. Se non è per questo, sarà per quest'altro, perché gli uomini e le donne valutano se stessi — così come sono valutati — paragonandosi agli altri. "La vista dei contrasti," scrive Norbert Elias, "accresce la gioia di vivere."[37] La stima di sé è un concetto relazionale. In condizioni di eguaglianza complessa la struttura delle relazioni sarà meno rigida, libera dalla dominanza del ceto e della ricchezza; le gioie esclusive dell'aristocrazia saranno abolite e tutti potranno essere snob per un qualche motivo. Ma la stima di sé sarà ugualmente un concetto relazionale.

La questione è diversa nel caso del rispetto di sé. È una differenza evidente nella nostra lingua, ma alla quale i filosofi contemporanei spesso non fanno attenzione. Secondo il vocabolario la stima di sé è "un'opinione o un apprezzamento favorevole di se stessi" mentre il rispetto di sé è "un giusto riguardo per la dignità della propria persona o della propria posizione".[38] Solo il secondo di questi concetti è normativo e dipende dal nostro modo di intendere, dal punto di vista morale, le persone e le posizioni. Tale differenza scompare nelle forme non riflessive, "stima" e "rispetto" — termini entrambi appartenenti al mondo dei confronti interpersonali, mentre "rispetto di sé" appartiene a un mondo separato. Il concetto di onore, come quello di "buon nome", sembrerebbe appartenere a entrambi i modi. Io rispetto me stesso non in riferimento ad altre persone, ma in riferimento a uno standard, e nello stesso tempo altri possono giudicare, in base allo stesso standard, se ho diritto di rispettare me stesso.

Prendiamo un esempio dalla mia analisi della scuola. "Fa parte dell'onore dell'insegnante," ha scritto R.H. Tawney, "essere al servizio del bisogno di istruzione senza badare a cose volgari e non pertinenti come la classe e il reddito" (vedi pag. 205). Qui si fa appello a un comune modo di intendere la natura dell'insegnante, a un codice professionale (implicito). Si presume che ogni insegnante concepisca il proprio onore nei termini di quel codice e dovrebbe rispettare se stesso solo se la sua condotta vi si conforma.

Le frasi seguenti vogliono dire la stessa cosa:

Nessun medico che rispetti se stesso curerebbe così un paziente. Nessun sindacalista che rispetti se stesso accetterebbe un contratto così.

Sono in gioco la dignità della posizione e l'integrità della persona. Questa persona non dovrebbe umiliarsi per qualche vantaggio personale; non dovrebbe vendersi a buon mercato; non dovrebbe sopportare quel tale affronto. E che cosa costituisca umiliarsi, vendersi o sopportare, dipende dal significato sociale del ruolo e del lavoro. Non esiste una descrizione contenutistica del rispetto di sé che sia universale.

Ma è perfettamente possibile che ogni insegnante, medico e sindacalista rifiuti di umiliarsi, di vendersi, ecc., e che tutti i suoi atti esprimano un giusto riguardo per la sua persona e posizione. Naturalmente la norma del giusto riguardo può essere oggetto di disputa, e la disputa può generare un comportamento competitivo; ma la pratica del rispetto di sé non è competitiva. Una volta saputa qual è la norma, ci confrontiamo con essa; e la mia convinzione (o quella di un altro) di essere all'altezza, benché possa turbare la coscienza di un'altra persona e metterla a disagio, non ostacola il suo successo — e il suo successo non sminuisce il mio. Immagino che possa succedere di essere troppo scrupolosi in questi confronti; il rispetto di sé favorisce la pignoleria come la stima di sé favorisce lo snobismo. Ma i valori che il pignolo esagera possono essere condivisi, quelli che esagera lo snob no. Il rispetto di sé è un bene che tutti possono avere — e ciò nonostante vale decisamente la pena averlo.

In una società gerarchica ci sono norme e unità di misura diverse per ogni ceto. Un gentiluomo può apprezzare se stesso per le sue vaste terre o per la sua stretta parentela con un lord importante: questa è stima di sé, e diminuisce immediatamente appena si stabilisce nelle vicinanze qualcuno che possieda ancora più terre o sia parente di un lord più importante. Oppure può apprezzare se stesso perché la sua vita è conforme a un certo standard di signorilità: questo è rispetto di sé, e benché possa essere perduto, non credo possa diminuire. Entrambe le forme riflessive sono ingannevoli, ma la stima di sé è più legata al rango gerarchico (anche quando i ranghi inferiori coltivano in segreto una controgerarchia). Gli aristocratici e i gentiluomini hanno maggior stima di sé degli artigiani, dei servi della gleba o dei domestici, o per lo meno, così assumiamo di solito. Ma le cose stanno diversamente, ancora una volta, per il suo rispetto di sé, che può essere altrettanto solido nei ceti inferiori e in quelli superiori, anche se i metri sono diversi. Ma non è necessario che lo siano: lo schiavo filosofo Epitteto si misurava con la propria concezione dell'umanità, e così conservava il proprio rispetto di sé. L'universalismo religioso fornisce un metro analogo, che senza dubbio ha un fascino maggiore per gli schiavi che per i padroni, ma è ugualmente valido per entrambi. Mi interessa di più, tuttavia, il modo in cui le gerarchie generano modelli distinti di rispetto di sé per ogni rango: l'aristocratico orgoglioso, l'onesto artigiano, il servo fedele e così via. Sono esempi convenzionali che servono di sostegno alla gerarchia; ma non dovremmo avere troppa fretta di denigrare simili concezioni di sé, nemmeno se speriamo di sostituirle. Esse hanno, infatti, avuto un ruolo importante nella vita morale dell'umanità, più importante, per gran parte della storia dell'uomo, di quello delle loro alternative filosofiche o religiose.

Il rispetto di sé, dunque, è alla portata di chiunque abbia una certa comprensione della propria "giusta" dignità e sia capace in qualche modo di esteriorizzarla. I criteri sono diversi secondo le posizioni sociali, e variano tanto fra i ranghi di una gerarchia quanto fra le occupazioni della società dei *mister*. Ma in quest'ultima, c'è anche una posizione sociale comune che (per gli uomini) è indicata dal titolo, appunto, di *mister*. E qui, qual è il criterio adeguato? Secondo Tocqueville questa domanda equivale a: che cosa significa essere una persona che ha rispetto di sé (o una persona degna d'onore)?

Le prescrizioni dell'onore saranno... sempre meno numerose in un popolo che non è suddiviso in caste che in un altro. Se si formano nuove nazioni, in cui sia difficile persino trovare delle classi, l'onore si limiterà a un esiguo numero di precetti, e questi precetti si allontaneranno sempre meno dalle leggi morali adottate dall'umanità in genere.[39]

Ma questa ipotesi passa, a mio avviso, troppo rapidamente dalla classe e dalla nazione all'"umanità in genere". Certo, abbiamo un'idea di ciò che potrebbe significare essere una persona che rispetta se stessa — un "uomo", un *Mensch*, un essere umano; ma la nozione manca di concretezza e specificità; di per sé troppo vaga, come la moralità in generale, astratta dai ruoli, dai rapporti e dalle abitudini sociali. È per questo che si può usare il titolo di *mister*. Per una definizione competitiva e che esso ha finito per rappresentare poco più di una posizione minima nella competizione generale. I rivoluzionari che sfidarono l'antico regime non chiamavano se stessi *mister* e la loro richiesta più immediata era non l'eguale umanità, ma l'eguale appartenenza. Avrebbero capito perfettamente ciò che Simone Weil affermava, che "l'onore ha a che fare con un essere umano considerato non semplicemente in quanto tale, ma dal punto di vista del suo contesto sociale".[40] I loro titoli preferiti erano "fratello", "cittadino", "compagno": parole che, ovviamente, erano usate per descrivere persone che rispettavano se stesse, ma che nello stesso tempo davano a tale descrizione un significato più specifico.

Immaginiamo ora — per prendere il più semplice di questi casi — una società di cittadini, una comunità politica. Il rispetto di sé dei cittadini è, a mio avviso, incompatibile con i tipi di rispetto di sé possibili in una gerarchia di ranghi. Il domestico che rispetta se stesso, che sa qual è il suo posto ed è all'altezza delle sue norme (e conserva la propria dignità quando il padrone si comporta male) può essere una figura attraente, ma difficilmente sarà un buon cittadino. I due ruoli appartengono a mondi sociali diversi; nel mondo dei padroni e dei servi la condizione di cittadino è inimmaginabile; nel mondo dei cittadini essere servi di un altro è umiliante. La rivoluzione democratica, più che ridistribuire il rispetto di sé, lo riconcettualizza, collegandolo, come suggerisce Tocqueville, a un unico sistema di norme.

Naturalmente sarà sempre possibile essere un insegnante, un medico, un sindacalista che rispetta se stesso — e anche uno spazzino, un lavapiatti, un inserviente d'ospedale che rispetta se stesso; e questi ruoli professionali costituiscono, probabilmente, l'esperienza più immediata del rispetto di sé. Ma ora questa esperienza è associata al senso della propria capacità di plasmare e controllare il lavoro (e la vita) che si condivide con gli altri. Perciò:

Nessun cittadino che rispetti se stesso sopporterebbe di essere trattato così dai funzionari dello stato (dai funzionari di una compagnia, dai direttori, dagli spettatori, dai capireparto).

Lo status di cittadino di una democrazia è radicalmente disgiunto da ogni sorta di gerarchia: esiste un'unica norma circa il riguardo dovuto a tutta la popolazione dei cittadini. Coloro che aspirano a una versione più impegnativa della cittadinanza, per i quali dovremmo abbandonare ogni piacere privato e, per usare le parole di Rousseau, "volare alle pubbliche assemblee",[41] somigliano più ai pignoli che agli snob. Cercano di rendere più rigidi i criteri coi quali i cittadini misurano se stessi e si misurano a vicenda. Ma sono i criteri minimi intrinseci della democrazia a fissare le norme del rispetto di sé; e questi criteri man mano, si diffondono nella società civile, rendono possibile un tipo di rispetto di sé che non dipende da nessuna posizione sociale determinata, che ha a che fare con lo status generale di una persona nella società e con la sua identità, non semplicemente in quanto persona, ma in quanto persona operante in un certo contesto, membro a pieno titolo e uguale agli altri, partecipante attivo.[42]

L'esperienza della cittadinanza deve essere preceduta dal riconoscimento che ognuno è un cittadino — da una forma pubblica di riconoscimento semplice. Probabilmente è questo che si intende con l'espressione "eguale rispetto", cui possiamo dare un contenuto positivo: ogni cittadino ha gli stessi diritti legali e politici, il voto di ciascuno conta allo stesso modo, in tribunale la mia parola pesa quanto la tua. Tuttavia nessuna di queste condizioni è necessaria per il rispetto di sé: infatti in quasi tutte le democrazie sopravvivono delle ineguaglianze considerevoli nei tribunali e nell'ambito politico, eppure i cittadini di tali democrazie sono capaci di rispettare se stessi. È necessario, invece, che l'idea di cittadinanza sia condivisa da un gruppo i cui membri si riconoscano reciprocamente il titolo e forniscano uno spazio sociale nel quale il titolo possa estrinsecarsi. Analogamente, l'idea della medicina come professione o del sindacalismo come impegno deve essere condivisa da un gruppo prima che possano esserci dei medici o dei sindacalisti che rispettano se stessi, o, detto in modo più forte, "perché nella vita professionale sia soddisfatto il bisogno di onore, ogni professione deve avere qualche associazione veramente capace di tener viva la memoria di tutta... la nobiltà, l'eroismo, la probità, la generosità e il genio spesi nell'esercizio di tale professione".[43] Il rispetto di sé non può essere un'idiosincrasia; non è una questione di volontà. In qualsiasi senso importante, esso è funzione dell'appartenenza — sia pure, sempre, funzione complessa — e dipende dall'eguale rispetto fra i membri. Ancora una volta, anche se qui è suggerita la cooperazione anziché la competizione, "essi riconoscono se stessi come reciprocamente riconoscentisi".

Il rispetto di sé richiede dunque una connessione sostanziale col gruppo dei membri, col movimento che propugna l'idea dell'onore della professione, della solidarietà di classe o dei diritti dei cittadini, oppure con la comunità in generale in cui queste idee sono più o meno consolidate. Per questo l'espulsione dal movimento, o l'esilio dalla comunità, può essere una punizione così grave: intacca sia la forma esterna dell'onore, sia quella riflessiva. Altrettanto temibile è il perdurare della disoccupazione e della povertà, che rappresenta una sorta di esilio economico, una punizione che siamo riluttanti a dichiarare meritata, per chiunque. Lo stato assistenziale costituisce un tentativo di evitare simili punizioni, di chiamare a raccolta tali esuli, di garantire una cittadinanza effettiva;[44] ma anche quando lo fa nel miglior modo possibile, andando incontro ai bisogni senza umiliare le persone, non garantisce il rispetto di sé: può solo aiutare a renderlo possibile. È questo, forse, lo scopo fondamentale della giustizia distributiva. Quando tutti i beni sociali, dall'appartenenza al potere politico, saranno stati distribuiti per le ragioni giuste, saranno state realizzate le condizioni del rispetto di sé nel miglior modo possibile. Ma ci saranno ugualmente uomini e donne che mancheranno di questo rispetto.

Per aver stima di noi stessi, probabilmente, dobbiamo convincerci (anche se ciò significa ingannarci) di meritarla, e per questo è necessario un po' d'aiuto da parte dei nostri amici. Ma noi stessi siamo i nostri giudici: predisponiamo a nostro favore la giuria meglio che possiamo e, quando è fattibile, ne falsifichiamo il verdetto.

Nessuno si sente in colpa per questo genere di cose; simili processi sono fin troppo umani. Il rispetto di sé, invece, si avvicina di più alla realtà delle cose; somiglia più al sistema degli onori e disonori pubblici che alla corsa hobbesiana. Qui è la coscienza che giudica, e la coscienza è un sapere condiviso, un'accettazione interiorizzata di criteri comunitari. Non si tratta di criteri estremamente elevati: ci si chiede di essere confratelli e cittadini, non santi ed eroi. Ma non possiamo ignorare i criteri e non possiamo manipolare il verdetto: o siamo all'altezza oppure no. Essere all'altezza non è una questione di successo in una data impresa, e certamente non è una questione di successo relativo o di fama da successo: è un modo di stare nella comunità a testa alta (cosa molto diversa dall'essere altezzosi).

Per aver rispetto di noi stessi dobbiamo considerarci capaci di essere all'altezza e accettare la responsabilità degli atti che determinano l'essere o no all'altezza. Perciò il rispetto di sé dipende da un valore più profondo che chiamerò "padronanza di sé": la padronanza non del proprio corpo, ma del proprio carattere, delle proprie qualità, delle proprie azioni. La cittadinanza è uno dei modi della padronanza di sé: noi ci riteniamo responsabili e siamo ritenuti responsabili dai nostri concittadini. È da questa reciprocità che deriva la possibilità del rispetto di sé, e anche dell'onore pubblico. Le due cose, tuttavia, non vanno sempre insieme. Se mi considero ingiustamente disonorato, posso conservare il rispetto di me stesso; e posso conservarlo anche se accetto il disonore onorevolmente, se mi "faccio carico" delle mie azioni. Quel che è disonorevole sopra ogni cosa è la pretesa dell'irresponsabilità, la negazione della padronanza di sé. Non è che il cittadino che rispetta se stesso non manchi mai di soddisfare gli obblighi della cittadinanza, ma piuttosto riconosce le sue mancanze, sa di essere in grado di soddisfare i suoi obblighi e si sente comunque impegnato a farlo. La stima di sé ha a che fare con quelle che Pascal chiamava qualità "prese a prestito": viviamo nell'opinione degli altri.[45] Il rispetto di sé ha a che fare con qualità che sono nostre: dunque con la conoscenza e non con l'opinione, con l'identità e non con la posizione relativa. È questo il significato profondo della battuta di Marco Antonio:

> ... se perdo il mio onore
> perdo me stesso.[46]

Il cittadino che rispetta se stesso è una persona autonoma. Non voglio dire che sia autonomo nel mondo e non so che cosa implicherebbe una simile autonomia. È autonomo nella sua comunità, è un agente libero e responsabile, un membro attivo. Lo ritengo il soggetto ideale della teoria della giustizia. È *qui* che è nel suo ambiente, e sa qual è il suo posto; "regna nella propria (compagnia), non altrove", e non "desidera il potere sul mondo intero". È l'esatto opposto del tiranno, che usa la nobiltà della sua nascita, la sua ricchezza, le sue cariche o anche la sua celebrità per rivendicare altri beni che non ha guadagnato e ai quali non ha diritto. Il tiranno è caratterizzato da Platone, in termini psicologici, come una persona governata da passione dominante.[47] Nei termini dell'economia morale che ho delineato, il tiranno è una persona che sfrutta un bene dominante per dominare le persone che gli stanno intorno. Non gli basta essere padrone di sé, ma, con la mediazione del denaro o del potere, s'impadronisce di altri. "Io *sono* brutto, ma posso comprarmi *le più belle donne*. Dunque non sono brutto, ché l'effetto della bruttezza... è annullato dal denaro... Io sono un uomo malvagio, infame, senza coscienza, senza ingegno, ma il denaro è onorato, dunque lo è anche il suo possessore."[48] Non voglio dire che un uomo malvagio che rispetti se stesso non cercherebbe mai un simile onore — anche se un'idea del genere sottostà, forse, a un certo tipo di orgogliosa misantropia. Più in generale, il cittadino che rispetta se stesso non cercherà ciò che non può avere con onore.

Ma sicuramente cercherà il riconoscimento degli altri partecipanti alla corsa hobbesiana (non è uno che si ritira) e di essere onorato dai suoi concittadini. Sono cose belle, sono dei beni sociali, e il rispetto di sé non è un loro surrogato. Non si può abolire né la relatività del moto, né quella del valore.

Però sono dell'idea che il rispetto di sé porti a volere solo i riconoscimenti liberamente concessi e solo i verdetti onesti dei propri pari. In questo senso, esso è un modo di riconoscere il significato morale dell'eguaglianza complessa; e possiamo supporre che l'esperienza dell'eguaglianza complessa, a sua volta, rafforzerà il rispetto di sé, anche se non potrà mai garantirlo.

12. Potere politico

Sovranità e governo limitato

Partirò dalla sovranità, dal comando politico, dall'autorità decisionale — dal fondamento concettuale dello stato moderno. La sovranità non esaurisce assolutamente l'ambito del potere, ma richiama la nostra attenzione sulla forma più significativa e pericolosa che il potere può assumere. Esso non è, infatti, semplicemente un bene fra i tanti perseguiti dagli uomini e dalle donne: in quando *potere statale*, è anche il mezzo attraverso il quale vengono regolate tutte le attività, compresa quella di perseguire il potere stesso. È l'agenzia cruciale della giustizia distributiva e vigila sui confini entro i quali ogni bene sociale è distribuito e dispiegato. Perciò è necessario che il potere sia contemporaneamente sostenuto e contenuto — organizzato, diviso, controllato e bilanciato. Il potere politico ci protegge dalla tirannia... e diventa tirannico esso stesso. Ed è per entrambe le ragioni che è tanto desiderato ed è così eternamente conteso.

In gran parte si tratta di battaglie non ufficiali, di una guerriglia quotidiana con la quale noi, cittadini comuni, difendiamo o ci battiamo per rivedere i confini delle varie sfere distributive. Cerchiamo di impedire gli attraversamenti illegittimi; lanciamo accuse, organizziamo proteste, a volte tentiamo addirittura quello che, in un regime democratico consolidato, si potrebbe chiamare "arresto del cittadino". Ma in tutti questi casi, salvo quello di una rivoluzione, in ultima istanza facciamo appello al potere dello stato. I nostri governanti politici, gli agenti della sovranità, hanno molto da fare (e da disfare). Nella loro veste ufficiale sono, e devono essere, attivi ovunque. Aboliscono i titoli ereditari, onorano gli eroi, pagano l'accusa — ma anche la difesa — dei criminali. Vigilano sul muro fra chiesa e stato. Regolano l'autorità dei genitori, celebrano matrimoni civili, fissano le quote degli alimenti. Definiscono la giurisdizione della scuola e pretendono che i bambini la frequentino. Proclamano e aboliscono le feste civili. Decidono come arruolare l'esercito. Garantiscono l'equità dei servizi pubblici e degli esami di abilitazione professionale. Bloccano gli scambi illegittimi, ridistribuiscono la ricchezza, agevolano l'organizzazione di sindacati. Stabiliscono l'ambito e il carattere delle forniture comunitarie. Accettano e respingono le richieste di cittadinanza. E, infine, tengono a freno, in tutte le loro attività, il loro stesso potere: assoggettano se stessi ai limiti costituzionali.

O almeno dovrebbero. Esteriormente agiscono per conto nostro e addirittura in nostro nome (col nostro consenso). Ma quasi dappertutto e quasi sempre i governanti politici fungono, in realtà, da agenti dei mariti e dei padri, delle famiglie aristocratiche, dei laureati o dei capitalisti. Il potere statale è colonizzato dalla ricchezza, o dal talento, o dal sangue, o dal sesso; una volta colonizzato, raramente conosce dei limiti. Oppure è esso stesso imperialistico, e i suoi agenti sono dei tiranni in proprio. Non sorvegliano le sfere distributive ma vi fanno irruzione; non difendono i significati sociali ma li calpestano. È la forma più evidente di tirannia, ed è la prima di cui mi occuperò. Le connotazioni immediate della parola *tiranno* sono politiche; il suo senso spregiativo deriva da secoli di oppressione di capi e di re — e, più recentemente, di generali e di dittatori. La sfera della politica è stata costruita, per quasi tutta la storia dell'umanità, in base ad un modello assolutistico nel quale il potere è monopolizzato da un'unica persona che impiega tutte le proprie energie a renderlo dominante, e non soltanto ai confini ma anche attraverso i confini, entro ogni singola sfera distributiva.

Usi bloccati del potere

È proprio per questo che si sono dedicate molte energie politiche e intellettuali al tentativo di limitare la convertibilità del potere e di restringerne l'uso, e di definire gli scambi bloccati della sfera politica. Come ci sono, almeno in linea di principio, cose che il denaro non può comprare, così ci sono cose che i rappresentanti della sovranità, i funzionari dello stato, non possono fare. O meglio: quando le fanno non esercitano, propriamente, il potere politico, ma soltanto la forza; agiscono senza copertura, senza autorità. La forza è il potere usato in modo da violare il suo significato sociale; e il fatto che generalmente sia usato proprio così non deve renderci ciechi alla sua natura tirannica. Thomas Hobbes, il grande difensore del potere sovrano sul piano filosofico, sosteneva che la tirannia non è che sovranità sgradita.[1] Non è inesatto, a patto però che si riconosca che questo sgradire non è dovuto a idiosincrasie, ma è comune agli uomini e alle donne che creano e popolano una determinata cultura politica: deriva da una concezione collettiva della natura e degli scopi della sovranità. Tale concezione è sempre complessa, piena di sfumature e, in vari punti, anche problematica. Tuttavia può essere presentata sotto forma di elenco, come l'elenco degli scambi bloccati. Oggi, negli Stati Uniti, tale elenco ha all'incirca questa forma:

1. La sovranità non si estende fino a rendere schiavi; i funzionari dello stato non possono impadronirsi delle persone dei loro sudditi (che sono anche loro concittadini), imporre loro dei servizi, imprigionarli o ucciderli — se non secondo procedure accettate dai sudditi stessi o dai loro rappresentanti e per ragioni che dipendono dalle concezioni collettive della giustizia penale, del servizio militare e via dicendo.

2. I diritti feudali di tutela e di matrimonio, rilevati per breve tempo dai monarchi assoluti, non rientrano nelle competenze morali e legali dello stato. I funzionari statali non possono controllare i matrimoni dei sudditi o interferire nelle loro relazioni personali e familiari o regolare il modo in cui crescono i proprio figli fra le mura domestiche;[2] né possono perquisire e sequestrare gli effetti personali dei sudditi o acquartierare truppe nelle loro case — se non secondo procedure, ecc.

3. I funzionari statali non possono violare le concezioni collettive di colpevolezza e innocenza, corrompere il sistema della giustizia penale, trasformare le pene in strumenti di repressione politica o usare pene crudeli ed insolite. (Inoltre sono vincolati, in modo analogo, dalle concezioni collettive della follia e della salute mentale e sono tenuti a rispettare il significato e lo scopo della terapia psichiatrica.)

4. I funzionari statali non possono vendere il potere politico o mettere all'asta singole decisioni, e non possono usare il proprio potere per promuovere gli interessi delle loro famiglie o distribuire le cariche governative a parenti o "amici".

5. Tutti i sudditi/cittadini sono uguali davanti alla legge, per cui i funzionari statali non possono agire in modi che discriminino gruppi razziali, etnici o religiosi, né in modi che degradino o umilino delle singole persone (se non in seguito a un procedimento penale); e non possono escludere nessuno da nessuno dei beni forniti dalla comunità.

6. La proprietà privata è protetta dalle tassazioni e dalle confische arbitrarie, e i funzionari statali non possono interferire col libero scambio e con le donazioni entro la sfera del denaro e delle merci, una volta che questa sia stata adeguatamente delimitata.

7. I funzionari statali non possono controllare la vita religiosa dei loro sudditi e non possono in nessun modo cercare di regolare le distribuzioni della grazia divina — e nemmeno del favore e dell'incoraggiamento di una chiesa o congregazione.

8. Anche se possono stabilire per legge un programma di studi, i funzionari statali non possono interferire nell'insegnamento effettivo di tale programma o vincolare la libertà degli insegnanti.

9. I funzionari statali non possono regolare o censurare i dibattiti in corso (non solo nella sfera politica, ma in tutte le sfere) sul significato dei beni sociali e sui giusti limiti delle loro distribuzioni. Perciò dovranno garantire la libertà di parola, di stampa e di riunione: le normali libertà civili.

Queste limitazioni stabiliscono i confini dello stato, e quelli di tutte le altre sfere con il potere sovrano. Generalmente concepiamo queste limitazioni in termini di libertà, e non a torto; ma esse hanno anche importanti conseguenze egualitarie. Infatti l'arroganza dei funzionari non è soltanto una minaccia per la libertà, è anche un insulto all'eguaglianza: contesta la posizione, e calpesta le decisioni dei genitori, dei membri di una chiesa, degli insegnanti e degli studenti, degli operai, dei professionisti, dei titolari di cariche, dei compratori e dei venditori, e dei cittadini in generale; favorisce la subordinazione di tutti i gruppi di persone a quell'unico gruppo che possiede o esercita il potere statale. Il governo limitato, come lo scambio bloccato, è dunque uno dei mezzi decisivi dell'eguaglianza complessa.

Conoscenza/potere

Ma il fatto che il governo sia limitato non ci dice niente su chi governa e non stabilisce la distribuzione del potere nella sfera della politica. Almeno in linea di principio, i limiti potrebbero essere rispettati da un re ereditario, da un despota benevolo, da un'aristocrazia terriera, da un comitato esecutivo capitalistico, da un regime di burocrati o da un'avanguardia rivoluzionaria. Esiste certamente un argomento a favore della democrazia ed è che i diversi gruppi di uomini e donne avranno più probabilità di essere rispettati se tutti i membri di tutti i gruppi partecipano al potere politico. È un argomento convincente, e ciò che lo fonda è connnesso alla nostra concezione collettiva della natura e dello scopo del potere; ma non è il solo argomento che abbia o pretenda di avere tale connessione. Nella lunga storia del pensiero politico le tesi più comuni intorno al significato del potere hanno avuto un carattere antidemocratico; e voglio esaminarle con attenzione, perché non c'è un bene sociale il cui possesso e il cui uso siano più importanti. Il potere non è un tipo di cosa che uno possa tenersi stretto o ammirare in privato, come fanno gli avari col loro denaro o gli uomini e le donne comuni coi loro oggetti favoriti. Il potere bisogna esercitarlo per goderlo; e quando qualcuno lo esercita, gli altri sono diretti, sorvegliati, manipolati, aiutati e feriti. E allora, chi deve possedere ed esercitare il potere statale?

A questa domanda ci sono solo due risposte intrinseche alla sfera politica: la prima è che il potere deve essere posseduto da chi meglio sa come usarlo; la seconda è che deve essere posseduto, o almeno controllato, da chi ne subisce più direttamente gli effetti. È giusto invece considerare estrinseche, non legate al significato sociale del potere, le rivendicazioni delle persone di buona famiglia o ricche. È per questo che probabilmente tali gruppi, se possono, si impadroniranno in una forma o nell'altra dell'argomento della conoscenza — per esempio, pretendendo di possedere un sapere particolare, inaccessibile alle famiglie di *parvenu* o a chi non ha una "posta in gioco" nel paese, degli interessi permanenti e a lungo termine della comunità politica. Anche la pretesa di essere stati insediati da Dio è un argomento estrinseco, tranne forse in quelle comunità di credenti in cui ogni autorità è concepita come un dono divino; e anche in comunità siffatte si dice, di solito, che quando Dio sceglie i Suoi rappresentanti terreni, ispira loro la conoscenza necessaria a governare i propri simili. Perciò i re per diritto divino sostenevano di avere una comprensione intuitiva del tutto particolare dei "misteri dello stato", e i santi puritani confondevano sistematicamente la luce interiore con l'intelligenza politica. Tutti gli argomenti a favore di un governo esclusivo, tutti gli argomenti antidemocratici, se sono seri, invocano un sapere speciale.

La nave dello stato

Il potere, dunque, viene assimilato alla carica, e ci si invita a cercare persone qualificate, a scegliere i governanti politici per cooptazione anziché per elezione, affidandoci a commissioni selezionatrici e non a partiti, campagne elettorali e dibattiti pubblici. Ma esiste un'assimilazione più antica che cattura più perfettamente l'essenza dell'argomento della conoscenza speciale: la definizione platonica della politica come *techné*, come arte o mestiere analogo alle usuali specializzazioni della vita sociale, benché infinitamente più difficile.[3] Come compriamo le scarpe da un artigiano esperto nel fare le scarpe, così dovremmo ricevere le leggi da un artigiano esperto nel governare. Anche qui ci sono dei "misteri dello stato" — dove *mistero* si riferisce alla conoscenza segreta (o almeno non immediatamente accessibile) che sta alla base di una professione o di un mestiere, come nella formula, assai comune nei contratti di apprendistato, "arte e misteri". Si tratta però di misteri di cui veniamo a conoscenza con l'apprendistato o con l'istruzione, e non grazie a un'ispirazione. In politica, come in medicina, nell'arte del navigare, nell'arte del calzolaio e via dicendo, siamo esortati a cercare i pochi che conoscono i misteri e non i molti che li ignorano.

Consideriamo il caso del pilota o del navigatore che sta al timone di una nave e ne guida la rotta (il termine *governatore* deriva da una traduzione latina dell'equivalente greco di "timoniere"). Chi dovremmo scegliere per questo ruolo? Platone immagina una nave democratica:

i marinai... altercano fra di loro per il governo della nave, ciascuno credendosi in diritto di governarla lui, mentre non ne ha mai appreso l'arte né può dichiarare con quale maestro e in quale tempo l'ha appresa; e inoltre affermano che quest'arte non si può insegnare, pronti anche a fare a pezzi chi la dica insegnabile...

Una nave ben pericolosa, e per due ragioni: per la lotta fisica per il controllo, che non ha un termine ovvio o definitivo e per la probabile incompetenza di ogni (temporaneo) vincitore. Quello che i marinai non capiscono è "che il vero pilota deve preoccuparsi dell'anno, delle stagioni, del cielo, degli astri, delle correnti d'aria e di tutti i problemi attinenti all'arte sua".[4] E lo stesso vale per la nave dello stato. I cittadini democratici altercano per il controllo del governo e così si mettono nei pericoli, mentre dovrebbero cedere il governo a quella persona che possieda la speciale conoscenza che "attiene" all'esercizio del potere. Una volta che sappiamo cos'è e a che cosa serve il timone, possiamo facilmente decrivere il pilota ideale; e una volta che sappiamo cos'è e a che cosa serve il potere politico, possiamo facilmente descrivere (come nella *Repubblica*) il governante ideale.

In realtà, tuttavia, più approfondiamo l'analisi del significato del potere e più è verosimile che l'analogia di Platone sia respinta. Noi ci affidiamo, infatti, al navigatore solo dopo aver deciso dove vogliamo andare; ed è questa decisione e non la scelta di una rotta determinata, che meglio illumina l'esercizio del potere. "La vera analogia," ha scritto Renford Bambrough in una ben conosciuta analisi dell'argomento platonico, "è fra la scelta di una politica da parte di un politico e la scelta di una destinazione da parte del proprietario o dei passeggeri di una nave."[5] Il pilota non sceglie il porto; la sua *techné* è del tutto irrilevante rispetto alla decisione che i passeggeri devono prendere, la quale riguarda i loro scopi individuali o collettivi e non "l'anno, le stagioni, il cielo, gli astri e le correnti d'aria". In un caso di emergenza, naturalmente, i passeggeri si atterranno alla massima "qualsiasi posto durante la tempesta", e quindi al giudizio del pilota circa il luogo più accessibile; ma anche in un caso del genere, se la scelta è ardua e i rischi difficili da calcolare, la decisione può benissimo essere lasciata loro. E una volta placata la tempesta vorranno sicuramente lasciare il rifugio imposto dalla necessità per la destinazione prescelta.

La politica concerne proprio le destinazioni e i rischi, e il potere non è che la capacità di risolvere questi problemi, non solo per se stessi, ma per gli altri. Naturalmente la conoscenza è essenziale per raggiungere una soluzione, ma non è e non può essere determinante. La storia della filosofia, della *techné* platonica, è una storia di discussioni sulle destinazioni desiderabili e sui rischi moralmente e materialmente accettabili. Sono discussioni condotte, per così dire, al cospetto dei cittadini; e solo i cittadini hanno l'autorità per dirimerle.

Per quanto riguarda la politica, ciò che i politici (i piloti) hanno bisogno di sapere è che cosa vuole il popolo (che cosa vogliono i passeggeri); e ciò che dà loro il potere di agire sulla base di tale conoscenza è l'autorizzazione del popolo stesso (dei passeggeri stessi). (È così anche per i calzolai: non possono riparare le mie scarpe senza il mio consenso, solo perché sanno come farlo.) La qualifica essenziale per l'esercizio del potere politico non è una speciale comprensione intuitiva dei fini dell'uomo ma un rapporto speciale con un particolare insieme di esseri umani.

Nel difendere l'idea di assegnare il potere ai filosofi, Platone illustrava — a suo dire — il significato del potere, o meglio dell'esercizio del potere, del governo, per analogia con l'arte del calzolaio, la medicina, l'arte del navigare e così via. Ma, ovviamente, non ne illustrava il significato comune, la concezione della politica dei suoi concittadini ateniesi. Costoro, infatti, o almeno la grande maggioranza, come membri attivi di una democrazia, dovevano credere in quello che Pericle affermò nell'orazione funebre e che Protagora sostenne nel dialogo socratico che porta il suo nome: che governare comportava scegliere dei fini, prendere delle "decisioni congiunte nel campo dell'eccellenza civile", e che la conoscenza necessaria a tale scopo era ampiamente diffusa.[6] "I nostri cittadini ordinari, benché occupati nella cura delle loro imprese, sono ugualmente giudici equi delle questioni pubbliche."[7] Di più: non ci sono e non possono esserci giudici migliori, perché il giusto esercizio del potere non è altro che il dirigere la *polis* in armonia con il senso civico dei cittadini. Per dei compiti speciali, naturalmente, si dovranno trovare persone con particolari conoscenze; gli ateniesi eleggevano i generali e i medici pubblici (anziché estrarli a sorte), più o meno, così come potevano "guardarsi attorno" prima di scegliere un calzolaio o ingaggiare un navigatore. Ma tutte queste persone sono gli agenti dei cittadini, non i loro signori.

Le istituzioni di disciplina

Pericle e Protagora esprimono la concezione democratica del potere, che generalmente è imperniata su quella che ho chiamata — anacronisticamente, se parliamo degli ateniesi — "sovranità": potere statale, potere civico, comando collettivo. Il potere, in questo senso, è costituito dalle capacità di prendere decisioni da parte dei cittadini, dalle loro volontà congiunte; e produce leggi e politiche le quali non sono altro che le sue articolazioni. Ma la questione dell'efficacia di queste articolazioni rimane aperta, e negli ultimi tempi si sente affermare sempre più spesso che la conoscenza promuove un genere di potere non controllabile dalla sovranità. Si ripropone così in una veste nuova (e di solito con uno spirito diverso) l'argomento platonico. Platone sosteneva che le persone versate nelle arti e nei misteri avevano diritto al potere e che gli uomini e le donne razionali si sarebbero inchinati alla loro autorità. Oggi si afferma che la conoscenza tecnica costituisce un potere a parte, distinto da quello sovrano, e che tutti noi, di fatto, ci inchiniamo a questo potere, pur essendo dei cittadini democratici partecipiamo, in teoria, dell'"autorità costituita" dello stato. La filosofia ha prevalso, finalmente, su quello che Michel Foucault chiama "il lato inferiore della legge" — o meglio, la scienza e la sociologia hanno prevalso, e siamo governati da esperti di strategia militare, medicina, psichiatria, pedagogia, criminologia e via dicendo.[8]

Per giustificarsi gli esperti usano argomenti platonici, ma non chiedono di governare lo stato (in realtà, non sono dei flosofi platonici): si accontentano di governare l'esercito, l'ospedale, il manicomio, la scuola e la prigione. Riguardo a queste istituzioni, i fini (o almeno un insieme minimo di fini) sembrano dati. Gli esperti dei nostri tempi, dunque, sono come il pilota di una nave la cui destinazione è già stata stabilita: a meno di emergenze che possano richiedere un cambiamento di rotta, sono loro al comando. Ma gli eserciti, gli ospedali, le prigioni, ecc., hanno la particolare caratteristica che i loro membri od ospiti sono esclusi, sia pure per ragioni diverse, da una piena partecipazione alle decisioni, anche (o soprattutto) durante le emergenze. È la generalità dei cittadini che deve prendere delle decisioni per conto loro, e i cittadini somigliano non tanto a passeggeri quanto a passeggeri possibili, ed è improbabile che dedichino molto tempo a questa incombenza. Perciò il potere degli esperti è particolarmente vasto e molto simile a quello dei re-filosofi di Platone, che sono per i loro sudditi quello che gli insegnanti sono per i bambini o, per usare un'altra analogia platonica, quello che i pastori sono per le pecore.

In realtà la distribuzione del potere negli eserciti, negli ospedali, nelle prigioni e nelle scuole (Foucault include anche le fabbriche, ma nelle fabbriche la rivendicazione del potere, in ultima analisi, è basata non sulla conoscenza ma sulla proprietà, e la esaminerò a parte) è diversa da quella richiesta in uno stato democratico. La conoscenza ha un ruolo bene distinto da svolgere; pretendiamo persone qualificate e le troviamo mediante una selezione, non un'elezione. Nel selezionare badiamo all'istruzione e all'esperienza, cioè agli equivalenti istituzionali della conoscenza delle stagioni, del cielo, degli astri e dei venti da parte del timoniere; ed è certamente vero che gli uomini e le donne istruiti ed esperti sono al riparo, in parte, dalle critiche dei profani. Come ho sostenuto nel capitolo 5, più la loro conoscenza è reconditia e misteriosa e più il loro riparo è efficace, il che costituisce un forte argomento a favore dell'educazione democratica la quale tuttavia non ha lo scopo di fare di ogni cittadino un esperto ma di segnare i confini del ruolo dell'esperto. Se un sapere specialistico favorisce il potere, non favorisce però un potere illimitato. Anche qui esistono degli usi bloccati del potere, derivanti dalle ragioni per le quali creiamo eserciti, ospedali, prigioni e scuole e dal nostro senso collettivo delle attività spettanti ai funzionari addetti.

Quell'accordo sulla destinazione che lascia al timoniere il comando della nave pone anche dei limiti a ciò che può fare: alla fine dovrà portare la nave in quel determinato posto. Analogamente, il nostro modo di concepire la finalità della prigione (e del significato della pena, nonché del ruolo sociale dei giudici, dei direttori e delle guardie carcerarie) pone dei limiti all'esercizio del potere entro le sue mura. Tali limiti, senza dubbio, vengono spesso violati; nel migliore dei casi la prigione è un luogo brutale, la *routine* quotidiana è crudele e spesso il direttore e le guardie sono tentati di renderla ancora più crudele. A volte, quando lo fanno, esprimono le loro stesse paure; a volte — dato che quelle stesse mura che imprigionano i condannati lasciano liberi il direttore e le guardie — esprimono in forma particolarmente virulenta l'insolenza della carica. Gli altri, però, possono riconoscere la violazione. Dato un resoconto delle condizioni di una prigione, si può però dire se il direttore ha abusato del suo potere; e i carcerati, quando affermano che lo ha fatto, fanno appello ai sovrani, alla legge e, in ultima istanza, alla coscienza civile dei cittadini. Il fatto che il direttore sia un esperto in criminologia non costituisce un argomento contro tale appello.

Le cose stanno allo stesso modo per gli ospedali e le scuole. I pazienti e i bambini sono particolarmente esposti all'esercizio del potere da parte di una persona competente che dichiari, non a torto, di agire per loro conto, nel loro interesse, per il loro stesso bene (futuro) e così via. Ora, una data teoria medica o tecnica pedagogica potrebbe benissimo richiedere una disciplina dura e sgradevole, un regime apparentemente bizzarro, un rigido controllo del soggetto. Anche qui, però, i limiti sono posti dalla nostra ferma convinzione che la terapia sia la cura di una *persona* (per cui non è come, per esempio, riparare una macchina) e che l'educazione sia la preparazione di un *cittadino*. Le leggi che impongono il consenso dei pazienti o che mettono a disposizione degli studenti i verbali scolastici sono tentativi di mettere in pratica queste convinzioni; vincolano le persone a un'interpretazione rigorosa della loro professione. La scienza e la sociologia generano dunque un tipo di potere che è utile e addirittura necessario in determinati contesti istituzionali, ma è sempre limitato dalla sovranità, che è a sua volta generata e determinata da una più ampia conoscenza dei significati sociali. I dottori e gli insegnanti (e i direttori di carceri, e perfino i generali) sono soggetti alla "disciplina" dei cittadini.

O (di nuovo) così dovrebbe essere. Uno stato rispettabile, i cui cittadini e funzionari credono nell'eguaglianza complessa, cercherà di conservare l'integrità di tutte le sue strutture istituzionali: di garantire che le prigioni siano luoghi di internamento dei criminali e non di detenzione preventiva o di sperimentazione scientifica; che le scuole non somiglino a prigioni; che nei manicomi siano ricoverate (e curate) le persone malate di mente e non quelle politicamente pericolose. Uno stato tirannico riprodurrà invece la tirannia in tutte le sue istituzioni. Forse distribuisce il potere alle persone sbagliate; ma è più probabile che permetta o favorisca concretamente l'uso del potere al di fuori dei suoi limiti. Prima o poi, nella nostra vita, tutti proviamo che cosa sia la soggezione a un professionista esperto; siamo tutti dei profani rispetto alla competenza da esperto di qualcun altro. Ciò non è dovuto soltanto o soprattutto a debolezza politica anche i ricchi di un paese capitalista sono studenti, pazienti, soldati, pazzi e, benché meno spesso di altre persone, carcerati, né con questo si perde necessariamente il potere per sempre. Di solito queste esperienze hanno una durata prestabilita e un termine noto: il diploma, la guarigione e così via. Inoltre ci protegge l'autonomia dei vari contesti istituzionali in cui esse hanno luogo. Le imitazioni tra i contesti, come nel "continuum carcerario" di Foucault, in cui tutte le istituzioni di disciplina somigliano a prigioni, rendono indistinti quei confini che promuovono la libertà e l'eguaglianza; e lo stesso si può dire del coordinamento verticistico ad opera dei funzionari statali. Sia l'imitazione che il coordinamento impongano, e in modo particolarmente forte, un regime tirannico alla vita quotidiana.[9] Ma la conoscenza specialistica non comporta di per sé la tirannia.

Proprietà/potere

La proprietà viene giustamente intesa come un certo tipo di potere sulle cose. Come il potere politico, essa consiste nella capacità di determinare destinazioni e rischi — ovvero, di dar via le cose o di scambiarle (entro certi limiti), nonché di tenersele e di usarle o abusarne, decidendo liberamente i costi in termini di consumo e usura. Ma la proprietà può anche comportare diversi tipi e gradi di potere sulle persone. Il caso estremo è quello della schiavitù, un caso che va molto al di là delle forme abituali di governo politico. Qui tuttavia mi occuperò non del possesso effettivo di esseri umani, ma del loro controllo mediato dal possesso di cose; si tratta di un genere di potere molto simile a quello esercitato dallo stato sui sudditi e dalle istituzioni di disciplina sui loro ospiti. La proprietà ha anche altre conseguenze, senza arrivare all'assoggettamento. Gli individui interagiscono l'uno con l'altro, e con le istituzioni, in molti modi diversi che riflettono l'ineguaglianza delle rispettive posizioni economiche in un certo momento. Io possiedo, per esempio, questo libro che a te piacerebbe avere, e sono libero di decidere se venderlo, prestarlo, dartelo o tenermelo. Noi organizziamo una fabbrica autogestita e decidiamo che le capacità del tale non lo rendono idoneo a diventarne membro. Tu raccogli i tuoi sostenitori e mi batti nella competizione per la direzione di un ospedale. La loro compagnia mette fuori gioco la nostra in una dura gara al ribasso per un appalto comunale. Sono degli esempi di brevi scontri; non vedo un modo di evitarli, a parte un assetto politico che sostituisca sistematicamente gli scontri degli uomini e delle donne con quella che Engels chiamò una volta "l'amministrazione delle cose" — una risposta ben dura a dei fatti che, dopo tutto, nelle sfere del denaro e della carica, sono normali. Ma quello che la sovranità comporta, e che la proprietà qualche volta raggiunge (fuori della propria sfera), è il controllo permanente sistematico delle destinazioni e dei rischi di altre persone; e ciò è una cosa ben più grave.

Non è facile individuare il punto esatto in cui il libero uso della proprietà si converte nell'esercizio di potere. Sono implicate, qui, delle questioni difficili e molte controversie politiche e accademiche.[10] Due ulteriori esempi, molto simili a quelli che si trovano nella letteratura, faranno luce su alcuni di questi problemi.

1. Perseguitati dagli insuccessi sul mercato, decidiamo di chiudere o trasferire la nostra fabbrica cooperativa, provocando così danni notevoli ai commercianti locali. Stiamo esercitando un potere su di essi? A mio avviso, non in modo determinante, anche se la nostra decisione potrebbe avere serie conseguenze sulla loro vita; e sicuramente non controlliamo la loro risposta alle nuove condizioni da noi create (ma non le abbiamo create soltanto noi: non siamo stati noi a decidere di fallire sul mercato). Tuttavia si potrebbe sostenere che, data la nostra adesione alla democrazia, avremmo dovuto rendere partecipi i commercianti della decisione, secondo la massima medievale, molto amata dai democratici moderni, *Ciò che tocca tutti deve essere deciso da tutti.* Ma se cominciamo a considerare tutti quelli che sono toccati o influenzati da una certa decisione, e non soltanto quelli le cui attività quotidiane sono determinate da essa, non si sa più dove fermarsi. Sicuramente dovremmo far partecipare anche i commercianti delle varie città in cui la fabbrica potrebbe trasferirsi, e tutte le persone interessate al benessere di tutti questi commercianti, e così via. In tal modo il potere verrebbe tolto a tutte le associazioni e le comunità locali e si concentrerebbe sempre di più nell'unica associazione a cui partecipano tutte le persone interessate, cioè lo stato (e in ultima analisi, se sviluppiamo coerentemente la logica del "toccare", lo stato planetario). Ma questo argomento indica semplicemente che il fatto che riguardi altre persone non può essere motivo sufficiente per distribuire dei diritti di partecipazione, non porta all'esercizio del potere nel senso politicamente rilevante.

Quando invece è lo stato a decidere di trasferire gli uffici distrettuali di uno dei suoi apparati burocratici, tale decisione, se viene contestata, deve essere dicussa mediante una procedura politica. Si tratta di uffici pubblici, finanziati con fondi pubblici, e forniscono servizi pubblici. Perciò una simile decisione vuol dire chiaramente esercitare il potere sulle persone che vengono tassate per costituire i fondi e che dipendono dai servizi. Per una ditta privata, non importa se a proprietà individuale o collettiva, le cose sono diverse; le sue relazioni coi clienti somigliano di più a dei brevi incontri. Se cercassimo di controllarle, per esempio, tenendo fermo che ogni insediamento o trasferimento va deciso attraverso una lotta politica, di fatto la sfera del denaro e delle merci insieme alle relative libertà, sarebbe eliminata. Qualsiasi tentativo del genere travalica il giusto raggio d'azione del governo (limitato). Ma che dire se la nostra fabbrica è la sola, o di gran lunga la più grande, della città? Allora la decisione di chiudere o di trasferirsi potrebbe avere effetti devastanti, ed in qualsiasi autentica democrazia le autorità politiche sarebbero spinte a intervenire. Potrebbero cercare di modificare le condizioni del mercato (per esempio, sovvenzionando la fabbrica), oppure comprare la nostra impresa o cercare un modo di attrarre nuove industrie in città.[11] Ma queste scelte riguardano più la prudenza politica che la giustizia distributiva.

2. Gestiamo la nostra fabbrica in modo da inquinare l'aria di gran parte della città in cui essa si trova, mettendo in pericolo la salute dei suoi abitanti. Giorno dopo giorno, imponiamo ai nostri concittadini dei rischi, e siamo noi a decidere, per ragioni tecniche e commerciali, che grado di rischio imporre. Ma imporre dei rischi, o almeno dei rischi di questo tipo, significa proprio esercitare un potere nel senso politico dell'espressione. Allora interverranno le autorità, difendendo la salute degli elettori o rivendicando il diritto di determinare, per conto degli elettori stessi, il grado di rischio che questi accetteranno.[12] Nemmeno in un caso del genere, tuttavia, le autorità si impegneranno in modo sistematico nei processi decisionali della fabbrica, ma si limiteranno a fissare o modificare i limiti che queste decisioni devono rispettare. Se noi, che gestiamo la fabbrica, riuscissimo a impedir loro di farlo — per esempio, minacciando di trasferirci — e a far sì che non ci siano limiti all'inquinamento, sarebbe sensato chiamarci tiranni. Eserciteremmo un potere violando la comune concezione (democratica) della natura del potere e della sua giusta distribuzione. Sarebbe diverso se non mirassimo a conservare i nostri margini di profitto, ma cercassimo soltanto di tenere a galla la fabbrica? Non ne sono sicuro; probabilmente in entrambi i casi dovremmo informare le autorità locali delle nostre condizioni finanziarie ed accettare la loro posizione sui rischi accettabili.[13]

Sono casi difficili, il secondo in particolare, e qui non cercherò di risolverli in modo dettagliato. In una società democratica è probabile che il confine della sfera del denaro e delle merci passi, grosso modo, fra un caso e l'altro, in maniera da comprendere il primo ma non il secondo. Tuttavia, supponendo che la fabbrica fosse proprietà di una cooperativa, ho semplificato radicalmente l'esposizione di due esempi, ed ora dovrò considerare più diffusamente il caso più comune, quello della proprietà privata. Ora gli operai della fabbrica non sono più agenti economici autorizzati a prendere un insieme di decisioni; solo i proprietari sono degli agenti di questo tipo, e gli operai, come gli abitanti della città, sono minacciati dagli insuccessi della fabbrica e dal suo inquinamento. Ma non ne sono soltanto "toccati", più o meno gravemente; essi fanno parte, al contrario degli abitanti della città, dell'impresa che provoca questi effetti, sono vincolati dalle sue regole. La proprietà costituisce un "governo privato" cui i lavoratori sono soggetti.* Dovrò dunque ritornare sulla natura di agente economico, già discussa sopra a proposito della determinazione dei salari.

Il contesto classico del governo privato era il sistema feudale, nel quale si riteneva che la proprietà terriera autorizzasse il proprietario a esercitare poteri disciplinari diretti (giudiziario e di polizia) sugli uomini e sulle donne che abitavano le sue terre — e ai quali, per di più, era fatto divieto di andarsene. Costoro non erano degli schiavi, ma nemmeno dei liberi affittuari. Nel migliore dei casi erano chiamati "sudditi"; il padrone delle terre era anche il loro signore, che li tassava e li arruolava nel suo esercito privato. Ci vollero anni di conflitti locali, potenziamento della monarchia e attività rivoluzionaria prima che fosse tracciata una demarcazione netta fra il possedimento e il regno, la proprietà e la politica. Solo ne 1789 i diritti feudali vennero formalmente aboliti e il potere disciplinare dei signori fu effettivamente socializzato. Le facoltà di tassare, giudicare e arruolare caddero fuori dalla nostra concezione del significato della proprietà: come ha scritto Marx, lo stato si era emancipato dall'economia.[16] Le implicazioni della proprietà furono ridefinite in modo da escludere certi tipi di decisione che, si pensava, potevano essere autorizzati solo dall'intera comunità politica, e questa ridefinizione stabilì una delle divisioni fondamentali su cui è attualmente organizzata la vita sociale. Da una parte ci sono le attività che chiamiamo "politiche", che comportano il controllo delle destinazioni e dei rischi, dall'altra le attività che chiamiamo "economiche", che comportano lo scambio di denaro e merci. Ma questa divisione, pur dando fama alla nostra concezione delle due sfere, di per sé non determina quello che accade al loro interno. In realtà, il governo privato sopravvive anche nell'economia postfeudale. La proprietà capitalistica genera tuttora un potere politico: se non sul mercato, dove gli scambi bloccati limitano, quanto meno, gli usi legittimi della proprietà, nella fabbrica stessa, il

---

* Esiste una letteratura molto estesa, sui governi privati, dovuta in gran parte a scienziati politici contemporanei che cercano (giustamente) di aprire dei nuovi campi.[14] Tuttora ritengo che le parole decisive siano state scritte da R.H. Tawney nel 1912: "Quello che voglio far capire è che l'uomo che dà lavoro governa tante persone quante ne impiega. Ha giurisdizione su di esse; occupa, in realtà, un ufficio pubblico; ha il potere non di incarcerare o mettere a morte... ma di più o meno ore di lavoro, di pancia piena e pancia vuota, di salute e malattia. La questione di *chi* abbia questo potere, di come sia qualificato a usarlo, di come lo stato controlli le sue libertà... questa è la questione che conta davvero, oggi, per l'uomo comune."[15]

cui funzionamento sembra richiedere una certa disciplina. Ma chi la impone a chi? È caratteristica essenziale dell'economia capitalistica che siano i proprietari a imporla ai non proprietari.

Si dice in genere che questo assetto sia giustificato dai rischi che la proprietà comporta e dall'attivismo imprenditoriale, dall'inventiva, dall'investimento di capitale che permettono di fondare, mantenere e ampliare un'impresa economica. Mentre la proprietà feudale era fondata sulla forza delle armi ed era mantenuta ed ampliata grazie al potere della spada (benché fosse anche scambiata ed ereditata), la proprietà capitalistica si basa su forme di attività intrinsecamente non coercitive e non politiche. La fabbrica moderna si distingue dal castello feudale perché gli uomini e le donne vi lavorano volontariamente, attirati dalla paga, dalle condizioni di lavoro, dalle prospettive per il futuro, ecc., offerte dal proprietario, mentre quelli che lavorano per il castello sono dei servi, dei prigionieri dei loro nobili signori. Tutto questo è abbastanza vero (almeno qualche volta), ma non permette di distinguere in modo soddisfacente i diritti di proprietà dal potere politico; infatti, tutto quello che ho appena detto delle imprese e delle fabbriche vale anche, se non sempre per gli stati, certamente per le città, grandi e piccole. Anche per creare queste sono necessarie energia imprenditoriale, spirito d'iniziativa e accettazione dei rischi; e anche queste reclutano e trattengono i loro abitanti, che sono liberi di andare e venire, offrendo loro un posto attraente in cui vivere. Ciò nonostante, qualsiasi pretesa di possedere una città dovrebbe allarmarci e la proprietà non è una base accettabile del potere politico nelle città. Se consideriamo attentamente perché non lo è, dovremo concludere, a mio avviso, che non dovrebbe essere accettabile nemmeno nelle fabbriche o nelle imprese. Ma qui abbiamo bisogno della storia di un imprenditore capitalistico che sia anche un fondatore politico e che cerchi di costruirsi un potere sulla base della sua proprietà.

Il caso di Pullman, Illinois

George Pullman era uno degli imprenditori di maggior successo nell'America del tardo Ottocento. Con le sue carrozze letto, ristorante e salone i viaggi in treno erano molto più comodi di prima e solo un poco più cari, e proprio su questa differenza Pullman aveva fondato la sua compagnia e aveva fatto fortuna. Quando decise di costruire un nuovo complesso di fabbriche con una città intorno, dichiarò che si trattava soltanto di un'altra impresa commerciale. Però le sue speranze, chiaramente, andavano più in là: sognava una comunità senza tensioni sociali e politiche, con operai soddisfatti e industrie senza scioperi.[17] Pullman appartiene dunque alla grande tradizione dei fondatori politici, anche se, a differenza dell'ateniese Solone, dopo avere realizzato i suoi piani non se ne andò in Egitto, ma rimase a gestire la città che aveva progettato. E che altro poteva fare, visto che era sua?

Pullman, Illinois, fu costruita su poco più di mille ettari di terra prospicienti il lago Calumet, appena a sud di Chicago, acquistati (con settantacinque transazioni individuali) al prezzo di ottocentomila dollari. La città fu fondata nel 1880 e in due anni fu sostanzialmente completata, secondo un singolo progetto unificato. Pullman (il padrone) non costruì solo delle fabbriche e dei dormitori come era stato fatto a Lowell, nel Massachusetts, circa cinquant'anni prima, ma costruì case private, file di villini e palazzi di appartamenti per sette-ottomila persone, ed inoltre negozi, uffici (in un'elaborata galleria), scuole, scuderie, parchi, un mercato, un albergo, una biblioteca, un teatro e perfino una chiesa: insomma, una città modello, una comunità pianificata. Ed ogni angolo di questa città era suo.

Uno straniero che arriva a Pullman alloggia in un albergo diretto da un dipendente di Mr. Pullman, va a un teatro in cui tutto il personale è al servizio di Mr. Pullman, beve acqua e brucia gas forniti dalle aziende dell'acqua e del gas di Mr. Pullman, noleggia l'equipaggiamento che gli serve dal direttore delle scuderie di Mr. Pullman, visita una scuola in cui ai figli dei dipendenti di Mr. Pullman insegnano altri dipendenti, riceve un assegno esigibile presso la banca di Mr. Pullman, non può comprare niente se non da negozianti affittuari di Mr. Pullman, e la notte vegliano su di lui dei vigili del fuoco che, dal capo in giù, sono tutti al servizio di Mr. Pullman.[18]

Questa descrizione è presa da un articolo del *New York Sun* (la città modello suscitò moltissimo interesse) ed è assolutamente esatta, a parte l'accenno alla scuola. In realtà, le scuole di Pullman erano gestite, almeno nominalmente, dalla giunta scolastica elettiva del comune di Hyde Park; inoltre la città era soggetta alla giurisdizione politica della contea di Cook e dello stato dell'Illinois. Ma non c'era un organismo governativo municipale. Quando un giornalista gli chiese come "governava" la gente di Pullman, Pullman rispose: "Li governiamo nello stesso modo in cui un uomo governa la sua casa, il suo negozio o la sua officina. È tutto abbastanza semplice."[19] Nella sua concezione governare era un diritto di proprietà e, nonostante il "noi" redazionale, era una sola persona a detenere ed esercitare questo diritto. Nella sua città Pullman era un autocrate; era molto sicuro su come dovevano vivere i suoi abitanti, e non dubitò mai del suo diritto di imporre le sue idee. L'interessavano — si deve precisare — l'aspetto e il comportamento della gente, non le convinzioni. "Non era necessario sottoscrivere nessun insieme di ideali prima di trasferirsi a Pullman." Una volta arrivati, però, si doveva vivere in un certo modo. Si potevano vedere dei nuovi venuti "seduti sugli scalini d'ingresso, il marito in maniche di camicia che fuma la pipa, la moglie in disordine che rammenda e i bambini mezzi nudi che giocavano lì vicino"; ma ben presto li si informava che queste cose erano inaccettabili, e, se non si correggevano, "venivano gli ispettori della compagnia e minacciavano di multarli".[20]

Pullman rifiutava di vendere sia la terra sia le case, così da conservare "l'armonia del progetto della città" e, presumibilmente, anche il controllo degli abitanti, tutti quelli che abitavano a Pullman (Illinois) erano affittuari di Pullman (George). La manutenzione delle case era rigidamente controllata; gli affitti potevano essere disdetti con un preavviso di dieci giorni. Pullman rifiutò addirittura ai cattolici e ai luterani svedesi il permesso di costruire delle chiese proprie, non per ostilità verso la loro religione (avevano il permesso di affittare delle stanze), ma perché la sua concezione della città prevedeva una sola chiesa, abbastanza sontuosa, che solo i presbiteriani potevano permettersi di affittare. E per ragioni abbastanza diverse, anche se per un'analoga passione per l'ordine, i liquori si trovavano solo nell'unico albergo della città, in un bar abbastanza lussuoso dove difficilmente semplici operai si sarebbero sentiti a proprio agio.

Ho messo in rilievo l'autocrazia di Pullman, ma potrei mettere in rilievo anche la sua benevolenza. Gli alloggi che forniva erano notevolmente migliori di quelli accessibili in genere agli operai americani nel decennio 1880-90; gli affitti non erano irragionevoli (in realtà i suoi margini di profitto erano decisamente bassi); gli edifici erano tenuti in buone condizioni e così via. Ma il punto cruciale è che ogni decisione, benevola o no, dipendeva da un uomo, governatore e anche proprietario, e non era stato scelto dalle persone che governava. Richard Ely, che visitò la città nel 1885 e scrisse su di essa un articolo su *Harper's Monthly*, la definì "non americana... un feudalesimo benevolo e benintenzionato".[21] Ma questa descrizione non era del tutto precisa, perché gli uomini e le donne di Pullman erano perfettamente liberi di venire e di andarsene; ed erano anche liberi di abitare fuori città e di lavorare nelle sue fabbriche facendo i pendolari, anche se nei momenti difficili gli affittuari di Pullman erano chiaramente gli ultimi a essere licenziati. Questi affittuari sono da considerare come i soggetti di un'impresa capitalistica che si è semplicemente estesa dalla produzione alla proprietà immobiliare e ha imposto la disciplina di fabbrica anche in città. Che cosa c'è mai di sbagliato?

Questa è una domanda retorica, ma forse vale la pena rispondere dettagliatamente. Gli abitanti di Pullman erano lavoratori ospiti, e tale status non è compatibile con una politica democratica. George Pullman ingaggiò una popolazione di meteci, e questo in una comunità politica in cui il rispetto di sé era strettamente legato alla cittadinanza e si presumeva che le decisioni sulle destinazioni e sui rischi, anche (o soprattutto) a livello locale, fossero condivise. Perciò somigliava più a un dittatore che a un signore feudale: Pullman governava con la forza. I fastidi che i suoi ispettori davano agli abitanti erano delle intrusioni, degli atti tirannici, e non potevano certo essere vissuti in un altro modo.

Ely sosteneva che il possesso della città da parte di Pullman rendeva i suoi abitanti un po' meno cittadini americani: "Si ha l'impressione di mescolarsi con un popolo dipendente e servile." Evidentemente egli non vide segni premonitori del grande sciopero del 1894, né del coraggio e della disciplina degli scioperanti.[22] Il suo articolo fu scritto nei primi anni della storia della città e forse gli abitanti avevano bisogno di tempo per mettere radici e per imparare ad avere fiducia gli uni negli altri prima di osare opporsi al potere di Pullman; ma quando poi scioperarono, lo fecero tanto contro il suo potere in fabbrica quanto contro il suo potere nella città. In effetti, i capireparto di Pullman erano ancora più tirannici dei suoi rappresentanti e degli ispettori. Sembra strano esaminare la duplice disciplina della città modello e condannarne solo una metà, eppure questa fu la posizione corrente. Quando, nel 1898, la Corte Suprema dell'Illinois ordinò alla Pullman Company (George Pullman era morto da un anno) di rinunciare a tutte le proprietà che non venivano usate per scopi produttivi, sostenne che il possesso di una città (ma non di una compagnia) "era incompatibile con la teoria e lo spirito delle nostre istituzioni".[23] La città doveva essere governata democraticamente, non tanto perché il suo possesso rendesse servili gli abitanti, quanto perché li costringeva a lottare per diritti che come cittadini americani possedevano già.

È vero che la lotta per i diritti nella fabbrica era una lotta più nuova, se non altro perché le fabbriche erano istituzioni più nuove delle città; io sostengo, tuttavia, che per quanto riguarda il potere politico le distribuzioni democratiche non possono fermarsi ai cancelli delle fabbriche. I princìpi di fondo sono gli stessi per entrambi di tipi di istituzioni, e questa identità è la base morale del movimento operaio — non del "sindacalismo", che ha una base diversa, ma di ogni richiesta di progresso verso una democrazia industriale. Simili richieste non implicano che non debbano esserci proprietari di fabbrica, né gli oppositori del feudalesimo sostennero mai che non dovevano esserci proprietari terrieri. Si può addirittura ammettere che tutti gli abitanti di una città (piccola) paghino l'affitto, ma non che rendano omaggio a uno stesso padrone di casa. In tutti questi casi il problema non è l'esistenza della proprietà, ma ciò che essa implica. La democrazia richiede che la proprietà non abbia valenza politica, che non si converta in sovranità, autorità di comando, controllo sistematico di uomini e donne, eccetera. A quanto pare, almeno dopo il 1894, quasi tutti gli osservatori erano d'accordo che era antidemocratico che Pullman possedesse la città. E che possedesse la fabbrica non lo era? Questa insolita giustapposizione invita ad un confronto interessante.

I due casi non si differenziano per l'intuito imprenditoriale, l'energia, l'inventiva, ecc., profusi nella costruzione delle carrozze letto, ristorante e salone di Pullman, dato che le stesse qualità furono impiegate anche nella costruzione della città. Anzi, era proprio questo il vanto di Pullman: il suo "'sistema', che aveva avuto successo nei trasporti ferroviari, ora veniva applicato ai problemi del lavoro e della casa."[24] E se questa applicazione non produce un potere politico in un caso, perché dovrebbe produrlo nell'altro?*

Né i due casi si differenziano per l'investimento di capitali privati nell'azienda. Pullman investì capitali anche nella città, ma non per questo acquisì il diritto di governarne gli abitanti. È come per coloro che comprano buoni comunali: non per questo diventano padroni del comune, e se non vivono e votano nella città, non possono nemmeno partecipare alle decisioni su come spendere il loro denaro. Non hanno diritti politici mentre invece li hanno i residenti, investitori o no, e non si vede perché non fare la stessa differenza per le associazioni economiche, distinguendo chi vi investe denaro da chi ne fa parte, il giusto profitto dal potere politico.

Per finire, la fabbrica e la città non sono diverse perché uomini e donne vanno a lavorare nella prima volontariamente, pienamente consapevoli delle sue norme e regole. Si trasferiscono anche in una città volontariamente; e né in un caso né nell'altro sono pienamente consapevoli delle norme prima di averne fatto una certa esperienza. In ogni caso, la residenza non comporta il consenso a norme despotiche, nemmeno se queste sono note fin da prima; e un'immediata partenza non è il solo modo di esprimere la propria opposizione. Ci sono, in realtà, delle forme associative per le quali potrebbe plausibilmente valere il contrario. Per esempio, un uomo che entra in un ordine monastico che esiga un'obbedienza rigida e senza discussioni sceglie un modo di vivere, non un luogo in cui vivere (o lavorare). Non gli porteremmo il rispetto dovuto se rifiutassimo di riconoscere la forza della sua scelta, che ha proprio lo scopo e l'effetto morale di autorizzare le decisioni dei suoi superiori; quell'uomo non può ritirare tale autorizzazione senza ritirarsi egli stesso dalla vita in comune che essa rende possibile. Ma non si può dire lo stesso di un uomo o di una donna che entri in un'azienda o vada a lavorare in una fabbrica; qui la vita in comune non è così onnicomprensiva e non impone di accettare l'autorità senza discutere. Rispettiamo il nuovo lavoratore solo se assumiamo che non sia venuto a cercare la soggezione politica. Naturalmente troverà — come già sapeva — dei capireparto e delle guardie aziendali, ed è possibile che il successo dell'impresa richieda

---

*Ma forse era la competenza di Pullman e non il suo intuito, la sua energia, eccetera, a giustificarne il governo autocratico. Forse le fabbriche dovrebbero essere assimilate alla categoria degli istituti di disciplina e organizzate scientificamente da managers; ma si potrebbe sostenere la stessa cosa anche per le città. Anzi, i consigli comunali assumono spesso managers professionisti che, tuttavia, sono soggetti all'autorità dei consiglieri eletti. I managers delle fabbriche sono soggetti, anche se spesso in modo non effettivo, all'autorità dei proprietari. Così il problema diventa: perché i proprietari e non i lavoratori (o i loro rappresentanti eletti)?

la sua obbedienza, così come il buon funzionamento di una città richiede che i cittadini obbediscano ai pubblici funzionari. Ma né in un caso né nell'altro vorremmo dire (mentre potremmo dirlo al novizio): se questi funzionari e gli ordini che danno non ti piacciono, puoi sempre andartene. È importante che ci siano altre possibilità prima di doversene andare, legate alla nomina dei funzionari e alla istituzione delle norme che essi fanno rispettare.

Ci sono altri tipi di organizzazione che pongono problemi più difficili. Consideriamo un esempio usato da Marx nel terzo volume del *Capitale* per illustrare la natura dell'autorità in una fabbrica comunista. Il lavoro cooperativo richiede, scrive Marx, "una sola volontà che comandi", e questa volontà viene paragonata a quella di un direttore d'orchestra.[25] Il direttore presiede a un'armonia di suoni e anche, sembra pensare Marx, a un'armonia di musicisti. È un paragone imbarazzante, perché spesso i direttori d'orchestra sono dei despoti. La loro volontà deve comandare? Forse sì, perché l'orchestra deve esprimere un'unica interpretazione della musica che esegue, ma è più facile che l'organizzazione del lavoro in una fabbrica sia negoziata. Né gli orchestrali devono cedere al direttore riguardo a tutti gli aspetti della loro vita di gruppo: possono pretendere di aver voce in capitolo, e non poca, negli affari dell'orchestra, pur accettando, quando suonano, di essere comandati dalla volontà del direttore.

Ma i membri di un'orchestra, come gli operai di una fabbrica, pur passando molto tempo insieme, non abitano insieme; e forse la linea di divisione fra politica ed economia c'entra con la differenza fra residenza e lavoro. Pullman unificò le due cose, assoggettò residenti e lavoratori allo stesso governo. Ma è sufficiente che i residenti si governino da sé e soltanto i lavoratori siano soggetti al potere della proprietà, che i residenti siano cittadini e i lavoratori meteci? Senza dubbio l'autogoverno dei residenti è considerato, in genere, una questione di primaria importanza: è per questo che il potere del padrone di casa sugli inquilini è tanto inferiore a quello del proprietario di una fabbrica sugli operai. Gli uomini e le donne devono controllare collettivamente il luogo in cui abitano per stare al sicuro in casa propria. *La casa di un uomo è il suo castello*: assumerò che questa antica massima esprima un imperativo morale autentico. Ma essa richiede non tanto l'autogoverno politico della sfera domestica, quanto la sua protezione legale — e non solo dagli interventi economici, ma anche da quelli politici. Abbiamo bisogno di uno spazio in cui ritirarci, riposare, stare in intimità e (qualche volta) in solitudine. Come un barone feudale si ritirava nel suo castello per rimuginare sugli affronti, così io mi ritiro a casa mia. Ma la comunità politica non è, o non è soltanto, un insieme di posti per rimuginare; è anche un'impresa comune, un luogo pubblico dove discutiamo insieme sull'interesse pubblico, stabiliamo obiettivi e dibattiamo quali rischi siano accettabili. Nella città modello di Pullman non c'era niente di tutto questo, prima che l'Unione ferroviaria americana desse l'opportunità e il posto ai lavoratori e ai residenti dove discutere insieme pubblicamente.

Da questo punto di vista un'impresa economica appare molto simile a una città, pur essendo — o anche, poiché è — tanto diversa da una casa. È un luogo non di riposo e di intimità, ma di azione cooperativa; è un luogo dove non ci si ritira, ma dove si prendono decisioni. Se è probabile che padroni di casa con potere politico si ingeriscano nella vita familiare è anche probabile che proprietari con potere politico si comportino coercitivamente verso le persone. Forse la prima cosa è peggiore della seconda, ma questo confronto non permette di distinguerle in modo essenziale: istituisce solo una differenza di grado. Le ingerenze e la coercizione sono rese possibili, allo stesso modo, da una cosa più fondamentale: l'usurpazione di un'impresa comune e il sostituirsi alle decisioni collettive da parte del potere della proprietà. E in questo caso nessuna delle solite giustificazioni appare adeguata. Pullman ne rivelò i punti deboli pretendendo di governare la città che possedeva così come governava le fabbriche che possedeva. In effetti i due tipi di governo erano simili, ed entrambi somigliavano a ciò che intendiamo, generalmente, per politica autoritaria. Il diritto di imporre multe corrispondeva alla tassazione, quello di sfrattare gli inquilini o licenziare i lavoratori corrispondeva (in parte) alle condanne penali. Ogni norma era emanata ed imposta, senza dibattito pubblico, da funzionari nominati, non eletti. Non esistevano procedure giudiziarie regolari, forme di opposizione legittime e canali di partecipazione, o anche di protesta. Se simili cose sono ingiuste per le città, lo sono anche per le compagnie e le fabbriche.

Immaginiamo ora che Pullman o i suoi eredi decidano di trasferire la loro città/fabbrica. Hanno ammortizzato l'investimento iniziale e trovano più promettente un altro luogo; oppure sono interessati a un altro progetto, a un modello migliore per una città modello, e vogliono metterlo alla prova. La decisione, sostengono, spetta soltanto a loro perché la città/fabbrica è soltanto loro; né gli abitanti né i lavoratori hanno voce in capitolo. Ma questo come può essere giusto? Sicuramente sradicare una comunità, imporre una migrazione su grande scala, privare le persone delle case in cui hanno vissuto per molti anni, sono atti politici, e di un tipo abbastanza radicale. Prendere quella decisione è un esercizio di potere; e se gli abitanti della città dovessero semplicemente sottomettersi, penseremmo che non sono dei cittadini che rispettano se stessi. E che dire dei lavoratori?

Quali assetti politici dovrebbero cercare i lavoratori? Il governo politico implica una certa autonomia, ma non è sicuro che l'autonomia sia possibile in una singola fabbrica, o anche in un gruppo di fabbriche. Gli abitanti di una città sono anche i consumatori dei beni e dei servizi forniti dalla città stessa; e, a parte visitatori occasionali, sono i soli consumatori. Gli operai di una fabbrica, invece, sono dei produttori di beni e servizi, solo qualche volta sono i consumatori, e non sono mai i soli consumatori. Inoltre sono vincolati da strette relazioni economiche con altre fabbriche che riforniscono o dai cui prodotti dipendono. I proprietari privati entrano in rapporto tra di loro attraverso il mercato. In teoria, le decisioni economiche non sono politiche e vengono coordinate senza intervento delle autorità; nella misura in cui questa teoria è vera, le cooperative di lavoratori si inserirebbero semplicemente nella rete delle relazioni di mercato. In realtà, però, le sfuggono sia le collusioni dei proprietari fra di loro, sia la loro capacità collettiva di ottenere l'aiuto dei funzionari statali. Allora, la giusta sostituzione è una democrazia industriale organizzata a livello nazionale e anche a quello locale. Ma come sarà possibile una distribuzione di potere capace di tenere conto sia della necessaria autonomia delle aziende e imprese, sia dei loro legami pratici? È una domanda che ritorna spesso nella letteratura sul controllo operaio, e a cui si sono date varie risposte. Io non tenterò di darle una nuova risposta o di negarne le difficoltà; voglio solo sottolineare che i tipi di assetti richiesti in una democrazia industriale non sono poi tanto diversi da quelli richiesti in una democrazia politica. Le città, a meno di essere degli stati indipendenti, non sono mai totalmente autonome; non hanno un'autorità assoluta nemmeno sui beni e i servizi che producono per il consumo interno. Oggi, negli Stati Uniti, le inseriamo in una struttura federale e regoliamo i loro poteri in materia di istruzione, giustizia penale, uso dell'ambiente e così via. Anche le aziende e le imprese dovrebbero essere inserite e disciplinate (e tassate) in modo analogo. In un'economia sviluppata, come in una struttura politica sviluppata, decisioni diverse sarebbero prese da gruppi diversi di persone a livelli di organizzazione diversi. In entrambi i casi la divisione del potere è soltanto in parte una questione di principio; è anche un questione di circostanze e convenienza pratica.

Il discorso è simile per gli assetti costituzionali all'interno delle imprese ed aziende. Ci saranno molte difficoltà nell'elaborare tali assetti, ci saranno false partenze ed esperimenti falliti, proprio come nella storia delle città. Né dobbiamo aspettarci che esista un unico assetto adeguato. Democrazia diretta, rappresentanza proporzionale, collegio uninominale, rappresentanti con mandato vincolante o mandato libero, legislature bicamerali e unicamerali, organizzazione manageriale della città, commissioni regolatrici, associazioni di diritto pubblico — le decisioni politiche sono e continueranno ad essere organizzate in molti modi diversi. La cosa importante è che si sappia che sono politiche, che sono un esercizio di potere e non libero uso della proprietà.

Oggi ci sono molte persone che presiedono imprese che impegnano centinaia o migliaia di loro concittadini, e che dirigono e controllano la vita lavorativa dei loro simili e si esprimono esattamente come George Pullman: io governo queste persone nello stesso modo in cui un uomo governa le cose che possiede. Costoro sbagliano, fraintendono le prerogative della proprietà (e del fondare, investire e correre rischi) e rivendicano un potere al quale non hanno diritto.

Non vogliamo con questo negare l'importanza dell'attività imprenditoriale. Sia nelle aziende che nelle città c'è bisogno di persone come Pullman, ricche di energia e di idee, disposte ad innovare e a correre dei rischi e capaci di organizzare grandi progetti. Sarebbe stupido creare un sistema che non le favorisca; persone così non servono a niente se se ne stanno nei loro castelli a rimuginare. Ma niente di ciò che fanno dà loro il diritto di governare gli altri, a meno di conquistare il loro consenso. A un certo punto del suo sviluppo, dunque, un'impresa dovrà essere sottratta al controllo imprenditoriale e organizzata o riorganizzata in modo politico, in base alla concezione (democratica) prevalente di come va distribuito il potere. Spesso si sente dire che nessun imprenditore economico si farà mai avanti se non può sperare di possedere l'azienda che fonderà; ma questo è come dire che nessuno cercherebbe la grazia o la conoscenza divina se non sperasse di entrare in possesso di (e poi di trasmettere agli eredi) una chiesa o un "santo *commonwealth*", o che nessuno fonderebbe nuovi ospedali o scuole sperimentali se non sperasse di lasciarli in eredità ai figli, o, ancora, che nessuno finanzierebbe innovazioni e riforme politiche se non fosse possibile possedere lo stato. Il fine della vita politica o religiosa non è la proprietà; esistono altri fini, attraenti e perfino avvincenti. Infatti, se Pullman avesse fondato una città migliore, avrebbe potuto conquistare quella stima che uomini e donne hanno considerato, più di una volta, come il fine più alto dell'agire umano. Se poi voleva anche il potere, avrebbe dovuto candidarsi a sindaco.

La cittadinanza democratica

Una volta che abbiamo collocato al loro posto la proprietà, la competenza, la conoscenza religiosa e così via, nella sfera politica non rimane alternativa alla democrazia. Soltanto una concezione indifferenziata dei beni sociali — per esempio, grosso modo, quella che potrebbero avere i teocrati o i plutocrati — può giustificare forme di governo non democratiche. Perfino un regime militare, basato, apparentemente, sulla pura e semplice affermazione della forza deve pretendere qualcosa di più impegnativo, e cioè che la forza militare e il potere politico siano in realtà la stessa cosa, che sia possibile governare gli uomini e le donne solo con la minaccia e la costrizione fisica, e che perciò il potere dev'essere dato ai (se ancora non è stato preso dai) militari più efficienti. Anche questo è un argomento basato su di una conoscenza specialistica: infatti chi deve governare non è un militare qualsiasi, ma chi sa meglio organizzare le truppe e usare le armi. Ma se concepiamo la forza militare in modo più ristretto — come

Platone, che sottometteva i custodi ai filosofi — possiamo assegnare dei limiti anche al governo militare. Il miglior soldato governerà l'esercito, non lo stato. E, analogamente, se abbiamo un concetto della filosofia più ristretto di quello platonico, giungeremo alla conclusione che i migliori filosofi potranno governare le nostre speculazioni, ma non le nostre persone.

Devono essere i cittadini a governare se stessi. Il nome di tale governo è "democrazia", ma questa parola non descrive un sistema semplice; né la democrazia è la stessa cosa dell'eguaglianza semplice. In effetti, il governo non può mai essere egualitario nel senso semplice del termine, perché, in ogni momento, qualche persona o qualche gruppo dovrà prendere una decisione su questo o quel problema ed imporla, ed altre persone o altri gruppi dovranno accettare la decisione e subire l'imposizione. La democrazia è un modo di distribuire il potere e di legittimarne l'uso — meglio: è *il modo politico* di distribuire il potere. Qualsiasi ragione estrinseca viene esclusa e quello che conta è la discussione fra cittadini. La democrazia premia il saper parlare e convincere, l'abilità retorica. In teoria, l'ha vinta il cittadino che parla in modo più convincente — cioè quello che di fatto convince il maggior numero di concittadini. Ma non può usare la forza, sfruttare il suo ceto o distribuire denaro; deve parlare dei problemi in questione. E anche tutti gli altri cittadini dovranno parlare, o avere almeno la possibilità di farlo. Per il regime democratico, tuttavia, non è determinante soltanto il fatto che tutti vi partecipino, è altrettanto importante quello che potremmo chiamare la regola delle ragioni. I cittadini entrano nel foro portando con sé solo i propri argomenti: tutti i beni non politici — armi e portafogli, titoli e gradi — vanno lasciati fuori.

La democrazia, secondo Thomas Hobbes, "non è altro che un'aristocrazia di oratori, interrotta a volte dalla monarchia di un oratore solo."[26] Hobbes pensava al parlamento ateniese e a Pericle. Nelle condizioni attuali si dovrebbe tener conto di una varietà di contesti molto maggiore — comitati, commissioni elettorali, partiti, gruppi d'interesse e così via — e quindi anche di una maggiore varietà di stili retorici. Da tempo il grande oratore ha perso la sua autorità. Ma sicuramente Hobbes era nel giusto quando sottolineava che i singoli cittadini partecipano in misura diversa ai processi decisionali. Alcuni sono più determinanti di altri, hanno maggiore influenza. Anzi è difficile vedere come se questo non fosse vero, se tutti i cittadini avessero, letteralmente, la stessa influenza, si potrebbero mai raggiungere delle decisioni chiare e nette. Se i cittadini devono darsi la propria legge, i loro dibattiti devono sfociare in qualche modo in una *legge*; e quest'ultima, per quanto possa riflettere una molteplicità di compromessi, nella sua forma conclusiva sarà più vicina ai desideri di alcuni che a quelli di altri, ed è probabile che una decisione assolutamente democratica si avvicini soprattutto ai desideri dei cittadini politicamente più abili. La democrazia politica è un monopolio dei politici.

La lotteria ateniese

Un modo di evitare questo monopolio è quello di scegliere i funzionari per sorteggio; si tratta di eguaglianza semplice nella sfera della carica, e ho già considerato alcune delle sue versioni moderne. Ma vale la pena concentrarsi per un momento sull'esempio ateniese, che illustra chiaramente come il potere politico sfugga a questo tipo di eguaglianza. Non voglio negare, con questo, il grande egualitarismo della democrazia ateniese: molti funzionari, cui erano affidate responsabilità civiche importanti, erano scelti per sorteggio. In verità, i sorteggiati dovevano sostenere una specie di esame prima di potere assumere tali responsabilità; le domande che venivano poste erano le stesse per tutti i cittadini e tutti gli incarichi, e miravano soltanto ad accertare che i potenziali funzionari fossero dei cittadini con una buona posizione e che avessero assolto ai propri doveri politici e familiari. L'esame "non controllava in alcun senso la capacità della persona di ricoprire la carica per la quale era stata sorteggiata".[27] Si assumeva che tutti i cittadini possedessero tale capacità. E l'assunzione, a quanto pare, era giustificata. In ogni caso, il lavoro era svolto, e in modo efficiente, da cittadini scelti a caso, uno dopo l'altro.

Tuttavia le cariche principali, quelle che richiedevano la più ampia discrezionalità, non erano distribuite in questo modo, né, cosa più importante, erano scelte in questo modo le leggi e le politiche. Nessuno propose mai di concedere ad ogni cittadino di "candidare" una politica o scrivere un progetto di legge da presentare a una lotteria generale. Una simile procedura di determinazione delle mete e dei rischi della comunità sarebbe apparsa irresponsabile e arbitraria. Invece, il parlamento dibatteva le diverse proposte; o meglio, le dibatteva l'aristocrazia degli oratori, mentre la massa dei cittadini ascoltava e votava. Con il sorteggio si distribuiva il potere amministrativo, non il potere politico vero e proprio.

In una democrazia il potere politico viene distribuito per mezzo della discussione e del voto. Ma il voto stesso non è già una sorta di potere, distribuito dalla regola dell'eguaglianza semplice? Forse è una sorta di potere, ma non c'entra niente con la capacità di determinare destinazioni e rischi. È un altro esempio di come la regola dell'eguaglianza semplice svaluti il bene che governa. Un singolo voto rappresenta, come diceva Rousseau, una 1/n parte di sovranità.[28] In un'oligarchia è una parte considerevole; in una democrazia, e specialmente in un'attuale democrazia di massa, è una parte veramente piccola. Tuttavia il voto è ugualmente importante, perché serve sia a simboleggiare l'appartenenza, sia a darle un significato concreto. "Un cittadino/un voto" è l'equivalente funzionale, nella sfera della politica, della regola contro l'esclusione e la degradazione nella sfera dell'assistenza, del principio di eguale considerazione nella sfera della carica e della garanzia di un posto a scuola per ogni bambino nella sfera dell'istruzione. È il fondamento di ogni attività distributiva e la cornice inevitabile entro la quale vanno compiute le scelte. Ma le scelte si devono ancora compiere; esse dipendono non dai singoli voti ma dall'accumulazione di voti, e quindi dall'influenza, persuasione, pressione, contrattazione, organizzazione e così via. È impegnandosi in attività come queste che i politici, che si presentino come capi o come mediatori, esercitano il loro potere.

Partiti e primarie

Il potere "appartiene" alla capacità di convincere, e perciò i politici non sono dei tiranni, finché la loro sfera d'influenza è adeguatamente limitata e la loro capacità di convincere non è costituita dal "parlare di soldi" o dalla deferenza verso la nascita e il sangue. Ciò nonostante, i democratici sono sempre stati diffidenti con i politici e da molto tempo cercano un modo di rendere più effettiva l'eguaglianza semplice nella sfera della politica. Per esempio potremmo andicappare i nostri concittadini più convincenti limitando il numero degli interventi loro consentiti in una discussione o costringendoli a parlare alle riunioni con dei sassolini in bocca, come si esercitava Demostene sulla spiaggia.[29] Oppure, più plausibilmente, potremmo eliminare del tutto le riunioni e proibire i circoli e i partiti che i politici organizzano perché la loro capacità di convincere sia produttiva. È a questo che mira l'argomento di Rousseau secondo cui i cittadini arriverebbero sempre a una buona decisione se, "essendo provvisti delle opportune informazioni ... non comunicassero tra di loro". Allora ognuno penserebbe "soltanto i propri pensieri"; non ci sarebbe spazio per la persuasione o l'organizzazione, né verrebbe premiata la capacità di fare un discorso o di manovrare un comitato; invece di un'aristocrazia di oratori prenderebbe forma un'autentica democrazia di cittadini.[30] Ma chi fornirebbe le informazioni necessarie? E se ci fossero dei dissensi su quali siano da considerare "opportune"?

In realtà, la politica è inevitabile, e anche i politici lo sono. Anche se non parliamo l'uno con l'altro, qualcuno dovrà parlare a ciascuno di noi, non solo per fornire fatti e cifre, ma anche per difendere delle posizioni. La tecnologia moderna rende possibile una cosa del genere in quanto è in grado di mettere i singoli cittadini direttamente in contatto, o in una situazione che sembra equivalente, con le decisioni politiche e i candidati alle cariche. Così potremmo organizzare dei referendum su questioni cruciali in cui i cittadini, da soli nel loro soggiorno, guardando la televisione e discutendo solo col coniuge, tengano la mano su una macchina per votare privata e votino premendo un bottone. E potremmo organizzare candidature ed elezioni nazionali esattamente allo stesso modo: un dibattito televisivo ed un voto immediato. Questo sarebbe quasi avere l'eguaglianza semplice nella sfera della politica (naturalmente ci sarebbero quelle altre persone che parlano alla televisione); ma sarebbe l'esercizio del potere? Direi piuttosto che sarebbe solo un altro esempio di erosione del valore, un modo falso e in ultima analisi degradante di partecipare alle decisioni.

Confrontiamo per un momento due metodi molto diversi di scegliere i candidati alla presidenza: la primaria e la convenzione di partito. I democratici e gli egualitari hanno chiesto primarie più numerose e più aperte (in cui i votanti siano liberi di scegliere il contesto partitico di partito cui intendono partecipare) e a livello regionale o nazionale, anziché di stato. Anche in questo caso lo scopo è di minimizzare l'influenza delle organizzazioni e dei meccanismi di partito, dei politici con posizioni consolidate, e via dicendo, e di massimizzare quella dei singoli cittadini. Il primo effetto viene sicuramente raggiunto. Una volta istituite le primarie, e specialmente le "primarie aperte", le organizzazioni a livello statale e locale perdono il controllo della situazione. Il candidato lancia il suo appello non attraverso una complicata struttura, ma attraverso i mass media. Non negozia coi leaders locali, non parla ai *caucus* dei dirigenti di partito, non stringe alleanze con gruppi d'interesse costituiti; invece, chiede i voti, per così dire, a uno a uno, a tutti i votanti che si sono registrati, indipendentemente dalla loro adesione al partito, dalla fedeltà ai suoi programmi o dalla disponibilità a lavorare per il suo successo. E gli elettori, a loro volta, incontrano il candidato solo sullo schermo della televisione, senza mediazioni politiche. Il voto viene sottratto al contesto dei partiti e delle piattaforme: somiglia di più a un acquisto impulsivo che a una decisione politica.

Oggi, negli Stati Uniti, una campagna per le primarie è come una spedizione di un *commando*. Il candidato e il suo seguito personale, insieme con professionisti, pubblicitari, artisti del trucco facciale e mentale, calano in uno stato, combattono una breve battaglia e ripartono immediatamente. Non sono necessari legami con il luogo e sia la creazione di un'organizzazione di base sia l'appoggio delle personalità del posto risultano superflui. L'intera operazione è enormemente faticosa per un piccolo numero di persone che arrivano e ripartono, mentre i residenti di uno stato prima sono dei semplici spettatori e poi, miracolosamente, dei cittadini-sovrani che scelgono i propri favoriti. La politica di partito, invece, non è un'incursione, ma una lunga battaglia. Per quanto interrotta dalle elezioni, procede con più regolarità delle campagne per le primarie ed esige impegno e costanza. Coinvolge più persone e per più tempo, ma solo quelli coinvolti prendono le decisioni chiave, scelgono i candidati del partito e decidono la sua piattaforma attraverso *caucus* e convenzioni. Le persone che se ne stanno a casa sono escluse. La politica di partito è fatta di riunioni e discussioni, ed è essenziale partecipare alle riunioni e ascoltare le discussioni; i cittadini passivi entrano in scena soltanto dopo, non per proporre dei candidati ma solo per scegliere fra i candidati proposti.

I *caucus* e le convenzioni sono considerati, in genere, meno egualitari delle primarie, ma questo non corrisponde per niente alla verità. Sono forme di partecipazione più impegnative che riducono, di fatto, la distanza fra leaders e seguaci e servono a conservare la centralità della discussione, senza la quale l'eguaglianza politica diventa rapidamente una distribuzione priva di senso. Quasi certamente i candidati scelti nei *caucus* e nelle convenzioni saranno conosciuti meglio, e da più persone, di quelli scelti nelle primarie. Infatti i primi, diversamente dai secondi, si saranno visti da vicino, senza trucco; avranno lavorato circoscrizione per circoscrizione, preso delle posizioni, assunto impegni determinati verso persone determinate. La loro vittoria sarà la vittoria del partito, ed essi eserciteranno il potere in un modo quasi collettivo: non tanto sui loro sostenitori, quanto con essi. I *caucus* e le convenzioni sono il contesto cruciale dei negoziati che danno forma a questo sforzo comune, facendo confluire le forze divise del partito — personalità, organismi, macchine, correnti, gruppi di attivisti — in un'unione più ampia. Nel peggiore dei casi, questa è la politica dei capetti locali (invece che delle celebrità nazionali richieste e prodotte dal sistema delle primarie); nel migliore dei casi, è la politica degli organizzatori, attivisti e militanti di partito, che vanno alle riunioni, discutono i problemi e stringono accordi. Le primarie sono come le elezioni: ogni cittadino è un elettore e ogni voto ha lo stesso peso. Ma tutto ciò che gli elettori fanno è... votare. I *caucus* e le convenzioni somigliano in generale ai partiti: i cittadini ci vanno col potere che riescono a mettere insieme, e ciò li coinvolge nel processo politico più a fondo di quanto possa mai fare il semplice votare. Il cittadino elettore è essenziale per la sopravvivenza della politica democratica, ma il cittadino/politico è essenziale per la sua vitalità e integrità.

L'argomento a favore delle forme più forti di partecipazione è un argomento a favore dell'eguaglianza complessa. Non c'è dubbio che la partecipazione possa essere molto diffusa, come, per esempio, nel sistema della giuria. Ma sebbene le giurie siano scelte per sorteggio ed ogni giurato abbia uno e un solo voto, il sistema funziona più come una commissione o una convenzione che come una primaria. La camera di consiglio non è che un altro luogo dove esercitare in modo ineguale il potere: alcuni avranno maggior eloquenza o fascino personale o forza morale o pura e semplice ostinazione di altri, e quindi più probabilità di determinare il verdetto. Potremo pensare queste persone come dei "leaders per natura", nel senso che la loro posizione di capi non dipende dalla nascita o dal sangue, e neanche dall'istruzione, ma è intrinseca al processo politico. Se i giurati non si incontrassero mai, non parlassero mai fra di loro, ma si limitassero ad ascoltare le argomentazioni degli avvocati, a pensare ciascuno per sé e poi a votare, non comparirebbero mai dei leaders per natura. Sicuramente il potere dei giurati più passivi sarebbe riconosciuto da una simile procedura; se poi i verdetti sarebbero migliori o peggiori, questo non saprei dirlo. Temo, però, che perderebbe valore l'intero sistema della giuria e che i singoli giurati darebbero meno valore al proprio ruolo. Infatti, di solito, pensiamo che la verità emerga dalla discussione, più o meno come pensiamo che una linea politica emerga dagli scambi di idee nel dibattito politico; ed è meglio, è più gratificante, partecipare, sia pure in modo disuguale, alle discussioni e ai dibattiti che abolirli per il bene dell'eguaglianza semplice.

La democrazia esige l'eguaglianza dei diritti, non del potere. Qui i diritti consistono nell'avere delle occasioni garantite di esercitare un potere minimo (diritto di voto) o di cercare di esercitare un potere più grande (diritto di parola, riunione e petizione). Di solito i teorici della democrazia concepiscono il buon cittadino come colui che cerca costantemente di esercitare un potere maggiore, benché non necessariamente a proprio vantaggio. Ha dei princìpi, delle idee, dei programmi, e collabora con uomini e donne che la pensano come lui; nello stesso tempo, vive conflitti intensi, e a volte aspri, con altri gruppi di persone che hanno i loro princìpi, idee e programmi. E probabilmente gli piacciono il conflitto, il carattere "ferocemente agonistico" della vita politica, l'opportunità di agire pubblicamente.[31] Il suo scopo è la vittoria, cioè l'esercizio di un potere *senza eguali*; e nel perseguimento di questo scopo sfrutta, insieme con i suoi amici, tutti i vantaggi che ha. Fa valere le sue capacità oratorie e la sua capacità organizzativa; fa leva sulla fedeltà al partito e sul ricordo delle lotte trascorse; cerca l'appoggio di persone facilmente riconosciute o stimate. Tutto ciò è perfettamente legittimo (finché il riconoscimento non si traduce direttamente in potere politico: noi non diamo un voto doppio o una carica pubblica a quelli che onoriamo); ma, per ragioni che ho già discusso, non lo sarebbe se alcuni cittadini fossero in grado di vincere le loro battaglie politiche perché personalmente ricchi o perché sostenuti da gente ricca o con amici e parenti potenti nel governo in carica. Alcune diseguaglianze possono essere sfruttate nel corso dell'attività politica, e altre no.

Inoltre, cosa ancora più importante, non sarebbe legittimo se, dopo la vittoria, i vincitori usassero il loro potere ineguale per togliere i diritti di voto e di partecipazione alla parte perdente. È loro buon diritto dire: poiché abbiamo discusso ed organizzato, convinto l'assemblea o vinto l'elezione, governeremo su di voi; ma sarebbe tirannico dire: governeremo su di voi per sempre. I diritti politici sono delle garanzie permanenti: sottendono un processo che non ha un punto terminale, una discussione che non ha una conclusione definitiva. Nella politica democratica tutte le destinazioni sono temporanee; nessun cittadino potrà mai sostenere di aver convinto i suoi simili una volta per tutte. Prima di tutto ci saranno sempre nuovi cittadini; e poi quelli che lo erano già avranno sempre il diritto di riaprire la discussione o di entrare in una discussione dalla quale si erano astenuti fino ad allora (o di ficcare il naso continuamente, pur restando defilati). Questo è il significato dell'eguaglianza complessa nella sfera della politica: la condivisione non del potere, ma delle oppurtunità e delle occasioni di potere. Ogni cittadino è un potenziale partecipante, un potenziale politico.

Tale potenzialità è la condizione necessaria perché i cittadini rispettino se stessi. Ho già detto qualcosa sul nesso fra cittadinanza e rispetto di sé e ora vorrei concludere brevemente questo argomento. Il cittadino rispetta se stesso in quanto persona capace, quando i suoi principi lo esigano, di partecipare alla lotta politica, di collaborare e competere con altri nell'esercizio e nel perseguimento del potere. Inoltre rispetta se stesso in quanto persona capace di opporsi alla violazione dei suoi diritti, e non solo nella sfera politica ma anche nelle altre sfere distributive: infatti l'opposizione stessa è già un esercizio di potere e la politica è la sfera attraverso la quale vengono regolate tutte le altre sfere. Un esercizio del potere casuale o arbitrario non produrrà rispetto di sé: è per questo che una partecipazione consistente nello schiacciare un bottone promuoverebbe un tipo di politica moralmente insoddisfacente. Quando viene il suo momento, il cittadino dev'essere pronto a, e capace di, deliberare insieme ai suoi pari, ascoltare e farsi ascoltare, assumersi la responsabilità di quello che dice e fa. Pronto e capace non solo negli stati e nelle città, grandi e piccole, ma dovunque si eserciti un potere: anche nelle compagnie e nelle fabbriche, nei sindacati, nelle facoltà e nella professione. Se è privato in permanenza del potere, a livello nazionale o locale, è privato anche della propria identità. È di qui che viene il rovesciamento della massima di Lord Acton attribuita a molti politici ed autori di questo secolo: "Il potere corrompe, ma la mancanza di potere uccide."[32] Questa intuizione è possibile, a mio avviso, solo in un contesto democratico, nel quale l'idea di un potenziale potere può essere vista come una forma di salute morale (anziché come una minaccia di sovversione politica). Sono i cittadini senza rispetto di sé a sognare una vendetta tirannica.

Oggi, negli Stati Uniti, la forma più comune di mancanza di potere dipende dalla dominanza del denaro nella sfera delle politica. Col passare del tempo l'interminabile spettacolo della proprietà/potere, la storia del successo politico dei ricchi, rappresentata e replicata su tutti i palcoscenici sociali, ha un effetto profondo e capillare; i cittadini senza denaro finiscono per convincersi di non avere nessuna speranza in politica. È una sorta di conoscenza pratica, che acquisiscono per esperienza e trasmettono ai loro figli, e che comporta la passività, la deferenza e il risentimento.[33] Ma anche in questo caso dobbiamo guardarci da un'eccessiva rigidità: dalla mancanza di potere alla perdita del rispetto di sé, a una perdita di potere sempre più grave, e così via. Infatti, la lotta contro la dominanza del denaro, contro l'unione della ricchezza e del potere, è forse la più bella espressione contemporanea del rispetto di sé, e i partiti e movimenti che la organizzano e la portano avanti sono terreni fertili di cittadini rispettosi di sé. La lotta stessa è già una negazione della mancanza di potere, un'estrinsecazione delle virtù civiche. Ed è resa possibile da un affiorare di speranze, causato forse da una crisi sociale o economica, una concezione collettiva dei diritti politici, un impulso alla democrazia latente nella (non in ogni) cultura.

Ma non si può dire che la vittoria garantisca il rispetto di sé. Possiamo riconoscere dei diritti, distribuire il potere o almeno le occasioni di potere, ma non possiamo garantire quell'attività, fonte di orgoglio, che tali occasioni e diritti rendono possibile. La politica democratica, una volta sconfitte tutte le dominanze ingiuste, è un invito costante ad agire in pubblico e a considerarsi cittadini capaci di scegliere delle destinazioni e di accettare dei rischi per sé e per altri, nonché di pattugliare i confini distributivi e di promuovere una società giusta. Ma non c'è modo di assicurarsi che tu, o io, o chicchessia afferri l'occasione. Questa suppongo, è la versione secolarizzata dell'affermazione di Locke che nessuno può essere costretto a salvarsi; solo che la cittadinanza, a differenza della salvezza, dipende da certi assetti pubblici che ho cercato di descrivere. E il dominio della cittadinanza, al contrario di quello della grazia (o del denaro, della carica, dell'istruzione, della nascita e del sangue) non è tirannico: è la fine della tirannia.

13. Tirannie e società giuste

Relatività e non relatività della giustizia

La migliore descrizione della giustizia distributiva è una descrizione delle sue parti, cioè dei beni sociali e delle sfere di distribuzione. Ora, però, voglio dire qualcosa intorno al tutto: in primo luogo, circa il suo carattere relativo; in secondo luogo, circa la forma che essa assume nella nostra società; in terzo luogo, circa la stabilità di tale forma. Questi tre punti concluderanno la mia discussione. Qui non affronterò il problema se le società in cui i beni sono distribuiti giustamente siano anche delle buone società. Di certo la giustizia è meglio della tirannia; ma non ho modo di dire se una società giusta sia migliore di un'altra. Esiste una particolare concezione (e quindi una particolare distribuzione) di beni sociali che sia senz'altro *buona*? È una domanda che in questo libro non mi sono posto. In quanto concetto a sé stante, l'idea del bene non domina sui nostri discorsi sulla giustizia.

La giustizia è relativa ai significati sociali; anzi, la sua relatività segue tanto dalla definizione classica, non relativa, "dare a ciascuno il suo", quanto dalla mia proposta di distribuire i beni per ragioni "interne". Queste sono definizioni formali che richiedono, come ho cercato di dimostrare, un'integrazione storica. Non possiamo dire che cosa sia dovuto a questa o quest'altra persona finché non sappiamo come si rapportano tra di loro attraverso le cose che creano e distribuiscono. Finché non c'è una società, non può esserci una società giusta; e l'aggettivo *giusto* non determina nella sostanza ma modifica soltanto la vita delle società che descrive. Sono infinite le vite possibili, e infinite le possibili culture, religioni, assetti politici, condizioni geografiche, ecc., che le determinano. Una certa società è giusta se i suoi aspetti essenziali sono vissuti in un certo modo, vale a dire, in modo fedele alle concezioni collettive dei suoi membri. (Quando c'è dissenso sul significato dei beni sociali, quando le concezioni sono controverse, la giustizia esige che la società sia fedele a tali dissensi, che fornisca dei canali istituzionali per esprimerli, dei meccanismi di giudizio e delle distribuzioni alternative.)

In una società in cui i significati sociali siano integrati e gerarchici, la giustizia favorirà la diseguaglianza. Consideriamo ancora una volta il sistema delle caste. Ciò che segue è il riassunto di una dettagliata descrizione della distribuzione del grano in un villaggio indiano:

> Ogni abitante del villaggio partecipava alla divisione del grano raccolto. Non c'erano né contrattazioni né pagamenti di servizi specifici. Non c'era contabilità, ma tutti quelli che contribuivano alla vita del villaggio potevano rivendicarne il prodotto, che fu tutto diviso fra gli abitanti in modo facile e soddisfacente.[1]

È il villaggio come comune: è un'immagine idealizzata, ma non assurda. Ma se tutti avevano diritto al grano raccolto dalla comunità, alcuni avevano maggior diritto. Le parti degli abitanti erano significativamente diseguali, e tali differenze erano connesse a una lunga serie di altre diseguaglianze, tutte giustificate da norme consuetudinarie e da una invadente dottrina religiosa. Poiché le distribuzioni erano pubbliche e "facili", non poteva essere difficile riconoscere le appropriazioni e le acquisizioni ingiuste, e non solo di grano. Per esempio, un proprietario terriero che avesse ingaggiato dei lavoratori esterni per rimpiazzare i membri della casta inferiore del villaggio avrebbe violato i diritti di questi ultimi. Riferito a una simile comunità, l'aggettivo *giusto* esclude tutte le violazioni di questo tipo. Non esclude, invece, la diseguaglianza delle parti; non può esigere una ristrutturazione radicale del villaggio contraria alle condizioni collettive dei suoi membri. Se lo facesse, la giustizia stessa sarebbe tirannica.

Ma forse è da dubitare che le concezioni che governavano la vita del villaggio fossero realmente condivise; forse i membri delle caste inferiori erano arrabbiati e indignati (benché reprimessero questi sentimenti) anche coi proprietari terrieri che prendevano solo la loro "giusta" parte. In tal caso sarebbe importante scoprire i principi da cui nasceva la loro rabbia e indignazione. Anche questi principi devono avere una parte nella giustizia del villaggio; e se erano noti alle caste inferiori, non erano ignoti (ma forse erano repressi) fra quelle superiori. Non è detto che i significati sociali siano armonici; a volte forniscono soltanto una struttura intellettuale entro cui dibattere le distribuzioni. Ma questa struttura è necessaria e non esistono principi esterni o universali che possano sostituirla. Ogni descrizione contenutistica della giustizia distributiva è una descrizione circostanzia-ta.*

A questo punto sarà utile tornare a una delle domande che ho ac-cantonato nella prefazione: in virtù di quali caratteristiche siamo eguali l'uno all'altro? Ce n'è una, soprattutto, che è essenziale per la mia analisi: noi siamo (tutti) delle creature che producono cultura, dei costruttori e abitatori di mondi significanti. Poiché non c'è modo di ordinare gerarchicamente questi mondi relativamente alle loro concezioni dei beni sociali, renderemo giustizia agli uomini e alle donne rispettando le loro particolari creazioni. Essi, quando chiedo-no giustizia o si oppongono alla tirannia, insistono appunto sul signi-ficato che hanno fra di loro i beni sociali. La giustizia ha le sue radici in quelle specifiche concezioni delle posizioni sociali, degli onori, dei lavori e di tutti i generi di cose che costituiscono una forma di vita condivisa. Calpestare queste concezioni significa (sempre) agire in-giustamente.

Supponiamo ora che gli abitanti del villaggio indiano accettino veramente le dottrine su cui si regge il sistema delle caste. Una per-sona in visita al villaggio potrebbe ugualmente cercare di convincer-li, ed è cosa di tutto rispetto, che tali dottrine sono false. Per esem-pio, potrebbe sostenere che gli uomini e le donne sono stati creati uguali non attraverso una lunga serie di incarnazioni, ma in quella presente e se avesse successo, spunterebbe all'orizzonte una varietà di nuovi princìpi distributivi (legati al modo in cui, per armonizzarle con la nuova concezione della persona, verrebbero riconcettualizzate le occupazioni). Oppure, più semplicemente, l'imposizione di una bu-rocrazia di stato moderna sul sistema delle caste introduce immedia-tamente princìpi e linee di differenziazione nuovi; la purezza rituale non è più unita al possesso di cariche. La distribuzione degli impie-ghi statali comporta criteri diversi, e se ne vengono esclusi, poniamo, i paria, si può cominciare a parlare, poiché loro lo faranno, di ingiu-stizia. E se ne parlerà in modi ormai familiari, dato che si discuterà (nell'India di oggi) se riservare determinate cariche, cosa vista da al-cuni come uno stravolgimento del sistema delle caste e da altri come un'indispensabile riparazione.[2] L'esatta posizione del confine fra le vecchie caste e la nuova burocrazia non può non essere una questio-ne controversa, ma un confine deve pur essere tracciato una volta che la burocrazia si è insediata.

Come è possibile descrivere un sistema di caste che soddisfi dei criteri (interni) di giustizia, così è possibile descrivere un sistema ca-

---

* Ma nello stesso tempo può darsi, come ho ipotizzato nel primo capitolo, che certi princìpi interni, certe concezioni dei beni sociali, si ritrovino in molte società umane, e forse in tutte. Tuttavia questo è un fatto empirico; non può essere deciso da una discus-sione filosofica fra di noi, e nemmeno da una discussione filosofica fra versioni ideali di noi stessi.

pitalistico che faccia lo stesso; ma la descrizione dovrà essere molto più complessa perché ora i significati sociali non sono più così integrati. Può accadere, come dice Marx nel primo volume del *Capitale*, che la creazione e appropriazione di plusvalore "sia particolarmente fortunata per il compratore (di forza lavoro), ma non sia affatto ingiusta per il venditore".[3] Questo, però, non esaurisce la questione della giustizia e dell'ingiustizia nella società capitalistica. Ha anche un'importanza cruciale se questo plusvalore sia convertibile, se serva a comprare privilegi speciali nei tribunali, nel sistema scolastico o nelle sfere delle cariche e della politica. Dato che il capitalismo si sviluppa in parallelo con, e in realtà garantisce, una notevole differenziazione dei beni sociali, nessuna concezione del comprare e del vendere, nessuna descrizione del libero scambio potrà mai risolvere la questione della giustizia. Avremo bisogno di saperne molto di più su altri processi distributivi e sulla loro autonomia relativa dal (o integrazione nel) mercato. La dominanza del capitale al di fuori del mercato rende ingiusto il capitalismo.

La teoria della giustizia è attenta alle differenze e sensibile ai confini; tuttavia non implica che le società siano più giuste se sono più differenziate. In queste società la giustizia ha soltanto una maggiore portata, perché vi sono più beni distinti, più princìpi distributivi, agenti e procedure. Quanto maggiore è la portata della giustizia, tanto più certamente essa assumerà la forma dell'eguaglianza complessa. Anche la tirannia ha una maggiore portata. Visti dall'esterno, dal nostro punto di osservazione, i bramini dell'India somigliano molto a dei tiranni — e finiranno per esserlo davvero se le concezioni sulle quali è basata la loro elevata posizione cesseranno di essere condivise. Dall'interno, tuttavia, le cose vengono ad essi, per così dire, naturalmente, in virtù della loro purezza rituale. Non hanno bisogno di diventare tiranni per godere dell'intera gamma dei beni sociali; o se lo diventano, non fanno che sfruttare i vantaggi che possiedono già. Ma quando i beni sono differenziati e le sfere distributive sono autonome, per godere di quei vantaggi ci vogliono impegno, intrigo e violenza. Questo è il segno fondamentale della tirannia: arraffare continuamente cose che non giungono naturalmente, e lottare incessantemente per regnare al di fuori del proprio gruppo.

La forma estrema della tirannia, il totalitarismo moderno, è possibile solo in società altamente differenziate. Infatti, esso è la *Gleishschaltung*, la coordinazione sistematica di beni sociali e sfere di vita che dovrebbero essere tenuti separati, e gli orrori che lo caratterizzano derivano dalla forza di questo "dovrebbero" nelle nostre vite. I tiranni contemporanei, sono eternamente affaccendati: hanno mille cose da fare perché il loro potere sia dominante ovunque — nella burocrazia e nei tribunali, nei mercati e nelle fabbriche, nei partiti e nei sindacati, nelle scuole e nelle chiese, fra amici e amanti, parenti e concittadini. Il totalitarismo dà vita a disuguaglianze nuove e radicali e il fatto che la teoria della giustizia non potrà mai venire in loro soccorso è forse l'unica cosa che le riscatta. Qui l'ingiustizia raggiunge una sorta di perfezione, come se avessimo concepito e creato una moltitudine di beni sociali e tracciato i confini delle loro sfere solo per provocare ed accrescere le ambizioni dei tiranni. Ma almeno possiamo riconoscere la tirannia.

La giustizia nel ventesimo secolo

Dunque la giustizia, essendo il contrario della tirannia, non resta muta di fronte alle esperienze più terrificanti del ventesimo secolo. L'eguaglianza complessa è il contrario del totalitarismo: differenziazione massima contro massima coordinazione. E per noi, in questo momento, il particolare valore dell'eguaglianza complessa consiste nel rendere chiara questa opposizione: infatti l'eguaglianza non può essere il nostro obiettivo politico se non siamo in grado di darne una definizione che ci protegga dalla moderna tirannia della politica, dal dominio dello stato/partito. Perciò dovrò mettere a fuoco il modo in cui tale protezione funziona.

Le forme contemporanee di politica egualitaria hanno avuto origine dalla lotta contro il capitalismo e in particolare contro la tirannia del denaro. Oggi, negli Stati Uniti, sicuramente, è la tirannia del denaro quella che invita più chiaramente alla opposizione: proprietà/potere, più che il potere stesso. Molti, però, sostengono che senza proprietà/potere il potere, da solo, è troppo pericoloso: affermano che i funzionari statali diventeranno dei tiranni ogni qual volta il loro potere non sarà controbilanciato da quello del denaro. Ne segue, allora, che i capitalisti diventeranno dei tiranni ogni qualvolta la ricchezza non sarà controbilanciata da un governo forte. Ovvero è necessario — per usare l'altra metafora tipica del pensiero politico americano — che il potere politico e la ricchezza si tengano a freno a vicenda: poiché eserciti di persone ambiziose premono da un lato del confine, abbiamo bisogno di eserciti analoghi che premano dall'altro lato. John Kenneth Galbraith ha ricavato da questa metafora la teoria dei "poteri controvalenti".[4] C'è anche un argomento, di segno opposto, secondo il quale per servire la libertà è necessario che gli eserciti del capitalismo non trovino opposizione, mai e in nessun luogo. Ma questo argomento non può essere valido, perché quando blocchiamo un grande (il più grande possibile) numero di scambi possibili non difendiamo soltanto l'eguaglianza, ma anche la libertà. E neanche la teoria della controvalenza è valida senza opportune precisazioni. I confini, ovviamente, vanno difesi da entrambi i lati; ma il problema della proprietà/potere è che rappresenta già una violazione dei confini, un'occupazione di terreno appartenente alla sfera della politica. La plutocrazia non è un dato di fatto acquisito solo se i ricchi governano lo stato, ma anche se governano l'azienda e l'impresa. E quando i due tipi di governo procedono di pari passo, di solito il primo si adegua agli scopi del secondo, perché è questo il più importante. Così accade che si chiami la Guardia Nazionale per salvare il potere locale e la vera base politica di proprietari e *managers*.

Tuttavia, la tirannia del denaro spaventa meno dei tipi di tirannia che nascono dall'altro lato della divisione denaro/politica. Indubbiamente la plutocrazia fa meno paura del totalitarismo: opporsi è meno pericoloso. La principale ragione di questa differenza è che il denaro può comprare potere ed influenza, nonché cariche, istruzione, onore e così via, senza coordinare radicalmente le varie sfere distributive e senza elininare i processi e gli agenti alternativi. Corrompe le distribuzioni senza trasformarle, dopo di che le distribuzioni corrotte coesistono con quelle legittime, come la prostituzione coesiste con l'amore coniugale: ma questa è pur sempre tirannia, e può dar luogo a forme di dominio molto dure. E se l'opposizione è meno eroica che negli stati totalitari, è quasi altrettanto importante.

Questa opposizione, a un certo punto, esigerà una concentrazione di potere politico corrispondente a quella del potere plutocratico, e quindi un movimento o un partito che si impadronisca dello stato o almeno lo usi. Ma una volta sconfitta la plutocrazia, lo stato decadrà? Nonostante le promesse dei dirigenti rivoluzionari, non decadrà, né deve decadere. La sovranità è un aspetto permanente della vita politica. Il problema cruciale riguarda, come sempre, i limiti entro i quali essa opera, e questi limiti dipenderanno dagli impegni dottrinali, dall'organizzazione politica e dall'attività pratica del movimento o partito vittorioso. Ciò significa che il movimento deve riconoscere nella sua politica quotidiana l'effettiva autonomia delle sfere distributive. Una campagna contro la plutocrazia che non rispetti tutta la gamma di beni e di significati sociali ha forti probabilità di sfociare in una tirannia. Ma sono possibili altri tipi di campagna. Di fronte alla dominanza del denaro quella che vogliamo è, dopo tutto, una dichiarazione di indipendenza distributiva. In linea di principio, il movimento e lo stato sono agenti di questa indipendenza, e se sono saldamente in mano a cittadini rispettosi di sé, lo saranno anche in pratica.

Moltissimo dipende dai cittadini, dalla loro capacità di affermare se stessi su tutta la gamma di beni e di difendere il proprio senso del significato. Con questo non voglio dire che non esistano assetti istituzionali che potrebbero rendere più facile l'eguaglianza complessa (anche se mai "facile" come il sistema delle caste). Nella nostra società gli assetti giusti sono, a mio avviso, quelli tipici di un socialismo democratico decentrato: uno stato assistenziale forte gestito, almeno in parte, da funzionari locali e volontari, un mercato vincolato, un pubblico impiego aperto e demistificato, scuole pubbliche indipendenti, la condivisione del lavoro duro e del tempo libero, la protezione della vita religiosa e familiare, un sistema pubblico per onorare e disonorare, esente da ogni considerazione di ceto o di classe, il controllo operaio delle fabbriche e delle aziende, una politica basata su partiti, movimenti, riunioni e dibattiti pubblici. Ma istituzioni siffatte servono a poco se non sono abitate da uomini e donne che vi si sentano come a casa propria e siano pronti a difenderle. Si può sostenere contro l'eguaglianza complessa che essa richiede una difesa impegnativa che comincia mentre tale eguaglianza è ancora in formazione; ma la stessa cosa si può dire anche contro la libertà. La perenne vigilanza è il prezzo di entrambe.

Eguaglianza e cambiamento sociale

L'eguaglianza complessa apparirebbe forse meno incerta se potessimo descriverla in termini di armonia, anziché di autonomia, delle sfere. Ma i significati e le distribuzioni sociali sono armonici solo nel senso che quando vediamo perché un bene ha una certa forma e viene distribuito in un certo modo, vediamo anche perché un altro deve essere diverso; proprio queste differenze, però, fanno sì che i conflitti di confine siano endemici. Né i princìpi più opportuni alle diverse sfere né i modelli di condotta e i modi di sentire che essi generano sono in armonia tra di loro. I sistemi di assistenza e i mercati, le cariche e le famiglie, le scuole e gli stati sono gestiti, e devono esserlo, secondo princìpi diversi. Questi princìpi devono, in qualche modo, trovare posto insieme in una stessa cultura, devono essere comprensibili per tutte le diverse associazioni di uomini e donne: ma ciò non esclude tensioni profonde e giustapposizioni bizzarre. L'antica Cina era retta da un imperatore ereditario per diritto divino e da una burocrazia meritocratica: questo genere di coesistenza è una storia complicata da raccontare. La cultura di una comunità è la storia che i suoi membri raccontano per dare un senso ai diversi pezzi della loro vita sociale — e la giustizia è la dottrina che distingue questi pezzi l'uno dall'altro. In qualsiasi società differenziata la giustizia promuoverà l'armonia solo se prima ha promosso la separazione. Sono i buoni steccati a fare le società giuste.

Non si sa mai con precisione dove innalzare gli steccati, non avendo questi una posizione naturale. I beni che separano sono opera nostra: sono stati fatti e si possono rifare. Perciò i confini sono soggetti ai mutamenti dei significati sociali, e non ci resta che convivere con le continue sortite e incursioni attraverso le quali questi mutamenti si realizzano. Di solito mutamenti di significato avvengono molto lentamente, come l'erosione del mare: pensiamo alla cura delle anime e a quella dei corpi nell'Occidente medioevale e moderno, storia che ho raccontato nel capitolo 3. Ma la revisione effettiva dei confini, quando avviene, è spesso improvvisa, come accadde in Gran Bretagna, dopo la seconda guerra mondiale, per il servizio sanitario nazionale: l'anno prima i medici erano professionisti e imprenditori, l'anno dopo erano professionisti e funzionari pubblici. Possiamo tracciare un programma delle revisioni basandoci sulla nostra attuale concezione dei beni sociali o possiamo opporci, come ho fatto io, alle forme di dominanza prevalenti; ma non possiamo prevedere i cambiamenti profondi della coscienza, né nella nostra comunità né, tanto meno, in qualsiasi altra. Un giorno il mondo sociale apparirà diversissimo da come appare oggi, e la giustizia distributiva avrà una natura diversa da quella che ha per noi. La perenne vigilanza non è una garanzia di eternità.

Comunque non è probabile che noi (o i nostri figli o i nipoti) arriveremo a vedere cambiamenti così grandiosi da mettere in dubbio il dato della differenziazione e gli argomenti a favore dell'eguaglianza complessa. Le forme di dominanza e di dominio, i modi precisi in cui l'eguaglianza è negata possono benissimo cambiare. Oggi, in effetti, i sociologi spesso sostengono che l'istruzione e la competenza tecnica, sostituendo il capitale e costituendo la base reale di una nuova classe egemone di intellettuali, stanno diventando sempre di più i beni dominanti delle società moderne.[5] Con ogni probabilità questa tesi è sbagliata, ma suggerisce efficacemente la possibilità di trasformazioni su vasta scala che lascino però intatto l'insieme dei beni e dei significati sociali. Infatti non c'è motivo di pensare che la competenza tecnica, anche se assumerà un'importanza nuova, diventerà così importante da imporci di rinunciare a tutti quei processi distributivi nei quali attualmente non svolge alcun ruolo — e quindi di sottoporre ognuno a un esame, per esempio, prima di permettergli di sedere in una giuria, crescere i figli, andare in vacanza o partecipare alla vita politica. Né l'importanza della conoscenza sarà tale da garantire che solo gli intellettuali possano far soldi, ricevere la grazia divina o conquistare il rispetto dei concittadini. Credo si possa assumere che il cambiamento sociale lascerà le diverse associazioni di uomini e donne più o meno intatte.

Questo significa che l'eguaglianza complessa rimarrà una vera possibilità anche se dei nuovi antiegualitari prenderanno il posto di quelli vecchi. Si tratta, a tutti gli effetti, di una possibilità permanente... come lo è l'opposizione. L'instaurazione di una società egalitaria non segnerà la fine della lotta per l'eguaglianza. Si può solo sperare che la lotta diventi un po' meno aspra man mano che gli uomini e le donne impareranno a convivere con l'autonomia delle distribuzioni e a riconoscere che è l'esistenza di risultati diversi per persone diverse in sfere diverse a fare una società giusta. C'è al fondo della teoria della giustizia un modo di pensare che dovrebbe essere rafforzato dall'esperienza dell'eguaglianza complessa e che possiamo concepire come un dignitoso rispetto per le opinioni dell'umanità. Non le opinioni di questa o quella persona, che possono anche meritare una risposta brusca: parlo di quelle opinioni più profonde che sono i riflessi nelle menti individuali, conformati al pensiero individuale, dei significati sociali che costituiscono la nostra vita in comune. Oggi, e in un futuro prevedibile, tali opinioni vanno nel senso dell'eguaglianza complessa, e perciò ogni forma di dominanza è un atto di irriverenza. Per trovare argomenti contro la dominanza e le diseguaglianze che l'accompagnano basta attenersi ai beni in gioco e alle loro concezioni collettive. Quando i filosofi agiscono così, quando scrivono animati dal rispetto per le concezioni che hanno in comune coi loro concittadini, perseguono la giustizia in modo giusto e rinforzano il perseguimento comune.

Nella *Politica* Aristotele sostiene che in una democrazia la giustizia esige che i cittadini governino e siano governati a turno, che si avvicendino nel governo.[6] Non è una cosa verosimile per una comunità politica di decine di milioni di cittadini; qualcosa di simile sarebbe forse possibile per molti di loro, nel governo non solo dello stato, ma anche delle città, le aziende e le imprese. Tuttavia i cittadini sono talmente numerosi e la vita talmente breve che proprio il tempo non basta — nemmeno se bastano la volontà e la capacità — perché ognuno faccia il suo turno. Se consideriamo la sfera della politica separatamente, è inevitabile che vengano fuori delle disuguaglianze. I politici di professione, gli oratori, gli attivisti e i militanti — soggetti, si spera, a limiti costituzionali — eserciteranno più potere del resto della popolazione. Ma la politica è solo una delle sfere di attività sociale (anche se probabilmente è la più importante). Una concezione meno ristretta della giustizia richiede non che i cittadini governino e siano governati a turno, ma che governino in una sfera e siano governati in un'altra — dove "governare" significa non esercitare il potere, ma avere una parte del bene distribuito, qualunque esso sia, maggiore di quella di altri. Non si può garantire ai cittadini un "turno" dappertutto; anzi, temo che non si possa garantire loro un "turno" da nessuna parte. Ma l'autonomia delle sfere favorirà la condivisione dei beni sociali più di qualsiasi altro assetto immaginabile. Renderà più diffusa la gratificazione del governare e consoliderà ciò che oggi è continuamente in forse, cioè la compatibilità fra l'essere governati e il rispettare se stessi. Infatti, un governo senza dominio non è un affronto alla nostra dignità, non è una negazione delle nostre capacità morali o politiche. Il rispetto reciproco e una comunità che ha rispetto di sé sono la forza profonda dell'eguaglianza complessa e costituiscono, insieme, la fonte della sua possibile stabilità.

Note

Prefazione

[1] Frank Parkin, *Class, Inequality, and Political Order*, London 1972, p. 183.

[2] Karl Marx, *Economic and Philosophical Manuscripts*, in *Early Writings*, trad. di T.B. Bottomore, London 1963, p. 153; trad. it. *Manoscritti economico-filosofici*, in *Opere filosofiche giovanili*, Editori Riuniti, Roma 1968.

[3] Cfr. John Stuart Mill, *On Liberty*, in *The Philosophy of John Stuart Mill*, a cura di Marshall Cohen, New York 1961, p. 198; trad. it. *Saggio sulla libertà*, Il Saggiatore, Milano 1981.

[4] Michael Walzer, *Just and Unjust Wars: A Moral Argument with Historical Illustrations*, New York 1977, soprattutto i capp. 4 e 8.

1. *L'eguaglianza complessa*

[1] Vedi John Rawls, *A Theory of Justice*, Cambridge (Mass.) 1971; trad. it. *Teoria della giustizia*, Feltrinelli, Milano 1984; Jürgen Habermas, *Legitimation Crisis*, trad. di Thomas McCarthy, Boston 1975, soprattutto a p. 113; Bruce Ackermann, *Social Justice in the Liberal State*, New Haven 1980.

[2] Robert Nozick sostiene una tesi analoga in *Anarchy, State, and Utopia*, New York 1974; trad. it. *Anarchia, stato e utopia*, Le Monnier, Firenze 1981, pp. 149-50, ma con conclusioni radicalmente individualistiche alle quali sfugge, a mio avviso, il carattere sociale della produzione.

[3] Ralph Waldo Emerson, *Ode*, in *The Complete Essays and Other Writings*, a cura di Brooks Atkinson, New York 1940, p. 770.

[4] John Stuart Mill, *On Liberty*, in *The Philosophy of John Stuart Mill*, a cura di Marshall Cohen, New York 1961, p. 255. Per una spiegazione antropologica dell'apprezzamento e non apprezzamento dei beni sociali, vedi Mary Douglas e Baron Isherwood, *The World of Goods*, New York 1979.

[5] William James, citato in C.R. Snyder e Howard Fromkin, *Uniqueness: The Human Pursuit of Difference*, New York 1980, p. 108.

[6] Karl Marx, *The German Ideology*, a cura di R. Pascal, New York 1947, p. 89; trad. it. K. Marx e F. Engels, *L'ideologia tedesca*, Editori Riuniti, Roma 1967.

[7] Bernard Williams, *Problems of the Self: Philosophical Papers, 1956-1972*, Cambridge (Inghilterra) 1973, pp. 230-49 (*The Idea of Equality*). Questo saggio è uno dei punti di partenza della mia riflessione sulla giustizia distributiva. Vedi anche la critica dell'argo-

mento di Williams (e di un mio saggio precedente) in Amy Gutmann, *Liberal Equality*, Cambridge (Inghilterra) 1980, cap. 4.

[8] Vedi Alan W. Wood, *The Marxian Critique of Justice*, in Philosophy and Public Affairs, 1, 1972, pp. 244-82.

[9] Michael Young, *The Rise of the Meritocracy, 1870-2033* Hammondsworth (Inghilterra) 1961, un brillante esempio di fantascienza sociale.

[10] Rawls, *Theory of Justice*, cit., pp. 75 sgg.

[11] Vedi l'osservazione di Marx (*Critique of the Gotha Program*, in Marx e Engels, *Selected Works*, Mosca 1951, vol. II, p. 31; trad. it. *Critica del programma di Gotha*, Editori Riuniti, Roma 1972) che la repubblica democratica è la "forma di stato" nella quale la lotta di classe sarà combattuta fino alla conclusione: tale lotta si riflette immediatamente e senza distorsioni nella vita politica.

[12] Blaise Pascal, *The Pensées*, trad. di J.M. Cohen, Hammondsworth (Inghilterra) 1961, p. 96, n. 244; trad. it. *Pensieri*, Einaudi, Torino 1962, pp. 156-57, n. 341.

[13] Karl Marx, *Manoscritti economico-filosofici*, cit., p. 256. È interessante notare che c'è già stata un'eco dell'argomento di Pascal nella *Theory of Moral Sentiments* di Adam Smith Edinburgh 1813, vol. I, pp. 378-79; sembra però che Smith ritenesse effettivamente conformi alla sua idea di adeguatezza le distribuzioni esistenti nella sua società — un errore che Pascal e Marx non commisero mai.

[14] Vedi la sommaria descrizione di Jean Bodin in *Six Books of a Commonweale*, a cura di Kenneth Douglas McRae, Cambridge (Mass.) 1962, pp. 210-18; trad. it. *Sei libri dello stato*, UTET, Torino 1964.

[15] Cfr. Nozick sui "modelli" in *Anarchy, State and Utopia*, cit., pp. 155 sgg.

[16] Marx, *Critique of the Gotha Program*, cit., p. 23.

[17] J.H. Hutton, *Caste in India: Its Nature, Function, and Origins*, Bombay 1963[4], pp. 127-28. Ho anche usato Célestin Bouglé, *Essays on the Caste System*, trad. di D.F. Pocock, Cambridge (Inghilterra) 1971, specie la parte III, capp. 3 e 4, e Louis Dumont, *Homo Hierarchus: The Caste System and Its Implications*, ed. inglese riveduta, Chicago 1980.

[18] Hutton, *Caste in India...* cit., p. 125.

[19] Vedi Charles Beitz, *Political Theory and International Relations*, Princeton 1979, parte III, per un tentativo di applicare il contrattualismo ideale rawlsiano alla società internazionale.

2. Appartenenza

[1] Rawls, *Theory of Justice*, cit., p. 115. Per un'utile discussione dell'aiuto reciproco come possibile diritto, vedi Theodore M. Benditt, *Rights*, Totowa (N.J.) 1982, cap. 5.

[2] Rawls, *Theory of Justice*, cit., p. 339.

[3] John Winthrop, in *Puritan Political Ideas: 1558-1794*, a cura di Edmund S. Morgan, Indianapolis 1965, p. 146.

[4] Sulle zone vedi Robert H. Nelson, *Zoning and Property Rights: An Analysis of the American System of Land Use Regulation*, Cambridge (Mass.) 1977, pp. 120-21.

[5] Vedi la decisione della Corte Suprema degli USA in *Village of Belle Terre v. Boraas*, sessione di ottobre, 1973.

[6] Bernard Bosanquet, *The Philosophical Theory of the State*, London 1958, p. 286.

[7] Henry Sidgwick, *Elements of Politics*, London 1881, pp. 295-96.

[8] *Ibid.*, p. 296.

[9] Cfr., sulla concezione comune del diritto di trasferirsi, Maurice Cranston in *What Are Human Rights?*, New York 1973, p. 32.

[10] Vedi la descrizione di questi dibattiti in John Higham, *Strangers in the Land*, New York 1968.

[11] Winthrop, *Puritan Political Ideas...*, cit., p. 145.

[12] Thomas Hobbes, *The Elements of Law*, a cura di Ferdinand Tonnies, New York 1969[2], p. 88, parte I, cap. 17, par. 2; trad. it. *Elementi di diritto*, La Nuova Italia, Firenze 1969.

[13] L'argomento di Bauer si trova in *Die Nationalitätenfrage und die Sozialdemokratie*, 1907; alcuni brani si trovano in *Austro-Marxism*, a cura di Tom Bottomore e Patrick Goode, Oxford (Inghilterra) 1978, pp. 102-25.

[14] Sidgwick, *Elements of Politics*, cit., p. 295. Cfr. la lettera di John Stuart Mill a Henry George sull'immigrazione cinese in America citata in Alexander Saxton, *The Indispensable Enemy: Labor and the Anti-Chinese Movement in California*, Berkeley 1971, p. 103.

[15] Thomas Hobbes, *Leviathan*, parte II, cap. 30; trad. it. *Leviatano*, Laterza, Bari 1974.

[16] Citato in H. I. London, *Non-White Immigration and "White Australia" Policy*, New York 1970, p. 98.

[17] Hobbes, *Leviatano*, parte I, cap. 15.

[18] Sidgwick, *Elements of Politics*, cit., pp. 296-97.

[19] Bruce Ackermann, *Social Justice in the Liberal State*, cit., p. 95.

[20] E.C.S. Wade e G. Godfrey Phillips, *Constitutional and Administrative Law*, ed. riveduta da A.W. Bradley, London 1977[9], p. 424.

[21] Per tutta questa brutta storia vedi Nikolai Tolstoy, *The Secret Betrayal: 1944-1947*, New York 1977.

[22] Victor Ehrenberg, *The People of Aristophanes*, New York 1962, p. 153; mi sono servito di tutta l'analisi della condizione degli stranieri ad Atene nel quinto secolo, pp. 147-64.

[23] David Witehead, *The Ideology of the Athenian Metic*, Cambridge Philological Society, vol. supplementare n. 4, 1977, p. 41.

[24] Aristotele, *The Politics*, 1275a e 1278a; trad. it. *Politica*, Laterza, Bari 1984

[25] Isocrate, citato in Witehead, *The Ideology of the Athenian Metic*, cit., pp. 51-52.

[26] *Ibid.*, p. 174.

[27] *Ibid.*, pp. 57-58.

[28] *Ibid.*, pp. 154 sgg.

[29] Aristotele, *Politica*, 1326b.

[30] Per questa discussione dei lavoratori ospiti mi sono basato soprattutto su Stephen Castles e Godula Kosack, *Migrant Workers and Class Structure in Western Europe*, Oxford (Inghilterra) 1973, e anche su Cheryl Bernard, *Migrant Workers and European Democracy*, in "Political Science Quarterly", 92, estate 1979, pp. 277-99, e John Berger, *A Seventh Man*, New York 1975.

[31] Ho mutuato il termine "comunità con un carattere proprio" da Otto Bauer, vedi *Austro-Marxism*, cit., p. 107.

3. *Sicurezza e assistenza*

[1] Jean-Jacques Rousseau, *A Discourse on Political Economy*, in *The Social Contract and Discourses*, trad. di G.D.H. Cole, New York 1950; trad. it. *Discorso sull'economia politica*, in *Scritti politici*, UTET, Torino 1970, p. 388.

[2] Edmund Burke, *Reflections on the French Revolution*, London 1910, p. 75; trad. it. *Riflessioni sulla rivoluzione francese*, Ciarrapico 1984.

[3] Cfr. David Hume, *A Treatise of Human Nature*, libro III, parte II, cap., 8; trad. it. *Trattato sulla natura umana*, Laterza, Bari 1982.

[4] Citazione del geografo greco Pausania in George Rosen, *A History of Public Health*, New York 1958, p. 41.

[5] Simone Weil, *The Need for Roots*, trad. di Arthur Wills, Boston 1955, p. 21.

[6] Charles Fried, *Right and Wrong*, Cambridge (Mass.) 1978, p. 122.

[7] Michael Walzer, *Philosophy and Democracy*, in "Political Theory", 9, 1981, pp. 379-99. Vedi anche la seria discussione in Amy Gutmann, *Liberal Equality*, cit., soprattutto pp. 197-202.

[8] Louis Cohn-Haft, *The Public Physicians of Ancient Greece*, Studi storici dello Smith College, vol. 41, Northampton (Mass.) 1956, p. 40.

[9] *Ibid.*, p. 49.

[10] Aristotele, *The Constitution of Athens*, in *Aristotle and Xenophon on Democracy*

and Oligarchy, trad. di J.M. Moore, Berkeley 1975, pp. 190-91 (parr. 49-52); trad. it. *Costituzione degli Ateniesi*, Laterza, Bari 1984, M.I. Finley, *The Ancient Economy*, Berkeley 1973, p. 170.

[11] Aristotele, *Constitution*, cit., p. 191 (50.2).

[12] Aristotele, *Costituzione degli Ateniesi*, cit., p. 54 (49.4).

[13] Kathleen Freeman, *The Murder of Herodes, and Other Trials from the Athenian Law Courts*, New York 1963, p. 167.

[14] A.H.M. Jones, *Athenian Democracy*, Oxford (Inghilterra) 1957, p. 6.

[15] Finley, *The Ancient Economy*, cit. p. 173.

[16] S.D. Goitein, *A Mediterranean Society*, vol. II, *The Community*, Berkeley 1971.

[17] Salo Wittmayer Baron, *The Jewish Community*, Philadelphia 1942, pp. 248-56; H.H. Ben-Sasson, *The Middle Ages*, in *A History of the Jewish People*, a cura dello stesso, Cambridge (Mass.) 1976, p. 551.

[18] Baron, *The Jewish Community*, cit., p. 333.

[19] Goitein, *A Mediterranean Society*, cit., p. 142.

[20] *Ibid.*

[21] Baron, *The Jewish Community*, cit., p. 172; vedi anche Ben-Sasson, *Middle Ages*, cit., pp. 608-11.

[22] La difesa filosofica più forte di questa posizione si trova in Robert Nozick, *Anarchy, State, and Utopia*, cit.

[23] Morris Janowitz, *Social Control of the Welfare State*, Chicago 1977, p. 10.

[24] Vedi Baron, *The Jewish Community*, cit., pp, 177-79.

[25] Goitein, *A Mediterranean Society*, cit., p. 186.

[26] Freeman, *Murder of Herodes...*, cit., p. 169.

[27] Per una descrizione della carestia e della risposta britannica vedi C.B. Woodham-Smith, *The Great Hunger: Ireland 1845-1849*, London 1962.

[28] Burke, *Reflections on the French Revolution*, cit., p. 57.

[29] Rawls, *Theory of Justice*, cit., parte I, capp. 2 e 3.

[30] T.H. Marshall, *Class, Citizenship, and Social Development*, Garden City (N.Y.) 1965, p. 298.

[31] Vedi Judith Walzer Leavitt, *The healthiest City: Milwaukee and the Politics of Health Reform*, Princeton 1982, cap. 5.

[32] Vedi l'attenta discussione di Harold L. Wilensky in *The Welfare State and Equality*, Berkeley 1975, pp. 87-96.

[33] P.H.J.H. Gosden, *Self-Help: Voluntary Association in Nineteenth Century*, London 1973, cap. 9.

[34] Vedi per esempio la discussione delle concezioni della comunità e delle politiche di assistenza in Norvegia in Harry Eckstein, *Division and Cohesion in Democracy: A Study of Norway*, Princeton 1966, pp. 85-87.

[35] Rousseau, *Social Contract*, in *The Social Contract and Discourses*, New York 1950, pp. 250-52, trad. it. *Il contratto sociale*, in *Scritti politici*, UTET, Torino 1970.

[36] Louis Dumont, *Homo Hierarchus: The Caste System and Its Implications*, ed. inglese riveduta, Chicago 1980, p. 105.

[37] Wilensky, *The Welfare State...*, cit., capp. 1 e 2.

[38] Vedi Whitney North Seymour, *Why Justice Fails*, New York 1973, soprattutto cap. 4.

[39] Descartes, *Discourse on Method*, trad. di Arthur Wollaston, Hammondsworth (Inghilterra) 1960, p. 85; trad. it. Cartesio, *Discorso sul metodo*, in *Opere*, Laterza, Bari 1967, vol. I.

[40] Per una breve descrizione di questi sviluppi vedi Odin W. Anderson, *The Uneasy Equilibrium: Private and Public Financing of Health Services in the United States, 1875-1965*, New Haven 1968.

[41] Bernard Williams, *The Idea of Equality*, in *Problems of the Self*, cit., p. 240.

[42] Vedi Robert Nozick, *Anarchy, State and Utopia*, cit., pp. 233-35.

[43] Thomas Scanlon, *Preference and Urgency*, in "Journal of Philosophy", 1975, pp. 655-70.

[44] Monroe Lerner, *Social Differences in Physical Health*, John B. McKinley, *The help-*

Seeking Behavior of the Poor e Julius Roth, *The Treatment of the Sick*, in *Poverty and Health: a Sociological Analysis*, a cura di John Kosa e Irving Kenneth Zola, Cambridge (Mass.) 1969; formulazioni sommarie alle pp. 103, 265 e 280-81.

45 Ed è anche, presumibilmente, una forma di assistenza meno costosa: vedi Colin Clark, *Poverty before Politics: A Proposal for a Reverse Income Tax*, Hobart Paper 73, London 1977.

46 Vedi "The New York Times", 2 luglio 1978, pag. 1, colonna 5.

47 Marcel Mauss, *The Gift*, trad. it. di Ian Cunnison, New York 1967, p. 63.

48 Richard Titmuss, *The Gift Relationship: From Human Blood to Social Policy*, New York 1971.

49 La frase citata è tratta da *Social Work, Welfare, and the State*, a cura di Noel Parry, Michael Rustin e Carole Satyamurti, London 1979, p. 168; per un'argomentazione analoga vedi Janowitz, *Social Control...*, cit., pp. 132-33.

4. *Denaro e merce*

1 William Shakespeare, Timone di Atene, atto IV scena 3; citato da Marx, *Manoscritti economico-filosofici*, cit., p. 253.

2 *Ibid.*, pp. 253-54.

3 William Shakespeare, *Enrico VI*, Parte II, atto IV, scena 2.

4 Sulla guerra e le truppe indispensabili vedi Walter Mills, *Arms and Men: A Study of American Military History*, New York 1958, pp. 102-4.

5 Marcus Cunliffe, *Soldiers and Civilians: The Martial Spirit in America, 1775-1865*, New York 1973, pp. 205-6.

6 James McCague, *The Second Rebellion: The Story of the New York City Draft Riots of 1863*, New York 1968, p. 54.

7 *Ibid.*, p. 18.

8 Arthur Okun, *Equality and Efficiency: The Big Tradeoff*, Washington (D.C.) 1975, pp. 6 sgg.

9 *Ibid.*, p. 20.

10 Douglas M. McDowell, *The Law in Classical Athens*, Ithaca, (N.Y.) 1978, pp. 171-73.

11 Samuel Butler, *Hudibras*, parte III, cap. 3, verso 1279.

12 Sull'importanza delle "cose" vedi Mary Douglas e Baron Isherwood, *The World of Goods*, New York 1979, soprattutto cap. 3, e Mikaly Csikszentmikalyi-Eugene Rochberg Halton, *The Meaning of Things: Domestic Symbols and the Self*, Cambridge (Inghilterra) 1981.

13 John Locke, *Second Treatise of Government*, cap. 5 parr. 25-31; trad. it. in *Due trattati sul governo*, UTET, Torino 1982.

14 Lee Rainwater, *What Money Buys: Inequality and the Social Meaning of Income*, New York 1974, p. XI.

15 Naturalmente una valutazione totalmente individualizzata, un linguaggio privato dei beni, è impossibile: vedi ancora Douglas e Isherwood, *The World of Goods*, capp. 3 e 4.

16 Vedi Louis O. Kelso e Mortimer Adler, *The Capitalist Manifesto*, New York, 1958, pp. 66-67, per una tesi che avvicina la distribuzione della ricchezza sulla base delle prestazioni alla distribuzione delle cariche sulla base del merito. Gli economisti come Milton Friedman sono più prudenti, ma l'ideologia popolare del capitalismo è sicuramente questa: il successo è la meritata ricompensa di "intelligenza, decisione, duro lavoro e disposizione ad affrontare dei rischi" (George Gilder, *Wealth and Poverty*, New York 1981, p. 101).

17 Vedi la distinzione di Robert Nozick fra titolo valido e merito in *Anarchy, State, and Utopia*, cit., pp. 155-60.

18 Walt Whitman, *Complete Poetry and Selected Prose*, a cura di James E. Miller jr., Boston 1959, p. 471 nota.

19 Sull'economia del bazar vedi Clifford Geertz, *Peddlers and Princes: Social Development and Economic Change in Two Indonesian Towns*, Chicago 1963, pp. 35-36.

[20] Ralph M. Hower, *History of Macy's of New York, 1858-1919: Chapters in the Evolution of the Department Store*, Cambridge (Mass.) 1943. I capp. 2-5 raccontano la storia dei fallimenti di Macy e del suo successo finale.

[21] *Ibid.*, pp. 141-57; vedi anche Michael B. Miller, *The Bon Marché Bourgeois Culture and the Department Store*, Princeton 1981.

[22] Ezra Vogel, *Japan as Number One: Lessons for America*, New York 1980, p. 123; diversi paesi europei hanno leggi analoghe.

[23] Hower, *History of Macy's...*, cit., pp. 298 e 306.

[24] André Gorz, *Socialism and Revolution*, trad. di Norman Denny, Garden City (N.Y.) 1973, p. 196.

[25] *Ibid.*, pp. 195-97.

[26] *Ibid.*, p. 196.

[27] Per una critica in questi termini della "società dei consumi", vedi Charles Taylor, *Growth, Legitimacy, and the Modern Identity*, in "Praxis International", I, 1981, p. 120.

[28] Vedi Alfred E. Kahn, *The Tiranny of Small Decisions: Market failures, Imperfections, and the Limits of Economics*, in "KYKLOS: International Review of Social Sciences", 19, 1966.

[29] Gorz, *Socialism and Revolution*, cit., p. 195.

[30] Henry Phelps Brown fornisce un'utile discussione di tutti questi fattori in *The Inequality of Pay*, Berkeley 1977, pp. 322 sgg; vedi anche p. 13.

[31] Per una rassegna delle discussioni attuali vedi Mark Granovetter, *Toward a Sociological Theory of Income Differences*, in "Sociological Perspectives on Labor Market", a cura di Ivar Berg, New York 1981, pp. 11-47.

[32] Adolph Sturmthal, *Workers Councils: A Study of Workplace Organization on Both Sides of the Iron Curtain*, Cambridge (Mass.) 1964, p. 106.

[33] Martin Carnoy e Derek Shearer, *Economic Democracy: The Challenge of the 1980s*, White Plains (N.Y.) 1980, p. 175.

[34] *R.H. Tawney's Commonplace Book*, a cura di J. M. Winter e D. M. Joslin, Cambridge (Inghilterra) 1972, p. 175.

[35] Vedi la discussione del "fondo comune" in Marshall Sahlins, *Stone Age Economics*, Chicago 1972, cap. 5. Si deve sottolineare che la costituzione di un fondo comune non porta necessariamente a una divisione in parti uguali; vedi Walter C. Neale, *Reciprocity and Redistribution in an Indian Village: Sequel to Some Notable Discussions*, in *Trade and Market in the Early Empires*, a cura di Karl Polanyi, Conrad M. Arensberg e Harry W. Pearson, Chicago 1971, pp. 223-28.

[36] Robert Kuttner, *Revolt of the Haves: Tax Rebellions and Hard Times*, New York 1980.

[37] Vedi per esempio Henri Pirenne, *Economic and Social History of Medieval Europe*, New York 1958, pp. 171-74; trad. it. *Storia economica e sociale del Medioevo*, Garzanti, Milano 1982.

[38] Benjamin Franklin, *Poor Richard's Almanac*, aprile 1735.

[39] Jack Barbash, *The Practice of Unionism*, New York 1956, p. 195.

[40] Bronislaw Malinowski, *Argonauts of the Western Pacific*, New York 1961; trad. it. Malinowski, *Gli Argonauti del Pacifico occidentale*, Newton Compton, Roma 1973.

[41] Malinowski, *Gli Argonauti del Pacifico occidentale*, cit., p. 113.

[42] *Ibid.*, p. 100.

[43] *Ibid.*

[44] Sahlins, *Stone Age Economics*, cit., p. 169.

[45] Malinowski, *Gli Argonauti...*, cit., p. 210.

[46] John P. Dawson, *Gifts and Promises: Continental and American Law Compared*, New Haven 1980, pp. 48-50.

[47] John Stuart Mill, *Principles of Political Economy*, libro II, cap. 2, par. 5, in *Collected Works of John Stuart Mill*, vol. II, a cura di J. M. Robson, Toronto 1965, p. 226, nota; trad. it. *Principi di economia politica*, UTET, Torino 1984.

[48] Mill, *Principles of Political Economy*, cit., p. 225.

[49] *Ibid.*, p. 226.

[50] *Ibid.*, p. 223.

5. Le cariche pubbliche

[1] Per una descrizione di questo processo in uno dei suoi momenti critici vedi G. Tellenbach, *Church, State, and Society at the Time of the Investiture Contest*, Oxford (Inghilterra) 1940.

[2] Stato del Massachusetts, "Civil Service Announcement", ciclostilato, 1979. Frederick C. Mosher, *Democracy and the Public Service*, New York 1968, cap. 3, fornisce un'utile storia delle concezioni americane del lavoro di funzionario.

[3] John Rawls, *Theory of Justice*, cit., p. 83.

[4] Émile Durkheim, *The Division of Labor in Society*, trad. di George Simpson, New York 1964, p. 377; trad. it. *La divisione del lavoro sociale*, Edizioni di Comunità, 1977.

[5] Durkheim, *The Division of Labor...*, cit., p. 377.

[6] William Shakespeare, *Enrico VI*, Parte II, atto IV scena 7.

[7] Per Rousseau vedi *The Government of Poland*, trad. di Willmoore Kendall, Indianapolis 1972, p. 20; trad. it. *Il governo della Polonia*, in *Scritti politici*, UTET, Torino 1970. Per Andrew Jackson vedi Mosher, *Democracy and Public Service*, cit., p. 62. Per Lenin vedi *State and Revolution*, New York 1932, p. 38 e pp. 83-84; trad. it. *Stato e rivoluzione*, Editori Riuniti, Roma 1962.

[8] Vedi Ying-Mao Kau, *The Urban Bureaucratic Elite in Communist China: A Case Study of Wuhan, 1949-1965*, in *Chinese Communist Politics in Action*, a cura di A. Doak Barnett, Seattle 1969, pp. 221-60.

[9] Vedi Michael Young, *The Rise of the Meritocracy, 1870-2033*, cit., per una descrizione romanzata della realizzazione di questo scopo, e Barry R. Gross, *Discrimination in Reverse: Is Turnabout Fair Play?*, New York 1978, per una difesa filosofica.

[10] Virgilio, *Georgiche*, IV, 136, trad. di John Dryden, in *The Poetical Works of Dryden*, a cura di George Noyes, Cambridge (Mass.) 1950, p. 478.

[11] Chung-Li Chang, *The Chinese Gentry: Studies on Their Role in Nineteenth-Century Chinese Society*, Seattle 1955, pp. 165 e sgg. Mi sono basato anche su Ping-Ti Ho, *The Ladder of Success in Imperial China: Aspects of Social Mobility, 1368-1911*, New York 1962, e su Ichisada Miyazaki, *China's Examination Hell: The Civil Service Examinations of Imperial China*, trad. di Conrad Schirokauer, New Haven 1981.

[12] Ho, *The Ladder of Success...*, cit., p. 258.

[13] *Ibid.*, cap. 4.

[14] *Ibid.*, p. 11.

[15] Miyazaki, *China's Examinations Hell...*, cit., pp. 43-49.

[16] Citato in Chang, *The Chinese Gentry...*, cit., p. 172.

[17] *Ibid.*, p. 182.

[18] William Cowper, *The Task*, libro IV, stanza 788.

[19] Ma fu condannata ufficialmente solo nel 1567, con la bolla papale *Admonet nos*; vedi *The New Catholic Encyclopedia*, 1967, "nepotism".

[20] Per alcune utili discussioni di questo punto vedi Alan H. Goldman, *Justice and Reverse Discrimination*, Princeton 1979; Robert K. Fullinwinder, *The Reverse Discrimination Controversy: A Moral and Legal Analysis*, Totowa (N.J.) 1980; Gross, *Discrimination in Reverse...*, cit.

[21] Vedi la descrizione che dà in proposito Goldman, *Reverse Discrimination...*, cit., pp. 188-94. Qualsiasi argomento sui diritti dei gruppi — per esempio quello di Owen Fiss, *"Groups and the Equal Protection clause"* in "Philosophy and Public Affairs", 5, 1976, pp. 107-77 — sembra invitare ad usare la proporzionalità come criterio per misurare la violazione dei diritti o la non osservanza dell'eguale protezione.

[22] Arend Lijphart, *Democracy in Plural Societies: A Comparative Exploration*, New Haven 1977, pp. 38-41 e *passim*.

[23] Vedi Harold Isaacs, *India's Ex-Untouchables*, New York 1974, pp. 114 sgg.

[24] Vedi la discussione in Fullinwinder, *The Reverse Discrimination Controversy...*, cit., pp. 45 sgg.; inoltre Judith Jarvis Thomson, *Preferential Hiring* in "Philosophy and Public Affairs", 2, 1973, pp. 364-84.

[25] Ronald Dworkin, *Taking Rights Seriously*, Cambridge (Mass.) 1977, p. 227; vedi an-

che Dworkin, *Why Bakke Has No Case*, in "The New York Review of Books", 10 novembre 1977, pp. 11-15.

[26] Vedi Boris J. Bittker, *The Case for Black Reparations*, New York 1973, e Robert Amdur, *Compensatory Justice: The Question of Costs in* "Political Theory", 7, 1979, pp. 229-44.

[27] Magali Sarfatti Larson, *The Rise of Professionalism: A Sociological Analysis*, Berkeley 1977, soprattutto l'introduzione e il cap. 6.

[28] T. H. Marshall, *Class, Citizenship, and Social Development*, cit., p. 177.

[29] Tom Levin, *American Health: Professional Privilege vs. Public Need*, New York 1974, p. 178.

[30] Vedi Henry Phelps Brown, *The Inequality of Pay*, cit., pp. 322-28.

[31] R.H. Tawney, *The Acquisitive Society*, New York s.d., p. 178.

[32] Larson, *The Rise of Professionalism...*, cit., p. 9 (citando Everett Hughes). Cfr. le argomentazioni, alquanto diverse, di Adam Smith, *An Inquiry into the Nature and Causes of the Wealth of Nations*, a cura di Edwin Cannan, New York 1937, p. 105; trad. it. *La ricchezza delle Nazioni*, UTET, Torino 1975.

[33] Karl Marx, *The Civil War in France*, in Marx-Engels, *Selected Works*, Mosca 1951, vol., I. p. 471; trad. it. *La guerra civile in Francia*, Editori Riuniti, Roma 1974.

[34] Brown, *The Inequality of Pay*, cit., p. 84 (tavola 3.4). Per un argomento a favore di questo tipo di livellamento, vedi Norman Daniels, *Merit and Meritocracy* in "Philosophy and Public Affairs", 7, 1978, pp. 206-23.

[35] George Bernard Shaw, *The Socialist Criticism of the medical Profession*, in "Transactions of the medico-Legal Society", 6, London 1908-1909, p. 210.

[36] Smith, *La ricchezza delle nazioni*, cit., pp. 196-97.

[37] Pascal, *Pensieri*, cit., p. 117, n. 235.

6. *Lavoro duro*

[1] Oscar Wilde, *The Soul of Man under Socialism*, ristampato in *The Artist as Critic: Critical Writings of Oscar Wilde*, a cura di Richard Ellmann, New York 1969, p. 269.

[2] John Ruskin, *The Crown of Wild Olive: Four Lectures on Industry and War*, New York 1874, pp. 90-91.

[3] Vedi l'analisi del sistema di Fourier in Frank E. Manuel, *The Prophets of Paris*, Cambridge (Mass.) 1962, p. 229.

[4] George Orwell, *The Road to Wigan Pier*, New York 1958, p. 44; trad. it. *La strada di Wigan Pier*, Mondadori, Milano 1982.

[5] Orwell, *The Road to Wigan Pier*, cit., pp. 32-33.

[6] Jean-Jacques Rousseau, *Contratto sociale*, in *Scritti politici*, cit., p. 804.

[7] Melford E. Spiro, *Kibbutz: Venture in Utopia*, New York 1970, pp. 16-17.

[8] *Ibid.*, p. 77.

[9] *Ibid.* Per un'analisi della divisione sessuale del lavoro nel kibbutz vedi Joseph Raphael Blasi, *The Communal Future: The Kibbutz and the Utopian Dilemma*, Norwood (Pa.) 1980, pp. 102-3.

[10] Spiro, *Kibbutz...*, cit., p. 69.

[11] Bernard Shaw, *The Intelligent Woman's Guide to Socialism, Capitalism, Sovietism, and Fascism*, Hammondsworth (Inghilterra) 1937, p. 106.

[12] Harold R. Isaacs, *India's Ex-Untouchables*, cit., pp. 36-37.

[13] Walt Whitman, *Song of the Exposition*, in *Complete Poetry and Selected Prose*, cit., p. 147.

[14] Vedi Michael Walzer, *The Revolution of the Saints: A Study in the Origin of Radical Politics*, Cambridge, (Mass.) 1965, p. 214.

[15] Stewart E. Perry, *San Francisco Scavengers: Dirty Work and the Pride of Ownership*, Berkeley 1978, p. 7.

[16] Shaw, *The Intelligent Woman's Guide...*, cit., p. 105.

[17] *Ibid.*, p. 109.

[18] Perry, *San Francisco Scavengers...*, cit., p. 197.

[19] Wilde, *The Soul of Man...*, cit., p. 268.

[20] Perry, *San Francisco Scavengers...*, cit., p. 8.

[21] *Ibid.*, pp. 188-91.

[22] Studs Terkel, *Working*, New York 1975, p. 168.

[23] Bernard Shaw, *Maxims for Revolutionists, Man and Superman*, in *Seven Plays*, New York 1951, p. 736; trad. it. *Uomo e superuomo*, UTET, Torino 1966.

[24] W. H. Auden, *In Time of War* (XXV), in *The English Auden: Poems, Essays, and Dramatic Writings 1927-1939*, a cura di Edward Mendelson, New York 1978, p. 261.

[25] Everett Hughes, *The Sociological Eye*, Chicago 1971, p. 345.

[26] *Ibid.*, p. 314.

[27] *Ibid.*

[28] Shaw, *The Intelligent Woman's Guide...* cit., p. 107.

[29] Terkel, *Working*, cit., p. 153.

7. *Tempo libero*

[1] Thorstein Veblen, *The Theory of the Leisure Class*, New York 1953, p. 47.

[2] James Boswell, *The Life of Samuel Johnson*, a cura di Bergen Evans, New York 1952, p. 206.

[3] Vedi le discussioni di questi termini in Sebastian de Grazia, *Of Time, Work, and Leisure*, New York 1962, p. 12, e Martin Buber, *Moses: The Revelation and the Covenant*, New York 1958, p. 82; trad. it. Buber, *Mosé*, Marietti, 1983.

[4] T.H. Marshall, *Class, Citizenship, and Social Development*, cit., p. 159.

[5] Alfred Zimmern, *The Greek Commonwealth* Oxford 1961, p. 271; parafrasi di un passo di G. Salvioli, *Le Capitalisme dans le monde antique*, Parigi 1906, p. 148.

[6] Aristotele, *Nicomachean Ethics*, X, 7; trad. it. *Etica nicomachea*, Laterza, Bari 1985.

[7] Karl Marx, citato in Stanley Moore, *Marx on the Choice between Socialism and Communism*, Cambridge (Mass.) 1980, p. 42. Vedi *The Grundrisse*, a cura e trad. di David McLellan, New York 1971, p. 124; trad. it. Marx, *Lineamenti fondamentali di critica dell'economia politica*, Einaudi, Torino 1976, vol. I, pp. 609-10.

[8] Karl Marx, *Capital*, New York 1967, vol. III, p. 820; trad. it. Marx, *Il capitale*, Editori Riuniti, Roma 1964; cfr. Moore, *Marx on the Choice...*, cit., p. 44.

[9] Marx, *Il capitale*, cit., vol. I, p. 269.

[10] *Ibid.*, vol. I, p. 300.

[11] *Ibid.*

[12] De Grazia, *Of Time...*, cit., pp. 89-90; Neil H. Cheek e William R. Burch, *The Social Organization of Leisure in Human Society*, New York 1976, pp. 80-84; William L. Parish e Martin King Whyte, *Village and Family in Contemporary China*, Chicago 1980, p. 274. I calcoli relativi alla Cina sono dovuti a un comunista ostile alle forme tradizionali di tempo libero (vedi più avanti in questo stesso libro, pag. 199).

[13] Marx, *Il capitale*, cit., vol. I, p. 300.

[14] William Shakespeare, *Enrico V*, atto IV, scena I.

[15] Shaw, *The Intelligent Woman's Guide...*, cit., p. 340.

[16] *Ibid.*, p. 342.

[17] De Grazia, *Of Time...*, cit., p. 467 (tavola 12).

[18] *Ibid.*, p. 66. Sono in debito verso l'analisi di De Grazia qui e anche alle pp. 116 sgg.

[19] Cheek e Burch, *The Social Organization...*, cit., cap. 3.

[20] Buber, *Moses*, cit., p. 84.

[21] Max Weber, *Ancient Judaism*, trad. di H. H. Gerth e Don Martindale, New York 1967, p. 33.

[22] Vedi Louis Ginzberg, *The Legends of the Jews*, Philadelphia 1954, vol. IV, p. 201.

[23] Citato in Isadore Twersky, *Introduction to the Code of Maimonides*, New Haven 1980, pp. 113-14.

[24] Leo Baeck, *This People Israel: The Meaning of Jewish Existence*, trad. di Albert H. Friedlander, New York 1964, p. 138.

[25] Vedi E. Wright Bakke, *Citizens Without Work*, New Haven 1940, pp. 13-18.

[26] William Shakespeare, *Enrico IV, Parte I*, atto I, scena 2.

[27] Ginzberg, *The Legends...*, cit., vol. II, p. 99.

[28] Parish and Whyte, *Village and Family...*, cit., p. 274.

[29] *Ibid.*, p. 287.

[30] Dichiarazione Internazionale delle Nazioni Unite sui Diritti Economici, Sociali e Culturali, parte I, art. 8; vedi la discussione in Maurice Cranston, *What Are Human Rights?*, New York 1973, cap. 8.

8. *Istruzione*

[1] Aristotele, *The Politics*, 1337a, trad. di Ernest Barker, Oxford 1948, p. 390.

[2] Vedi Samuel Bowles e Herbert Gintis, *Schooling in Capitalist America*, New York 1976, p. 12.

[3] John Dewey, *Democracy and Education*, New York 1961, pp. 18-22; trad. it. *Democrazia e educazione*, La Nuova Italia, Firenze, 1984.

[4] Cfr. la proposta di Rousseau in *The Government of Poland*, cit., p. 20: "Soprattutto non si commetta l'errore di trasformare l'insegnamento in una professione." Ciò mi sembra assolutamente sbagliato.

[5] G.C. Vaillant, *The Aztecs of Mexico*, Hammondsworth (Inghilterra) 1950, p. 117; trad. it. *La civiltà azteca*, Einaudi, Torino 1972.

[6] Jacques Soustelle, *The Daily Life of the Aztecs*, trad. di Patrick O'Brian, Hammondsworth (Inghilterra) 1964, rispettivamente pp. 178 e 175.

[7] Aristotele, *Politica*, 1332b.

[8] La storia è raccontata in Aaron H. Blumenthal, *If I Am Only for Myself: The Story of Hillel*, s.l. 1974, pp. 2-3.

[9] Vedi l'appendice (*Selected Cases...*) a Ping-Ti Ho, *The Ladder of Succes in Imperial China: Aspects of Social Mobility, 1368-1911*, cit., pp. 267-318.

[10] R.H. Tawney, *The Radical Tradition*, New York 1964, p. 69.

[11] Aristotele, *The Politics*, 1332b.

[12] Perciò si sostiene spesso che il valore, poniamo, di un'istruzione superiore si "abbassa" quando questa è distribuita più ampiamente; vedi l'utile discussione di David K. Cohen e Barbara Neufeld, *The Failure of High School and the Progress of Education* in "Daedalus", estate 1981, p. 79 e in generale.

[13] William Cummings, *Education and Equality in Japan*, Princeton 1980, pp. 4-5.

[14] *Ibid.*, p. 273.

[15] *Ibid.*, p. 274; vedi anche p. 154.

[16] Aristotele, *Politica*, 1337a.

[17] Cummings, *Education and Equality in Japan*, cit., p. 274; vedi anche p. 127.

[18] *Ibid.*, p. 275.

[19] *Ibid.*

[20] *Ibid.*, p. 117.

[21] Bernard Shaw, *The Intelligent Woman's Guide...*, cit., pp. 436-37.

[22] Vedi Ivan Illich, *Deschooling Society*, New York 1972; trad. it. *Descolarizzare la società*, Mondadori, Milano 1978, che non ha niente da dire su come attuare l'istruzione elementare in una società "descolarizzata".

[23] Tawney, *The Radical Tradition*, cit., pp. 79-80 e 73.

[24] Vedi David Page, *Against Higher Education for Some* in *Education for Democracy*, a cura di David Rubinstein e Colin Stoneman, Hammondsworth (Inghilterra) 1972², pp. 227-28.

[25] John Milton, *Of Education*, in *Complete Prose Works of John Milton*, vol. II, a cura di Ernest Sirluck, New Haven 1959, p. 379.

[26] Vedi la discussione in Cummings, *Education and Equality in Japan*, cit., cap. 8, del numero crescente di ragazzi giapponesi che competono per un posto all'università.

[27] Bernard Crick, *George Orwell: A Life*, Boston 1980, riassume i fatti accertati.

[28] George Orwell, *Such, Such Were the Joys*, in *The Collected Essays, Journalism, and*

Letters of George Orwell, a cura di Sonia Orwell e Ian Angus, New York 1968, vol. III, p. 336.

[29] *Ibid.*, p. 343.

[30] *Ibid.*, p. 340.

[31] William Shakespeare, *As You Like It*, atto II, scena 5.

[32] Vedi la descrizione del "continuum carcerario", che comprende prigioni, manicomi, eserciti, fabbriche e scuole in Michel Foucault, *Discipline and Punish: The Birth of the Prison*, trad. di Alan Sheridan, New York 1979, pp. 293-308; trad. it. *Sorvegliare e punire*, Einaudi, Torino 1976. Foucault sopravvaluta le somiglianze.

[33] John E. Coons e Stephen D. Sugarman, *Education by Choice: The Case for Family Control*, Berkeley 1978.

[34] Albert O. Hirschman, *Exit, Voice, and Loyalty: Responses to Decline in Firms, Organizations, and States*, Cambridge (Mass.) 1970.

[35] Vedi l'analisi critica della decisione di Garrity e, in generale, della "parità statistica" in Nathan Glazer, *Affirmative Discrimination: Ethnic Inequality and Public Policy*, New York 1975, pp. 65-66.

[36] Congress of Racial Equality (CORE), *A Proposal for Community School Districts*, in *The Great School Bus Controversy*, a cura di Nicolaus Mills, New York 1973, pp. 311-21.

[37] La cosa è particolarmente chiara quando gli attivisti locali parlano una lingua "straniera"; vedi Noel Epstein, *Language, Ethnicity, and the Schools*, Institute for Educational Leadership, Washington (D.C.) 1977.

9. *Parentela e amore*

[1] James Boswell, *The Life of Samuel Johnson*, a cura di Bergen Evans, New York 1952, p. 285.

[2] *The Analects of Confucius*, trad. di Arthur Waley, New York, s.d. p. 83 (1:2).

[3] Lucy Mair, *Marriage*, New York 1972, p. 20.

[4] Vedi la discussione dei vincoli imposti dalla parentela al potere politico in *Terror and Resistance; A Study of Political Violence, with Case Studies of Some Primitive African Communities* di Eugen Victor Walter, New York 1969, cap. 4, e la sua descrizione dell'attacco di Shaka, "despota terrorista" degli Zulù, alla parentela, soprattutto pp. 152-54.

[5] John Selden, *Table Talk*, a cura di Frederick Pollack, London 1927, p. 75.

[6] Meyer Fortes, *Kinship and the Social Order; The Legacy of Lewis Henry Morgan*, Chicago 1969, p. 309.

[7] L'espressione citata è presa da Meyer Fortes, *Kinship and Social Order...*, cit., p. 232.

[8] Rawls, *Theory of Justice*, cit., p. 74.

[9] *Ibid.*, p. 511.

[10] Platone, *The Republic*, trad. di F. M. Cornford, New York 1945, pp. 165-66 (463-64); trad. it. *La repubblica*, in *Opere*, Laterza, Bari 1966, vol. II, p. 288.

[11] Lawrence Stone, *The Family, Sex, and Marriage in England: 1500-1800*, New York 1979, p. 426.

[12] Platone, *The Republic*, cit., p. 155 (commento di Cornford).

[13] Vedi Lawrence Kohlberg, *The Claim to Moral Adequacy of a Highest Stage of Moral Development*, in "Journal of Philosophy", 70, 1975, pp. 631-47.

[14] Mair, *Marriage*, cit., p. 7.

[15] Vedi Gordon J. Schochet, *Patriarchalism in Political Thought*, New York 1975, capp. 1-3.

[16] Friedrich Engels, *The Condition of the Working Class in England*, 1844, in Marx-Engels, *Collected Works*, New York 1975, vol. IV, soprattutto pp. 424-25 sulla "inosservanza di tutti i doveri domestici"; trad. it. *La condizione della classe operaia in Inghilterra* Mongini, Roma 1899; reprint Samonà e Savelli, Roma 1972. Vedi anche Steven Marcus, *Engels, Manchester, and The Working Class*, New York 1974, pp. 238 sgg.

[17] Jane Humphreys, *The Working Class Family: A Marxist Perspective*, in *The Family in Political Thought*, a cura di Jean Bethke Elshtain, Amherst (Mass.) 1982, p. 207.

[18] *Manifesto of the Communist Party*, in Marx-Engels, *Selected Works*, cit., vol. I, p. 48; trad. it. *Manifesto del partito comunista*, Einaudi, Torino 1976.

[19] Vedi anche F. Engels, *The Origin of the Family, Private Property, and the State*, in *Selected Works*, cit., vol. II; trad. it. *L'origine della famiglia, della proprietà privata e dello stato*, Editori Riuniti, Roma 1973. Vedi inoltre la discussione in Eli Zaretsky, *Capitalism, the Family, and Personal Life*, New York 1976, pp. 90-97.

[20] Vedi la discussione delle idee di Marx in Philip Abbott, *The Family on Trial: Special Relationships in Modern Political Thought*, University Park (Pa.) 1981, pp. 72-85.

[21] Zaretsky, *Capitalism...*, cit., pp. 62-63.

[22] Bernard Shaw, *The Intelligent Woman's Guide...*, cit., p. 87.

[23] Jean-Jacques Rousseau, *Politics and the Arts: Letter to M. d'Alembert on the Theater*, trad. di Allan Bloom Glencoe (Ill.) 1960, p. 128.

[24] *Ibid.*, p. 131.

[25] Mair, *Marriage*, cit., p. 92.

[26] Questi ed altri esempi di "liberazione" sono ottimamente caratterizzati in Abbott, *The Family on Trial...*, cit., soprattutto pp. 153-54.

[27] La citazione è presa da John Milton, *Paradise Lost*, libro V, verso 538; trad. it. *Paradiso perduto*, Mondadori, Milano 1984.

[28] Questa è una delle tesi fondamentali di Susan Moller Okin, *Women in Western Political Thought*, Princeton 1979; vedi pp. 274-75 per un'enunciazione concisa.

[29] Hugh D.R. Baker, *Chinese Family and Kinship*, New York 1979, p. 176.

[30] Jean Bethke Elshtain, *Public Man, Private Woman: Women in Social and Political Thought*, Princeton 1981, pp. 229-35.

[31] Citato in Baker, *Chinese Family...*, cit., p. 182.

[32] Citato in Fortes, *Kinship and Social Order...*, cit., p. 79 (preso da Elaine Cummings e David Schneider, *Sibling Solidarity: A Property of American Kinship*, in "American Anthropologist", 63, 1961, pp. 498-507).

10. *La grazia divina*

[1] Martin Luther, *The Pagan Servitude of the Church*, in *Martin Luther: Selections form His Writings*, a cura di John Dillenberger, Garden City (N.Y.) 1961, p. 283.

[2] John Locke, *A Letter Concerning Toleration*, introd. di Patrick Romanell, Indianapolis 1950, p. 18; trad. it. *Lettera sulla tolleranza*, La Nuova Italia, Firenze 1975, p. 10. Luther, *Secular Authority*, in *Selections...*, cit., p. 385.

[3] Locke, *Lettera sulla tolleranza*, cit., p. 9.

[4] *Ibid.*, p. 26.

[5] *Ibid.*

[6] Oliver Cromwell, *Oliver Cromwell's Letters and Speeches*, a cura di Thomas Carlyle, London 1893, p. 354 (discorso al parlamento dei santi, 4 luglio 1653).

[7] *Ibid.*, p. 355.

[8] Increase Mather, *Pray for the Rising Generation*, 1618, citato da Edmund S. Morgan, *The Puritan Family*, New York 1966, p. 183; vedi la discussione in J.R. Pole, *The Pursuit of Equality in American History*, Berkeley 1978, cap. 3.

[9] Alan Simpson, *Puritanism in Old and New England*, Chicago 1961, p. 35.

[10] Locke, *Lettera sulla tolleranza*, cit. p. 35.

11. *Il riconoscimento*

[1] Per un'ottima rassegna dei resti di questo sistema vedi "Armiger", in *Titles and Forms of Address: A guide to Their Correct Use*, London 1949[7]

[2] Alexis de Tocqueville, *Democracy in America*, trad. di George Lawrence, New York 1966, p. 601; trad. it. *La democrazia in America*, UTET, Torino 1969, p. 734.

[3] Orlando Patterson, *Slavery and Social Death: A Comparative Study*, Cambridge (Mass.) 1982, p. 97 e cap. 3 in generale.

[4] Thomas Hobbes, *Leviatano*, parte I, cap. 13.

[5] *Oxford English Dictionary*, voce "Mr.". Vedi anche la voce "Titles of Honour" dell'*Encyclopedia Britannica*, 1911[11] .

[6] Ralph Waldo Emerson, *Conduct of Life*, in *The Complete Essays and Other Writings of Ralph Waldo Emerson*, a cura di Brooks Atkinson, New York 1940, p. 729.

[7] H.L. Mencken, *The American Language*, New York 1938[4] , p. 275.

[8] Harold R. Isaacs, *India's Ex-Untouchables*, cit., pp. 27-28.

[9] Hobbes, *Leviatano*, parte I, cap. 13.

[10] È una delle tesi principali di William J. Goode, *The Celebration of Heroes: Prestige as a Social Control System*, Berkeley 1978.

[11] Thomas Hobbes, *The Elements of Law*, cit., parte I, cap. 9, par. 21, pp. 47-48; trad. it. *Elementi di diritto*, La Nuova Italia, Firenze 1968, pp. 75-76.

[12] *Ibid.*

[13] Pascal, *Pensieri*, cit., p. 129, n. 261.

[14] Frank Parkin, *Class, Inequality, and Political Order*, cit., pp. 34-44.

[15] Thomas Nagel, *Moral Questions*, Cambridge 1979, p. 104.

[16] Parkin sostiene che queste valutazioni esistono già ma sono subordinate ad altri "sistemi di significato" (*Class...*, cit., p. 97).

[17] Georg Friedrich Hegel, *The Phenomenology of Mind*, trad. di J.B. Baillie, London 1949, p. 231; trad. it. *Fenomenologia dello spirito*, La Nuova Italia, Firenze 1984.

[18] Vedi John Rawls, *Theory of Justice*, cit., pp. 103-4 e 72-74. Qui sono soprattutto gli argomenti di Rawls a interessarmi. Seguo in parte le critiche di Robert Nozick, *Anarchy, State, and Utopia*, cit., pp. 213-16 e 228.

[19] Robert C. Tucker, *Stalin and Psychology*, in *The Soviet Political Mind*, New York 1963, p. 101.

[20] Isaac Deutscher, *Stalin: A Political Biography*, New York 1960, pp. 270-71; trad. it. *Stalin*, Longanesi, Milano 1983.

[21] Anders Österling, *The Literary Prize*, in H. Schück et, al., *Nobel: The Man and His Prizes*, Amsterdam 1962, p. 75.

[22] *Ibid.*, p. 87.

[23] Rousseau, *Il governo della Polonia*, cit., p. 1199 e 1199 in nota.

[24] Simone Weil, *The Need for Roots*, cit., p. 20.

[25] Jean Bodin, *Six Books of a Commonweale*, cit., p. 586.

[26] Francis Bacon, *Essays*, n. 29, *Of the True Greatness of Kingdoms* and Estates; trad. it. *Saggi*, in Bacone, *Scritti filosofici*, UTET, Torino 1975.

[27] Bodin, *Six Brooks...*, cit., p. 586.

[28] Vedi la tesi di Ronald Dworkin che la giustizia nel senso di Rawls si basa, in ultima analisi, sull'asserzione che "Tutti gli uomini e le donne" hanno diritto a un eguale rispetto (*Taking Rights Seriously*, cit., cap. 6).

[29] Thomas Hobbes, *Leviatano*, parte II, cap. 28.

[30] M.I. Finley, *The Ancient Greeks*, Hammondsworth (Inghilterra) 1977, p. 80; trad. it. *Gli antichi Greci*, Einaudi, Torino 1972. Per una descrizione della storia e procedura dell'ostracismo vedi *Aristotle and Xenophon on Democracy and Oligarchy*, brani tradotti e commentati da J.M. Moore, Berkeley 1975, pp. 241-44.

[31] Finley, *The Ancient Greeks*, cit., p. 80.

[32] Vedi l'utile discussione della "pericolosità" come motivo di imprigionamento in Norval Morris, *The Future of Imprisonment*, Chicago 1974, pp. 63-73.

[33] H. L.A. Hart, *Punishment and Responsibility*, Oxford (Inghilterra) 1968, pp. 21-24.

[34] Jean-Jacques Rousseau, *A discourse on the Origins of Inequality*, in *The Social Contract and Discourses*, cit., p. 266; trad. it. *Sull'origine della disuguaglianza*, Editori Riuniti, Roma 1983. Per una buona discussione dell'atteggiamento di Tertulliano vedi Max Scheler, *Ressentiment*, a cura di Lewis A. Coser, New York 1961, p. 67.

[35] Mary Searle-Chatterjee, *The Polluted Identity of Work: A Study of Benares Sweepers*, in *The Social Anthropology of Work*, a cura di Sandra Wallman, London 1979, pp. 284-85.

[36] William Makepeace Thackeray, *The Book of Snobs*, Garden City (N.Y.) 1961, p. 29.

[37] Norbert Elias, *The Civilizing Process: The History of Manners*, New York 1978, p. 210; trad. it. *La civiltà delle buone maniere*, Il Mulino, Bologna 1982. Vedi anche Nozick, *Anarchy...*, cit., pp. 243-44.

[38] *Oxford English Dictionary*, voci "self-esteem" (stima di sé) e "self-respect" (rispetto di sé). David Sachs è uno dei pochi filosofi contemporanei ad avere scritto su questa distinzione: vedi *How to Distinguish Self-Respect from Self-Esteem*, in "Philosophy and Public Affairs, 10, autunno 1981, pp. 346-60.

[39] Tocqueville, *La democrazia in America*, cit., p. 731.

[40] Weil, *The Need for Roots*, cit., p. 19.

[41] Rousseau, *The Social Contract*, libro III, cap. 15, in *Social Contract and Discourses*, cit., p. 93.

[42] Vedi la discussione di questi problemi — ma tutti sotto il titolo "self-esteem" (stima di sé) da parte di Rawls, *Theory of Justice*, cit., p. 234.

[43] Weil, *The Need for Roots*, cit., p. 20.

[44] Vedi la tesi di Robert Lane che il lavoro è più importante della politica per sostenere la "stima di sé" (*Government and Self-Esteem*, in "Political Theory", 10, febbraio 1980, p. 13).

[45] Pascal, *Pensées*, cit., nn. 145 e 306.

[46] William Shakespeare, *Antonio e Cleopatra*, atto III, scena 4.

[47] Platone, *Repubblica*, libro IX, 571-76.

[48] Marx, *Manoscritti economico-filosofici*, in *Opere filosofiche giovanili*, cit., pp. 253-54.

12. *Potere politico*

[1] Hobbes, *Leviatano*, parte II, cap. 19.

[2] Vedi la discussione della tutela da parte del capo o del monarca in Lucy Mair, *Marriage*, cit., pp. 76-77.

[3] I testi platonici chiave sono *La repubblica*, I, 341-37 e IV, 488-89; *Gorgia*, 503-8; *Protagora*, 320-28.

[4] Platone, *Repubblica* IV, 488-89, in *Opere*, vol. II, p. 311.

[5] Renford Bambrough, *Plato's Political Analogies*, in *Philosophy, Politics, and Society*, a cura di Peter Laslett, Oxford 1967, p. 105.

[6] Platone, *Protagora*, 322; vedi la traduzione e discussione di questo passo in Eric A. Havelock, *The Liberal Temper in Greek Politics*, New Haven 1957, p. 169.

[7] Tucidide, *History of the Peloponnesian War*, trad. di Richard Crawley, London 1910, II, 40 (p. 123).

[8] Michel Foucault, *Discipline and Punish...* cit., p. 223. Vedi anche Foucault, *Power/Know-ledge: Selected Interviews and Other Writings, 1972-1977*, a cura di Colin Gordon, New York 1980, specialmente nn. 5 e 6.

[9] Foucault, *Discipline and Punish...*, cit., pp. 293-308.

[10] Vedi le utili discussioni di Steven Lukes, *Power: A Radical View*, London 1974, e William E. Connolly, *The Terms of Political Discourse*, Lexington (Mass.) 1974, cap. 3.

[11] Per un esempio vedi Martin Carnoy e Derek Sheater, *Economic Democracy: The Challenge of the 1980s*, White Plains (N.Y.) 1980, pp. 360-61.

[12] Per la tesi che ci si deve affidare al mercato e ai tribunali anziché all'azione dell'esecutivo e del legislativo vedi Robert Nozick, *Anarchy, State and Utopia*, cit., pp. 79-81; cfr. la monografia di Matthew Crenson *The Unpolitics of Air Pollution; A Study of Non-Decisionmaking in Cities*, Baltimore 1971.

[13] Per una possibile complicazione ulteriore vedi quanto dice Connolly su minacce e previsioni in *The Terms of Political Discourse*, cit., pp. 95-96.

[14] Per un eccellente inizio vedi Grant McConnell, *Private Power and American Democracy*, New York 1966.

[15] *R.H. Tawney's Commonplace Book*, cit., pp. 34-35.

[16] Karl Marx, *On the Jewish Question*, in *Early Writings*, pp. 12-13; trad. it. *La questione ebraica*, in *Scritti politici giovanili*, Torino 1950.

[17] Stanley Buder, *Pullman: An Experiment in Industrial Order and Community Planning, 1880-1930*, New York 1967.

[18] *Ibid.*, pp. 98-99.

[19] *Ibid.*, p. 107.

[20] *Ibid.*, p. 95; vedi anche William M. Carwardine, *The Pullman Strike*, introduzione di Virgil J. Vogel, Chicago 1973, capp. 8, 9 e 10.

[21] Richard Ely, citato in Buder, *Pullman...*, cit., p. 103.

[22] *Ibid.*; vedi anche Carwardine, *The Pullman Strike*, cit., cap. 4.

[23] Carwardine, *The Pullman Strike*, cit., p. XXXIII.

[24] Buder, *Pullman...*, cit., p. 44.

[25] Marx, *Capital*, cit., vol. III, pp. 383 e 386. Lenin ripete l'argomento proponendo "la mite guida di un direttore d'orchestra" come esempio di autorità comunista: vedi *The Immediate Tasks of the Soviet Government*, in *Selected Works*, New York s.d., vol. VII, p. 342.

[26] Hobbes, *Elementi di diritto*, cit., parte II, cap. 2, par. 5.

[27] *Aristotle and Xenophon on Democracy and Oligarchy*, Berkeley 1975, p. 292 (la citazione è presa dal commento di Moore).

[28] Rousseau, *Contratto sociale*, cit., libro III, cap. I.

[29] Jane J. Mansbridge, *Beyond Adversary Democracy*, New York 1980, p. 147.

[30] Rousseau, *Contratto sociale*, cit., libro II cap. 3.

[31] Hannah Arendt, *The Human Condition*, Chicago 1958, p. 41.

[32] L'attribuzione da preferire, secondo l'*Oxford Dictionary of Quotations*, 1979 è quella a Adlai Stevenson.

[33] Vedi John Gaventa, *Power and Powerlessness: Quiescence and Rebellion in an Appalachian Valley*, Champaign (III) 1982.

13. *Tirannie e società giuste*

[1] Walter C. Neale, *Reciprocity and Redistribution in the Indian Village: Sequel to Some Notable Discussions*, in *Trade and Market in The Early Empires*, Chicago 1971, p. 126.

[2] Harold R. Isaacs, *India's Ex-Untouchables*, cit., capp. 7 e 8.

[3] Karl Marx, *Capital*, a cura di Friedrich Engels, New York 1967, p. 194; ho seguito la traduzione e l'interpretazione di Alan W. Woods, *The Marxian Critique of Justice*, in "Philosophy and Public Affairs", I, 1972, pp. 263 sgg.

[4] John Kenneth Galbraith, *American Capitalism* Boston 1956, cap. 9; trad. it. *Il capitalismo americano*, ETAS, Milano 1978.

[5] Vedi per esempio Alvin W. Gouldner, *The Future of Intellectuals and the Rise of the New Class*, New York 1979.

[6] Aristotele, *Politica*, 1283.

Indice

Stampa Sipiel - Milano, ottobre 1987